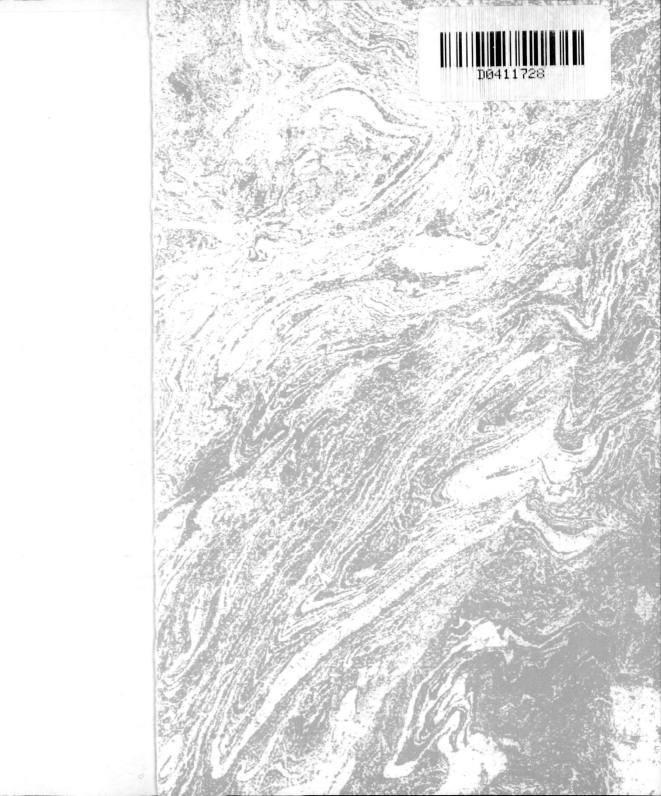

Je prachtige mond

Nancy Richler

Je prachtige mond

Vertaald door Stina de Graaf

Vassallucci Amsterdam 2002

Oorspronkelijke titel: *Your Mouth Is Lovely*
Oorspronkelijke uitgever: Ecco Press/Harper Collins
© Nancy Richler 2002
© Vertaling uit het Engels: Stina de Graaf 2002
© Nederlandse uitgave: Uitgeverij Vassallucci Amsterdam 2002
Omslagontwerp: René Abbühl Amsterdam
Omslagfoto: © Roman Vishniac 1939
Foto achterzijde: © Dorothy Elias
ISBN 90 5000 389 3
NUR 302
http://www.vassallucci.nl

Arglistig is het hart, meer dan enig ding, ja,
dodelijk is het, wie zal het kennen?

Jeremia 17:9

Siberië, april 1911

De lente is aangebroken, zelfs hier. We merken dit het eerst aan de geur van schimmel die zich over de vloer verspreidt, we horen het aan het langzame wegdruppelen van het ijs dat de hele winter onze muren bedekt heeft. Spoedig zal het water uit de bergen rondom ons naar beneden komen kolken, zullen de rookwolken verschijnen als in de afgelegen dorpen het gras van afgelopen zomer verbrand wordt, vervolgens komt de geur van het gras zelf, dat zoetheid en leven door de tralies van onze open ramen naar binnen waait. Voorlopig echter nemen we genoegen met het langzame ontdooien van de ijsgrot waarin we sinds de herfst gewoond hebben, de geuren van schimmel en bederf die ten slotte vrijkomen uit de greep van de winter, onze plannen voor onze piepkleine tuin op de binnenplaats. Maria zet de compost om, zodat de verrotting die onze groentes en bloemen zal voeden, wordt versneld. 'Verenig je,' fluistert ze in alle ernst tegen haar stinkende hoop schillen. Ik kijk even op, maar ze is verdiept in haar taak.

Verenig je, was wat we begonnen te horen in die jaren die uitmondden in de mislukte revolutie. Dat kwam van intellectuelen zoals Maria die door het land zwierven, vol vuur over hun visioen van een nieuwe toekomst, dat kwam van onze eigen lippen toen het vuur van hun koorts zich verspreidde, van de natuur rondom ons waar één enkele regendruppel plotseling belangrijk werd, omdat die bereid was zijn eigen vorm op te geven in het stijgende water van een wilde rivier die buiten zijn oevers getreden is. *Verenig je*, smeekte je vader me eens. Vernietiging baart schepping.

Dit is mijn vijfde lente in de gevangenis van Maltsev. Elke winter weer weet ik zeker dat het mijn laatste zal zijn. *Tot stof zult gij wederkeren* hoor ik mezelf zeggen, terwijl mijn bevroren vingers met moeite de pen vasthouden waarmee ik je deze woorden schrijf. *Want stof zijt gij*, mompel ik, en er ligt niets dan lijden en vreugde tussenin. Ik heb mijn deel gehad. Heet en scherp – ik proef het nog steeds in het bloed dat mijn mond vult als ik hoest.

Ze hebben me bij de politieke gevangenen gezet. Een vergissing. Wat ik deed was misdadig – dat weet ik – maar goed verpakt in mooie woorden: hoe hoger het ideaal, des te losser worden de ketenen van de menselijkheid. Dus in plaats van weg te kwijnen in het vuil en de ellende van de afdeling criminelen, zit ik hier tussen de verheven, politieke gevangenen van Maltsev.

'Je moeder was een heldin,' zal er tegen je gezegd worden. 'Ze offerde zichzelf op, zodat anderen het beter zouden hebben.' Dat is een leugen, maar toch ook weer niet helemaal. Niemand kan met zo weinig woorden begrepen worden. Daarom schrijf ik je dit, mijn schrale offerande, mijn poging om een pad naar je eigen begin te banen.

We zijn streng voor onszelf. Altijd al, maar vooral in de winter, als de ijzige stilte ons dreigt uit te wissen, en wel net zo grondig als het de wereld buiten onze vier muren heeft uitgevlakt. 's Morgens studeren we. Anatomie, de Oudheid, wiskunde, filosofie. Ieder boek dat niet verboden is, wordt verslonden en weer uitgebraakt, de inhoud ervan wordt gedeeld en bediscussieerd. 'De socialisering van intellectueel bezit.' Zo noemen mijn kameraden deze menselijke inspanning, het delen van ideeën in een gesprek, die van alle menselijke inspanningen de gewoonste is. Het zijn een stelletje verheven denkers. Ze praten niet gewoon over ideeën, zoals mensen dat gedaan hebben sinds ze met het geschenk van de spraak begiftigd zijn. Ze 'zorgen ervoor dat onderwijs, dat in vrijheid ongelijk verdeeld was, gemeenschappelijk goed wordt.'

De lunch duurt kort – en verschaft ons geen genoegen. Een snee zwart brood, een kom waterige soep, waarna we ons weer aan onze studies wijden. We warmen ons met thee – ons fornuis is ontoereikend – en daarna rennen we over de binnenplaats en zwaaien we met onze armen en slaan onze handen tegen elkaar. Ook het avondmaal duurt kort – boekweit dat blauw geworden is van het ijzer van onze koekenpan. De lange avonden kruipen we dicht tegen elkaar aan, we delen een kaars, een deken, de warmte van onze lichamen. En ik hoest altijd.

We proberen het, maar aan het einde van de winter wankelt ons voornemen. We zijn te moe, te koud. Het bloed dat mijn mond vult, is kleverig, zurig zelfs terwijl ik nog steeds ademhaal. Job zweeft ongenood mijn gedachten binnen. *Naakt kwam ik uit de schoot van mijn moeder; en naakt keer ik er terug.* De kou blijft, zelfs als het daglicht terugkeert. Ik schrijf je, maar mijn hand aarzelt. *Alles heeft zijn tijd*, en mijn tijd was: drieëntwintig jaar in het holst van de eeuwwisseling. Ik voel dat mijn tijd gekomen is. *De Heer geeft en neemt.* Dan hoest ik weer en het is de smaak van mijn eigen bloed die me aanspoort. Het is immers toch nog steeds zo dik en scherp en rijk als het hart dat het rondpompt? Ik pak de pen nog een keer op en beweeg hem over de bladzijde. En dan op een morgen word ik wakker van het druppelen van water en adem ik het ontluiken van de vroege lente in.

Het is bijna zes jaar geleden dat je geboren bent, zes jaar min een dag sinds je van mij afgenomen werd. Afgenomen, begrijp je wel? Ik zou nooit afstand van je hebben gedaan. Ik was nog in Kiev en wachtte op mijn executie. Ik zou opgehangen worden zodra je geboren was; dat was mijn vonnis: de doodstraf, uitgesteld tot na je geboorte. Ik stuurde Beile een briefje waarin ik haar smeekte me te vergeven voor wat ik haar ging vragen, waarin ik haar smeekte jou te vinden en te redden van de dood. Daarna wachtte ik op de strop. Ik wachtte een week, twee weken. In de derde week na je geboorte werd mijn vonnis omgezet in 'levenslang'. Barmhartigheid noemden ze het. Ik maakte me geen illusies over wat me te wachten stond. Maar toch was ik gelukkig. Dat was een van de gelukkigste dagen van mijn leven, de dag waarop ik Beile's briefje kreeg.

'Ze is prachtig,' schreef Beile me. Jou, bedoelde ze. Ze was naar het tehuis voor vondelingen gegaan waar ze je naar toe gebracht hadden, en had je opgeëist. 'Mooi maar broodmager, net als haar moeder.' *Broodmager, net als je moeder*, maar ook net zo sterk. Dat wist ik vanaf het moment dat je geboren was. Ik voelde je mond aan mijn borst voor ze je van me afpakten. Ik voelde de kracht, de schoonheid van je honger. Chajje noemde ik je. Voor Leven.

'Ik heb voor de derde van de volgende maand een overtocht naar Montreal geboekt,' schreef Beile. 'Sjeindl was zo vriendelijk me in haar huis een bed aan te bieden. Genereus als altijd – ik vermoed dat ik haar dienstmeisje zal zijn. Maar het is een begin, nietwaar? Net toen ik dacht dat het afgelopen was, althans met mij in ieder geval, blijkt dat je nog leeft, dat je dochter in veiligheid is en dat ik weer een nieuw leven in het vooruitzicht heb.'

En wat die vergiffenis betreft, zei Beile, als daar al sprake van zou zijn, dan was zij het wel die vergiffenis aan mij zou moeten vragen. Ze wilde goedmaken wat ze me afgenomen had en daar zou ze haar leven aan wijden.

'Je dochter is in veiligheid,' verzekerde Beile me nog een keer. 'Wat voor problemen je verder ook mag hebben, je kunt in ieder geval gerust zijn dat je dochter in veilige en liefdevolle handen is. Ik zal haar opvoeden alsof ze mijn eigen kind is, tot je haar komt ophalen. En je komt haar ophalen, Mirjem. Dat weet ik zeker.'

Een

Minsk Goebernia, 1887

In de zevende maand van haar zwangerschap droomde Henje dat ze dorst had. Het was de maand Tammuz, al was daar niet veel van te merken. Nergens waren ze, die hoge blauwe luchten van vorige zomers, die middagbries zoet van bloeiende rogge. De lucht was zo zwaar van de hitte dat de tarwe op het veld boog onder het gewicht ervan, en de lucht hing geel en laag boven de stad, wat niet veel goeds voorspelde. Nacht na nacht lag Henje op bed en droomde dat ze dorst had. Zo dorstig was ze nog nooit in wakende toestand geweest. Het was een onverbiddelijke dorst. Bovenaards.

Dit was haar tweede zwangerschap. De eerste was in een schrikbarend ongeluk geëindigd. Schrikbarend, omdat alle tekenen – tot aan de geboorte zelf – zo gunstig hadden geleken. In de zevende maand van die zwangerschap was het schoppen in haar zo krachtig geweest dat ze een korst brood op haar opgezwollen buik kon leggen alleen maar vanwege het plezier om de korst door de kamer te zien vliegen. Het was een jongen, wist ze, en begiftigd met zo'n energie en overduidelijke, doelgerichte kracht dat hij vast en zeker alleen maar voor iets groots voorbestemd kon zijn.

Dat was haar eerste fout: het vermoeden dat er een Goddelijke bedoeling achter stak.

Een tweede maakte het alleen maar erger: ze vertelde het aan de andere vrouwen in de stad. Dat was roekeloos. Onbezonnen. Dat moest het boze oog wel in verzoeking brengen. Om maar te zwijgen van Lilith, die niets liever deed dan de baby's van andere vrouwen stelen.

Maar toch, het schoppen bleef aanhouden. En toen het nieuwe maan was in de maand Av, begonnen de eerste scheuten van de bevalling. De vroedvrouw werd geroepen, de scheuten veranderden in pijn. Alles leek te gaan zoals zou moeten: de kruin verscheen al snel, gevolgd door het lijfje, lang en perfect, en ten slotte de benen die schopten op een manier die de moeder al zo goed kende.

'Een jongen,' verklaarde de vroedvrouw, maar toen hij zijn mond open deed om te huilen, kon hij geen adem krijgen.

Hij probeerde het nog eens. En nog eens. Met zijn mond open als een vis hijgde hij en snakte naar adem, maar tevergeefs. Gewend als hij was aan de ijlere lucht van de andere wereld, vond hij de onze te dik. Te vol, misschien, met sterfelijke verlangens en teleurstellingen. Als modder hoopte het zich op in zijn longen. Hij begon te zwoegen en te beulen, zijn kleine rug was gekromd, zijn huid werd blauw. Zijn benen bewogen nog steeds, maar het was meer een zenuwtrekking dan een schop, als de dans van een kip waarvan de kop al door het stof rolt. De vroedvrouw gaf hem een klap, schudde hem door elkaar, blies alle lucht die ze zelf over had in zijn snakkende mond, maar zijn longen waren niet als die van ons. Meer als vleugels dan longen fladderden ze in zijn borst, hem terugvoerend naar de wereld waar hij thuishoorde.

Vlak voor hij stierf, gaven ze hem een naam. Een laatste poging misschien om zijn vluchtende ziel te verstrikken. Jankev noemden ze hem, naar zijn grootvader die zo van het leven gehouden had.

Dat was de derde fout. Ze hadden hem Jankev Simche moeten noemen. Dat was de volledige naam van onze grootvader. Jankev, die met de engel vocht, en Simche die vol vreugde is. Een evenwichtige naam, vol geluk – zo zou mijn broer hebben moeten heten. In plaats daarvan gaven ze hem aan de aarde terug, voor eeuwig vechtend met zijn engel.

En vechten deed hij. Vanaf het moment waarop hij in die andere wereld terugkeerde, kreeg hij zijn kracht terug. Maar die was nu gekoppeld aan een wreedheid die hij daarvoor nooit vertoond had. Zijn schoppen begon opnieuw. Eerst schuchter durfde hij alleen haar dromen te verstoren. Daarna werd het schoppen brutaler, onbeschaamder, en begon het haar op alle tijdstippen van de dag en de nacht af te leiden. Datzelfde schoppen dat haar eens zo verrukt had met de belofte die het inhield, bespotte haar nu, folteringen waren het, een regen van slagen en spot waaronder ze al spoedig begon te wankelen.

Snel genoeg raakte ze weer in verwachting – ze was jong en lichamelijk gezond – maar haar geest was veranderd. Ze kon nauwelijks eten, keek niemand meer aan, en naarmate haar zwangerschap vorderde, begon ze zich steeds vreemder, ja zelfs gestoord te gedragen. Soms, midden in een huishoudelijk karwei, een gesprek – het maakte niet uit wat – hield ze plotseling op, met een verstard gezicht, alsof ze naar iets in de verte luisterde. De dagelijkse taken die ons in deze wereld verankeren, wekten haar weerzin op. Water en vuur – de elementen die aan de zorg van vrouwen zijn toevertrouwd – werden door haar verwaarloosd. Het fornuis bleef uit, haar waterbekken verzamelde stof. De roep uit de ander wereld was meedogenloos.

Al die maanden dat ze van mij in verwachting was, vervreemdde ze steeds meer van dit leven – en ik probeerde, al die tijd, mijn voedsel van haar te krijgen.

De nachten waren het ergst. De dorst. Gekweld hierdoor in haar dromen, woelde Henje en schreeuwde in haar slaap. Nacht na nacht schreeuwde ze – schorre kreten, halfverstikte snikken. Als mijn vader Arn Leib zulke geluiden hoorde, vreesde hij voor haar leven, haar ziel, voor de ziel van het ongeboren kind – mijn ziel. Maar zodra hij besloten had de rabbi te raadplegen, kwam er verlichting. Verlichting in de vorm van een vreemdeling, een jongen die een kruik water droeg. De jongen goot wat water in zijn hand, water zo koel en verfrissend dat Henje kreunde van plezier toen ze uit de kom van zijn hand dronk. Toen mijn vader dit gekreun hoorde, begreep hij dit verkeerd. Hij dacht dat het een ander soort plezier betrof en maakte haar onmiddellijk wakker. Het was een godvruchtig man, begrijp je. Hij maakte haar wakker, zodat ze behalve de last van het kind dat in haar groeide, ook niet de last van een zonde hoefde te dragen.

Maar was Henje dankbaar dat haar man haar voor zonde behoed had? Hoe kon ze dankbaar zijn? Door haar dorst bestond ze enkel nog uit verlangen, een perfecte boog die gespannen was naar dat ene punt van begeerte. Ze was kwaad: ze was zó dichtbij geweest en nu werd ze weggerukt, ze was razend dat ze weggetrokken werd van het verbond dat ze op het punt had gestaan aan te gaan.

De jongen kwam terug. Zijn waterkruik was nu leeg. Hij nam haar bij de hand en leidde haar naar de bron: een vijver glad als glas en vol water zo puur en helder dat ze de gespikkelde stenen kon zien die zes meter onder het wateroppervlak de bodem vormden. Ze was nog maar net gaan liggen op het door de zon verwarmde leisteen dat de oevers bedekte en raakte met haar lippen het koele oppervlak, toen haar man haar wakker schudde en haar weer wegtrok. Terug in de bedompte hitte van haar huis, het gekriebel van haar strooien bed, de zware last van het nieuwe leven dat in haar groeide.

De betekenis van de droom was onmiddellijk duidelijk voor mijn vader, voor de andere vrouwen in de stad, voor iedereen die ervan hoorde. De jongen was niemand minder dan Jankev die zijn moeder kwam terughalen. Als Arn Leib haar op dat moment niet wakker gemaakt had zouden haar lippen feitelijk onder het oppervlak van het water gekomen zijn, die bedrieglijke, verleidelijke vijver...

De volgende avond, toen ze nog maar zeven maanden zwanger was, kreeg Henje weeën. Een slecht begin, dat zal ik niet ontkennen, maar wat voor keus had ik? Kiest een kind voor zo'n binnenkomst als ze voorspoedig groeit in het paradijs van haar moeders schoot? Ik ging daar binnen dood van de honger, was uitgedroogd, reeds uitgeput. Ik ontsnapte en kwam levend ter wereld en werd eerst Nechame genoemd, voor Troost.

Wat een troost.

Nauwelijks elf maanden na het verlies van haar eerstgeborene zouden sommige vrouwen hun nieuwe baby als een wonder beschouwd hebben, een geschenk, een tweede kans op zijn minst.

Maar niet mijn moeder. Niet Henje. Vernoemd naar Channe – een vrouw zo bedroefd om haar eigen onvruchtbaarheid dat de hartstocht van haar gebeden om een kind het voorbeeld van vroomheid werd, waar we allemaal naar streven – wilde deze Henje zelfs niet naar haar kind kijken. Niet dat er veel te zien was – ik was niet groter dan een rat, en bont en blauw van al zijn geschop – maar ik was toch van haar, nietwaar?

De vroedvrouw legde me aan mijn moeders borst, maar ze was kurkdroog. Dat was geen verrassing. Niet op dat moment. Melk verwachtte ik niet van haar, maar een blik? Eén enkele blik?

Ik werd naar een min gebracht, en de volgende dag, zonder ook maar een blik op het nieuwe leven dat ze had voortgebracht, liep Henje de rivier in en leste haar bovenaardse dorst.

Ik had uiteraard niet moeten blijven leven. Een fatsoenlijker kind zou doodgegaan zijn. Of zich tenminste stil gehouden hebben, uit eerbied voor het verdriet dat om haar geboorte hing. Maar ik heb nooit zulk respect gekend, en ik zou er niet geweest zijn als ik dat wel gedaan had. Mijn mond was net zo groot en inhalig als die van mijn arme broer geweest was, met dat verschil dat de lucht in deze wereld gezond voor mij was, voedzaam na de ontberingen die ik in de baarmoeder doorstaan had. Steeds weer vulde ik mijn longen, mijn mond altijd open, wachtend op leven dat naar binnen zou vliegen.

Niemand verwachtte dat ik zou blijven leven – een kind dat onder zulke omstandigheden geboren was, onaangeraakt door de hand of het oog van een moeder. Ik had de pech lelijk te zijn, leek meer op een kraai dan een kind, mijn huilen leek meer op krassen en ik had donkere donshaartjes die mijn hele lichaam bedekten. Ze gaven me aan mijn min en verwachtten beslist dat ik voor de volgende maan aan de aarde teruggegeven zou zijn. Maar mijn min kreeg medelijden met mij. Ze keek me aan. Geen mens had me tot nu toe aangekeken. Geen mens had me in de ogen gekeken. Hoe kon ik weten wat ik was? Lipsa keek me aan, en pas daarna legde ze me aan haar borst.

Te laat misschien wel. Kijk eens naar mijn haakneus, mijn doordringende ogen, mijn tengere, benige lichaam dat eerder gebouwd is om te vliegen dan om te lopen. Zelfs de manier waarop ik deze stoel in bezit heb – in werkelijkheid bezit ik hem niet; ik bezit niets – zittend op het randje alsof het houten geraamte de laaghangende boomtak is die ik mijn hele leven al gemist heb. Stel je het moment van mijn geboorte voor: de houten hut die onder de zomerzon ligt te bakken, de jammerende vrouw op het bed bij het raam dat open staat om elk zuchtje wind op te vangen. En net buiten dat open raam de eenzame kraai op een laaghangende tak, die naar binnen kijkt. Vol verlangen.

Maar toch probeerde Lipsa het. Ze zong voor me, lieve mensenliedjes. Nacht na nacht zong ze en toen ik de eerste maand van mijn leven overleefd had, bond ze me aan een boom en spreidde een picknick naast me uit. Onder de gele hemel van die zomer bond ze me aan een boom, terwijl ze op korte afstand een feestmaal uitspreidde van honing, dadels en kleine taartjes die ze gebakken had. Om mijn fortuin op de proef te stellen, snap je. Om die te bewegen mij te verlaten. Alsof fortuin zo verdorven en slim als de mijne door zo'n meelijwekkend complot voor de gek gehouden kon worden. Alsof de delicatessen die Lipsa bij elkaar had weten te schooien, zoeter waren dan de ziel van een meisjesbaby. Maar Lipsa was hoopvol. Al eerder had ze de fortuin misleid en soms met verheugend resultaat. Honing, dadels en kleine taartjes bood ze voor mij in de plaats, waarna ze zich achter een boom terugtrok om te zien wat er zou gebeuren.

Eerst jammerde ik wat, daarna zette ik het op een brullen, terwijl op slechts korte afstand de honing blonk en de dadels hun welriekend geur verspreidden. De lucht was vochtig, vol insecten; ik wurmde als een rups tegen een boom. Maar Lipsa wachtte. Mieren begonnen zich bij de picknick te verzamelen, een paar bijen, enkele wespen. Kraaien natuurlijk. De lucht verdikte zich in de middaghitte, glinsterend van dat wat ongezien voorbij trok. En toch wachtte Lipsa. Na verloop van tijd – ik weet niet hoelang het duurde – werd mijn gewurm minder, mijn gehuil veranderde in gehik en ten slotte precies op het moment dat ik mijn ogen dicht deed en in slaap viel, maakte Lipsa me los en nam me stilletjes mee.

Diezelfde avond gaf ze me een andere naam, Mirjem. Voor de

zekerheid. Zodat als mijn fortuin, als die moe was van alle zoetigheid, terug zou komen op zoek naar Nechame, hij alleen Mirjem zou vinden. Bittere Zee. Hoe dan ook, een betere naam voor mij.

Twee

Zes jaar woonde ik bij Lipsa en zes jaar lang vergat ik dat ik niet van haar was. Dat verwijt ik Lipsa niet. Ze had het druk. Ze had zeven kinderen in huis – zes van haarzelf en ik. Haar man was venter en was dagen van huis, soms wel weken achtereen. Lipsa plukte kippen, verkocht eieren, nam kinderen van andere vrouwen in huis en deed hun was. Een winter lang pakte ze lucifers in voor de fabriek in Mozyr. Tijdens een andere winter maakte ze augurken in om op de markt te verkopen. Ze had geen tijd me aan mijn ongeluk te herinneren.

We werkten allemaal, pakten lucifers in, duwden karren vol wasgoed van en naar de rivier, maar we hadden ook plezier. Zo maakte ik graag de eieren schoon die voor de markt bestemd waren. Teer en breekbaar, waren ze stuk voor stuk zwaar van het geheim dat leven heet. Met drie jaar verwijderde ik vuil en veren zonder ooit een ei te breken.

Toen ik zes jaar was, hertrouwde mijn vader. Het was ongebruikelijk dat een weduwnaar daar zo lang mee wachtte, ongebruikelijk dat een man zo veel jaar alleen woonde – voor een jongeman tenminste. Natuurlijk werd erover gepraat. Allemaal roddelpraatjes. Men dacht dat mijn moeder achter zijn onnatuurlijke gedrag zat. Haar lichaam was tenslotte nooit gevonden, was nooit behoorlijk ten ruste gelegd. Haar rusteloze geest kon overal wel rondzweven.

Een vrouw in mijn vaders positie zou nooit hebben mogen trouwen. *Agoenah* zouden we haar genoemd hebben, een in de steek gelaten vrouw. Onze stad telde er twee: Sime, haar man was zeker dood – zijn met bloed bespatte jas was kort na zijn verdwijning in het bos gevonden – en Froeme. Haar man was tien jaar geleden naar Amerika vertrokken en was vergeten haar over te laten komen. Die vrouwen waren betreurenswaardig. Voor de rest van hun leven waren ze gebonden aan iemand die er niet was. In de steek gelaten mannen echter konden veel makkelijker dispensatie voor hun huwelijk krijgen. En toen ik zes was, kreeg mijn vader die dan ook.

Tsila heette zijn bruid. De oudste dochter van Avrohem de Held. Hij werd de Held genoemd, omdat hij tien jaar daarvoor, toen zijn huis midden in de nacht in brand was gevlogen, alleen naar buiten gerend was en in de sneeuw was gaan zitten, met zijn hoofd in zijn handen, huilend heen en weer wiegend, terwijl zijn vrouw hun vijf kinderen in veiligheid bracht.

Tsila was twintig toen mijn vader met haar trouwde. Een lang meisje was ze, tenger als een riet, en ze had lang, fluwelen haar met de kleur van honing. Hardwerkend en praktisch als ze was, met handige vingers en een sterke rug, had ze onder overigens gelijke omstandigheden een veel jongere man kunnen trouwen en een betere partij kunnen vinden dan een schoenmaker met een eerste vrouw van wie de ziel nooit echt vrede gevonden had. Maar de omstandigheden waren anders: het gezicht van Tsila was door Goddelijke woede getekend. Over haar linkerwang en uitlopend tot op haar kin was onmiskenbaar de rode handafdruk van de engel te zien die haar voor haar geboorte een klap gegeven had.

Bij een meisje met een aardig karakter zou zo'n wijnvlek worden goedgepraat als zijnde een vergissing, een kortstondig versagen van het Goddelijk inzicht.

'Kijk eens naar haar haar,' zou een slimme koppelaar opgemerkt hebben. 'Haar ogen lijken wel van smaragd. Haar stem zingt als een viool, en haar figuur…' Maar Tsila was niet aardig. Ze was zuur als bedorven melk, en er waren mensen die zeiden dat de engel, toen hij haar gezicht tekende, ook een schijfje citroen onder haar tong gelegd had om te voorkomen dat ze iets zou proeven van de aangenamere specerijen die het leven te bieden had.

Twee dagen na Poerim trouwden ze, en spoedig daarna liet hij me komen. De lente was vroeg dat jaar; de wegen waren rivieren van modder. Lipsa liep samen met mij over de houten planken die over de modder gelegd waren, zodat we er niet in zouden wegzinken. 'Je moet lief zijn,' zei Lipsa onder het lopen. Ik staarde naar de donkere modder die door de kieren van de planken sijpelde. 'Je moet goed helpen en doen wat ze zegt.'

Het was een milde dag, de lucht vol geuren die de hele winter in ijs ingekapseld geweest waren. 'Zij is nu je moeder,' zei Lipsa. Ik ademde uitbottend groen in, dooiende uitwerpselen, en aarde die zacht aan het worden was. 'Je had geen moeder, maar nu heb je er een.'

We liepen langs de slager, de geur van vers bloed, kippenpoten. Langs de kraam van Reizl vol rottend fruit. Het was donderdag. Lipsa's man zou morgen thuiskomen. Soms, als hij lang weggeweest was, bracht hij kleine cadeautjes mee. Op een keer had hij snoep voor ons meegebracht. Harde gele ballen zo zuur dat het zweet me op mijn voorhoofd parelde. 'Ik ben nooit je moeder geweest,' zei Lipsa.

We liepen de smalle steeg in waar Malke de Afvallige gewoond had. Doorgaans mocht ik niet in deze steeg komen. Malke's moeder was lang geleden van schaamte gestorven, maar nog steeds was op bepaalde nachten van het jaar haar geweeklaag te horen. Een dikke druppel water viel op mijn gezicht. Ik keek naar Lipsa. Haar ogen waren zwart als kool. Er vielen meer druppels. Lipsa pakte mijn hand steviger vast en leidde ons snel voort. We waren nu dicht bij de rand van de stad – de houten planken reikten niet zo ver. Met iedere pas zakten we enkeldiep in de modder. Er zong een leeuwerik, maar zien kon ik hem niet. De modder leefde en zoog hongerig aan onze voeten.

Ik was sinds mijn geboorte niet in mijn vaders huis geweest, had hem behalve in het voorbijgaan niet gezien, zijn stem nooit gehoord. We begonnen de heuvel op te lopen. Ik wist dat we er zouden zijn als we de top bereikt hadden. De regen viel nu gestaag. Lipsa schikte haar hoofddoek, en streek even snel over haar kin. Ze had een plukje grof zwart haar dat op haar kin groeide als de sik van een geit. Op zaterdagavond als de mannen naar de sjoel waren en wij thuis wachtten op de drie sterren die een einde aan sjabbes zouden maken en de nieuwe week zouden inluiden, nam ze me gewoonlijk op schoot. Het haar op haar kin kietelde tegen mijn wang als ze lachte.

We bereikten de top van de heuvel en stopten voor een huis zonder bovenverdieping. Het zag eruit als ieder ander huis. De muren bestonden uit houtblokken, het dak was steil en in de schemering van de namiddag waren de ramen aan beide zijden van de deur vierkanten van geel licht. Er scharrelden kippen in de modder op de binnenplaats. Rook steeg recht omhoog uit de schoorsteen, niet zeker – leek wel – welke kant op te waaien. Lipsa liet mijn hand los en stopte me een bundeltje kleren in de armen. 'Je boft,' zei ze. 'Ik had je nooit voor altijd kunnen houden.'

Tsila was met het fornuis bezig toen ik de deur openduwde. Ze zat op haar knieën, met haar rug naar mij toegekeerd. Haar haar, dat eens als een dik gouden gordijn over haar rug gehangen had, was weg. In plaats daarvan droeg ze de pruik van een matrone, de kleur ervan was moeilijk te bepalen in het namiddaglicht. *Hoe aanmatigend*, had ik vrouwen horen zeggen. *Wat een verbeelding.* Sinds wanneer droeg de vrouw van een handwerksman de pruik van een matrone? Wie was ze wel, die zuurpruim, dat een eenvoudige hoofddoek – een zijden op sjabbes – niet goed genoeg was? Ik stond in de deuropening en wachtte. Ik wist voldoende om te weten dat ik niet een levend wezen moest benaderen dat niet bereid was me aan te kijken, een nieuw leven niet moest binnengaan dat me met zijn rug begroette.

'Blijf daar niet in de druipende regen staan,' zei ze zonder zich om te draaien.

Ik had wel geweten dat ze me niet wilde. Lipsa's oudste had me gewaarschuwd. 'Waarom zou ze je willen?' had Rochl gevraagd. 'Een nieuwe bruid zoals zij die net begint en dan jij, een ongelukskind van haar man uit zijn eerste huwelijk?'

'Naar binnen of naar buiten,' zei Tsila. 'Weet je niet dat het ongeluk brengt als je op de drempel treuzelt?'

Tegen mijn gevoel in ging ik naar binnen.

'Weet je hoe je een vuur moet onderhouden?' vroeg ze, nog steeds over het fornuis gebogen.

Ik besloot dat ik beter mijn mond kon houden.

'Ben je stom?' vroeg ze en ze draaide zich half om.

De kant van haar gezicht die ze naar me toe draaide, was ongetekend, en hoewel ik tot op dat moment geen schoonheid in mijn leven gezien had, herkende ik die onmiddellijk in het profiel dat ik aanschouwde.

'Ga nu maar zitten,' zei ze en gebaarde vaag naar het raam.

Ik volgde haar gebaar en zag een kleine tafel naast de naaimachine bij het raam. Bij de tafel stonden twee stoelen. Ik stond tussen de twee stoelen in, onzeker welke te kiezen.

'Ga zitten,' zei Tsila en wees naar de stoel die het dichtst bij het fornuis stond en ging zelf op de andere zitten.

'Hier,' zei ze en duwde een bord met koekjes mijn kant op.

Het was donderdag en de koekjes leken vers. Wie had er nu verse koekjes aan het einde van de week, tenzij er een speciale gelegenheid was, een speciale gast, of iets om te vieren? Ik stak mijn hand uit en nam er eentje. Het waren amandelstaven, in suiker gedoopt en daarna gebakken tot er een zoete korst op zat. Koekjes voor de feestdagen. Bij Lipsa thuis zouden we ze in de thee gedoopt hebben.

Tsila keek naar me terwijl ik at, en nam er toen zelf een. 'Ik neem aan dat je vader er nu een stoel bij moet maken,' veronderstelde ze.

In Lipsa's huis was er overdag of 's nachts nooit een moment geweest dat er geen geluiden gehoord konden worden van menselijk leven dat zich aan het ontplooien was. Haar huis lag aan een kleine binnenplaats, samen met wat andere huizen, allemaal barstensvol luidruchtige generaties. De nachtelijke woede-uitbarstingen van Reb Sender, het gesnurk van zijn moeder, de lange uithalen als de oude meid van Halpern lachte, het lage gekreun van de vrouw van de visboer – dat en meer had de twee kamers van Lipsa's huis gevuld en ging ongehinderd door de muren die ons maar nauwelijks van onze buren scheidden. 'Er is nog tijd genoeg voor stilte in de wereld die nog komen moet,' had Lipsa eens gezegd tegen een buurman die klaagde. 'Die hoeven we voor zijn tijd niet uit te nodigen.'

Maar in het huis waar Lipsa me net achtergelaten had, het huis waar ik het ongeluk gehad had geboren te worden, was de stilte al ingetrokken. Ik spitste mijn oren, maar nergens klonk het geroezemoes van een menselijk gesprek, het gegil van spelende kinderen, er klonken geen stemmen, luid van woede of zacht uit angst of verliefdheid. Zelfs Tsila's ademhaling ging niet gepaard met gezucht of gekuch. Ik wist dat ik nog niet aangekomen was in de wereld die nog komen zou, maar toch twijfelde ik. Ik luisterde of ik menselijk geluid kon horen, maar ik hoorde slechts mijn eigen bloed door mijn hoofd razen.

Lange tijd zaten we daar, Tsila met haar verstelwerk en ik met mijn bundeltje bezittingen. Ik hield die stevig vast voor het geval Lipsa terug zou komen om me terug te brengen naar de lawaaierige wereld van de levenden. Ik had nog steeds mijn jas aan. Ik had het te warm maar ook rilde ik.

'Het is maar goed dat je niet op haar lijkt,' zei Tsila ten slotte. Tegen die tijd was het laat in de middag en al donker. Ik schrok van het geluid van haar stem, maar voelde me zo vreselijk opgelucht dat ik onmiddellijk begon te huilen. 'Doe niet zo stom,' zei ze nors. Het was een aardse norsheid die vriendelijk en geruststellend klonk. Ik begon nog harder te huilen. Ze keek me uitdrukkingsloos aan en legde vervolgens haar koele hand op de mijne. 'Doe niet zo stom,' zei ze nog een keer. 'Een man houdt er niet van aan zijn vroegere ellende herinnerd te worden iedere keer als hij naar zijn dochter's gezicht kijkt.'

Toen zei ze niets meer. Ze ging verder met haar verstelwerk, ik hield mijn bundeltje bezittingen stevig vast, en luisterde naar de regen op het dak en tegen de ramen. Ik schraapte mijn keel een keer om te controleren of ik mijn stem nog had. Al enige tijd had ik hem in mijn keel voelen fladderen, om los te breken leek het, om terug te gaan naar Lipsa en mij prijs te geven aan de stilte. Maar dat was niet gebeurd, nog niet. Tsila keek me aan. *Kattenogen heeft ze* had een van Lipsa's dochters over haar gezegd. 'Waar kijk je naar?' vroeg ze, waarna ze verder ging met haar verstelwerk.

Ik waagde het een blik op haar te werpen om te zien waar ze mee bezig was. Ze was een begenadigd naaister, niet alleen beroemd in de omliggende dorpen, maar ook in steden zo groot als Mozyr en David-Gorodok. Niet alleen vanwege de stijl van haar creaties – hoewel die elegant en flatteus was – maar vooral vanwege de manier waarop ze kleur en licht haalde uit de stoffen en draden waarover ze beschikte. Andere naaisters stelden zich tevreden met de rode, bruine en blauwe stoffen die ze uit de textielfabrieken kregen, maar dat gold niet voor Tsila. Nee, Tsila maakte haar eigen kleurstoffen, en zocht in de bossen en moerassen naar die wortel, bloem of bast die haar precies die kleur zou geven die ze zocht. Ze kon de robijnrode glimp van een roodborst vangen en op een mouw borduren, oktoberbossen vlamden langs haar halslijnen, en het zilver van berkenbomen glom in de satijnen linten van haar blouses.

Natuurlijk werden vrouwen door dergelijke kleuren gelokt. Zoals ook de scharlaken vlam van een zwarte specht dat doet, zo trokken Tsila's kleuren vrouwen aan van ver uit de omtrek. Rijk en arm, joods en niet-joods, kwamen vrouwen met hun kopeken en roebels in de hand naar haar toe. Kopeken en roebels waarvan sommigen zeiden dat ze beter besteed konden worden aan minder lichtzinnige aankopen.

'Schoonheid is niet lichtzinnig,' had men Tsila horen antwoorden, waarop er natuurlijk onmiddellijk meer wenkbrauwen opgetrokken werden.

'Die instelling van haar...' werd er gefluisterd. 'Waar moet die niet toe leiden?'

Tot praalzucht, zeiden sommigen, terwijl ze intussen zelf kopeken hamsterden voor een kledingstuk.

'Tot een fatsoenlijk inkomen,' antwoordde Lipsa. Geen gemakkelijke opgave in die tijd, en zeker geen prestatie die mijn vader, een schoenmaker, hoopte te kunnen verwezenlijken. 'Een inkomen dat voldoende is om een heel joods gezin te onderhouden, ik wens ze voorspoed en gezondheid toe,' verklaarde Lipsa in een poging de zaak te laten rusten.

Maar men bleef erover praten. Er bleven maar vragen komen, zoals dat gebeurt als iemand anders dan anderen durft te zijn. Hoe kwam ze aan die neiging om zulke mooie kleren te maken, vroegen vrouwen elkaar. Leidden haar creaties niet tot onbeschaamdheid en benadrukten ze niet de vrouwelijke vorm? Zou het niet kunnen dat de Boze haar hand leidde?

Ik wierp een vlugge blik op Tsila's schoot waar haar handen aan het werk waren, maar ze had slechts een eenvoudige roestbruine rok onder handen. We zaten daar zwijgend, terwijl ze haar verstelwerk afmaakte, en zwegen nog steeds toen ze een witte onderrok pakte.

Uiteindelijk hoorde ik voetstappen naderen. Dat was mijn vader, wist ik, hoewel ik nooit eerder zijn voetstap gehoord had. Ik keek op toen de deur openging en voor het eerst keek ik hem aan. *Een man van de aarde*, zeiden de mensen over hem, en ik herkende onmiddellijk de klei van de rivieroever in de tinten van zijn gezicht en baard. Zijn ogen hadden de kleur van modder.

Hij wendde zijn blik af en begon de regen van zijn kleren te schudden. Hij stampte een paar keer met zijn voeten, nam zijn pet af om die uit te schudden en schudde nog een keer zijn kleren uit.

'Noe?' zei Tsila na een tijdje. 'Blijf je je daar de hele avond als een hond staan uitschudden?'

Mijn vader deed zijn jas uit en hing hem aan de haak bij de deur.

'Misschien kun je je dochter's jas ook aanpakken... tenzij ze liever als een oude vrouw ingepakt blijft zitten alsof ik haar niet warm kan houden.'

Ik stond op, liep naar mijn vader toe en gaf hem mijn jas. Hij had grote handen, zijn nagels zaten vol donkere vlekken van de schoensmeer waarmee hij het garen zwart maakte dat hij voor zijn werk gebruikte. Ik durfde hem niet aan te kijken.

'Een glas thee?' bood Tsila aan. Ze stond op van haar stoel, terwijl ik naar de mijne terugliep.

Mijn vader zei 'alsjeblieft' – dat had ik nog nooit eerder een man tegen een vrouw horen zeggen – en ging op de stoel zitten waarvan Tsila net opgestaan was. Ik sprong op en ging naast Tsila bij het fornuis staan.

'Ga zitten,' zei ze tegen mij en vervolgens tegen mijn vader: 'Ze wipt rond als een gewonde vogel, maar ze is niet erg spraakzaam.'

Mijn vader knikte weer en waagde het een blik op mijn gezicht te werpen.

Mijn vader, Arn Leib, was in die tijd nog een jongeman – niet ouder dan zes- of zevenentwintig – maar hij had al het voorkomen van iemand die veel ouder was. Zijn leven was al lang geleden een wond geworden waarvan hij nooit meer zou herstellen, zo wist hij. Hij torste dat ongemakkelijk met zich mee, in de kromming van zijn rug – een lichte bochel die opbolde tussen zijn schouderbladen en hem onverbiddelijk naar de grond duwde.

Hij was sterk, maar niet goedgebouwd. Niet in balans, alsof de Schepper hem haastig aan het einde van een te lange dag in elkaar gezet had, met een handje van dit en een handje van dat zonder rekening te houden met de vereiste hoeveelheden en verhoudingen. Hij had intelligentie gekregen, maar niet de tong om die uit te drukken; een grote eetlust, maar een zwakke maag. Zijn hart was te zwak voor een man in zijn omstandigheden, zijn voeten te klein voor een man van zijn lengte. Als hij naar huis liep, de heuvel op, zijn grote romp over zijn kleine voeten gebogen, maakte hij vooral de indruk van iemand die onafgebroken op het randje van zijn eigen bestemming wankelde.

De Stotteraar werd hij bij ons in het dorp genoemd, hoewel hij al lang geleden geleerd had zijn mond te houden. Hij was geboren toen de tyfus net uitgebroken was, en hij leerde net praten toen de koorts in het dorp op z'n hevigst was. Was het verdriet dat zijn tong kluisterde? Dat kon zijn, maar Henje had haar ouders ook aan de koorts verloren en haar tong – daar was iedereen het over eens – sprak vloeiend en ongehinderd.

Hij was opgevoed door een neef van zijn moeder, een vriendelijke man, dat wel, maar hij ging gebukt onder vlagen van melancholie en wel zo ernstig dat hij elke nieuwe dag die zich tegen hem teweerstelde, slechts met het eindeloos voordragen van de Psalmen de baas kon. De vrouw van de neef had meer in haar mars – ze onderhield het gezin met het bakken en verkopen van brood – maar haar magere voorraad vriendelijkheid was al lang aan haar eigen kinderen opgegaan. Hongerig, maar niet verhongerd, geletterd maar niet ontwikkeld, was Arn Leib toen hij negen jaar was al in de leer en met zeventien was hij verloofd met Henje, die ook zeventien was – haar bruidsschat kreeg ze van de Vereniging voor Weduwen en Wezen.

De bruiloft was een jaar later, zoals gepland, maar het was algemeen bekend dat Henje tussen de verloving en de bezegeling van het huwelijk ontbinding had aangevraagd. De redenen die ze noemde, waren vaag: voorgevoelens, leek het, koudwatervrees – niets wat haar tegenzin kon rechtvaardigen. Haar aarzelende houding was eigenaardig, omdat een wees als zij, zonder andere vooruitzichten of familie, alleen maar opgelucht zou moeten zijn dat ze een bruidsschat meekreeg en er een bruidegom voor haar gevonden was.

Arn Leib had haar niet willen dwingen en daarom was er een ontmoeting geregeld. En nog een. En nog een. Hij probeerde haar niet over te halen – in haar aanwezigheid leek zijn tong nog wel meer gekluisterd dan gewoonlijk – maar hij wilde haar door zijn geduld laten zien dat hij geen slechte man was en dat hij haar geen kwaad wilde doen. En ten slotte stemde ze toe, zodat met achttien jaar Arn Leib bruidegom was en met twintig weduwnaar en vader. Weduwnaar van een vrouw van wie het lichaam nooit gevonden was en vader van een kind dat hem geen vreugde schonk.

Mijn vader dronk zijn thee met kleine, kalme teugjes. De thee was heet – ik kon de damp er vanaf zien komen – maar hij goot het niet op zijn schoteltje of slurpte het op om het sneller te laten afkoelen. Hij dronk netjes, rustig, alsof de hitte zijn mond niet brandde.

Tsila zette een bord aardappelen met uien op tafel en zette een grote kruik zure melk tussen ons in. Ik wachtte tot mijn vader het gebed zou opzeggen, waarbij hij vragen zou om de zegening over de vruchten van het land, maar hij bedankte Tsila eerst. Daarna God pas. 'Dank je, Tsila,' zei hij en ik keek verward op.

Ik herinnerde me de onrust onder de vrouwen bij de rivier, toen ze het nieuws van zijn huwelijk hoorden. Het was vroeg in de winter toen, de week voor Chanoeka. Het had nog niet gesneeuwd, maar het eerste laagje ijs had zich al op de rivier gevormd. De lucht was helder en koud – vrij van sneeuw, vocht of andere deeltjes.

'Arn Leib en Tsila?' mompelden de vrouwen onder elkaar. Ze waren onzeker, verontrust. Ze voelden veel sympathie voor mijn vader, een rustige man met droevige ogen, maar er was slechts achterdocht jegens Tsila, die te arrogant en te scherp van tong was.

Het huwelijk was in strijd met elk gevoel voor verhoudingen. 'Onmogelijk,' zei Freide, een van de vrouwen. Freide de Neus. Haar stem klonk zo nasaal dat de woorden haar keel wel helemaal leken over te slaan en direct door haar neusgaten naar buiten kwamen. 'Na wat hij met die ander doorgemaakt heeft...' Ze wierp een snelle blik op mij. 'Wat moet hij met een zuurpruim als Tsila? Geen enkele man die zoiets wil. Hij trouwt vast met Beile.'

Beile was de tweede van Avrohem's dochters. Een mooi, maar erg bleek meisje.

'Arn Leib en Beile,' herhaalde Freide en begon met haar lange stok op het ijs te slaan om er een gat in te maken.

'Arn Leib en Beile,' zeiden de vrouwen instemmend, hun gemurmel klonk al vrediger toen ze de namen van die twee vriendelijke mensen in één adem uitspraken.

'En waarom niet?' vroeg Freide. 'Beile is een plezierig kind, aardig...'

'Erg aardig.' Alle vrouwen waren het er mee eens. Zo aardig, zo herinnerde Rivke hen eraan, dat een tijdlang het praatje de ronde ging dat ze simpel was.

'Beter simpel dan zuur,' verkondigde Freide.

'Dat kan wel zo zijn,' gaf Rivke toe. 'Maar hij trouwt met zuur. Ik heb het van de moeder van de bruid zelf gehoord. Arn Leib en Tsila. De *khoepah* is meteen na Poerim.'

Freide haalde haar schouders op, maar zei verder niets. De andere vrouwen zwegen, terwijl ze het nieuws in zich opnamen.

'Misschien wilden de ouders de tweede niet voor de eerste uithuwelijken,' waagde Lipsa.

'Misschien,' stemden de anderen in, niet overtuigd.

'Misschien was het *parnassah*,' suggereerde een ander. Enkele vrouwen knikten instemmend. Tsila's betekenis als kostwinner moest niet buiten beschouwing gelaten worden.

'Of misschien heeft Tsila hem behekst,' neuzelde Freide.

Was mijn vader behekst? Dat vroeg ik me af, toen ik zag hoe hij Tsila aankeek. Er was beslist iets vreemds tussen hen gaande. Er was iets in mijn vaders blik – een zachtheid – die onderdeel van een betovering kon zijn. Maar er was ook stoutmoedigheid te zien, een stoutmoedigheid die niet met hekserij te rijmen viel. En was het niet Tsila die als eerste wegkeek? Waren het niet háár wangen die rood werden? Ik zag hoe ze naar elkaar keken en begreep dat er vele gevaren in dit huishouden scholen.

Ik probeerde wat van de maaltijd te eten die ze voor me neergezet had, maar haar aardappelen met uien schroeiden de binnenkant van mijn mond. Ik nam een slok verkoelende melk, vervolgens deponeerde ik de hele handel terug op mijn bord.

'Mijn eten is niet goed genoeg voor je dochter,' zei ze.

Ik duwde mijn bord naar de rand van de tafel. Ik weet niet waarom. Mijn vader keek hoe ik mijn bord wegduwde. Tsila keek ook. Ik duwde het over de rand en hoorde het met een doffe plof neerkomen. Aardappelen en uien spatten over de grond en ik wachtte op de klap tegen mijn achterhoofd die de toenemende spanning in mij misschien had kunnen laten ontploffen.

'Niemand heeft haar iets geleerd,' zei Tsila met een stem donker van verontwaardiging. 'Ze heeft als een dier geleefd en nu moet ik haar opvoeden.'

Ik opende mijn mond om te protesteren, maar er kwamen geen woorden en ik kon geen lucht krijgen. Mijn vader wendde zijn blik af alsof ik weerzinwekkend was.

'Kom op,' zei Tsila tegen me. 'Ruim je troep op.'

Mijn vader duwde zijn bord dat nog halfvol was, van zich af en sloot zijn ogen om het dankgebed voor na de maaltijd uit te spreken. Hij deed er lang over, hoewel slechts het korte dankgebed vereist was, en toen hij klaar was, bleef hij met gesloten ogen zitten, met knikkend hoofd, alsof hij zijn communicatie met God niet wilde afbreken om terug te keren naar het toneel dat zich voor zijn ogen afspeelde.

Er waren mensen die zeiden dat het mijn moeder zelf was die in de lucht van dat huis woonde. *Hij doet er goed aan een nieuw onderkomen te vinden voor hij een nieuwe bruid thuisbrengt*, fluisterden ze, en misschien hadden ze wel gelijk. Was het mijn moeder die ik mijn borst voelde omklemmen, die ieder gesprek en gelach verstikte?

Mijn vader schoof zijn stoel naar achteren. Ik hoorde zijn stoel over de planken van de vloer schrapen, voelde daarna hoe hij over me heen gebogen stond. Het was een reus van een man, en heel dichtbij nu. Ik rook het leer waarmee hij dagelijks werkte, zag het patroon van opgedroogde modder op de pijpen van zijn broek. Zijn handen hingen langs zijn lichaam. Een hand – open en erg groot – begon naar mij toe te zwaaien. Het was een voorzichtig gebaar, doelbewust en langzaam, een gebaar dat zowel in een klap als een liefkozing zou kunnen eindigen. De hand stopte vlak bij de huid van mijn wang – ik voelde zijn warmte, mijn eigen brandende huid gloeide die van hem tegemoet – en zwaaide toen weer terug, zodat die weer langs zijn lijf hing, onbeholpen en nutteloos als een veel te grote poot. Zijn tred was zwaar, toen hij naar de deur terug liep.

'Wordt het laat?' vroeg Tsila hem.

De wind was opgestoken en waaide vanuit het noorden. Ik hoorde hem tegen de achtermuur van het huis.

'Blijf maar niet op,' zei mijn vader.

Ik staarde hen aan, zonder er iets van te begrijpen. Het waaide hard – dat moesten ze toch zeker horen – en de wind kwam uit het moeras.

'De wind,' zei ik, maar Tsila stond al en liep naar mijn vader in de deuropening. Ze stond dicht bij hem, haar gezicht naar hem toegekeerd. Er glom iets in de modder van zijn ogen. Hij streelde haar een keer over haar wang, rustig, en stapte daarna de nacht in.

Ons dorp lag midden in de Pripjatmoerassen. Ten zuiden van ons lagen bossen vol pijnbomen, waar de lucht zoet was en de bomen dik waren en recht omhoog groeiden. Maar in het noorden strekte zich een eindeloos moerasgebied zonder wegen uit. De rivier de Pripjat meanderde door de Pripjatmoerassen en stroomde vrijwel helemaal ongehinderd over dit vlakke terrein. Er was alleen hier en daar een bocht waar de trage stroom gedwongen werd een andere koers te nemen. En op zo'n plek lag onze stad – een lichte verhoging in het land waar de rivier omheen stroomde in plaats van erdoorheen te snijden. We lagen in de kromming van de bocht van de rivier – een paar straten, een verzameling houten huizen, enige bebouwde velden die ieder voorjaar onder water liepen, een markt, twee synagogen en twee kerken – Orthodox en Katholiek – die in dienst stonden van de

Russische functionarissen, de plaatselijke gegoede stand en de boeren uit de omliggende dorpen.

Waarom onze stad bestond, wist niemand; hoe hij ontstaan was, dat herinnerde niemand zich meer. Het treinstation was in Kalinkovitsj, de luciferfabriek in Mozyr. De bomen waren alles wat we hadden. In de plaatselijke bossen stonden dikke pijnbomen die de mannen konden kappen en de rivier laten afdrijven, in het moeras was een overvloed aan espen die makkelijk getransporteerd konden worden naar de luciferfabriek in Mozyr. Van het een kwam het ander – dus tegen de tijd van mijn geboorte in 1887, hadden we een eigen watermolen en scharrelden meer dan honderd joodse gezinnen hun kostje bijeen op die verhoging aan de rand van het moeras.

Het moeras was een ongezonde plaats – een wildernis waar slangen zich in het zwarte water schuilhielden, waar dampen en mist de lucht verpestten en de aarde zich als water opende om elke voet op te slokken die het waagde deze grond te betreden. Er waren lichtjes in die dampen, lichtjes die iedereen kon zien. Ze bewogen in vreemde weefpatronen en soms kreunden ze. Die lichtjes waren de zielen die onze wereld verlaten hadden, maar die nog niet de volgende betreden hadden, zielen zonder rust die tussen werelden vastgehouden werden om redenen die alleen Hem bekend waren. Eenzaam en zonder troost wachtten ze op de noordenwind, zodat ze erop mee konden rijden naar de stad en opbeuring konden zoeken onder de levenden. Zo was mijn broer Jankev bij voorbeeld op zo'n wind meegedreven om zijn moeder op te eisen, Rochl had me dat verteld. En zo zou ook mijn moeder mij komen halen. Je kon ruiken dat ze in aantocht waren, vochtig en muf zoals ze vanuit het moeras binnendreven. We deden de ramen dicht om ze buiten te sluiten.

'De wind,' zei ik tegen Tsila toen ze de deur achter mijn vader dicht deed. Ik had nog nooit iemand gekend die zich buiten waagde als de wind zo hard uit het noorden waaide, maar Tsila leek zich geen zorgen te maken. Ze keek me lang aan, met toenemend ongeduld.

'Je hoofd zit vol *bubbe meises*,' zei ze. 'Wat voor *wind*? Wind is wind. En meer niet.'

Ik antwoordde niet, maar haar ongeduld groeide. 'Ik ben niet geïnteresseerd in de dwaasheid die Lipsa je geleerd heeft.'

Het was niet alleen Lipsa, en Tsila wist dat. De straten van onze stad waren totaal uitgestorven op avonden zoals deze, want wie kon in volstrekt vertrouwen zeggen dat de zielen van hun geliefden hun laatste rustplaats gevonden hadden? Maar Tsila, geboren en getogen in deze stad, was een buitenbeentje.

'Je denk toch niet dat je moeder op de loer ligt om je vader weg te grissen? Dat denk je toch niet? Dat ze nu toe zal schieten om hem weg te graaien, terwijl ze hem, toen ze nog leefde, niet wilde hebben? Dwaasheid,' zei ze, maar ze wreef met haar vingers over de amulet die ze om haar hals droeg, en ik was er niet zeker van of dat uit gewoonte was of om het kwaad af te weren dat ze misschien met die minachtende woorden opgeroepen had.

'Je moeder was niet iemand die bedenktijd nodig had,' zei ze.

Ze bracht me toen naar een hoek van de kamer – achter het fornuis tegen de achtermuur van het huis. Daar stond een houten bank, klein en smal als ik zelf was, en daar bovenop lagen een stromatras, een gewatteerde deken en een kussen. De deken had de kleur van jonge blaadjes en was met blauw gestikt. Het kussen was smetteloos wit. Ik had nog nooit zo'n fleurigheid in het interieur van Lipsa's huis gezien.

'Jij slaapt hier,' zei Tsila en ik deed mijn ogen dicht. 'Wat nu weer?' vroeg ze, maar hoe kon ik dat uitleggen?

Tot dan had ik in de middelste kuil van een ingedrukt matras geslapen, tussen de twee middelste meisjes van Lipsa ingeklemd. Onze deken was ruw maar warm, alle kleur was eruit maar hij was vol met de geuren van onze lange reeks aan nachten. Daar had de slaap mij makkelijk meegevoerd, de warmte van levend vlees had voorkomen dat ik te ver wegdreef en de ademtocht van andere longen leidde mijn eigen ademtocht veilig naar de morgen. Waar Tsila mij naar toe bracht was mijn bed, dat wist ik, maar hoe kon het mij rust bieden als van mij verwacht werd dat ik er alleen in zou gaan liggen?

Tsila keek toe hoe ik me uitkleedde, streek vervolgens met haar hand over mijn blote rug en mijn nek en door mijn haar, dat ik losgemaakt had. Haar aanraking was zonder genegenheid en lichter dan die van Lipsa. Ze inspecteerde mijn slapen en de scheiding in mijn haar, maar vond geen luizen of vlooien.

'Ik was je morgen wel,' zei ze.

Ik keerde me van haar af om mijn *Shema* op te zeggen, hetzelfde gebed dat ik iedere avond opgezegd had vanaf het eerste moment dat mijn lippen de woorden konden vormen. 'De slaap is een gevaarlijke reis,' had Lipsa mij geleerd. Voor het geval de dood ons voor de morgen inhaalt, moeten we zijn omhelzing aanvaarden met de lof van Zijn Naam op onze lippen.

'Ben je klaar?' vroeg Tsila. Ik had nog niet eens mijn ogen dichtgedaan, was nog niet begonnen de nodige concentratie te verzamelen. Uit mijn ooghoeken zag ik het fleurige bed. Ik sloot mijn ogen, zodat er niets zou zijn om me van Hem af te leiden.

'Noe?' zei Tsila.

'*Hoor Israël,*' begon ik, maar op datzelfde moment barstte mijn hoofd uiteen in kleuren. Het lichtgroen van de gewatteerde deken, het blauw van de stiksels, de honingkleur van haar haar, het karmozijn van haar wijnvlek – nieuw leven, eeuwigheid, zoetheid, woede – iedere kleur had een betekenis, en nog meer. Ik werd er stil van.

'Heeft ze je zelfs dat niet geleerd?'

'Dat heeft ze wel gedaan,' zei ik.

'*Hoor Israël,*' spoorde Tsila mij aan.

'*De Heer is onze God,*' vervolgde ik, stopte toen. Wit was het nu vanbinnen, stralend als het nieuwe kussen waarop ik mijn hoofd moest leggen, en dat viel uiteen tot het smaragdgroen van haar ogen, het koppige koper dat in de zijne had gefonkeld. Verlangen – maar waarnaar? – raasde als de wind door me heen. Daarna angst – maar waarvoor, dat wist ik niet.

Ik voelde Tsila's handen op mijn schouders. Ze draaide me om – een halve slag – met mijn gezicht naar haar toe. Ik had mijn ogen nog steeds dicht, maar al snel voelde ik dat er iets op rustte, zwaar, koel en kalm, het was Tsila's hand. Mijn oogleden knipperden er tegenaan en de kleuren eronder spatten uit elkaar.

'*Hoor Israël,*' begon ze en ik luisterde, woord voor woord, mijn hoofd in lichterlaaie. '*Gezegend is de Heilige Naam,*' vervolgde ze, de lof op Zijn Naam bedaarde de kleuren, ieder op zijn beurt, tot ze gekalmeerd waren, helder nog, maar rustig onder haar hand.

Ze haalde haar hand weg en keek me aan. Ze schudde zachtjes haar hoofd alsof dat wat voor haar stond, haar verbijsterde. 'We beginnen morgen,' zei ze en deed de lamp naast mijn bed uit.

Maar toen ik de volgende ochtend wakker werd, was er iets vreselijks met me gebeurd. De nacht had de wind met zich meegenomen en de kamer baadde in het zonlicht. Ik voelde heet aan alsof de lucht in de kamer mijn huid verschroeid had, maar diep binnenin was ik tijdens de nacht verkild geraakt en ik rilde onder de fleurige deken. Ik had pijn in mijn keel, maar begreep de betekenis ervan nog niet. Tsila was met de oven bezig. Haar gouden haar, dat niet bij elkaar gebonden was, viel over haar rug.

'Noe?' zei ze toen ze zag dat ik mijn ogen open had.

Ik duwde de gewatteerde deken weg en zwaaide mijn benen over de rand van het bed. De vloer voelde glad en stevig aan onder mijn voeten, maar de kamer draaide om me heen.

'*Modeh Ani*,' spoorde Tsila mij aan. Het ochtendgebed. Dat had Lipsa me ook geleerd, maar toen ik de woorden probeerde uit te spreken, kon ik dat niet. Het gebed was er wel, het lag opgesloten in mijn hart, maar het gereedschap dat ik nodig had om het uit te spreken, was me ontnomen.

'*Ik sta hier voor U,*' sprak ik schor. De diefstal was niet volledig geweest. Een gerafeld stuk van mijn stem was nog over, maar het deed pijn als ik hem gebruikte, zo rauw en pijnlijk was de plek waarvan die afgescheurd was.

Ik wachtte in angst. Bang voor de woede van Tsila, ja, maar meer nog voor de schade die mij aangedaan was.

'*Koning van het Heelal,*' ging Tsila voort, '*die mij in Zijn barmhartigheid mijn ziel teruggegeven heeft…*'

'Mijn moeder,' fluisterde ik zonder er bij na te denken tegen Tsila. Ik begreep onmiddellijk wie de vorige nacht door mij heen geflitst was.

Tsila keek op van haar oven. Ik zag haar als vanuit de verte. Ze lag op haar knieën zoals ze de vorige dag gedaan had, maar haar gezicht was nu naar mij toegekeerd. Ze legde de pook neer waarmee ze bezig geweest was, stond op en liep naar me toe. Haar hand voelde ruw aan op mijn voorhoofd.

'Je hebt koorts,' zei ze. 'Ga maar weer naar bed.'

Ik gehoorzaamde haar, zoals Lipsa gezegd had dat ik moest doen. Ik dronk de thee die ze me gaf en stond toe dat ze een warme handdoek om mijn nek wikkelde, maar ze had het mis als ze dacht dat thee en een handdoek de diefstal ongedaan zouden kunnen maken.

'Slaap nu maar,' zei tegen mij, en dat deed ik. De hele dag, en de daarop volgende.

Op een gegeven moment werd ik wakker van het geluid van gefluister. Het was nacht toen, de lampen waren gedoofd en de duisternis drong tegen de ramen. Ik lag verward in het donker, een stroom van gefluister dreef naar me toe vanuit de alkoof waar mijn vader en Tsila lagen.

Bij Lipsa had er nooit iemand gefluisterd, behalve in gebed. Wat gezegd moest worden tussen mensen onder elkaar, zo had Lipsa ons geleerd, moest hardop gezegd worden en verkondigd met een heldere, onbeschaamde stem. Of anders helemaal niet uitgesproken worden. Maar terwijl ik in bed lag in het huis waar Lipsa me naar toe gebracht had, werd ik overspoeld door dat wat verboden was: een stroom onopgeëiste woorden, een onuitgesproken stortvloed, slechts onderbroken door Tsila's lichte lach.

Ik begon te rillen en trok de gewatteerde deken dichter om me heen. Dezelfde deken die me verblind had – wanneer was dat geweest? Was het de nacht ervoor, de week ervoor? Ik voelde slechts eenvoudig katoen onder mijn vingertoppen, meer niet. Eenvoudig katoen slechts, dat waardeloos was tegen de kilte die me nu in zijn greep hield.

Tsila's lach klonk op uit het gefluister en ik hoorde zijn lach nu ook, een laag gerommel. En dan meer gefluister. Mijn lichaam rilde onder de deken, maar mijn wangen gloeiden. Van schaamte, misschien, in de tegenwoordigheid van wat onuitgesproken werd.

Ik rolde me op tot een bal – slechts mijn hete voorhoofd was bloot. Zo lag ik daar, gloeiend en rillend tegelijk tot ik iemands adem op mijn huid voelde. Die adem was als balsem, troostend als een koele hand, en hoewel ik tot op dat moment haar aanraking nooit gevoeld had, wist ik meteen van wie die was. Ik moest geroepen hebben – maar hoe? en waarmee? – want toen ik mijn ogen open deed, stonden zowel Tsila als mijn vader bij mijn bed, en nu rustte Tsila's hand op mijn voorhoofd.

'Mijn moeder,' fluisterde ik. Eindelijk kwam ze me halen.

'Het komt door de koorts,' zei Tsila.

'Moeten we Lipsa niet laten komen?' hoorde ik mijn vader voorstellen terwijl ik weer in slaap viel.

Lipsa hield haar lippen stijf op elkaar geklemd, haar ogen stonden onnatuurlijk helder – twee donkere sterren die in een bleek gezicht fonkelden.

'Hoelang is dit al zo?' vroeg ze, en zonder op antwoord te wachten droeg ze Tsila op water te koken met de citroenen en honing die ze meegebracht had.

'Mijn moeder,' fluisterde ik tegen haar, maar ze legde haar vinger op mijn lippen om me te laten zwijgen.

'Mijn moeder, mijn moeder,' deed Tsila me na. Ze stond plotseling bij mijn bed en zwaaide met haar houten lepel. 'Wat voor vloek heb je in mijn huis gebracht?'

Lipsa legde haar hand op Tsila's zwaaiende arm. 'Ga de citroen omroeren. Die mag niet te hard koken.' Ze haalde haar hand weg en legde haar vingers op de zere plek. Mijn keel klopte onder haar aanraking. Ik wachtte tot ze een smeekbede tot mijn moeder zou richten. Ik had al eerder zulke smeekbeden van haar gehoord. Precies een week voor mijn vaders bruiloft had ik haar naar het kerkhof vergezeld waar ze Channe-Gitl gesmeekt had de greep op haar dochter's hart te verslappen. Twee jaar na de dood van Channe-Gitl was haar dochter nog steeds zo getroffen door smart dat ze onvruchtbaar was en ongeschikt als vrouw. *Heb medelijden met je arme dochter,* riep Lipsa uit tegen Channe-Gitl. *Bevrijd haar van haar treurnis. Bevrijd haar, voor het leven dat ze nog moet voortbrengen.* Ik deed mijn ogen dicht en wachtte op een soortgelijk verzoek aan mijn moeder.

'Je moeder zou zoiets nooit doen,' zei Lipsa kalm. Ze haalde haar vingers van mijn keel en ik voelde een vochtige warmte. Een handdoek. Ze legde een handdoek op mijn keel, een zelfde soort handdoek als Tsila de hele week al op mijn keel gelegd had. 'Je moeder heeft je stem niet nodig,' zei Lipsa tegen me. 'Wat moet ze nu met je stem?' Maar Lipsa's eigen stem trilde en er lag angst op haar gezicht te lezen. 'Het is je vader die je lieve stem moet horen.'

'Hoezo lief?' mompelde Tsila. 'Ze heeft de stem van een kraai.'

'En Tsila, Tsila moet hem ook horen,' zei Lipsa.

'Waarom moet ik hem ook horen?' vroeg Tsila. 'Ze wil haar hele leven stom zijn? Prima.' Ze gaf het brouwsel dat ze gekookt had aan Lipsa. 'Laat haar maar stom zijn. En doof ook als ze dat wil.'

Maar ook in Tsila's stem was de huivering van angst te horen en daaruit begreep ik hoe dichtbij de Engel des Doods zweefde. *Laat haar nu maar*, smeekte Tsila. *Ze is lelijk, onbemind, de moeite niet waard. Ga maar een liever kind zoeken.*

Lipsa bracht een lepel siroop naar mijn lippen en ik slikte die door. Het was heet, zuur en zoet, en brandde in mijn keel toen ik het doorslikte.

'Je vader en Tsila moeten je stem horen,' zei Lipsa, terwijl ze de siroop naar binnen bleef lepelen, mijn keel in. 'Wat is een huishouden zonder kinderstemmen?' Ze duwde een lok vochtig haar van mijn voorhoofd.

'De volgende keer dat ik Tsila zie, wil ik horen dat je voor haar gezongen hebt. Begrijp je me?' Ik knikte maar zo'n beetje, hete tranen liepen over mijn wangen. 'Tsila is nu je moeder,' zei Lipsa.

Modder vulde mijn keel, een dikke, kleverige laag. Die werd met een gorgelend geluid dikker, iedere keer als ik adem probeerde te halen. Ik snakte met grote, nutteloze teugen naar lucht, maar het slijm verspreidde zich alleen maar verder in mijn keel en blokkeerde de doorgang naar mijn longen.

Tsila dwong stoom door mijn neus en mond met handdoeken zo heet dat ze de huid van mijn gezicht verbrandden. Maar hoewel de stoom mijn neusgaten en mond vulde, kon die niet in de modder doordringen. Ik spande me nog meer in, klauwend naar de lucht, vervolgens naar mijn keel die de lucht niet door wilde laten. Bij iedere mislukte poging tot ademhalen kwamen mijn benen met een schopbeweging van het bed, vielen daarna terug. Tsila drukte mijn hoofd in haar schoot en nog harder duwde ze met haar hete, ruwe handdoeken.

Ik hoorde Lipsa's stem weer, voelde daarna haar handen op mijn hoofd. En hoewel haar aanraking licht was, deden de haren op mijn hoofd alleen al zeer onder haar vingers.

'Heer van het heelal,' hoorde ik haar zeggen.

'Red dit kind...' Het gebed ging verder, maar nu in Tsila's stem.

Ik deed mijn ogen open. Het was dag en nacht tegelijk. Er brandden kaarsen in de kamer, maar toch stroomde er licht door het raam. Of het nu maanlicht of zonlicht was, ik wist het niet, maar in die ene straal licht zag ik hoe het zwevende stof in de kamer begon rond te dansen in een langzaam en wervelend patroon. Het cirkelde rond mijn enkels, één keer, twee keer, en nog eens en nog eens, terwijl het zachtjes mijn nu gewichtloze benen van bed trok en optilde. En hoewel ik mijn moeder niet tussen de stofdeeltjes zag, wist ik dat zij er was, mij optilde en naar haar toe trok. Maar in de schaduw achter mij hield Tsila mij stevig tegen haar harde, benige schoot gedrukt, en ze liet me niet gaan uit deze harde wereld.

De duisternis drong op rond mijn blikveld, dat voortdurend kleiner werd. Het stof dwarrelde nog steeds, maar het bewoog binnen een krimpende cirkel van licht. Sneller en wilder, terwijl het duister steeds verder opdrong – ik keek, gehypnotiseerd, tot de koele streling van Tsila's hand mijn brandende oogleden sloot. 'Heer, God van mijn vaderen, ik smeek u,' hoorde ik vanuit de schaduw achter mij. 'Leid mijn hand in de daad die ik op het punt sta uit te voeren.' Mijn hoofd werd achterover getrokken, mijn keel ontbloot als dat van een kalf dat klaargemaakt werd om geslacht te worden. 'Hoor Israël...' fluisterde Tsila in mijn oor, terwijl ze me voorbereidde op mijn dood. Mijn geest volgde het pad van haar woorden.

Ik zal in vrede te zamen nederliggen en slapen; want Gij,
o Heere! alleen zult mij doen zeker wonen.

Mijn vader zat naast mijn bed, als hij dacht dat ik sliep. Hij droeg zachtjes de Psalmen voor. Er was tijd verstreken, maar ik wist niet hoeveel. Er blies nog steeds een koude wind door de kieren in de muren, maar Tsila was al met haar Pesach-schoonmaak begonnen.

De koorts was geweken, maar daarmee ook mijn kracht. Iedere morgen werd ik wakker en zette mijn voeten op de vloer, en iedere morgen duwde de lucht op die plek me terug in bed. De wond aan mijn keel waar Tsila door de modder heen gesneden had, deed nog steeds zeer, maar de lucht stroomde nu ongehinderd door mijn keel naar mijn longen. Om de paar uur kookte Tsila een nieuwe handdoek in water en legde die op de wond.

De Heere is nabij de gebrokenen van harte... En allen, die op Hem betrouwen, zullen niet schuldig verklaard worden.

Mijn vader droeg voor in het donker. Hij maakte lange werkdagen – hij was overdag nooit thuis, behalve op de sjabbat. Ik hoorde hem gewoonlijk vroeg in de morgen voor de zon opkwam en 's avonds pas weer, na de eerste roep van de nachtegaal: *ik ben gekomen in de diepten der wateren, en de vloed overstroomt mij. Ik ben vermoeid van mijn roepen, mijn keel is ontstoken.* Sinds mijn ziekte had ik niet meer gesproken. Dat was niet uit koppigheid, hoewel Tsila mij daar wel van beschuldigde. Waar eens mijn stem geweest was, was nu slechts pijn. Ik liet Tsila zonder woorden de pijn zien die ik daar voelde.

'Pijn is geen excuus voor je koppigheid,' voer ze tegen mij uit, terwijl ze me maar koppen thee met honing bleef brengen. Ze zag er bleek en moe uit, met roodomrande ogen, het rood was net zo intens als van haar wijnvlek. 'Het leven is moeilijk, maar je ziet daarom nog geen mensen dood op straat liggen.'

'Moeten we Lipsa er niet bij halen?' stelde mijn vader voor.

'Heeft die vrouw al niet genoeg schade aangericht?' vroeg Tsila.

Mijn vader trok verbaasd zijn wenkbrauwen op, maar gaf niet meteen antwoord. Hij nam een slok thee, en daarna nog een terwijl hij nadacht over de vraag die hem gesteld was. 'Wat voor schade?' vroeg hij eindelijk.

'Wat voor schade?' Tsila's ogen, mat van uitputting na al die weken dat ik ziek en herstellende was, vonkten van woede. 'Hoe zou je dat anders willen noemen? Ons inkomen stopzetten? Ons een goede dienst bewijzen soms?'

Al die weken dat ik ziek was, was er niemand bij ons thuis geweest om een jurk te passen of een bestelling op te halen. Helemaal niemand was de drempel over geweest, behalve Lipsa. Mijn vader ging nog steeds iedere morgen voor het licht werd naar zijn werk, maar Tsila zat zonder werk, afgezien van het huishouden en mijn verpleging.

'De mensen waren bang, Tsila,' zei mijn vader.

'Bang? Waarvoor? En wie zorgde ervoor dat die praatjes de wereld in kwamen?'

Mijn vader deed zijn ogen dicht, zoals hij zo vaak deed als hij onenigheid met Tsila had. Met duim en wijsvinger kneep hij in de brug van zijn neus alsof dat hem zou kunnen wapenen tegen de boze woorden die in de lucht hingen.

'Voor Lipsa was het wel veilig om al die weken bij ons over de drempel te komen, maar voor mijn klanten niet? Hoe zit dat, Lipsa kan geen andere kinderen besmetten maar mijn klanten wel?'

'Lipsa is genezer. Ze kan geen zieken genezen zonder naar ze toe te gaan.'

'Niet Lipsa heeft je dochter genezen, Arn Leib. En ik hoorde haar geen angstverhalen verspreiden toen Ietsje van Freide vorige zomer hoge koorts had.'

'Ietsje had geen difterie.'

'*Difterie.*' Tsila spuugde het woord uit. 'Kom nu niet met difterie aanzetten. Ze denkt dat ik haar het kind ontstolen heb, dus nu probeert ze ons te verhongeren.'

'Tsila, Tsila,' sprak mijn vader afkeurend. 'Ze probeert ons niet te verhongeren. Waarom zou Lipsa ons proberen te verhongeren? Het is een goede vrouw, bovendien weet ze dat het kind van ons is.'

'Van jou, ja. Ze heeft altijd geweten dat het kind van jou was, maar toen je haar na zes jaar nog steeds niet had laten komen…'

'Dat was ik al die tijd wel van plan.'

'Maar je hebt het niet gedaan tot je met mij trouwde.'

'Ik denk niet…'

'Jij denkt nooit,' bitste Tsila terug. 'Maar wat denk je dat Lipsa hier nu nog te zoeken heeft? In mijn huis?'

Mijn vader zei niets.

'Je zegt niets, omdat je niets weet. Ik ben degene hier die alles weet. Ik ben degene die haar de heuvel op ziet schuifelen, krom en kruiperig als een pissebed, eropuit om haar duivelse toverkol-praktijken ten uitvoer te brengen. Ik ben degene die weet wat ze wil. Ze wil het kind terug in haar klauwen, Arn Leib – op mijn eigen goede gezondheid zweer ik je…'

'Niet doen,' zei mijn vader.

'Haar drankjes stellen niets voor. Snap je wel, Arn Leib? Jij denkt dat ze een drankje heeft waarmee je dochter haar stem terugkrijgt, maar ik ben het die je dochter haar stem kan teruggeven. Ik ben degene die je dochter van de dood gered heeft.'

'Alleen de Eeuwige...'

'Je weet niets,' zei Tsila bits en mijn vader deed er het zwijgen toe.

'Het kind zal weer spreken. Heb vertrouwen in me, Arrele. Heb ik niet ook jouw tong losgemaakt en van zijn boeien bevrijd?'

Mijn vader gaf geen antwoord.

'Je dochter zal spreken, Arn Leib. Ik zal haar helpen de woorden te vinden.'

'Water,' riep ik die nacht in mijn slaap. Dat was het eerste woord dat ik gesproken had sinds ik ziek geworden was. Toen ik mijn ogen opendeed, stond Tsila naast mijn bed. 'Water,' zei ik nog een keer, en ze gaf me het koele glas water waar ik om geroepen had. Ik dronk het leeg en gaf het terug.

'En wat zeg je dan?' fluisterde ze.

'Dankjewel,' zei ik.

'Zeg dat nog eens.'

'Dankjewel,' herhaalde ik en ze viel naast mijn bed op haar knieën.

'Wat heb je een prachtige mond,' fluisterde ze tegen me. Dat waren dezelfde woorden als die ik Lipsa tegen haar twee jongste jongens had horen zeggen toen die hun eerste woordjes spraken.

Help ons zijn kleine mond voor obsceniteiten te behoeden, had Lipsa gezegd. *Moge hij nooit vloeken of liegen, maar slechts woorden uit de Tora en woorden van wijsheid spreken, en zowel God als de mensen behagen. Amen.*

Tsila zei niets van dit alles. Ze bleef half geknield, half leunend tegen mijn bed zitten, haar gezicht dicht bij het mijne, en haar lange, zachte haar viel rond mijn hoofd. 'Je lippen zijn een karmozijnrode draad,' fluisterde ze, terwijl ze zachtjes met haar vinger langs de omtrek van mijn mond ging.

Meteen de volgende dag al begonnen we met Bet, de tweede letter van het alfabet.

'Alef mocht de eerste letter zijn, dat is waar, maar wat is ervan geworden?' vroeg Tsila. Ze keek me aan en wachtte op een antwoord, maar dat had ik niet. Ik wist niets van de letters.

'Bet kwam als tweede. Een nadeel, hè?' Ik knikte en daar leek ze tevreden mee.

'Maar kijk,' zei ze en haalde een ei uit de mand naast haar.

'*Baytzah*,' sprak ze. Tegelijk met de letter leerde ze me ook het Hebreeuwse woord. Ze legde het ei in mijn hand. Het was warm en vol belofte. Maar terwijl mijn vingers zich rond de volmaakte welving van de schaal sloten, werd ik in gelijke mate bevangen door vreugde en verdriet. De belofte die tegen mijn handpalm opbolde, zou niet ver-vuld worden. Het was zijn lot geweest om door Tsila's vingers uit het vuil van de binnenplaats geplukt te worden, zodat het uit zijn schaal gegoten kon worden en door de aardappelen met uien geroerd als avondmaal. '*Baytzah*,' zei ik, terwijl ik het aan haar teruggaf.

'*Bayis*,' zei Tsila vervolgens. Ze gebruikte weer Hebreeuws in plaats van Jiddisch, terwijl ze met een zwaai van haar hand het huis aanduidde dat ons omhulde. De muren van ons huis waren als de schaal van een ei, een bescherming van het leven binnenin.

'*Bimah*,' zei Tsila. 'Luister je wel?'

'*Bimah*,' herhaalde ik. Het podium voor in de sjoel. Maar nu was Tsila niet tevreden.

'We zijn nog maar nauwelijks begonnen en jij zit al te dagdromen.'

'Ik ben helemaal niet aan het dagdromen,' protesteerde ik.

'Dat kun je je niet veroorloven, dagdromen,' zei ze. 'Andere meisjes, ja, die kunnen dagdromen zo veel ze willen, maar jij – jij kunt je niet veroorloven te dagdromen als ik je het Alef-Bet probeer te leren. Begrijp je me?'

Ik begreep haar niet, maar knikte toch maar met mijn hoofd.

'Wil je net zo eindigen als Simpele Sorl?'

Er werd gezegd dat Sorl toen ze nog heel jong was, ergens van geschrokken was en dat ze daarom met haar handen over haar oren en ogen rondliep, en de hele dag slaapliedjes neuriede.

'Ik ben niet als Sorl,' zei ik.

'Sorl was ook niet zoals Sorl tot ze begon te dagdromen en zich halfdood schrok. Nou, let op.'

'Ik let op.'

'En, wat begint er nog meer met Bet?'

Ik dacht, terwijl ik keer op keer de klank B maakte. Tsila tikte met haar lange vingers op tafel.

'Beile,' zei ik ten slotte. Tsila's jongere zuster met wie mijn vader had moeten trouwen.

'Beile,' herhaalde Tsila. 'En wat nog meer?'

'*Bagel*,' zei ik. '*Bracha, Benjamin, Bubbie…*'

'Goed zo,' zei ze, duidelijk verbaasd. '*Bagel, Bracha, Benjamin, Bubbie* – dat zijn veel woorden, hè?'

Ik knikte, maar ze keek niet naar me.

'Maar bovenal,' zei ze, 'het belangrijkste woord dat door Bet wordt gemaakt… Kun je bedenken wat dat kan zijn?' Ze keek me hoopvol aan. Ik wilde haar tevredenstellen, maar kon niets bedenken. Ze sloeg de *Humash* open die voor ons op tafel lag, en opende hem op de eerste bladzijde van het eerste boek. Genesis. Het begin.

'*Breshis*,' zei ik nog voordat zij dat kon doen.

Ze keek me aan. Haar ogen schitterden als groene smaragden. Ze had een hoogrode kleur, wat het teken van woede op haar wang minder duidelijk deed uitkomen. '*Breshis*,' herhaalde ze. 'Het begin. Snap je wel?' vroeg ze, terwijl de opwinding in haar stem groeide. 'Op de tweede plaats na de letter Alef, ja, maar door God gekozen om de Tora mee te beginnen, als begin van de hele schepping. Snap je wel?'

Ik was maar een kind, en dan ook nog een onwetend kind, maar ik proefde godslastering in de geladen sfeer van onze les.

'En waar is de Alef?' vroeg ze. 'De belangrijke eerste letter?' Haar ogen schitterden koortsig. 'Noe?' drong ze aan.

'Dat weet ik niet,' zei ik.

'Precies.' Ze nam mijn vinger, de tweede vinger van mijn rechterhand en wees naar de derde letter in het woord '*breshis*'.

'Alef,' zei ze. 'Vooraan in de rij, maar nu stom achter Bet.'

Ze leunde tevreden naar achter en ik verwachtte dat ze nu wat lekkers te voorschijn zou halen en voor me neer zou leggen, dat ze de druppel honing op mijn tong zou leggen. Lipsa's jongens waren op hun eerste schooldag naar cheder gedragen, en Lipsa zelf had het lekkers gebakken en de honing verschaft. Een lichte goudkleurige honing had ze gekozen. 'Kennis is zoet,' had ze tegen haar jongens gefluisterd toen de letters van het Alef-Bet voor de eerste keer voor hen aantraden.

'Ik ben je moeder niet,' zei Tsila, haar gezicht nog steeds rood en met ogen die vonkten. 'Ik wil niet wreed zijn, maar ik ben je moeder niet. Jij en ik begrijpen elkaar, nietwaar?'

Ik knikte, hoewel ik er niet zeker van was wat dat begrijpen nu precies inhield.

'Ik zal je opvoeden en je leren een mens onder de mensen te zijn.' Ze stopte even als om het belang van een dergelijke belofte tot haar door te laten dringen. 'Maar wat je moeder betreft... Dit is nu je moeder.' Ze wees naar de letters voor me, een lange rij onbenoemde letters, hun geheimen nog geheim.

'Je eerste moeder heeft je in de steek gelaten.'

Daar wilde ik niet instemmend op knikken. Ik kende de geboden, ook al kon ik ze niet lezen.

'Maar dat moet je haar niet verwijten,' vervolgde Tsila. 'Alle moeders laten hun dochters in de steek.'

Nog een godslastering. Ik voelde het aan de steen in mijn maag en de opwinding in mijn keel. Tsila keek naar mijn gezicht en lachte. 'Je moet je oren niet afsluiten als ik je de waarheid vertel.' Haar lach was licht, bijna aardig. 'Ik zal je vele waarheden vertellen. En wat ik je ga geven, zal je altijd trouw blijven. Veel trouwer dan je moeder ooit kon zijn.'

Kennis bedoelde ze – dat begreep ik. Maar die van mij zou niet zoet zijn. Ik had honing verwacht, maar in mijn mond had ik de smaak van gal. Vrees en angst, maar ook opwinding vermengden zich op mijn tong.

'Kennis zal je moeder zijn,' zei ze. Toen nam ze mijn vinger en wees naar de derde letter van het alfabet. Ze noemde zijn naam: *Gimel*. 'Voor *Gevurah*.' Kracht.

Drie

'Ik kan onmogelijk van dit materiaal een jurk voor Chavve maken,' hoorde ik Tsila tegen de moeder van de bruid zeggen. De bruiloft zou op Lag Bomer zijn, de drieëndertigste dag na Pesach. Er waren drie jaar verstreken en gedurende die tijd was Tsila, hoewel ze het erg druk had, niet vergeten tijd vrij te maken om me te onderwijzen, zoals ze beloofd had. 'Je dochter heeft een goed stel hersenen,' zei Tsila vaak tegen mijn vader, met duidelijke trots, zo niet liefde in haar stem. 'Maar wat haar vingers betreft...'

Ik had onhandige vingers, dat viel niet te ontkennen, en het was moeilijk vast te stellen wie er meer leed tijdens de uren waarin ik met een naald in mijn hand het naaien onder de knie probeerde te krijgen – mijn naaiwerk was ongelooflijk slordig. Tsila vermoed ik, want ze maakte op de meeste dagen snel een einde aan mijn naailessen. Ze pakte de lap stof van me af in een poging, leek wel, om iets kostbaars voor een ramp te behoeden, en stuurde me in de warmere maanden naar buiten om de moestuin te verzorgen.

'Deze stof is al besproken,' zei Tsila tegen Chavve's moeder. 'En daar komt nog bij, deze kleur roze... met Chavve's tint...' Tsila aarzelde nauwelijks merkbaar. 'Ze zal er als een raap uitzien.'

Dat was onnodig wreed. Chavve Leibowitz zag er altijd al als een raap uit – knolvormig en geel, met paarse kringen onder haar ogen. Geen enkele kleur die ze droeg, roze of anderszins, zou daar ooit verandering in kunnen brengen.

'En wat denkt u hiervan?' bood Tsila aan en rolde een stuk kobaltblauw brokaat af.

'Ze is geen sofa,' antwoordde Chavve's moeder. 'Voor wie, als ik vragen mag, bewaar je dat roze?' Haar hand, krom van de artritis, strekte zich uit om de blozende stof te strelen.

'Dat doet er niet toe,' zei Tsila.

'Voor Sjeindl,' raadde Chavve's moeder. Dat was de andere bruid die ook op Lag Bomer zou trouwen. Sjeindl's huwelijkspartner was niet zo welgesteld als die van Chavve, maar ook niet zo oud. En niemand kon ontkennen dat Sjeindl mooi was.

'Rustig nu,' zei Tsila. 'Dat roze is te kwetsbaar voor de vrouw van een gevestigd zakenman.' Chavve ging met een koopman uit Pinsk trouwen. Er werd gezegd dat hij zwaar naar vis rook.

'Dus dan moet ze maar in brokaat smoren van de hitte?' vroeg de moeder.

'Ongemak is het lot van een getrouwde vrouw. Maar kijk...' Tsila streek over de stof die ze aanbood. Die was diepblauw, donker maar lichtend, als een duistere nacht die door bliksemschichten wordt opgelicht. Chavve's moeder raakte de stof aan. 'Ik weet het nog niet,' zei ze. 'Ik neem aan, in het gezelschap waarin ze in Pinsk zal verkeren...'

'Kwetsbaarheid komt niet te pas in een dergelijk gezelschap. Dit is veel beter,' verzekerde Tsila haar.

'En heb je ook genoeg voor een klein hoedje?'

'Hoezo, klein? In Pinsk kan ze zich zelfs wel een paar veren permitteren.'

Er werd thee geschonken, een blik in mijn richting geworpen. 'En hoe gaat het met het kind?' vroeg Chavve's moeder.

Tsila haalde haar schouders op. Ze was niet bijgelovig. Ze maakte in feite geen geheim van haar minachting voor de achterlijke ideeën die andere vrouwen erop na hielden. Maar toch zou het onvoorzichtig geweest zijn iets positiefs over me te zeggen en zo het boze oog te verzoeken.

'Stuur je haar niet met de andere meisjes naar Hodl?' probeerde mevrouw Leibowitz.

Hodl Gittleman was een jonge weduwe. Haar man had zich per ongeluk tijdens het kappen van bomen aan de verkeerde kant van een vallende pijnboom bevonden en had haar met vier kinderen laten zitten die ze alleen moest grootbrengen. Uit wanhoop was ze een cheder voor meisjes begonnen – de eerste in onze stad – waar ze het Alef-Bet onderwees, alsook de gebeden en zegeningen en *mitzvos* die onder de plichten van een vrouw vielen. Meisjes van alle leeftijden gingen er naar toe.

'Misschien is het wel goed voor haar om met andere meisjes om te gaan,' hield Chavve's moeder vol.

'Mirjem is ziekelijk,' zei Tsila. 'Afgelopen winter heeft ze vaak genoeg kou gevat, ik ga haar niet naar de stad sturen voor meer.'

'Maar toch zou het goed voor haar kunnen zijn. Niemand ziet haar meer nu ze hierboven woont. Er gaan weken voorbij, maanden – mensen beginnen zich af te vragen of er soms iets te verbergen is?'

'Ik verberg haar niet, zoals u duidelijk kunt zien.'

'Maar toch, mensen houden van praatjes. Dat hoef ik je niet te vertellen. Daar is niet veel voor nodig.'

'Hun praatjes interesseren me niet.'

'Ik heb mensen horen vragen wat je haar nu eigenlijk leert.'

'En ik heb mensen horen zeggen dat uw dochter zelfmoord dreigt te plegen als u haar dit huwelijk opdringt.'

Ze dronken zwijgend thee. Tsila bood geen fruit of lekkers aan. Chavve's moeder dronk haar kopje leeg, maar ze kreeg er niet nog een aangeboden.

'Stuur Chavve voor het opnemen van de maat,' zei Tsila terwijl ze opstond om mevrouw Leibowitz uit te laten. 'De jurk kan binnen twee weken klaar zijn.'

Mevrouw Leibowitz stond op om te vertrekken. Ze wierp nog een blik op mij. Ik wendde mijn ogen af, maar voelde haar blik als een vlek op mij kleven. 'Haar moeder was zo'n schoonheid,' verzuchtte ze. 'Ach, als ze maar gezond is…' Ze wendde haar blik af. 'Misschien is het beter zo,' sprak ze op vlakke toon bij het afscheid. 'Een mooie vrouw is een dubbele vloek.'

'Ik krijg hoofdpijn van die vrouw,' zei Tsila meteen toen ze de deur dichtdeed. 'Een dúbbele vloek,' zei ze boos. Ze borg het brokaat op en begon met de voorbereidingen van ons avondmaal.

'Was mijn moeder mooi?' vroeg ik.

Tsila dacht even na voor ze antwoord gaf.

'Je moeder was een ongeletterde wees en had zelf geen bruidsschat,' zei ze ten slotte. 'Dat was haar vloek. Niet haar schoonheid.'

'Dus ze wás mooi?' hield ik vol.

'Haar gezicht was knap genoeg,' erkende Tsila. 'Een dúbbele vloek,' mompelde ze nog eens zachtjes. 'Die vrouw mocht wensen dat haar eigen dochter op deze manier vervloekt was.'

'Zal Chavve blij zijn met haar nieuwe jurk?' vroeg ik.

'Val me niet met onzin lastig.'

'Maar zal ze er blij mee zijn?' drong ik aan.

Tsila gaf me een kool en een mes. 'Niet iedereen is voor het geluk in de wieg gelegd,' zei ze.

Een paar weken later – het was nieuwe maan na Pesach – werd er, vroeg in de morgen toen we nog bezig waren het ontbijt op te ruimen, op de deur geklopt. Dat gebeurde wel vaker – vrouwen kwamen op elk tijdstip van de dag hun bestellingen plaatsen of hun jurken en blouses ophalen. Op deze ochtend ging de deur open voor Tsila 'Kom binnen' had kunnen roepen. Tsila's zuster Beile gleed als een geestverschijning de kamer binnen. Haar gezicht was bleek als altijd, met uitzondering van het puntje van haar neus en de randen om haar ogen die roze van tint waren. Voor haar gezicht hingen overal rode, krullende pieken haar die ontsnapt waren uit de lange vlecht die op haar rug hing.

Beile was toen negentien jaar, een leeftijd waarop de meeste meisjes gingen trouwen, moeder werden of een ambacht uit-oefenden. Beile deed niets van dat alles. Haar vader Avrohem, een meubelmaker, was – net als zijn dochter Tsila – een van de zeldzame ambachtslieden in de stad wiens vakkundigheid en talent hem van een behoorlijk inkomen verzekerden. Dus Beile hoefde er nog niet zelf op uit om te gaan werken en ze voelde zich niet speciaal tot het een of andere ambacht of een bepaalde studie aangetrokken.

Ze was het soort meisje dat jong en rijk had moeten trouwen – vriendelijkheid en medeleven waren haar belangrijkste kwaliteiten en ondanks haar bleekheid had ze iets aantrekkelijks – maar met geen van de partijen die aan haar ouders voorgesteld waren, was het tot een verloving gekomen. Hoewel ze met negentien in geen geval als oud beschouwd werd, begon ze al iets lusteloos te krijgen, alsof ze voelde dat uitstel haar lot was, en dat ze gedoemd was eeuwig te wachten op de dag dat haar leven zou ontvlammen, en ondertussen sleet ze haar leven met dagelijkse bezigheden.

'Noe?' begroette Tsila haar, terwijl ze zich in een stoel aan tafel liet zakken. Juist de avond ervoor had de nieuwste huwelijkskandidaat de lange reis vanuit Minsk ondernomen om Beile te ontmoeten.

Beile gaf niet meteen antwoord op haar zuster's vraag. Ze speelde met een lepel die nog van het ontbijt op tafel lag. Haar handen leken op die van Tsila – met lange vingers en mooi gevormd – maar ze bezaten niet de vaardigheid en kennis die de handen van haar zuster hadden.

'Er was niet echt iets mís met hem, vermoed ik,' zei Beile ten slotte. 'En Toibe vond hem beslist aardig.' Toibe was Avrohem's derde dochter. Een forse zeventienjarige die nu al bij haar ouders zeurde om een huwelijk. 'Ze sloofde zich vreselijk uit, ze bood hem steeds maar thee aan en drong hem taart op. Niet dat hij meer taart nodig had. Zijn vest spande al zo strak om zijn buik dat hij nauwelijks kon ademhalen.'

Er speelde een glimlachje om Tsila's dunne lippen. 'Hij is dus dik?'

Ook Beile glimlachte. 'Vol.'

'Te veel graan waarschijnlijk,' zei Tsila. De voorgestelde bruidegom was graanhandelaar in Minsk. Een zeer welvarende graanhandelaar, wat de reden was dat Chippa, een nicht van hun moeder die in Minsk woonde, hem zo vol vertrouwen voorgedragen had. 'Geen wonder dat Toibe wel wat in hem zag,' voegde Tsila eraan toe. Toibe droomde ervan een vrouw van aanzien in een stad te zijn. Het liefst in Odessa, maar iedere stad was goed als die maar ver van het moeras van de Pripjat verwijderd was.

'En ademhalen leek hem moeite te kosten,' vervolgde Beile en haar ogen begonnen nu op te leven. 'Als hij moest inademen, pufte hij een paar keer en werd rood.'

'Het strakke vest,' zei Tsila. 'Er is blijkbaar geen vrouw in de buurt die behoorlijk voor zijn kleren zorgt. Zei Chippa niet dat zijn moeder ziek was?' Er werd gezegd dat de moeder, een weduwe bij wie hij nog steeds inwoonde, op sterven na dood was – geen slechte eigenschap voor een schoonmoeder, had Chippa haastig opgemerkt. 'Maar toch, je zou denken dat hij zich wel een behoorlijke kleermaker zou kunnen veroorloven,' zei Tsila. 'Ik hoop niet dat hij gierig is. Heeft hij haar?'

De vorige huwelijkskandidaat die Chippa voorgedragen had, was kaal geweest, wat, zo hield Beile vol, geen enkel verschil uitgemaakt had, ware het niet dat ontdekt was dat hij in een dorp dicht bij Karlin een vrouw en drie kinderen had en dat hij die in de steek gelaten had.

'O ja,' zei Beile. 'Geen gebrek aan haar. En ook niet aan zweet.'

'Zweette hij dan?'

'Eerst alleen kleine druppeltjes, en dan ook nog alleen op zijn neus en voorhoofd…'

Tsila bracht beide handen naar haar gezicht en schudde haar hoofd.

'Er was niet echt iets mís met hem,' zei Beile nog eens, maar haar zuster gebaarde dat ze haar mond moest houden.

'Haalde mama haar kanten tafelkleed weer te voorschijn?' wilde Tsila weten.

'En Bubbe's porselein.'

Hun moeder Rosa was de jongste dochter uit een familie die uit Minsk afkomstig was. Eens was het een gegoede familie geweest, maar tegen de tijd van haar geboorte was het familievermogen al aan het slinken. Er was niets van de pracht en praal van haar achtergrond overgebleven, behalve het tafelkleed, het porselein, een lichtelijk hooghartige houding en wat gedragingen die zij en haar dochters verlicht vonden, maar die anderen in de stad als zondig beschouwden.

'Men zegt dat hij vriendelijk is,' zei Beile.

'Vriendelijkheid gaat voor een ongelukkig huwelijk op de vlucht,' bracht Tsila naar voren.

'Dat vermoed ik ook,' gaf Beile toe. Toen ging ze rechtop zitten, omdat haar plotseling een ander, levendiger onderwerp van gesprek te binnenschoot. 'Heb je het al van Chavve gehoord?' vroeg ze.

'Ik hoor meer dan ik verdragen kan,' zei Tsila. 'Haar moeder laat me maar niet met rust. Je zou denken dat ik nog nooit eerder een bruid aangekleed heb. Nu wil ze weer lila organdie voor de trouwjurk.'

'Ze is verdwenen,' verkondigde Beile.

Dat was nieuw voor Tsila. 'Chavve?' vroeg ze. Haar adem stokte plotsklaps en ze zei niets. Daarna krulde er een vreemde glimlach om haar lippen. 'Alleen?'

'Natuurlijk alleen. Wat is dat nu voor...?'

Tsila pakte haar verstelwerk op en vroeg me thee voor Beile te halen.

'Gisteravond blijkbaar. Ik heb nog nooit iemand zo horen weeklagen als haar moeder,' zei Beile. 'Het verbaast me dat je haar vanaf hier niet kunt horen.' Ik gaf haar een glas thee en ze beloonde me met een glimlach alsof ze me pas deze ochtend voor het eerst opmerkte. 'Ieder keer als ik je zie, zie je er liever uit,' zei ze tegen me. Dat was een leugen, maar uit haar mond klonk het haast geloofwaardig.

Tsila mat een stuk draad af en beet dat met haar tanden door. 'Ik wist gewoon dat ik een aanbetaling voor die jurk had moeten vragen. En nu heb ik het materiaal ervoor al geknipt.'

'Ze zoeken haar nu. Net toen ik naar jou toe ging, zag ik een groep op weg gaan naar het moeras.'

'Chavve Leibowitz,' zei Tsila, terwijl ze haar hoofd schudde van verbazing.

'Ze kan best nog wel terugkomen, hoor,' zei Beile.

'Zeker wel,' sprak Tsila instemmend. 'Ze was iemand die een ramp niet kon weerstaan. Herinner je je nog die wagen die door het ijs ging?'

Natuurlijk herinnerde Beile zich dat. Zelfs ík herinnerde het me, hoewel het jaren voor mijn geboorte gebeurd was. Het was in de lente, net voor het ijs zou breken. Het had gedooid, en daarna gevroren, hard gevroren – maar toch, de koetsier had niet moeten proberen over te steken. Hij had de lange route moeten nemen, terug door de stad naar de brug. Het gebeurde toen ze niet meer dan een derde van de route over het ijs afgelegd hadden. Het eerst zakte het rijtuig erdoor, waardoor de paarden achteruit getrokken werden. De paarden gilden en klauwden in de lucht, maar het rijtuig zonk snel. Als een baksteen, zeiden de mensen.

Er had een groep kinderen bij de rivier gespeeld toen het gebeurde. Ze renden allemaal weg om hulp te halen. Allemaal behalve Chavve, die op de plaats van het ongeluk bleef staan alsof ze daar wortel geschoten had.

'Als haar vader haar niet naar huis gedragen had, zou ze er misschien nu nog steeds staan,' zei Beile. Zij was een van de kinderen geweest die weggerend waren. 'Als de vrouw van Lot...'

'Wat gebeurde er met de vrouw van Lot?' Tsila wendde zich plotseling tot mij.

'Ze veranderde in zout,' antwoordde ik automatisch. Drie jaar in Tsila's huis hadden me geleerd voorbereid te zijn, op elk moment van de dag.

'En waarom?'

'Omdat ze God ongehoorzaam was.'

'Ze veranderde in zout, omdat ze een ramp niet kon weerstaan,' zei Tsila. 'Ze had de kans gekregen om te ontsnappen, haar was opgedragen te ontsnappen. *Vlucht voor je leven*, beval de engel. *Kijk niet achterom of stop ergens op de vlakte; vlucht naar de heuvels, anders word je weggevaagd.* Maar ze moest gewoon kijken. Sommige mensen zijn nu eenmaal zo.'

'Misschien was ze simpelweg niet in staat haar huis en haar familie de rug toe te keren,' zei Beile. 'Misschien draaide ze zich alleen maar om om nog een laatste blik te werpen op alles wat haar dierbaar geweest was en was het die aarzeling...'

'Je zegt nu dat aarzelen een zonde is?'

Beile dacht een ogenblik na. 'Eerder een gevaar dan een zonde.' Ze dacht nog even langer na. 'Ja, in sommige gevallen... terugkijken in plaats van vooruitkijken... Maar we brengen het arme kind in de war.' Beile schonk mij een lieve glimlach. 'Je hebt gelijk dat de vrouw van Lot God ongehoorzaam was,' zei ze tegen mij. 'Zonder Zijn toestemming was ze getuige van Zijn werk. Ze had geen medelijden, toen ze getuige was van het lijden van anderen. Om al die redenen...'

'Nu klink je net als Lipsa,' zei Tsila.

Beile lachte. 'Dan wordt het voor mij tijd om op te stappen. Ik heb je voor één dag in ieder geval al lang genoeg van je werk gehouden. Als ik nog iets nieuws hoor, dan laat ik je het wel weten.'

'Ongetwijfeld.' Tsila legde haar verstelwerk weg en ging achter haar naaimachine zitten.

'Kom,' zei Tsila tegen me, nadat Beile vertrokken was. In haar hand had ze de mand die ze altijd meenam als ze naar de markt ging. Er zat wat fruit in en een brood dat ze de dag ervoor gebakken had. Ik dacht dat ze me meenam naar de markt, maar we gingen de andere kant op, weg van de stad, en begonnen in de richting van het moeras af te dalen. Ik aarzelde, onvast ter been, maar Tsila hield mijn kleine hand stevig vast in haar grote hand. 'Wees niet zo'n kuiken,' zei ze terwijl ze me voorttrok.

Het was een warme dag, de zon scheen heet op mijn rug en schouders. De modder op de weg had zich al verhard tot het droge wegdek van de zomer, maar onder het lopen steeg er nog geen stof rond ons op en de grassprieten langs de weg hadden nog dat verse lichte lentegroen. We daalden af naar de vlakke oever van de rivier.

De rivier, die in een wijde, trage bocht rond ons dorp stroomde, was glad en kalm. We staken hem over via de oude, houten voetbrug. Het pad aan de andere kant volgde lange tijd de oever van de rivier, week soms licht terug om een bosje brandnetels heen, of een breed wortelende wilg, om daarna weer naar de lage oever terug te keren. Slechts geleidelijk aan voerde het pad ons weg van de rivier, de dikkere lucht van het moeras binnen.

Ik had veel over de gevaren van het moeras gehoord – de slangen die daar in het water op de loer lagen, het drijfzand dat wachtte om een nietsvermoedende voet op te slokken, maar het pad dat we volgden voelde stevig aan onder onze voeten en de zon scheen nog steeds warm op mijn rug. Overal om ons heen waren geulen en waterpoelen waar hoge grassen in groeiden. Tsila plukte een van deze rietachtige grassen, haalde er wat wit merg uit en at dat op.

'Wat is dat?' vroeg ik. Ze stopte een stukje in mijn mond. Het smaakte naar versgebakken brood.

'Als je hier genoeg van eet, krijg je een baby,' legde ze uit. Toen keek ze naar mijn gezicht en lachte. 'Maak je maar geen zorgen, je hebt daar ook een echtgenoot voor nodig.'

Meer dan drie jaar waren er voorbijgegaan sinds ze met mijn vader getrouwd was. Maar nog steeds was er geen baby en geen teken dat er een onderweg was. De roddel in de stad was, volgens Beile, dat mijn moeder er iets mee te maken had. En waarom ook niet, zeiden de vrouwen – had Beile net die week ervoor tegen Tsila gezegd. Waarom zou ze dulden dat Tsila's eigen kinderen de plaats van haar kind innamen?

'Idioten,' had Tsila gemompeld. 'Alsof Henje niets beters te doen heeft dan zich met mijn leven te bemoeien.'

'Niet dat ze denken dat ze zich met jou probeert te bemoeien,' had Beile naar voren gebracht. 'Het gaat er meer om dat ze haar eigen kind in bescherming neemt.'

Hierop barstte Tsila spontaan in lachen uit. 'Ja, ze is zo bezorgd voor haar eigen kind dat ze het door een ander laat opvoeden.'

Tsila haalde nog wat wit merg uit een rietstengel en stopte dat in haar mond.

'Is dat manna?' vroeg ik.

Ze stopte met eten en keek me recht in mijn gezicht. 'Je bent een eigenaardig kind,' zei ze. 'Denk je dat het leven zo makkelijk is dat de Almachtige Zelf ons nu al persoonlijk eten verschaft? Dit is de Sinaï niet.'

Ik keek naar het moerasachtige landschap om ons heen, de geulen met zwart water, de uitgestrekte vlakten met het hoge moerasgras, de in hun groei geknotte pijnbomen. Tsila volgde mijn blik.

'Ik zal hier nooit aan ontsnappen,' zei ze. Ze at nog wat riet. 'Andere mensen, ja. Mijn zus Toibe. Let op mijn woorden. Die gaat nog eens naar Amerika, zij wel. En Chavve Leibowitz, zo schijnt het – hoewel je het met haar maar nooit weet.' Ze keek naar me. 'Misschien lukt het jou wel.'

Ontsnappen waaraan, vroeg ik me af. En waar naar toe?

'Waar ga ik dan naar toe?' vroeg ik.

'Dat weet ik niet,' zei ze. 'Weg. Ergens waar je als mens onder de mensen kunt leven.'

'We hebben een leuke stad,' bood ik onzeker aan. Nooit eerder had Tsila melancholiek geklonken. Ik voelde me hier ongemakkelijk onder, meer nog dan onder haar norsheid.

'Onze stad is niet leuk,' zei ze. 'Onze stad is onderontwikkeld, arm en vol angst. Leuk, dat moet je ergens anders zoeken. Maar kom nu maar,' zei ze, plotseling weer kwiek.

Het pad onder onze voeten was zanderig, daarna sponsachtig door het mos, daarna weer zanderig. De hitte drukte zwaar op ons en overal om ons heen klonken gonzende en kwakende moeras-geluiden. Ook op mij drukte er iets zwaars. Het was niet leuk waar ik woonde, had Tsila gezegd. Het was er arm en vol angst.

Ik herinnerde me met een koude rilling wat er nauwelijks twee weken geleden met Jasja de waterdrager gebeurd was. Op een dag vroeg in de morgen dreven twee boerenmeisjes hun koeien over een pad. Een vreemd, laag gekreun had hen naar de rivieroever getrokken. Ze volgden het geluid, totdat ze op een kleine open plek in het kreupelhout de bron vonden: Jasja die op zijn rug lag, zijn gezicht was een puinhoop van bloed en pulp, zijn mond ging open en dicht als van een vis en in zijn uitgestrekte hand hield hij zijn beide ogen die blind naar de hemel staarden.

De schuldigen waren gepakt – twee boerenjongens uit een naburig dorp – maar ons dorp sidderde nog steeds van angst. Wat was de betekenis van zo'n voorval, vroegen de mensen elkaar. Waarom zouden twee jongens zoiets doen? De schurken zelf zeiden dat ze niet hielden van de manier waarop Jasja naar hen gekeken had, maar velen in onze stad dachten dat er iets anders achter moest zitten. Een waarschuwing misschien dat de haat onder onze niet-joodse buren groeide. Een boodschap van de Almachtige dat, zo blind als Jasja nu was, wij moedwillig onze ogen gesloten hielden voor iets belangrijks. Maar waarvoor? Iedereen had zo zijn eigen theorie. De Bundisten verzamelden zich in de bossen om over de onrechtvaardigheid van onze tijd te praten, de chassidim klaagden over de goddeloosheid, de Zionisten over hoe nutteloos het was te wortelen in een grond die altijd vreemd en vijandig zou blijven. En Jasja lag ondertussen op een brits in zijn hut, terwijl er ten behoeve van hem een collecte gehouden werd.

'Zijn er geen vandalen en rovers in het moeras?' vroeg ik aan Tsila terwijl we ons voort haastten.

'Niet meer dan in de stad,' zei Tsila.

De lucht werd warmer en zwaarder met iedere stap die we zetten, en hier en daar stegen muggen in dikke wolken op. Achter elkaar liepen we door een gebied vol dik kreupelhout waar rode bessen aan hingen. Ik plukte er een, maar Tsila sloeg hem uit mijn hand. 'Die zijn giftig,' zei ze.

Ten slotte kwamen we bij een geul die breder was dan de andere en die was gevuld met snelstromend, helder water. De oever stond vol brandnetels, maar voorzichtig zochten we ons een weg zodat ik water kon drinken. Ik maakte van mijn handen een kom, maar het koude, zoete vocht droop tussen mijn vingers door. Daarom schepte Tsila keer op keer water met haar handen tot ik mijn dorst gelest had. Daarna trok ze haar rok op tot aan haar middel.

'Wacht hier,' zei ze en begon de geul over te steken.

Ik bleef waar ik was, half verscholen in het kreupelhout, en zag het water rond Tsila's benen stijgen. Haar kuiten verdwenen, toen haar knieën. Het was een ondiepe geul, maar het water kolkte tot halverwege haar dijen voor het weer langzaam begon te zakken. Ze klom er aan de andere kant weer uit, liet haar rok zakken en zocht zich een weg over de oever naar een stapel oude planken. De stapel lag kriskras door elkaar, een oude verweerde hut zo uitgeput van de worsteling om overeind te blijven dat hij eenvoudigweg ter plekke ingestort was. Tsila legde haar fruit en brood tussen de planken, trok haar rok weer op en waadde terug.

Toen ze aan mijn kant weer te voorschijn gekomen was, streek ze snel met haar handen omhoog en omlaag over haar natte witte benen. Daarna draaide ze zich om en vroeg me te controleren of er ook bloedzuigers op de achterkant van haar benen zaten. Die waren er niet. En ook niet op haar voetzolen of tussen haar tenen.

'Vooruit,' zei ze en nam me bij de hand. 'We moeten nog een heel eind terug.'

'Voor wie liet je het fruit en het brood achter?' vroeg ik.

'Wat is het toppunt van liefdadigheid?' antwoordde ze.

Dat wist ik niet.

'Als de gever niet weet wie het krijgt en de ontvanger niet weet wie het geeft.'

'Was het voor Chavve?'

'Niet zo brutaal,' zei ze en versnelde haar pas, en dat terwijl ik al over mijn eigen benen struikelde in een poging haar bij te houden. Ze greep mijn hand nog steviger vast en sleurde me langs het pad.

'Denk je dat ik niets beters te doen heb dan een halve dag werk op te geven en me door het moeras te slepen voor een meisje dat haar eigen bruidegom niet onder ogen durft te komen?'

'Maar wat als rovers het brood inpikken?'

'Wat zijn dat toch allemaal voor vragen over rovers? Denk je soms dat we in het dorp niet omringd zijn met rovers? Is Sjloime de Deugdzame geen rover?'

Sjloime was de schoenmaker voor wie mijn vader werkte. Alleen Tsila noemde hem de Deugdzame, en dat deed ze pas sinds hij mijn vader met zijn loon was gaan bezwendelen.

'Wie is er een rover in tijden als deze?' vroeg Tsila. Ze vroeg dat steeds vaker aangezien het haar – maar niet mijn vader – duidelijk was dat Sjloime hem niet alleen zijn loon, maar ook zijn baan afhandig zou maken. 'De hele wereld staat op z'n kop,' zei Tsila. 'Eerlijke mensen moeten bedelen, terwijl schurken in de dorpen en steden de dienst uitmaken.'

Het was nog steeds windstil en warm toen we eindelijk weer op de oever van de rivier uitkwamen. De rivier zelf was als glas. We liepen er langzaam langs, de hitte van de dag drukte zwaar op ons. Een groep boerenvrouwen was bezig linnen uit te leggen om het in de zon te laten bleken. Tsila groette hen, haar ogen taxeerden de kwaliteit van hun linnen. Ik verlangde ernaar mijn voeten in het koele water te dompelen, maar ik wist dat we haast hadden. Tsila bukte en schepte water met haar hand, en verkoelde eerst mijn gezicht en daarna dat van haarzelf.

Mijn vader was kwaad. Tsila nam niet eens de moeite te vragen hoe hij wist waar we geweest waren. We woonden aan de uiterste rand van de stad, dat is waar, maar de ogen van de stad zagen alles, veraf en dichtbij, en konden in het donker net zo goed zien als in het volle daglicht.

'Ze heeft ternauwernood één ziekte overleeft. Moet je haar daarom met alle geweld naar een plek meeslepen waar ze er vast en zeker weer een oploopt?' schreeuwde mijn vader.

Ik had hem niet eerder echt kwaad gezien. Hij en Tsila ruzieden iedere dag wel, maar dat ging altijd over wissewasjes, en met zichtbaar plezier in de scherpzinnigheid van hun beledigingen.

'Het is twee jaar geleden dat ze haar ziekte overleefde, Arn Leib.'

'Maar kijk nu eens naar haar,' schreeuwde hij weer. Maar dat deed Tsila niet. Ze stond bij het fornuis met haar rug naar hem toe, en bakte eieren voor zijn avondeten.

'Ze zit al onder de uitslag,' brulde hij.

'Iedereen die in deze tijd van het jaar het moeras in gaat, krijgt uitslag,' zei Tsila rustig. Ze roerde de eieren.

'Dat moet een antwoord voorstellen? Iedereen krijgt uitslag? Hoezo iederéén? Wie anders sleurt er een kind mee het moeras in? Weet je wel dat er meldingen van cholera in Kalinkovitsj zijn?'

'Als de cholera naar haar op zoek is, zal die haar vinden, waar ze zich ook verstopt.'

'Maar moet je hem dat dan makkelijker maken? Moge God verbieden dat de cholera z'n best doet om haar te vinden. Moet je haar er per se naar toe brengen?'

Tsila had de waarheid gesproken toen ze tegen mijn vader gezegd had dat ze zijn tong bevrijd had. Woede ontketende de welsprekendheid die smart verstikt had.

'En dan het uitvaagsel dat daar samenkomt,' vervolgde hij. 'Besef je wel dat ze dat meisje Leibowitz nog steeds niet gevonden hebben?'

'Mooi zo,' antwoordde Tsila.

'Mooi zo? Mooi zo, hoe durf je dat te zeggen? Hoezo *mooi zo*? Is het mooi, dat ze ergens ligt, afgeslacht? Of erger nog, gevangen genomen door God weet wie en God weet waarom?'

'Rustig nu maar, Arrele. Je weet hoe je maag reageert als je je van streek maakt.'

'Ik ben het niet die mezelf van streek heeft gemaakt. Dat heb jij gedaan, mijn vrouw.'

'Stil nu maar,' zei Tsila. Ze legde de eieren op een bord en zette die op tafel. 'Kom, was je handen.'

Mijn vader waste zijn handen en zegende het brood. Hij at in stilte, over zijn bord gebogen, en keek noch naar Tsila noch naar mij, maar alleen naar het eten dat hij ongeïnspireerd naar binnen werkte.

'We gingen een *mitzvah* brengen,' legde ik uit. 'We gaven *tzedakah*.'

'Dat had je ook in de stad kunnen doen,' zei hij.

Dat was waar. Er stond een *tzedakah*-doos op de plank bij de deur, en het armenhuis zou ons fruit en brood graag aangepakt hebben.

'Het zijn moeilijke tijden,' legde ik uit. 'De hele wereld staat op z'n kop.'

'Stil nu maar, Mirjem,' zei Tsila. Ze ruimde de tafel op en bracht de thee.

'Wat bezielde je?' vroeg mijn vader met een kalme, rustige stem.

Ze gaf geen antwoord.

'Weet je wat de mensen zeggen?'

'Ik heb al lang geleden geleerd al die giftige tongen te negeren, Arn Leib, en ik dacht dat jij dat ook gedaan had.'

'Ze zeggen dat je een offer ging brengen. Om je schoot vruchtbaar te maken. Dat is wat ze zeggen.'

'Ik kan het niet helpen dat ze stom zijn,' zei Tsila.

'En ging je dat doen?' vroeg hij.

'Je verbaast me,' antwoordde ze.

'Ik ben het die verbaasd is, vrouw.'

Tsila werd onmiddellijk rood, haar wangen vlogen in brand. Ook haar mond ontplofte.

'Ik kan het niet helpen dat ze stom zijn. Mijn hele leven lang ben ik al gedwongen tussen al die stompzinnigheid te leven. Ik weet niet wat voor zonde ik begaan heb, maar dit is mijn straf, te moeten leven te midden van domheid. Maar jouw stompzinnigheid, Arn Leib, wat dat betreft – die duld ik niet.'

'Je hebt een offer gebracht, nietwaar?'

Tsila staarde hem aan alsof hij een vreemde was.

'Je begint als Lipsa te klinken,' zei Tsila. 'Ik ben met een man getrouwd die zich heeft ontpopt tot een dwaas.'

'Ik vind je er niet minder om, Tsila. Er zijn nu al drie jaar voorbij, en je maakt je zorgen. Het is niet meer dan normaal dat je je zorgen maakt. Ik vind je er niet minder om – ik wil alleen maar de waarheid horen.'

'Ben je dan zo'n oud wijf dat je denkt dat de overledenen niets beters te doen hebben dan op deze wereld rond te blijven hangen als ze er eenmaal definitief van bevrijd zijn?'

'Voor wie was het?' vroeg mijn vader uitdrukkingsloos.

En nu wendde Tsila haar blik af. 'Voor wie was wat?' vroeg ze.

'Voor wie liet je het offer achter?'

'Voor het kind,' zei ze. 'Om haar te laten zien dat er niets in het moeras is om bang voor te zijn, om haar hoofd te bevrijden van al dat gefluister…'

'Maar waarom dan fruit en brood?'

Tsila gaf geen antwoord.

'Had je haar niet gewoon naar het moeras kunnen meenemen?'

'Het zijn moeilijke tijden,' zei Tsila vaag. 'Je weet maar nooit wie er honger heeft.'

***

Voor zonsopkomst stond Tsila op, stak het fornuis aan in het donker en stak net haar hand uit naar het broze roze van Sjeindl's jurk toen het eerste licht van de dageraad over het tafeloppervlak streek.

'Een jurk als deze moet in de frisheid van de ochtend gemaakt worden,' zei ze terwijl ik zwijgend naast haar stond. Ze pakte de stof bij de taille bij elkaar, vouwde, plooide en stikte tot de jurk zelf net een roos was.

Het kobaltblauwe brokaat lag intussen in een donkere hoop in de hoek.

'Is Chavve dood?' vroeg ik. Ik had Tsila's klanten horen zeggen dat een roedel wolven Chavve opgegeten had, dat ze op de weg naar Kalinkovitsj gezien was, slechts een paar passen voor de cholera uit.

'Van tijd tot tijd lopen er bruiden weg,' antwoordde Tsila. 'Daar gaan ze gewoonlijk niet aan dood.' Ze hield de nieuwe jurk van Sjeindl in het morgenlicht omhoog. 'Ziet er mooi uit, hè?'

Ik knikte verheugd en stak mijn hand uit om over het zachte materiaal te strijken. 'Net als Sjeindl,' zei ik.

'Niet net als Sjeindl,' zei Tsila bits. Toen slaakte ze een diepe, ongelukkige zucht alsof de jurk haar plotseling met verdriet vervulde.

'Sjeindl is mooi,' wees ik haar terecht.

'Ja, maar dit...' ze gebaarde naar de jurk. 'Dit is verfijnd, subtiel...'

Er lag tederheid op Tsila's gezicht terwijl ze naar de jurk keek, een zachte, stralende tederheid van het soort dat ik op gezichten van vrouwen gezien had als ze in verwachting waren of als ze de geschriften van de Tora aanschouwden in hun Heilige Ark. Maar dit was een jurk, wist ik, niet een levend kind of een heilig voorwerp. Ik keek hoe Tsila stralend naar het voorwerp van haar eigen schepping keek en ik voelde de godslastering als een kille wind door de kamer waaien.

'Een jurk als deze hier is niet besteed aan mensen als Sjeindl Entelman,' zei ze.

'Zal Sjeindl er dan niet blij mee zijn?' vroeg ik.

'Sjeindl zal er zeker blij mee zijn,' zei Tsila. 'Maar Sjeindl zou ook blij zijn met een van de vodden die Blema voor haar in elkaar zou kunnen flansen.'

Blema was een van de andere naaisters in de stad, vaardig in haar vak, maar niet uitzonderlijk.

'Sjeindl is een aardig meisje, begrijp me niet verkeerd,' vervolgde Tsila. 'Maar deze jurk...' Ze stak haar hand uit om hem strelen. 'Een vrouw moet heel wat meer verfijndheid dan Sjeindl hebben, wil ze een dergelijke jurk waarderen.'

'Maar wie heeft er nu meer verfijndheid dan Sjeindl?' vroeg ik. Sjeindl, een meisje van wie gezegd werd dat haar innerlijke goedheid de schoonheid van haar gezicht evenaarde. Haar stem was zo bekoorlijk dat als ze een lied aanhief, ze uit eigen beweging weer ophield, zelfs in de beslotenheid van het huis van haar ouders. Dit om te voorkomen dat een man bij het passeren toevallig zou horen hoe beminnelijk ze was, en bevangen zou worden door slechte neigingen.

'Wie meer verfijndheid dan Sjeindl kan hebben? Niemand hier in de buurt. Dat kan ik je verzekeren.'

Maar waar dan wel? Hoewel Tsila's toon scherp was, klonk er ook verlangen in – dat hoorde ik – een zacht lijden dat achter haar scherpe tong klopte. Wat was dat voor plek waar mijn stiefmoeder naar verlangde, vroeg ik me af, waar kon die liggen? Ik kon me er geen voorstelling van maken, ook niet van het onbekende dat daar mocht zetelen, maar als resultaat was mijn hoofd plotseling vol licht. Vol licht en het baadde in een warm roze schijnsel dat alleen maar verfijndheid kon zijn – een verfijndheid die zelfs de schoonheid van onze Sjeindl overtrof.

Ik keek naar Tsila. Maar de wereld waar ze op gezinspeeld had, was alweer uit het zicht verdwenen, en het verlangen dat ik in haar gevoeld had, was alweer weg. Ze keek nors, terwijl ze de jurk opvouwde om hem bij Sjeindl af te leveren.

'Zullen we dit bij de bruid gaan bezorgen?' vroeg ze.

Sjeindl's familie woonde van ons uit gezien aan de andere kant van de stad, door de nauwe doolhof van straten waar Lipsa woonde, voorbij de markt, voorbij de nieuwe synagoge waar de rijkere kooplieden hun gebeden opzegden, en een lichte helling op. De buurt was het verst van het moeras verwijderd, maar lag nog steeds in onze stad. Daarachter lag een zoet geurend bos vol pijnbomen. De vader van Sjeindl, Leizer Entelman, deed in timmerhout. Zijn huis had versierde gevels en er werd gezegd dat er glimmend gewreven houten vloeren in lagen en dat de kamers gevuld waren met veren sofa's en kleurrijke wandtapijten. Sjeindl ontving ons in de keuken, maar zelfs de keuken was prachtiger dan ik ooit gezien had. De vloeren glommen alsof iemand ze pas enkele ogenblikken daarvoor nog opgewreven had en het licht dat door de ramen van die keuken scheen, leek er anders uit te zien dan het stoffige licht dat bij ons naar binnen filterde. 'Ga zitten alsjeblieft,' zei Sjeindl en ze gebaarde grootmoedig naar de bank bij de tafel. Ze was, als dat mogelijk was, nog mooier dan ik haar ooit gezien had. Haar huid was net zo vol kleur als het warm getinte bos waarmee haar vader zijn fortuin gemaakt had, haar donkere ogen schitterden vol geestigheid en opwinding, en haar haar, dat spoedig voor haar huwelijk afgeschoren zou worden, zat voorlopig nog in twee glanzende zwarte vlechten die ze charmant over haar schouders zwaaide, alsof hun weelderige schoonheid maar afleidde, een afleiding waar zij zo snel mogelijk vanaf wilde.

Ik lette goed op toen ze de jurk uitpakte – en weer was ik volkomen overtuigd van Sjeindl's absolute verfijndheid. Met behoedzame handen pakte ze de jurk uit en tilde hem omhoog. Ze zuchtte van genot. Ze hield hem voor, daarna op armlengte zodat ze hem kon bekijken, daarna hield ze hem weer tegen zich aan. 'Hij is prachtig,' zei ze tegen Tsila, en de blijdschap straalde van haar mooie gezicht. 'Hij is zo delicaat. Hij is zo…'

'Het is net een roos,' zei ik.

'Net een roos,' zei Sjeindl instemmend en terwijl ze de jurk tegen zich aanhield, danste ze even door het vertrek. Heel even maar, danste ze, en dat zag er op geen enkele manier onfatsoenlijk uit; ze was een vroom meisje. Daarna richtte ze haar blik op mij. 'En hoe gaat het met jou, mijn kuikentje?' vroeg ze aan me. 'Ik heb je helemaal niet meer gezien sinds je bij Lipsa weg bent. Ik vind het jammer dat ik je aardige gezicht niet meer in de stad zie.'

Nou, dat was een beetje eigenaardig. Sinds wanneer was ik Sjeindl's kuikentje? Hoewel Sjeindl altijd aardig tegen me geweest was – ik hoorde haar maar zelden fluisteren als ik langs haar en haar groep vriendinnen liep – was ik tot op dat moment nooit haar kuikentje geweest. En nog nooit eerder had ze mijn gezicht aardig gevonden. Maar Sjeindl was zo blij: haar blik vervulde alles waar ze naar keek met goedheid.

Misschien had Tsila dus toch gelijk gehad. Zo blij als Sjeindl met haar jurk was, misschien was ze wel net zo blij geweest met iets wat door Blema gemaakt was. Misschien had ze wel hetzelfde dansje gedanst.

'Hij is erg verfijnd,' zei ik en kreeg een lege blik als reactie.

'Wat?' vroeg ze.

'De jurk.'

'Natuurlijk is die verfijnd. Maakt Tsila wel eens iets wat niet verfijnd is?' Zelfs Tsila, de zuurpruim van het dorp, werd door het zachte licht van Sjeindl's geluk beschenen.

'Zul je je er gelukkig in voelen?' vroeg ik.

'Dat mag je niet vragen,' zei Tsila en gaf me een zachte tik tegen mijn hoofd.

'Wat een serieus kuikentje, zeg,' zei Sjeindl vrolijk. 'Willen jullie thee?'

'Ja graag,' zei ik.

'Doe geen moeite,' zei Tsila en gaf me nog een klap, maar die was deze keer niet zo zacht. 'Sjeindl heeft wel iets beters te doen dan ons thee serveren,' waarschuwde ze.

'Hoe kun je dat nu zeggen, Tsila?' protesteerde Sjeindl, maar ze drong niet verder aan.

'Ik weet hoe druk je het hebt,' zei Tsila. 'Ik ben ook een bruid geweest. Je kunt ons thee serveren in je eigen huis als je een netjes getrouwde vrouw bent.'

'Ja,' zei Sjeindl met een stralend gezicht. Er was al een start gemaakt met de bouw van Sjeindl's nieuwe huis. Tijdens de onderbreking van de dienst in de nieuwe synagoge kon je haar vader horen opscheppen over de prijs van de materialen die hij geïmporteerd had. Sjeindl klapte eenmaal in haar handen en hield ze vervolgens ineengeklemd voor zich. 'Jullie zullen mijn allereerste gasten zijn,' zei ze.

'Zo niet de allereersten, dan wel een van de eersten,' zei Tsila en begon me naar buiten te leiden.

'Wat mankeert je?' vroeg Tsila boos toen we nauwelijks de deur uit waren. 'Weet je dan helemaal niet hoe je je moet gedragen?'

Door mijn zwijgen werd Tsila alleen nog maar kwader.

'Als je met Lipsa meeging om wasgoed af te leveren, gingen jullie dan ook als dames zitten theedrinken?'

'We werden door niemand gevraagd.'

'Natuurlijk werden jullie door niemand gevraagd. Waarom zou iemand als jij op de thee gevraagd worden?'

'Sjeindl deed het,' bracht ik naar voren.

'Sjeindl deed het,' deed Tsila me na. 'Sinds wanneer nodigt Sjeindl Entelman mensen als ons uit om thee te komen drinken?'

'Ze zou het niet gevraagd hebben als ze het niet meende.'

Tsila sprak dit niet onmiddellijk tegen. Ze stampte weg en liet me staan zodat ik achter haar aan moest draven. Zodra ik haar ingehaald had, viel ze naar me uit.

'Jij bent niet zoals Sjeindl,' zei ze. Ik had me nooit ingebeeld dat

dat wel zo was. 'Je hebt Sjeindl's gezicht niet, Sjeindl's ouders niet, en godzijdank ook Sjeindl's hersenen niet. Sjeindl is een eenvoudig meisje dat de dingen liever anders ziet dan ze in werkelijkheid zijn. En, *mijn kuikentje*, een van die dingen is dat meisjes zoals jij niet thee gaan zitten drinken met de Sjeindls van deze wereld. Snap je dat?'

Ik gaf geen antwoord.

'Sjeindl kan het zich veroorloven zich anders voor te doen. Ze kan het zich veroorloven haar ogen te sluiten voor alles wat ze niet wil zien. Maar jij, kleine, kunt dat niet. Jij kunt je niet veroorloven je ogen te sluiten voor de dingen zoals ze zijn. Begrijp je me? Jij moet te allen tijde je ogen openhouden, je oren gespitst, je geest waakzaam en actief, altijd actief. En zelfs dan, zelfs dan nog...'

'Ze nodigde me uit,' bracht ik nog eens onder de aandacht.

Hierop draaide Tsila zich om en stampte naar huis.

'Dan drink je hier thee,' zei Lipsa tegen mij. Ik was rechtstreeks naar haar huis gegaan, nadat Tsila me op straat had laten staan.

Lipsa's huis leek donkerder dan toen ik daar nog woonde – het licht van het kleine raam reikte niet erg ver de kamer in – maar het rook er nog steeds naar Lipsa en haar gezin. 'In ieder geval lijken de dingen niet altijd wat ze zijn,' zei ze, en ze legde de lucifers die ze bezig was in te pakken weg om thee in te schenken. 'Er zijn drie opzichten waarin jij en Sjeindl op elkaar lijken. Ben je die zo snel al vergeten?'

Ik wist niet zeker of ik die wel geweten had, voordat ik ze was vergeten.

'Jullie zijn alle twee uit een piepklein druppeltje vloeistof geschapen, zoals wij allemaal. Jullie zijn alle twee voor het graf bestemd, een plaats vol slijk en wormen en maden. En jullie moeten je alle twee verantwoorden voor de Koning der Koningen. Zoals wij allemaal. Heb je al gegeten?' vroeg ze en zette wat brood en een fijngesneden ui voor me neer.

Ik at en dronk thee, terwijl Lipsa doorging met haar werk. We waren de enigen in huis. De jongere kinderen speelden op de binnenplaats. De oudere meisjes waren waarschijnlijk wasgoed aan het wegbrengen.

'Als een meisje als Sjeindl je op de thee vraagt, doet ze dat niet alleen maar om geluid te maken,' zei Lipsa na enige tijd. 'Zo'n soort meisje is Sjeindl niet. Neem nog een sneetje brood.' Ik pakte het brood dat ze me aanbood. 'Ik ken Sjeindl langer dan je stiefmoeder,' vervolgde Lipsa. 'Wie denk je dat Sjeindl's min was?'

'Jij?' vroeg ik.

Lipsa knikte. 'Haar moeder had geen melk. Ik ken dit meisje vanaf het moment dat ze geboren is – zoals ik jou ken, mijn vogeltje – en ik kan je zeggen dat als Sjeindl Entelman jou op de thee vraagt, ze dat doet omdat ze dat graag wil.'

Op dat moment werd ik zo vervuld van warmte, dat ik mijn tweede boterham zelfs niet meer hoefde. 'Wanneer zal ze me dan ontvangen?' vroeg ik. 'Nadat ze getrouwd is? In haar nieuwe huis?'

Maar Lipsa haalde haar schouders op en zei: 'Als de tijd rijp is, zal ze je ontvangen.'

'Ah, de hooggeëerde gast is eindelijk aangekomen,' zei Tsila toen ik binnenkwam. Er stond een schaal *schav* op tafel. Ik ging zitten.

'Heb je je handen gewassen?'

Ik stond op, waste mijn handen en ging vervolgens weer zitten.

'En heeft de dame die niets om handen heeft, zich nog een beetje in de stad vermaakt?'

Ik probeerde wat *schav* te eten, maar zat al vol van het brood dat ik bij Lipsa gegeten had.

'Misschien is het eten dat ik klaargemaakt heb, niet langer goed genoeg voor iemand die door Sjeindl Entelman op de thee gevraagd is.'

'Ik heb bij Lipsa thee gedronken,' zei ik.

Tsila's gezicht werd vuurrood en een ogenblik lang dacht ik dat ze me misschien met haar lepel zou slaan, maar toen ze sprak klonk haar stem kalm en was het sarcasme waarmee ze me begroet had verdwenen.

'Loop je nu voortaan iedere keer naar Lipsa, als ik je probeer iets te leren wat je niet plezierig vindt?'

'Dat weet ik niet,' zei ik.

'Je liegt tenminste niet tegen me. Vertel me wat Lipsa je deze keer gevoerd heeft.'

'Gewoon thee, brood en uien.'

'Ik bedoel wat voor oudewijvenpraatjes heeft ze verteld?'

'Ze vertelde me dat Sjeindl het meende, toen ze me uitnodigde voor de thee.'

'Ik begrijp het,' zei Tsila. 'Omdat jij en Sjeindl zo veel gemeen hebben, zo veel te bespreken hebben.'

Ik begon Tsila te vertellen dat er drie opzichten waren waarin Sjeindl en ik op elkaar leken. 'We zijn alle twee geschapen uit...'

'Dat soort geloof brengt geen brood op de plank.'

Ik stak mijn lepel in de *schav*, maar had zelfs nog minder trek dan een ogenblik daarvoor.

'Je moet de groeten van Freide hebben,' zei ik tegen Tsila. Wat Freide eigenlijk gezegd had, toen Lipsa en ik bij haar langsgegaan waren, was dat ik aan mijn stiefmoeder moest vragen of ze dacht dat ze, nu ze een getrouwde vrouw was, te goed was om nog oude vriendinnen op te zoeken. Voor Freide echter was dat hetzelfde als de groeten doen.

'Hoe kwam je bij Freide terecht?' vroeg Tsila met een frons zo diep dat ik wilde dat ik mijn mond gehouden had.

'Toen ik met Lipsa op weg naar huis was, zijn we bij haar langs geweest.'

'O ja?'

Ik knikte, hoewel ik op mijn hoede was door de toon waarop Tsila dat zei.

'En waarom denk je dat Lipsa met je bij Freide langsging? Het lag nu niet precies op de route, hè?'

Dat klopte. Freide woonde in een klein zijstraatje, niet ver van de route, maar zeker niet erop.

'Moest Lipsa daar iets afgeven? Of ophalen?'

Nee, dat was niet het geval geweest.

'Dus waarom denk je dan...?'

Nu Tsila me ernaar vroeg, kon ik zien dat het een beetje raar was. Het was niet omdat Freide dol op me was. Het boefje, noemde ze me. Zelfs vandaag nog, nadat ze me een snelle blik toegeworpen had, had ze met haar diepe neusklank gebromd: 'Ik zie dat het boefje nog onder ons is.'

'Ruim de tafel op, dan zal ik je wat vertellen,' zei Tsila.

Arn Leib had voor Henje een huis in het dorp gevonden toen ze net getrouwd waren, een vrolijk huis, met witgekalkte muren en leuke houten luiken en ruimte aan de achterkant voor een klein tuintje.

'Je kent het huis,' zei Tsila. 'Je bent er net geweest. Freide en haar gezin wonen er. Het is nu niet meer zo'n aardig huis natuurlijk – ze leeft als een varken, die Freide – maar in die tijd leefden er maar twee andere gezinnen in en ze hielden het altijd fris witgekalkt.' De muren waren nu grijs en verweerd, de luiken half verrot, de tuin was overwoekerd met bloemen en kruiden en het erf was vol kinderen en kippen.

'Je kon zien dat het ooit een aardig huis was, nietwaar?' vroeg Tsila. Ik knikte.

'Maar Henje wilde zo'n huis niet. En weet je waarom niet?'

Ik schudde mijn hoofd.

'Het was te lawaaiig voor iemand als Henje. Stilte wilde je moeder plotseling. Zij die Arn Leib eerst vanwege zijn zwijgen geweigerd had.'

'Was dat zo?'

'Ja, natuurlijk. Zijn tong was niet glad genoeg voor een meisje als Henje. Ze gaf de voorkeur aan tongen die luidruchtig en goed-gesmeerd waren, maar dat is een ander verhaal. Ze wilde Arn Leib niet, alsof zij geen wees was en niet helemaal alleen op de wereld stond, alsof ze zich kon veroorloven kieskeurig te zijn wat de man betreft die haar wilde hebben. Ze wilde hem niet, alsof ze plotseling Koningin Ester was. Ik zeg niet dat je moeder zichzelf te goed vond – moge God verhoeden dat ik zo over iemand spreek die niet langer in staat is voor zichzelf te antwoorden...'

Ze keek me aan om zich ervan te vergewissen dat ik begreep dat men niet voorzichtig genoeg kon zijn als men over de overledenen sprak. Ik knikte begrijpend.

'Maar ze weigerde wel een volstrekt goede partij – ze zou dat niet ontkennen, dat weet ik zeker – en wat kon je vader aanvangen zonder ouders in de buurt om haar te dwingen met hem te trouwen?'

'En wat deed hij?'

'Hij volgde haar overal. Een jaar lang volgde hij haar overal. Een stille schaduw van zichzelf, dat was Arn Leib ten slotte geworden tot...' Tsila pauzeerde weer.

'Weet je wanneer stilte vat krijgt op een mens?' vroeg ze me.

In de wereld die nog komen moest, dacht ik, *wanneer iedere nieuwsgierigheid naar mijn eigen afkomst verdwenen was en er in plaats daarvan troosteloosheid zou zijn.* Maar Tsila wees me niet de weg naar mijn moeders dood.

'Als iemand zijn eigen hart wil horen kloppen – dat is wanneer hij de stilte begint op te zoeken,' zei ze.

Ik herinnerde me de vreselijke stilte die eerste middag dat Lipsa me naar mijn vaders huis gebracht had en me bij Tsila achtergelaten had, het geluid van mijn eigen bloed dat door mijn aderen raasde. Het geluid van mijn eigen leven. Vreselijk.

' "En stilte zul je hebben," zei je vader, toen hij het huis zag dat je moeder uitgekozen had. Sender de looier had hier jaren gewoond – dat weet je natuurlijk niet meer. Hoe zou dat ook kunnen? Niet dat er veel te herinneren viel. Hij werkte in de winter, dronk in de zomer en rook de hele tijd naar het bederf dat hem uiteindelijk zou doden. Hij stierf hier in dit huis, wist je dat? Precies een jaar voor de geboorte van je broer. Zijn dood was een marteling – zijn hele lichaam was zwart van het bederf. Dat is het huis dat je moeder na haar trouwen uitkoos om in te wonen.'

'Waarom?' vroeg ik.

'Waaróm, dat vertel ik je nu niet. Er zijn genoeg theorieën, dat kan ik je verzekeren. Maar ik vertel je nu hóe het gegaan is.'

' "En hoe moet dat, al die keren dat je alleen bent?" vroeg mijn vader haar. Want een schoenmaker moet reizen voor zijn werk, nietwaar? In de wintermaanden kon hij wel de hele week weg zijn, soms weken, als hij zijn ronde door de naburige dorpen maakte, met Henje al die tijd aan de rand van het moeras met alleen haar gedachten als gezelschap. Is dat een gepast leven voor een jonge bruid? Dat is wat Arn Leib zich afvroeg toen hij het mooie huis zag dat Henje uitgekozen had. En dat is wat iedereen zich afvroeg. En weet je wat je moeder antwoordde?' vroeg Tsila.

Ik concentreerde me, maar kon niet bedenken wat mijn moeder

misschien geantwoord kon hebben.

'*Ik ben nooit alleen.* Dat is wat je moeder antwoordde. *Ik ben nooit alleen.* Kun je je zo'n antwoord voorstellen?'

Daar wist ik geen antwoord op.

Tsila haalde haar schouders op. 'Wie weet wat een mens in zijn eigen hart hoort als hij de stilte vindt om te luisteren. Sommigen zeggen dat het gevaarlijk is om te luisteren – welk nut kan het dienen? Daarom leven we niet alleen, zoals wilde dieren dat doen. We leven samen, in een gemeenschap, als menselijke wezens.'

'Dus we luisteren niet naar ons eigen hart?'

Ze keek me oplettend aan als om te zien of ik brutaal was, en ging daarna verder. 'Ze zeggen dat je vader haar haar zin niet had moeten geven, dat hij zijn poot stijf had moeten houden zoals een man dat doet, en erop had moeten staan dat ze zou wonen in het huis dat hij voor haar gevonden had. In een vrolijk huis, in de stad, tussen de mensen. Sommigen gaan zelfs zover te opperen dat haar einde op zijn schouders rust, vandaar die bochel. Ik weet niet of Lipsa dat ook denkt, maar ze verwijt het hem wel. Ja, dat doet ze wel,' zei Tsila met nadruk, en bracht met een ongeduldig gebaar mijn protest tot zwijgen.

'Waarom zou ze je anders vandaag het huis hebben laten zien? Wat zou anders de reden zijn om jou mee te nemen naar Freide?'

Dat wist ik niet.

'*Hier had je geboren moeten worden.* Dat vertelde Lipsa je. Ik weet hoe ze denkt, die vrouw. *Herinner je dit huis, als je naar de gevaarlijke stilte in het huis van je vader terugkeert.* Dat is wat ze je vandaag gevoerd heeft, samen met je thee, brood en uien. Heb je je handen gewassen en netjes gebeden?'

Ik knikte. 'Lipsa heeft niets gezegd over...'

'Dat hoefde niet. Ze denkt dat ik een dwaas ben, maar zij is de dwaas, met al haar foefjes en tovenarij die nutteloos zijn als je oog in oog staat met het lot. Je een andere naam geven...' Tsila schudde haar hoofd alsof wat Lipsa gedaan had op de een of andere manier ongebruikelijk was, en minachting verdiende.

'Iemands lot staat in zijn hart geschreven,' zei Tsila. Ze pakte mijn hand en legde die plat op mijn borst. 'Voel je je lot?' vroeg ze me. Ik voelde slechts de sterke, gestadige klop van mijn hart. 'Denk je dat tovenarij en foefjes kunnen veranderen wat er onder je hand klopt?' vroeg ze me.

Siberië, mei 1911

Het was mijn moeder aan wie ik dacht, toen ik mijn eerste glimp van Maltsev opving. Haar woorden waren het die bij me opkwamen om me te redden, die mijn geest vervulden, zijn uiterste grenzen bewaakten, iedere andere gedachte uitbanden.

Ik ben nooit alleen.

We kwamen uit Akatoeje aan in Maltsev. Akatoeje was de gevangenis voor de eerste opvang in het Siberische Katorga, en hoewel ik dacht dat mijn laatste uur geslagen had toen ik na twee moeilijke maanden van transport in Akatoeje aankwam, weg van iedereen die ik kende en die mij dierbaar was, leek Akatoeje achteraf gezien een plattelandskroeg vergeleken met wat ons in Maltsev te wachten stond. In de eerste plaats was het zomer toen we in Akatoeje aankwamen, en het dal waarin de gevangenis lag, was groen. En toen we door de toegangspoort van de gevangenis zelf naar binnen gingen, was de binnenplaats vol jonge mensen, mannen en vrouwen als wijzelf – en ook kinderen, zag ik met een steek van pijn – en allemaal heetten ze ons welkom. 'Welkom, beste kameraden,' riepen ze bij wijze van groet. 'Glorie voor de gevallenen en vrijheid voor de levenden!'

Daarentegen was het winter toen we Maltsev naderden. Het bevel kwam in januari, toen het bitter koud was.

In de zomer van 1906 was Akatoeje te vol om er een behoorlijke discipline te kunnen handhaven. Dat is allemaal anders nu, natuurlijk – maar in die eerste zomer na de mislukte revolutie waren de muren van Akatoeje en de wilskracht van de bewakers niet opgewassen tegen de geestkracht van de jeugd die in steeds grotere aantallen binnenstroomde. Binnen de muren van Akatoeje konden de gevangenen zich vrijelijk bewegen, hun tong net zo min gekluisterd als hun ledematen, en spraken ze opgewonden over ideeën en plannen, organiseerden zich in communes die zich bezighielden met het omverwerpen van de tirannie. En toen, vlak voor mijn aankomst, was Grigori Gersjoeni erin geslaagd te ontsnappen. Gersjoeni, de leider van de strijdorganisatie van de Sociaal-Revolutionaire Partij, die het onderdrukkend bewind zo veel 'gedurfde klappen' had uitgedeeld.

Gersjoeni had zich in een vat zuurkool verstopt dat de gevangenis uitgedragen werd. Zo was hij ontsnapt. Gevangenen maakten regelmatig hun eigen zuurkool voor de winter. Ze maakten de kool schoon, sneden en stopten die in grote vaten voor opslag. Gersjoeni zat gehurkt op de bodem van een van die vaten. In zijn mond had hij rubberen slangetjes die naar twee luchtgaten in de zijkant van het vat leidden, en boven zijn hoofd zat een metalen plaat om te voorkomen dat de bajonet van de schildwacht door hem heen zou steken. De ruimte om hem heen was opgevuld met gistende zuurkool. Zijn kameraden droegen hem naar de poort, maar de bewakers en soldaten zelf lieten hem in de kelder zakken waar zijn tunnel naar de vrijheid al gegraven was.

Al snel kwam er een reactie: vreugde en hoop onder de gevangenen, vergelding van de kant van de bewakers. Vijftig mannelijke gevangenen werden onmiddellijk naar Gorni-Seroentoej overgebracht – de wreedheid van deze plek was onlangs in de openbaarheid gekomen door de zelfmoord van Jegor Sazonov, een man die door velen eens ontembaar genoemd werd. En daarna werden in de winter de vrouwen naar Maltsev overgebracht.

We moesten zeven dagen reizen om Maltsev te bereiken. We reisden per slee – er was geen andere manier – gewikkeld in huiden die ons in leven hielden maar die ons niet verwarmden. Zeven dagen reisden we door een levenloos landschap waar behalve onze eigen bewegingen niets anders te zien was dan wervelend sneeuw en ijs. De nachten brachten we door in Siberische *etapes* – holen zo weerzinwekkend vol ongedierte en uitwerpselen dat het, net zo erg als de kou, een vorm van martelen was om hun smerigheid te moeten inademen. Op de achtste dag kwam Maltsev in zicht: een eenzaam grijs bouwwerk dat nauwelijks oprees uit de omringende woestenij.

'Moge God ons redden,' prevelde Lydia. Lydia, de atheïst, die tien jaar had omdat ze tegen God en de tsaar gepredikt had.

'Het ziet eruit als een hagedis,' fluisterde een ander. Maria. Ze was zo ziek dat ze aan het begin en einde van iedere dag van en naar de slee gedragen moest worden. Misschien dat de gevangenis er in haar ijltoestand inderdaad als een hagedis uitzag. Misschien zag ze de sneeuw overal om ons heen aan voor het door de zon verwarmde zand waar een hagedis misschien in kan overleven. Het moet haar ijltoestand geweest zijn, want al wat voor ons lag, het was geen hagedis. Laag bij de grond, ja, maar grijs als het gezicht van de dood. Het was geen levend wezen dat daar die dag op onze komst lag te wachten, maar een doodskist, een doodskist die gebouwd was om ons als graf te dienen tot we behoorlijk begraven konden worden.

'Ik zal dit niet overleven,' hoorde ik mezelf zeggen. 'God is mijn getuige, ik zal dit niet overleven.'

De slee was gestopt – een kortstondige onderbreking zodat we konden opstaan en onze bevriezende ledematen konden proberen te bewegen. Ik nam mijn situatie in ogenschouw. We waren omgeven door dorheid, grijs en wit voor zover het oog reiken kon, en nog verder. We waren 300 werst van het dichtstbijzijnde treinstation verwijderd, zeven dagen per slee van onze kameraden in Akatoeje. Toen ik naar een plek liep waar ik mijn metgezellen niet meer kon horen ademen, was de stilte zo diep geweest dat het pijn deed. Een onverdraaglijke druk in mijn oren – dat is wat ik voelde, een band die zich strak rond mijn hoofd trok, een gewicht dat mijn borst, mijn longen indrukte, dat me van alle kanten samenperste. Ik tilde instinctief mijn handen op om mezelf te beschermen, maar er was geen bescherming.

Ik stampte met mijn voeten en sloeg mijn handen in hun wanten tegen elkaar, maar zodra ik stil stond, daalde de stilte weer op mij neer. Tegen die tijd was het al schemerig. Als ik bleef staan waar ik stond, zou ik tegen de tijd dat het avond was, dood zijn. Tegen de ochtend zou de opstuivende sneeuw ieder spoor van mijn lichamelijke bestaan bedekt hebben. De jachtende sneeuw en de duisternis hielden mij reeds voor mijn metgezellen verborgen. Ik was totaal alleen.

En op dat moment hoorde ik haar. *Ik ben nooit alleen.* Met een heldere, luide stem rezen die woorden als lava in mij op, vulden mijn borst met warmte, liepen over in mijn hoofd tot er geen ruimte meer was voor iets anders. *Ik ben nooit alleen. Ik ben nooit alleen. Ik ben nooit alleen.* Ik kon niet bedenken wat deze woorden konden betekenen, ik kon er alleen vat op krijgen zoals een mens die aan het verdrinken is, alles blindelings zou kunnen vastgrijpen wat maar binnen zijn bereik is, en zo stond ik hun toe me naar hun bron te voeren. Langs de bemoedigende hellingen van hun klank gleed ik naar beneden, steeds dieper in mezelf. Daar vond ik Tsila's stem, mijn moeders woorden, mijn eigen luidruchtige hart – dat was genoeg op dat moment.

Vier

1900

Het duurde nog drie jaar voordat het kobaltblauwe brokaat een vrouw vond die het wilde dragen. Aan iedere bruid die de deur binnenkwam, bood Tsila het aan, maar niemand wilde haar huwelijk ingaan gekleed in een dergelijk noodlottige lap stof. Ook emigranten wilden het niet hebben.

'Waarom niet? Het is perfect voor New York,' zei Tsila tegen Sjeindl. Sjeindl's man Jehoede was nauwelijks een paar weken na hun huwelijk naar Amerika vertrokken en was nu teruggekomen om haar op te halen.

'Wat weet jij nu van New York?' vroeg Sjeindl verbitterd. Haar beminnelijkheid was verzuurd in de drie jaren sinds haar bruiloft. Tijdens haar huwelijksnacht had ze zo hard gehuild dat haar vader de echtelijke slaapkamer was komen binnenstormen. Maar alles wat hij aantrof was Sjeindl geweest, helemaal gekleed en huilend boven een ticket. Haar man had gedacht dat dit een leuke verrassing zou zijn. Ze was toen niet met hem meegegaan – ze had de zwakke zenuwen van haar moeder – maar Jehoede had goed geboerd in zijn nieuwe leven, zo goed zelfs dat in plaats van alleen maar een ticket te sturen, hij persoonlijk teruggekomen was om zijn vrouw op te halen en om met zijn nieuwe kleren te pronken. 'Daar komt nog bij dat hij me niet meeneemt naar New York, maar naar Montreal. In Canada.'

Tsila tuitte haar lippen. 'Dan zul je blij zijn met een zwaarder materiaal zoals brokaat.'

Hierop begon Sjeindl te huilen. 'Het is al moeilijk genoeg dat ik mijn moeder moet achterlaten, ziek als ze is. Moet ik dan ook nog ongeluk op mijn rug meetorsen?'

'Je fortuin zal met je meereizen, het maakt niet uit wat je draagt,' zei Tsila onbewogen.

'Ja, maar daar heb ik Chavve Leibowitz niet bij nodig.'

Niemand had iets van Chavve gehoord of gezien sinds de dag dat ze vertrokken was. Er deden zelfs geen praatjes meer de ronde. Het enige wat ons er nog aan herinnerde dat Chavve ooit onder ons gewoond had, was het geween van haar moeder in de synagoge.

Tsila inspecteerde het brokaat, en fronste toen ze zag dat er een naad was losgegaan. Sjeindl sloeg haar handen voor haar gezicht en huilde. 'De vrouwen bedekken daar niet eens hun hoofd,' jammerde ze. 'En hij is daar blij om. *Je kunt je mooie haar weer laten groeien*, zei hij tegen me, alsof dat me gelukkig zou maken. Alsof ik daarvoor al niet doodgegaan zou zijn van schaamte.'

Tsila keek op. 'Je gaat niet dood van schaamte.' Iedereen wist dat Tsila's haar onder haar pruik nog net zo lang en dik was als toen ze nog niet getrouwd was.

Sjeindl haalde haar handen voor haar gezicht weg om Tsila aan te kijken. 'Misschien ga ik wel liever dood. Misschien ga ik wel liever dood dan dat ik schaamteloos word en... en wie weet wat nog meer.'

Tijdens haar huilbui was Sjeindl's pruik een beetje verschoven. Tsila stak haar hand uit om hem recht te duwen, en streek even snel met haar vinger over Sjeindl's natte wang. Sjeindl was nog steeds mooi. De zorgen en het verdriet van de afgelopen jaren hadden haar volle wangen iets doen invallen, wat echter de mooie botstructuur in haar gezicht beter deed uitkomen. Haar ogen, met tranen gevuld, blonken.

'Ik zal een mooie hoed voor je maken,' zei Tsila. 'Niemand kan je dwingen die af te zetten. En vergeet het brokaat maar. Dat is niets voor jou. Ik heb een mooie, zachte wol, perfect voor Canada.'

Ik bood thee aan, maar niemand hoorde me. Ze bestudeerden aandachtig de rijke bruine stof die zo volmaakt de diepe kersrode tinten van Sjeindl's huid aanvulde.

Beile was het die het brokaat wel wilde hebben.

'Echt waar?' vroeg Tsila, plotseling onzeker.

'Het is echt iets voor mij,' zei Beile en hield het omhoog tegen haar blauwig witte huid.

'Het is eigenlijk een beetje te zwaar voor je,' zei Tsila. Beile had iedereen verrast door een baan als winkelbediende in Mozyr aan te nemen, al snel nadat ze weer een huwelijkskandidaat afgewezen had die Chippa voor haar geregeld had. Ze maakte lange uren – ze was erg mager geworden – maar haar gezicht was eindelijk te voorschijn gekomen uit wat daarvoor een kom melk geleken had. Glanzende ogen net zo groen als die van haar zuster, een adelaarsneus, en wat kleur op haar hoge, uitstekende jukbeenderen waren in de plaats van een vormeloze bleekheid gekomen.

'Ik ben niet zeker van de kleur,' zei Tsila. 'Ik dacht aan iets fleurigers, dit mooie groen misschien?' De smaragdgroene zijde die Tsila voor haar zuster omhooghield, was het mooiste materiaal dat ze had, maar Beile schudde haar hoofd. Ze had voor het brokaat gekozen, net zoals ze een besluit genomen had over de bruidegom die ze voor zichzelf gekozen had.

Het was niet de gewoonte dat een jong stel zijn eigen huwelijk regelde, maar het gebeurde wel vaker. Ook hier in onze stad was een nieuwe eeuw ingegaan en Beile's familie was trots op de verlichte ideeën die ze erop na hielden. Dus toen de man van Sjeindl, Jehoede, de ouders van Beile benaderde met een aanzoek namens zijn neef, werd hij er niet onmiddellijk weer uitgegooid.

'Hij was goed gekleed,' meldde Tsila's moeder Rosa, toen ze de volgende dag op de thee kwam. 'En hoewel ik hem niet vertrouwde – voor geen ogenblik – zou het niet de slechtste zaak van de wereld zijn als we door een huwelijk verbonden zouden worden met een familie als de Entelmannen.'

'Haal eens wat koekjes voor mijn moeder,' zei Tsila tegen mij.

De jongeman heette Leib, meldde Rosa, en hij had Beile drie jaar geleden gezien op de bruiloft van Sjeindl en Jehoede. Niet dat hij toen veel gezien had – alleen maar een glimp van haar, terwijl ze lachte.

' "En sinds die tijd heb je meer gezien?" vroeg ik onmiddellijk aan Jehoede. Ik vertrouwde hem niet, zoals ik al zei. Wie kan een man vertrouwen die onmiddellijk na de dag van zijn huwelijk, zijn nieuwe bruid begint los te wrikken van haar moeder?'

'Genoeg over Jehoede. Vertel me over Leib,' zei Tsila.

'Hij schijnt onze Beile in Mozyr het hof te maken,' zei Rosa. Beile maakte daar lange uren in een apotheek en kwam iedere vrijdag-middag voor sjabbes thuis. Maar toch hadden zij en Leib een paar vrije uren gevonden, en tijdens deze uren waren ze gaan wandelen, praten... Niets onbehoorlijks natuurlijk, had Jehoede Rosa en Avrohem verzekerd, alsof het nodig was zoiets over een meisje als Beile te zeggen.

'En hij houdt van haar?' vroeg Tsila.

'Zoals zij blijkbaar van hem houdt,' antwoordde Rosa. 'Geen onbelangrijke overweging tenslotte. En het is niet zo dat wij de familie niet kennen.'

'Wat zoiets betekent als wie zijn wij om ons ongerust te maken als de familie goed genoeg is voor de Entelmannen?' bitste Tsila.

Rosa gaf geen antwoord, maar haar gezicht werd een beetje rood.

'Wat doet hij, deze Leib?' vroeg Tsila.

'Dat is een reden tot zorg,' gaf Rosa toe. 'Zijn ouders hebben in Bialystok een winkel in textiel, maar hij werkt daar niet, zie je. Hij is in Mozyr gaan wonen. "En wat doet hij daar precies?" vroeg ik zijn neef.'

' "Hij werkt in de luciferfabriek," antwoordde zijn neef en daar was ik niet blij mee. Een jongen die een behoorlijk eind reist, van zijn huis naar een stad die kleiner en kleinsteedser is dan waar hij vandaan komt... en dat allemaal om in een fabriek te werken die vooral bekend staat om zijn smerige lucht?'

'Noe?' drong Tsila aan.

'Hij is blijkbaar leraar,' zei Rosa.

'Een leraar die in een fabriek moet werken?' vroeg Tsila.

'Dat is precies wat mij zorgen baart. En je vader ook. "Leraar?" vroeg je vader. "Hoezo? Heeft Bialystok niet langer een Talmoedschool of een gymnasium?"'

' "Natuurlijk wel, zo'n groot centrum als Bialystok," antwoordde de neef, maar toen vervolgde hij dat ze daar een heleboel leraren hadden, dat je overal leraren zag in Bialystok, een overvloed aan leraren, als je zou willen. En hij ging maar door over dat je in tijden zoals deze een zekere flexibiliteit moet bezitten, over dat een man bereid moet zijn te verhuizen naar de plek waar werk is, en dat hij niet moet blijven wachten tot het naar hem toe komt. "Kijk naar mij," zei hij tegen ons. "Ik moest een hele oceaan oversteken om mijn koers te volgen…"'

' "De oceaan, ja," onderbrak ik hem. "Die specifieke koers heeft mogelijk een kans, dat is algemeen bekend. Maar de rivier de Pripjat? Onze rivier de Pripjat?"'

'Wat maakt het uit, mama?' onderbrak Tsila haar. 'Hebben jij en papa jullie toestemming gegeven?'

'Hoe zit het? Krijg ik geen thee meer vandaag?'

Beschaamd stond ik op en vulde haar glas nog een keer.

'Ik vroeg aan deze Jehoede waarom zijn neef mijn dochter zo aardig vindt,' zei Rosa. 'Een goede vraag, denk ik, en een onverwachte. Hij was geïnstrueerd, dat was duidelijk, om ons ervan te verzekeren dat Leib in staat is Beile te onderhouden, om indruk op ons te maken met het feit dat hij gestudeerd heeft. Maar om nu uit te moeten leggen waarom zijn neef voor Beile gevallen was? En weet je wat hij zei?'

'Hoe kan ik dat nu weten?'

'Hij zei: "Er was een moment tijdens de bruiloft dat ze lachte, heel even maar, en onmiddellijk daarna schoot haar hand omhoog om haar mond te bedekken…" Alsof de onbehoedzame lach van een jonge vrouw opeens de juiste basis voor een huwelijk was.' Rosa zweeg even om haar dochter aan te kijken. 'En op dat ogenblik haalde je vader de borrelglaasjes te voorschijn.'

'Wat? Wat dacht hij wel? Wil hij haar zo wanhopig graag uithuwelijken dat…' Maar toen stopte Tsila. Wellicht was het iets in haar moeders gelaatsuitdrukking. 'Het was niet alleen papa, hè?'

'Ik zat niet zo te glimlachen als je vader, maar ik hield ook niet zijn hand tegen toen hij de wodka uitschonk.'

'Maar waarom, mama? Ben jij dan ook zo wanhopig…?'

'Het heeft niets met wanhopigheid van doen,' zei Rosa.

'Waarmee dan?'

'Ze is niet zonder pit, mijn Beile,' zei Rosa rustig. 'Ik ben blij dat ze iemand gevonden heeft die dat ook ziet.'

***

Die lente stuurde Tsila me twee keer per week naar het moeras. Op maandag en donderdag, juist die dagen van de week dat de Tora gelezen werd als onderdeel van de ochtenddienst, vulde ze de zak van mijn schort met voorbeelden van wortels en bast die ze nodig had voor haar kleurstoffen, overlaadde ze me met waarschuwingen en stuurde me op pad.

'En vergeet het riet niet,' riep ze me gewoonlijk na, alsof het iets was dat haar nog net te binnen geschoten was, hoewel dat de ware reden van mijn uitstapjes was: het riet met de witte kern dat baby's in de schoot van getrouwde vrouwen stopt. Er waren zes jaar voorbijgegaan sinds Tsila's trouwdag en nog steeds had ze geen baby als bewijs. Ze klaagde niet over haar situatie, of sprak speciale gebeden uit, en ook raadpleegde ze Braine niet. Die was gespecialiseerd in het opheffen van vervloekingen en ze gaf ook advies over het boze oog. Maar in de lente van Beile's verloving begon Tsila met een toewijding die ze daarvoor alleen gereserveerd had voor het maken van kleren, het witte merg te eten. De hele dag door, tijdens het schoonmaken, tijdens het koken, tijdens mijn lessen, tijdens het naaien van jurken – het maakte niet uit hoe bezig haar handen waren – ze kon altijd wel haar werk voor een ogenblik onderbreken om een stukje van de broodachtige substantie in haar mond te stoppen. Alleen als ze aan het einde van de dag mijn vaders voetstappen hoorde terugkeren, stopte haar mond met werken en ging het riet terug naar de duisternis van de provisiekast.

Ik was niet bang voor het moeras. Hierin verschilde ik van de anderen in de stad. Het was niet dat ik me niet bewust was van de slangen in het moeras, van de rovers en de steels rondsluipende grijze mist, maar die gevaren verbleekten op de een of andere manier bij de schaamte die ik begon te voelen op mijn tochtjes naar de stad. Het was het gefluister van de andere meisjes waar ik bang voor was, de afgewende hoofden en het gemompel dat mijn verschijning veroorzaakte.

Moet je haar zien, hoorde ik hen fluisteren. Mij bedoelden ze, alsof mijn leven in afzondering op mijn gezicht gegraveerd stond, voor iedereen te zien. Ik hield mijn hoofd geheven zoals Tsila me bevolen had, en keek niet naar links of naar rechts, maar dat leek de tongen alleen nog maar scherper te maken. *Trots, als haar stiefmoeder – en waarop?* Maar het was geen trots, wilde ik uitschreeuwen. Kende ik niet veel beter dan zij mijn beschamende begin, de onaantrekkelijkheid van mijn gezicht? *Het huwelijk is onvruchtbaar, maar dat is niet verwonderlijk*, zou een jonge huisvrouw inbrengen. *Onvruchtbaar als een rots, maar nog steeds vindt ze dat ze zich trots gedragen kan. En hoe leger haar schoot, des te hoger de dunk die ze van zichzelf heeft*, zou een ander opmerken. *Die arme Arn Leib – de pech die die man met zijn vrouwen gehad heeft. Hoe meer verbeelding ze krijgt, des te dieper gaat hij gebukt onder haar gewicht. Gister nog zag mijn Dovid hem naar zijn huis kruipen en zag hem voor een worm aan.*

Zo werd ik in de stad begroet. Ik had me er niets van moeten aantrekken, misschien. Tsila trok zich er niets van aan – domme kinkels, zo noemde ze de roddelaars in de stad – maar ik was uit ander hout gesneden dan Tsila. De koude onverschilligheid waarmee ik bij mijn geboorte begroet was, de afgewende blik van mijn moeder terwijl ik naakt in de handen van de vroedvrouw lag, hadden me zo diep verkild dat ik naar warmte hunkerde, die warmte zocht ik in iedere blik die ik tegenkwam, warmte en geruststelling die ik bijna nooit vond.

Heb je haar keel gezien? zou een van de meisjes fluisteren. *Die is door de dood getekend*, zou ze eraan toevoegen, zinspelend op het litteken op mijn keel – het punt waar, volgens de *yentas* in de stad, de dood gedwongen geweest was mij te verlaten en waardoor hij ooit zou terugkeren om mij op te eisen. Meer gefluister zou volgen, een spervuur van gefluister waar ik doorheen moest om het centrum van de stad te bereiken.

Om deze reden leek het moeras me in die tijd vriendelijker toe dan de stad. Als het waar was dat daar de geesten van de doden in de mist rondwaarden, dan leken die geesten mij geen kwaad te willen doen. Ik voelde dat ze mij onthaalden, als ze al iets deden. Ze stonden op om mij te begroeten, wikkelden zich om mij heen om me veilig het moeras in te begeleiden.

Ik leerde er snel de weg, de zanderige sporen die zich rond bosjes brandnetel en dollekervel kronkelden, en de sponsachtige paden die naar het laagveen leidden. Ik vond de plekken waar je stevig kon staan, de droge heuveltjes, met mos bekleed, de espenbosjes die de voorraad vormden voor de luciferfabrieken in de steden. Ik kende de poelen zwart water waaruit skeletachtige handen omhoog konden komen om een toeschouwer het water in te trekken, en de heldere geulen waar zoet water in stroomde. Er zaten slangen in de geulen, en op de waterspiegel dreven reuzenwaterkevers, maar als ik een handvol van het water in mijn mond schepte, was het helderder en zoeter dan in het dorp.

Het was niet stil in het moeras, de lucht was vol gezoem van insecten, gekwaak van kikkers, en de wilde eenden riepen in de vlucht. Slecht zelden hoorde ik stemmen van mensen. Soms waren dat de stemmen van jongens uit naburige dorpen die lachten en naar elkaar riepen, terwijl ze visten en in de geulen speelden. Andere keren klonken er de diepere stemmen van mannen die op weg waren om hout te kappen of ze kwamen uit de tijdelijke kampementen van zwervers en bedelaars die over het gebied verspreid lagen. Ik wilde de eigenaars van deze stemmen niet ontmoeten, maar ik was ook niet bang. Als ze te luid leken, of te dichtbij of te dronken van toon, was het makkelijk genoeg om weg te duiken in een struik naast het pad om zo te voorkomen dat ik gezien werd.

Slechts één keer die lente werd ik daadwerkelijk door iemand op het pad verrast. Het was een jongen, niet veel ouder dan ik. Hij was alleen en zijn tred was zo licht dat ik hem niet hoorde tot hij zo goed als bij me was.

'IEEE,' ontsnapte me, ik was verrast en bang tegelijk, tot ik me realiseerde dat het maar één enkele jongen was, en ziekelijk op de koop toe.

'Het spijt me,' mompelde hij. 'Ik wilde je niet laten schrikken.'

Ik had nog nooit zo'n vriendelijke stem gehoord, hij klonk me als muziek in de oren, maar zijn gezicht was onplezierig om naar te kijken: een klamme huid, grijs van tint, zijn ogen waren geel waar ze wit hadden moeten zijn, en zijn tanden werden al zwart in zijn mond. 'Ben je ziek?' vroeg ik hem, alleen maar om zijn stem nog een keer te horen, maar ondertussen dwong ik mezelf ook naar zijn gezicht te kijken, omdat ik wist hoeveel pijn dat deed, een afgewende blik.

'Niet erg,' zei hij. Hij keek me lange tijd aan, alsof hij iets in mijn gezicht probeerde te ontwaren. Ik lachte en zijn wangen werden rood. Toen wierp hij een blik op het bundeltje riet dat ik geplukt had en pakte er een. Voor ik hem kon tegenhouden, had hij hem opengespleten en het kostbare witte merg op het pad gegooid. Hij bracht het riet naar zijn mond en blies in het gat dat hij gemaakt had. En door de holle stengel kwam een enkele toon, een toon puur verdriet. Daarna liet hij het riet zakken en glipte langs me heen.

'Wacht,' riep ik tegen hem, maar hij verwijderde zich snel en spoedig was hij uit het zicht verdwenen.

'Je hebt het je waarschijnlijk verbeeld,' zei Tsila toen ik het haar later vertelde. Maar haar gezicht betrok en de volgende keer dat ik riet voor haar ging halen, ging ze met me mee.

'Denk je dat het mijn broer was?' vroeg ik haar. Hij had de leeftijd die Jankev nu gehad zou hebben en zag eruit als iemand die al jaren geleden overleden was.

'Doe niet zo raar,' zei Tsila streng.

'Ik doe niet raar,' zei ik. 'Zijn gezicht was grijs, zijn ogen waren geel…'

'Waren zijn tanden niet zwart?' onderbrak ze me.

'Precies,' zei ik.

'Precies,' deed ze me na. 'Weet je dan niet dat de tanden van de doden niet rotten? Alleen het gezwoeg in dit leven maakt dat de tanden in ons hoofd wegrotten. De tanden van de doden zijn altijd sterk,' zei ze. De jongen was niets om bang voor te zijn.

'Ik was niet bang,' antwoordde ik. Mijn ontmoeting met de jongen had me opgebeurd. Hoewel ik een schok gevoeld had toen ik hem de eerste keer aankeek, had de schok al snel plaats gemaakt voor herkenning. Hier was eindelijk een ander wezen zoals ik, leek het, iemand die zich beter thuis voelde in het moeras dan onder de mensen. En dan die vriendelijkheid in zijn stem toen hij zich verontschuldigde dat hij me had laten schrikken – wanneer was ik ooit door een dergelijke vriendelijkheid zo teder aangeraakt? – alsof hij onmiddellijk een verfijndheid in mij herkend had die nog nooit door iemand anders opgemerkt was. En de smart die ik gehoord had, toen hij het riet naar zijn lippen bracht, dat was mijn eigen leven, leek het wel, gesponnen tot een draad van een enkele toon.

'Waar was het waar je dit ongelukskind tegenkwam?' vroeg Tsila.

Ik bracht haar naar de plek waar hij me ingehaald had.

'Hier moet je eigenlijk helemaal niet komen,' zei ze, hoewel de plaats waar ik haar naar toe gebracht had niet anders was dan andere plekken in het moeras. 'Kijk eens hoe klein het riet hier gebleven is,' wees ze en nu zag ik het ook, hoewel overal eromheen andere gewassen uitbundig in dikke pollen groeiden. 'De grond moet hier zuur zijn.'

Ik wees naar de wilgen er vlakbij die welig groeiden.

'Wat de ene soort voedt, verstikt soms de ander,' zei ze. 'Ik zou niet graag iets in mijn mond stoppen wat door zulke grond verstikt wordt.' Daarna leidde ze ons snel bij die plek vandaan.

Ik vroeg haar hoe het kwam dat het riet ervoor kon zorgen dat ze een baby kreeg en ze onthulde me, op weg naar huis, het mysterie van de conceptie zoals die in de Talmoed beschreven staat. De moeder zorgt voor de rode delen van het lichaam, legde ze uit. Bloed, spieren, haar, de kleur van het oog – dat alles was afkomstig van het maandelijkse bloed van de vrouw, hetzelfde bloed dat spoedig uit mijn eigen lichaam zou vloeien en dat ooit in een nieuw leven zou vloeien dat binnenin mij groeide. De vader zorgde voor de witte delen: botten, tanden, het wit van het oog, het hersenweefsel. Dat was afkomstig uit het vocht dat alleen mannen konden produceren.

'Maar dat is allemaal maar gewoon materie,' haastte Tsila te zeggen. 'Spieren en vlees zonder leven. Het is de Schepper Zelf die leven en geest in ieder nieuw schepsel ademt. Hij is het die ervoor zorgt dat we licht in onze ogen hebben, intelligentie in onze hersenen, uitdrukking op ons gezicht en beweging in onze spieren en ledematen.

Dat is de ziel,' zei Tsila. 'Zonder ziel is er geen leven. De ziel is het zout van het lichaam, die houdt het vlees intact. Op het moment dat hij vertrekt, rot het vlees weg.'

Mijn hoofd was nu vol rood en wit: vlees en botten, tanden en bloed, in mijn geval allemaal met elkaar verweven door een dunne draad verdriet. Was dat alles wat mijn ziel was, een dunne draad? Hoe kon zo'n fragiele draad sterk genoeg zijn om mijn lichaam bij elkaar te houden? We liepen steeds maar verder van de plek waar ik de jongen ontmoet had, en ik voelde mijn spieren langer en korter worden, mijn hart slaan, mijn bloed, warm en rood, stromen tot in de toppen van mijn vingers en de puntjes van mijn tenen. Waren de kracht van mijn lichaam en de warmte van mijn bloed niet evenzeer onderdeel van mijn ziel? *De beweging van de spieren en ledematen*, had Tsila gezegd. *En de intelligentie van de hersenen.* En dat betekende mijn gedachten en ideeën, de vragen die onder het lopen voortdurend in mijn hoofd opkwamen, en pas bij de brug herinnerde ik me mijn oorspronkelijke vraag: over het riet dat ik voor Tsila plukte, het riet met de witte kern. Ik vroeg hoe ze daarmee een baby kon krijgen. Tsila stopte en leunde tegen de reling van de brug. Ik leunde naast haar en staarde in het kalme water van de Pripjat. Een vis sprong uit het water, een flits van zilver en licht.

'Een verwonding aan de ziel heeft invloed op het lichaam, net als een verwonding van het vlees de ziel kan pletten,' legde ze uit. 'In het geval van de conceptie…' Hier aarzelde ze. 'Soms, wanneer een man de een of andere verwonding heeft opgelopen, heeft hij een tekort aan wit materiaal.'

Ik vroeg niet wat voor verwonding mijn vader opgelopen had. Ik begon aan het riet te denken. Zou het riet dat ik haalde, wel goed genoeg zijn om mijn vaders probleem te verhelpen? Ik was niet zorgvuldig geweest in waar ik het vandaan gehaald had, omdat ik niet begrepen had welke rol het moest vervullen. Hoeveel had ik niet geplukt dat verdord was of belemmerd in de groei of anderszins in wit materiaal tekortschoot? Ik wist dat ik zo spoedig mogelijk nog een tocht naar het moeras moest maken om al het riet uit Tsila's voorraad dat inferieur leek, te vervangen.

Twee dagen later, op de middag van sjabbes, liep ik in het moeras over een pad dat Mozyr met Kalinkovitsj verbond. Het was geen gemakkelijke route – je moest weten hoe je de bochten moest volgen en wanneer je beter de hoofdweg kon nemen om een uitloper van het laagveen te vermijden. Het pad werd meestal door zwervers gebruikt of anderen die om de een of andere reden niet de hoofdweg wilden nemen, en ik had het juist daarom gekozen, omdat het zo weinig gebruikt werd. Ik wilde niet op sjabbes gezien worden met een armvol riet; wat ik deed, was een schending van de dag. Ik verwachtte helemaal alleen te zijn, of op zijn hoogst een zwerver tegen te komen die net als ik er net zo op gebrand was onzichtbaar en anoniem te blijven. Dus verbaasde het me een jong stel te zien dat daar op sjabbes een middagwandeling aan het maken was. Het meisje was klein en zag er goedverzorgd uit, afgezien van haar haar dat ze zeer kortgeknipt droeg, zoals de jonge radicalen die steeds vaker door de stad trokken. Zij was het die het woord voerde terwijl ze mijn kant op liepen, haar handen gebaarden alsof ze niet alleen op haar mond kon vertrouwen om haar standpunt duidelijk te maken. De man was lang en goedgebouwd, met sterke ledematen en brede schouders en massa's dik zwart haar. Hij boog zich naar zijn metgezel zo te zien om beter te horen wat ze zei, maar hij was niet zo aandachtig als hij deed voorkomen. Zijn donkere ogen schoten heen en weer, en namen nerveus de wildernis rondom hem in zich op, en zo kwam het dat hij mij in het oog kreeg, terwijl ik achter een struik gehurkt aan een rietstengel zat te trekken.

'Pardon, zusje,' sprak hij tegen mij. 'Is dit de juiste weg naar Mozyr?'

'Heb ik je niet gezegd dat dit de juiste weg is?' voer zijn metgezel tegen hem uit. 'Heb je geen vertrouwen meer in me?'

Hij gaf geen antwoord, liet zelfs niet merken dat hij haar gehoord had. Hij bleef me met zijn donkere ogen recht aankijken, zodat ik mijn blik niet kon afwenden als ik dat geprobeerd had. 'Zo gaan jullie de goede kant op,' zei ik tegen hem en wees in de richting waarin zijn metgezel hem meevoerde. Nu ik van zijn blik bevrijd was, keek ik even snel naar de jonge vrouw. Ze had de bleke gelaatskleur van een arbeider in de luciferfabriek, maar haar ogen glansden zo dat ze haar gezicht verlevendigden. 'Dank je,' zei ze tegen me, terwijl ze hun weg vervolgden.

'Dus, mijn kleine Golde, moet ik nu vertrouwen in je hebben?' hoorde ik hem op plagerige toon vragen terwijl ze verder liepen. De rest van hun woorden klonk gedempt omdat de afstand tussen ons groeide.

Siberië, juli 1911

's Avonds zijn we stil, een stilte die we onszelf opgelegd hebben, omdat we de slaap niet willen verstoren van onze kameraden die vroeg naar bed gegaan zijn. We zitten rond de tafel waarop in het midden onze olielamp brandt. In de winter hullen we ons in dekens – een twaalftal goed ingepakte gestalten die over hun boeken en vellen papier gebogen zitten. Op een zomeravond als vanavond echter zitten we zonder dekens, ons lichaam een beetje rechter op, omdat we van de schrijnende kou verlost zijn.

Onze stilte begint na de avondinspectie, als de deur van onze cel op slot gaat voor de nacht. Dat is een moeilijk moment: het ogenblik waarop de sleutel omgedraaid wordt, wat onze afzondering van de bewoonde wereld compleet maakt, de plons in de stilte die volgt. Op dat moment zie ik paniek verschijnen in de ogen om mij heen. We zijn jong, we waren eens vol hoop. We hadden vuur verwacht, revolutie, misschien een martelaarsdood. Maar nooit deze eentonigheid, dit langzame wegrotten, deze stilte waarin ze ons opgesloten hebben. Ik voel de band om mijn eigen schedel steeds strakker worden, terwijl ik worstel om de kalmte te herwinnen die ik nodig heb om te overleven. Dit is het ogenblik waarop de waanzin wacht om toe te slaan.

Waanzin, honger en kou. Onze dodelijke vijanden zijn dat, stuk voor stuk, maar we vrezen vooral de waanzin. Die hangt in de kamer, altijd, als de dodelijkste van alle dampen. Overdag houden we hem op afstand. Onze scherp geslepen tucht, de intensiteit van onze concentratie – daarmee verdrijven we hem naar de hoeken van de kamer. Maar in de overgangsmomenten – het invallen van de stilte 's avonds en 's morgens het ontwaken uit onze dromen – dringt hij met alle kracht op vanuit de hoeken waarnaar wij hem verbannen hadden, en hij strijkt beurtelings langs ieder van ons om een zwakke plek te vinden waardoor hij naar binnen kan dringen.

Ik voel zijn aanraking in mijn nek, zijn gewicht op mijn borst. Mijn hart klopt snel, mijn gedachten beginnen te tollen. Flarden herinneringen flitsen door mijn hoofd: Tsila's gezicht, mijn vaders ogen, jouw piepkleine handje dat zich om mijn vinger sluit. Steeds sneller en sneller bestormen deze gedachten mij tot ik weet dat mijn hoofd gaat barsten. *Dit overleef ik niet*, vertel ik mezelf. *Met God als mijn getuige, dit overleef ik niet.* Maar mijn hoofd barst niet, ondanks alles wat het weet, en mijn hart, ondanks alles wat het voelt, valt niet uiteen in mijn borst. Ik dwing mezelf naar de tafel te gaan. Daar kijken elf paar ogen in die van mij. Natasja's ogen zijn wijdopen en donker van angst. Lydia schuift een stoel bij en gaat vlak naast haar zitten. Ze probeert met een boek over wiskunde haar aandacht te trekken. Dat is een onderwerp waarmee het tot dusver altijd lukte haar gedachten in het gareel te krijgen. Ik haal dit notitieboekje te voorschijn, doop mijn pen in de inkt. Buiten het raam, achter het gebogen hoofd van Natasja, rijst de halve maan van Tammuz boven de muur van de gevangenis uit.

Vijf

In de lente van 1902 maakte ik mijn eerste vriendin. Ik was op de markt waar zich een groepje mensen verzameld had om naar een dansende beer te kijken. Ik stond aan de kant. Het optreden was niet erg inspirerend – het schepsel was zo mager en haveloos dat zijn bewegingen eerder een poging leken om aan een toekomstig pak slaag te ontkomen. Het was allesbehalve een grappig spektakel. Maar het was een hele winter geleden dat we onze laatste dansende beer gezien hadden, en toen deze het uiteindelijk presteerde op zijn achterpoten te gaan staan en wat met zijn poten te zwaaien, ging er een gemompel van waardering door de menigte en de eerste muntstukken rolden over de keien.

'Zielig,' hoorde ik een stem naast mij mompelen. Ik draaide me om en zag Sore Gittleman, de oudste dochter van de weduwe Hodl. Sore, een levendig meisje dat twee jaar ouder was dan ik, had me nooit eerder aangesproken.

'Het arme dier is half verhongerd,' waagde ik.

'Ik had het over het publiek, niet over de beer,' zei Sore. 'Waarom lachen en klappen ze? Zijn ze zo dom dat ze niet eens begrijpen dat ze naar zichzelf kijken?' Ze draaide zich om en liep bij het groepje mensen vandaan.

'Wat bedoel je?' vroeg ik terwijl ik naast haar ging lopen.

'Ik bedoel dat de gewone mensen overal net als die beer hier geketend zijn, hun kinderen zijn net zo broodmager en vol wormen, en hun leven lang dansen ze alleen maar naar het pijpen van hun meesters.'

Vol verbazing keek ik Sore aan. 'Je vergelijkt ons met... dat beest?' Sore's ogen fonkelden toen ze me aankeek en vlak onder haar huid schoot het bloed naar haar wangen.

'Zeg me in welk opzicht we anders zijn,' wilde ze weten. 'Noem eens één verschil.' Haar neusvleugels sperden zich verder open naarmate haar verontwaardiging toenam.

De vergelijking die ze maakte was zo absurd dat, als ik het tegen Tsila had durven zeggen, ze me een draai om mijn oren zou hebben gegeven nog voordat ze mijn woorden met de hare zou weerleggen. 'De beer kent het verschil niet tussen goed en kwaad,' zei ik zonder er een ogenblik over na te hoeven denken. 'En hij weet ook niet hoe hij sjabbes moet heiligen.'

Sore's ogen vernauwden zich terwijl ik sprak en haar neusvleugels sperden zich nog dramatischer open. Gewoonlijk zou zo'n blik van een meisje uit de stad voldoende geweest zijn om mij het zwijgen op te leggen, maar het onderwerp waarover we spraken lag zover af van mijn dagelijkse beslommeringen, en Sore's bewering was zo dom en makkelijk te weerleggen dat ik me bevrijd voelde van mijn eigen opgelatenheid. 'En daar komt nog bij,' ging ik door, 'dat de meester naar wiens pijpen we dansen de Almachtige is.'

Ze staarde me nog een ogenblik langer aan en vroeg toen of ik met haar wilde wandelen. Ik had vaak naar Sore gekeken als ze praatte en lachte met haar vriendinnen, terwijl ik haar lange kastanjebruine haar bewonderde en haar wangen waar kuiltjes in kwamen als ze lachte. Het was nooit ook maar een ogenblik bij me opgekomen dat ze nog eens belangstelling voor me zou krijgen. Ik was veertien en behalve Lipsa's dochters had nog niet eerder een meisje me gevraagd met haar te gaan wandelen. Ik zei onmiddellijk ja.

'Ik hou je al een tijdje in het oog, weet je,' gaf Sore toe toen we de markt verlieten.

'Echt waar?'

'O ja. Ik heb gezien hoe je je altijd afzijdig houdt, je bent altijd alleen.'

Mijn wangen werden rood van schaamte, maar er klonk geen medelijden in Sore's stem. Ze voelde zich tot mij aangetrokken zonder te weten waarom, zei ze. Maar nu begreep ze het natuurlijk. Ik knikte, maar durfde niet te vragen wat het was dat ze begreep.

'Serieuze meisjes zijn zo schaars in deze stad,' zuchtte ze.

Ik knikte weer, maar wist niet zeker wat ze met serieus bedoelde, en was nu al bang dat ik haar zou teleurstellen en dat ze haar interesse in mij zou verliezen.

'Je bent sterker dan ik, dat weet ik,' zei Sore. 'Jonger, maar toch al sterker. Ik voel me tot die kracht aangetrokken, begrijp je.'

'Ik weet niet, hoor,' mompelde ik en durfde even snel naar haar te kijken. Haar donkere haar glom in de middagzon.

'O ja,' verzekerde ze me. 'Je hebt de kracht om op je eigen benen te staan, je weigert mee te doen met het domme gegiechel van de anderen, terwijl ik… ik lijk er gewoon niets aan te kunnen doen.' Ze slaakte een diepe zucht. 'Ik weet dat ik meer zou moeten studeren, mezelf zou moeten ontwikkelen.' Ze veegde een lok haar uit haar ogen, en keek me toen ernstig aan. 'Kijk nu toch hoe je me net tijdens onze discussie te vlug af bent geweest. Hoewel ik in mijn hart weet dat mijn vergelijking klopt, heb jij me het zwijgen opgelegd. En waarom? Omdat jij kennelijk je geest oefent door serieus te studeren, terwijl ik… ik maar kostbare tijd blijf verspillen en met mijn vriendinnen flaneer.'

Had Sore maar geweten hoe jaloers ik was op meisjes zoals zij, hoe vaak ik niet naar haar en haar vriendinnen gekeken had, hoe ik me vol verlangen ingebeeld had dat een van hen naar me toe kwam, me bij de hand nam en me hun gelukkige, giechelende kring binnenvoerde.

'De andere meisjes… Sime, Mirl, Lena…' Sore sprak iedere naam uit met een laatdunkendheid die aan verachting grensde. 'In hun hoofd zit alleen maar lucht.'

Ik wist dat dat niet waar was. Lena bij voorbeeld was heel goed met naald en draad. Nauwelijks een paar weken geleden was haar moeder bij Tsila geweest om te vragen of Lena mogelijk bij Tsila in de leer kon komen en Tsila had haar lippen niet in verachting op elkaar geklemd toen ze wat van haar werk bekeek. En Mirl, de op twee na oudste dochter van Lipsa, was misschien wel een echte giechel, maar ik wist dat zij haar moeder hielp bij de berekening van de inkomsten en uitgaven van het gezin. Maar ik sprak Sore niet tegen en als beloning voelde ik haar warme hand die de mijne zocht.

We liepen omhoog door het rijkere gedeelte van de stad, voorbij het huis van de familie Entelman, en gingen het zoetgeurige bos met pijnbomen binnen dat aan de rand van de stad begon. Sore vertelde me over de baan die ze onlangs had aangenomen als bediende in de winkel van mevrouw Gold. Mevrouw Gold was ooit begonnen kaarsen te verkopen op de markt vanaf een blad dat ze als een schort om haar nek had hangen. Maar ze had haar assortiment uitgebreid met zeep, knopen, potloden en andere koopwaar, en had nu een winkel in de straat die achter de markt liep. De winkel was zo klein en zo volgepakt met waren dat niet meer dan twee klanten tegelijk zich erin konden wurmen. Het was moeilijk voor te stellen hoe ze ruimte had weten te maken voor een werknemer. 'Het is saai,' zei Sore over haar werk. 'Maar ze betaalt me op tijd en schreeuwt niet tegen me. Heel wat anders dan die naaister in Mozyr.'

Sore was bij een naaister in de leer geweest, vertelde ze me, maar was daar na twee jaar opgestapt. 'Het eerste jaar betaalde ze me niets,' zei ze. 'Dat doen ze allemaal niet. Het tweede jaar kreeg ik vijfentwintig roebel, en daarvoor moest ik naast het naaiwerk ook nog op haar krijsende rotkinderen passen en boodschappen doen. En dan de lucht in die kamer...'

We volgden een breed, goedbelopen pad tussen de hoge, stevige pijnbomen, voorbij bosjes walnotenbomen en berken. 'Toch had ik een mooie tijd in Mozyr. Ik nam de tijd voor de boodschappen. Er waren daar intelligente mensen om mee te praten, anders dan hier – het huidige gezelschap uitgezonderd natuurlijk.' Ze schonk me een brede glimlach inclusief kuiltjes. 'Er is daar een boekwinkel bij de rivier...'

'Van Horowitz?' vroeg ik, waarop Sore spottend begon te lachen.

'Horowitz verkoopt alleen maar religieuze boeken, jij gans. Ik bedoel een echte boekwinkel, met moderne filosofen en dichters en schrijvers.' Ze begon daarna te praten over de studierichting die ze gevolgd had nadat ze de cheder van haar moeder verlaten had, een stroom namen van auteurs die me niets zeiden. Ik stopte om een bijzonder reusachtige, oude eik te bewonderen en genoot onderwijl van het geluid van Sore's stem, de heerlijke geur van het vroege voorjaar, haar hand die ik in de mijne voelde.

'Wat bestudeer je met Tsila?' vroeg ze me.

'De Tora,' zei ik. 'De profeten, Pirke Awoth… Mijn Hebreeuws is net zo vloeiend als mijn Jiddisch.' Het verkeerde antwoord, dat kon ik zien aan de frons op het gezicht van mijn nieuwe vriendin.

'In een tijd dat denkende mensen oplossingen aandragen voor de belangrijke problemen betreffende het geluk van de hele wereld, verdiepen onze belangrijke joodse denkers zich in de studie van antieke boeken met ideeën die net zo droog en verdord zijn als bladeren die van de boom gevallen zijn.'

Het duurde even voor ik begreep dat ze over de Tora en Talmoed sprak als zijnde droog en verdord.

'Lilienblum zei dat. Heb je hem gelezen?' Ik schudde van nee. 'En hoe zit het met Anski?' Weer moest ik nee schudden. 'Bialik? Darwin? Karl Marx?'

Nee, nee en nog eens nee, gaf ik toe, mijn hart zonk me in de schoenen terwijl ik mijn onwetendheid laag na laag blootlegde. 'Maar ik lees en schrijf vloeiend Russisch,' bood ik aan.

'Dat is tenminste iets,' gaf ze toe en ze vertelde me over een roman die ze net gelezen had en die ik misschien wel mooi zou vinden. 'Van Semjon Joesjkevisj. Heb je veel van zijn werk gelezen?'

'Niet veel,' mompelde ik.

We liepen langs een vijver, een kleine vijver die, omgeven als die was met wilgen, er bijzonder uitnodigend uitzag, het water was glad en vredig in de rust van de namiddag. 'Zou je hier wel even willen zitten?' vroeg ik aan Sore, en ze knikte.

***

Er waren twee jaar voorbij gegaan sinds Beile haar verloving aangekondigd had en nog steeds was ze niet getrouwd. Er was een datum voor de bruiloft vastgesteld, vervolgens was die verschillende keren uitgesteld. En hoewel er altijd goede redenen voor het uitstel waren – ziekte in Leib's familie, een langdurige staking in de fabriek –

begonnen sommigen dat als een voorteken te zien.

'Gaan Beile en Leib naar Bialystok verhuizen?' vroeg ik op een avond na het avondeten aan Tsila.

'Waarom zouden ze naar Bialystok verhuizen?' vroeg Tsila. 'Ze werken alle twee in Mozyr. Wijzelf zouden naar Bialystok moeten verhuizen.'

Het was vlak na Pesach en mijn vader was tijdelijk ontslagen. In de warme maanden hadden mensen minder vaak schoenen nodig, dus hielp hij Noam de Voerman met het in- en uitladen van koetsen die het treinstation in Kalinkovitsj als bestemming hadden. Hij werd slecht betaald – drie roebels in de week – en zo'n hekel als Tsila aan Sjloime de Deugdzame gehad had omdat hij Arn Leib bedroog, Noam leek ze zelfs nog meer te verfoeien.

'Te denken dat je zo diep moet zinken dat je voor deze man moet werken,' zei ze iedere avond als Arn Leib thuiskwam van zijn werk. En iedere avond haalde Arn Leib zijn schouders op als om te zeggen dat hij geen andere keus had.

'We zouden kunnen verhuizen,' pleitte ze.

'Waar naar toe?'

'Naar een behoorlijke stad waar mensen verstandig genoeg zijn ook in de warmere maanden schoenen te dragen.'

Hierom moest Arn Leib altijd lachen. 'Tsila. Tsila,' zei hij dan, 'denk je dat als we naar Minsk verhuizen, er plotseling een eindeloos aanbod van klanten zal zijn, die in de rij staan om mijn schoenen te kopen?'

'Meer voeten, meer schoenen,' antwoordde ze.

'En meer schoenmakers,' mompelde Arn Leib dan. Hij geloofde niet dat joden veel kans maakten in steden. Niet in de steden in de Russische Tsjerta. In Montreal misschien, waar Jehoede met knopen een fortuin leek te maken. In New York natuurlijk. En verdiende Hersjl, de zoon van Elke Leie, niet een behoorlijke boterham in Liverpool? Hij had zijn naam veranderd en noemde zich nu Henry, en was erin geslaagd het een en ander over schroot te weten te komen.

'Nou, dan gaan we naar Liverpool,' zei Tsila dan, waarop Arn Leib zijn hoofd placht te schudden. Zulke grote veranderingen boden misschien wel kansen, maar ze waren voor mensen die meer flexibel waren dan Arn Leib, die zich, hoewel nog geen dertig, al oud en moe voelde. Zijn eigen ambitie, zo zei hij altijd tegen Tsila, was om het schoenmaken helemaal te laten varen en fruithandelaar te worden. Niet om er rijker van te worden – hij had zich geschikt in een bestaan met een beperkt inkomen – maar om het plezier dat zo'n verandering misschien voor zijn werkdagen zou betekenen.

Tsila zuchtte dan altijd.

Hij was die voeten beu, placht hij tegen haar te zeggen. Hij was ook het leer zat, een materiaal dat hem steeds meer met visioenen van de dood begon te vervullen. Als hij de repen ongelooide huid uitrekte en vastspijkerde, werd hij steeds vaker overvallen door een verlangen naar de zachte ronding van een perzik in zijn hand, de zoete geur van abrikozen, het harde, glimmende vruchtvlees van rijpe kersen.

'Wie zei er iets over dat ze naar Bialystok gaan verhuizen?' vroeg Tsila me nu vinnig. 'Wat heb je gehoord?'

Rivke was het die geopperd had dat Beile en Leib misschien na de bruiloft naar Bialystok zouden vertrekken. We stonden samen in de rij op de markt om bij Freide bagels te kopen.

'Welke bruiloft?' vroeg Freide vanachter haar mand bagels. 'Ik geloof dat pas als ik het glas hoor stukvallen.'

'Hij komt tenslotte uit Bialystok,' ging Rivke verder zonder op het commentaar van Freide te reageren. 'Waarom zouden ze zich hier vestigen, een jong stel als zij? Ik heb gehoord dat hij een graad in de pedagogiek heeft.'

'Het maakt niet uit waar hij vandaan komt of wat voor graad hij verondersteld wordt te hebben,' neuzelde Freide. 'Zogenaamde leraren als hij hebben geen thuis. Ze verspreiden zich als wilde zaden en zaaien onvrede.'

'Hoezo zogenáámd?' vroeg een andere klant. 'Een nicht van mij volgt na werktijd lessen bij hem en zegt dat hij een goede leraar is. Een goede man.'

Freide haalde haar schouders op. 'Ik heb gehoord dat de nicht van haar moeder een paar aardige mannen voor haar gevonden had. Keurige mannen. Zat daar ook geen geleerde bij?'

Alle ogen richtten zich op mij. 'Ze vond hem niet leuk,' vertelde ik hun. Chippa had een discipel van een vooraanstaande rabbi uit Litouwen voor Beile opgedoken – een *gaon*, had Chippa laten doorschemeren, maar op zijn vijfentwintigste was hij al twee keer weduwnaar. Beile had afwijzend haar hoofd geschud en was de kamer uitgelopen.

'De Held had op dat moment zijn poot stijf moeten houden,' zei Freide tegen de vele knikkende hoofden onder haar vrouwelijke klanten. 'Hij vond het goed dat ze kooplieden en geleerden afwees, maar een oproerkraaier – die besloot hij zijn zegen te geven.'

'Hoe kon de Held dat weten?' vroeg iemand. 'De nicht zei dat hij leraar was.'

'Hij ís leraar,' zei de nicht van Leib's leerling. 'Sinds wanneer is het oproer als je het alfabet en een beetje geschiedenis onderwijst?'

'Een man die weet dat hij door eigen toedoen in de gevangenis zal belanden, zou niet moeten trouwen,' zei iemand.

'Ik zie hem nog niet zo snel met haar trouwen,' zei Freide.

'Een man weet maar nooit waar zijn leven hem zal brengen,' zei Rivke. 'Moeten ze daarom allemaal niet meer trouwen?'

'En daar komt nog bij,' wees iemand erop, 'dat iemand tegenwoordig al gearresteerd wordt als zijn neus scheef staat.'

'Alleen als hij ermee te koop loopt,' neuzelde Freide.

'En wat heb je in de stad gehoord?' spoorde Tsila me aan.

'Niets eigenlijk. Maar ik dacht... alleen omdat Leib uit Bialystok komt...' Maar ik voelde Tsila's ogen op me branden. 'Freide zei dat Leib een oproerkraaier was.'

'Wat zei ze??'

Ik herhaalde wat ik gehoord had, waardoor Tsila alleen nog maar bozer werd.

'En je hebt niets gezegd om hem te verdedigen?' vroeg ze.

'Ik ken Leib niet.'

'Wie heeft gezegd dat je hem moet kennen? Heb je niet gezegd dat hij leraar is?'

'Dat zei iemand anders al.'

'En jij zei niets? Je stond daar maar als een zoutzak, terwijl die *yentes* je eigen familie aan het bediscussiëren waren...?'

'Rustig nu maar, Tsila,' zei mijn vader. 'Wat maakt het ons of Leib uit wat mensen als Freide denken?'

'Wat het uitmaakt?' vroeg Tsila, maar iets in mijn vaders toon trok haar aandacht. 'Het is niet alleen Freide die dat zegt, hè?' vroeg ze mijn vader.

'Er wordt gepraat,' gaf hij toe.

'Dergelijke praatjes kunnen iemands leven ruïneren als de verkeerde mensen ze horen,' zei Tsila. Vervolgens wendde ze zich tot mij en zei: 'Hij is leraar, een man met een hoog ontwikkelde moraal. Dat moet je tegen die *yentes* zeggen, hoor je me? Leraar.' Ze schudde geërgerd haar hoofd. 'De man leert mensen lezen. Is hij daarom een oproerkraaier?' Ze keek mijn vader en mij om de beurt aan, maar we durfden niets te zeggen. 'Als Leib een oproerkraaier is, dan is Arn Leib de Messias zelf. Dat moet je tegen die kwetterende tantes zeggen. Begrijp je wel?'

Hierop begon mijn vader te lachen en ook Tsila moest lachen. 'Moge God verhoeden dat jij degene zou blijken te zijn, op wie ons volk al die jaren gewacht heeft,' zei Tsila.

'En je mond zal koekjes eten,' zei mijn vader instemmend.

Met Beile echter pakte Tsila het anders aan. 'Weet je wat de mensen over die Leib van jou beginnen te zeggen?' vroeg ze toen Beile een paar dagen later kwam passen.

Beile gaf geen antwoord.

'Ze zeggen dat hij een oproerkraaier is. Dat hij door eigen toedoen in de gevangenis zal belanden.'

Beile gaf nog steeds geen antwoord, maar haalde haar schouders op alsof dat haar weinig kon schelen. 'Sinds wanneer trek jij je iets van roddelpraat aan?' vroeg ze.

'Sinds de gevolgen daarvan een bedreiging vormen voor het leven van mijn zuster.'

'Mijn leven loopt geen gevaar,' antwoordde Beile.

'Maar je geluk wel.'

'Mijn geluk?' vroeg Beile. 'Wat weet jij nu van mijn geluk?'

'Niets,' gaf Tsila toe. 'Absoluut niets. En weet je hoe dat komt? Omdat je niet langer tegen me praat. Sinds je met die geliefde Leib van jou bevriend geraakt bent, heb je me volledig uit je leven gebannen.'

Beile begon te protesteren: 'Niet waar.' Maar Tsila onderbrak haar. 'O jawel. Je hele leven was ik het met wie je praatte. Ieder klein probleempje, ieder hartenpijntje, ik luisterde en hielp je. En ik deed het graag. Ik ben je oudste zuster. Maar dan ontmoet je deze man, deze mysterieuze man die ik zelfs nog niet ontmoet heb – besef je wel dat het al twee jaar geleden is dat je je zogenaamd verloofd hebt en dat je hem niet één keer meegenomen hebt om mij te ontmoeten? – en plotseling stort er een muur in. Jouw muur, niet de mijne.'

'Het is niet dat...' probeerde Beile uit te leggen, maar Tsila gebaarde dat ze stil moest zijn.

'Maar toch, je bent mijn zuster,' vervolgde Tsila. 'Ik durf te veronderstellen dat ik je nog altijd een beetje ken. Het is toch niet al te aanmatigend van me, dacht ik zo, om aan te nemen dat als die Leib van jou gearresteerd is en verbannen wordt naar God weet waar naar toe, dat zoiets jouw geluk misschien wel een beetje in de weg zal staan.'

Beile wachtte om te zien of Tsila uitgesproken was, en toen duidelijk was dat dit het geval was, knikte Beile. 'Hij is leraar, Tsila,' zei ze langzaam. 'Hij leert mensen lezen en denken. Komt hij daardoor in de gevangenis? Dat weet ik echt niet. Tegenwoordig wordt iemand al gearresteerd als zijn neus scheef staat.'

Dat was hetzelfde als die klant bij Freide's kraam gezegd had.

'Alleen als hij ermee te koop loopt,' zei ik.

'Stil, Mirjem,' berispte Tsila me, maar Beile wendde zich tot mij en vroeg of ik wilde dat mijn vader zijn baard zou bijknippen of zijn hoofd zou ontbloten of zijn *tsitsis* niet zou laten zien. 'Het is ook gevaarlijk om een jood te zijn en dat te laten zien, weet je,' zei ze.

Tsila was bezig een draad door het brokaat te halen en beet hem door. 'Ik heb een akelig voorgevoel,' zei ze.

'Nu klink je net als al die andere *bubbies* met hun voortekenen en voorgevoelens,' zei Beile. De twee zusters keken elkaar een ogenblik zonder iets te zeggen strak aan, waarna Tsila haar blik afwendde.

'Kom,' zei Tsila met een zucht. Ze hield de half afgemaakte jurk omhoog. 'Laten we eens kijken hoe het eruitziet.'

Het materiaal dat Tsila omhoog hield, zag er zo solide uit en Beile was zo'n iel meisje, dat het moeilijk was voor te stellen dat ze onder het gewicht ervan heel zou blijven. Beile nam het brokaat van Tsila aan en draaide zich naar de muur om haar blouse en rok uit te trekken.

'Soms denk ik dat ik een lijkwade van dit brokaat moet naaien voor alle vreugde die dit huwelijk zal brengen.'

'Wat?' Beile draaide zich om om haar zuster aan te kijken. 'Hoe kun je nu zoiets denken? Laat staan zeggen!'

'Je bent al twee jaar verloofd en ik heb de man zelfs nog nooit ontmoet. Zo verliefd ben je zogenaamd dat je met geen woord over hem gesproken hebt en dat ik moet wachten tot Mirjem van de markt naar huis komt rennen om iets over hem te weten te komen. Ik heb een akelig voorgevoel...' zei Tsila nog eens.

'Ik heb voor één dag wel genoeg van jouw akelige voorgevoelens,' zei Beile ferm, maar ook zij zag er bleek en een beetje geschokt uit. Ze draaide zich om, zodat Tsila de rug van de jurk kon dichtspelden. Maar Tsila bleef staan waar ze stond.

'Doe de jurk uit,' zei Tsila. 'Hij is niet voor jou bedoeld.'

'Stop daarmee,' zei Beile en bleef waar ze was met de achterkant van de jurk open waardoor er een V-vormig stuk van haar rug te zien was. 'Als ik ieder onplezierig gevoel als een voorteken van iets zou beschouwen...'

Tot op dat ogenblik had ik niet geweten dat een rug net zo expressief kon zijn als een gezicht. Ik zag in de tengere, rechte rug van Beile een vastberadenheid die zich nog maar sinds kort in haar melkwitte gezicht was begonnen te openbaren.

'Draai je om,' zei Tsila, haar stem nog steeds zwakker dan normaal. Beile's bleke huid gloeide tegen de donkere stof als versgevallen sneeuw die oplicht in de nacht. Haar smalle schouders en kaarsrechte ruggengraat konden de stof niet alleen dragen, maar leken die ook te bedwingen, zodat die als de zachtste zijde haar vormen volgde.

Tsila glimlachte, ondanks zichzelf, van voldoening. 'Hij staat je,' zei ze, het grootste compliment dat ik haar ooit iemand had horen geven. 'Ik zou dat vooraf niet geweten hebben.'

Beile lachte daarop zwakjes. 'Ik kan alleen maar hopen dat er veel is wat je niet weet.'

De daaropvolgende week pakte Sore me bij mijn arm juist toen ik op het punt stond de markt te verlaten om terug naar huis te gaan, de heuvel op.

'Er staat spoedig iets te gebeuren wat we niet kunnen missen,' zei ze. Het was de Dag van de Arbeid en net voor zonsondergang zou er een betoging gehouden worden bij de belangrijkste brug van de stad.

Mijn hart hield op met kloppen. Een betoging? Hier in de stad? Ik kon toch niet naar een betoging gaan. Het was bekend dat de politie bij zulke gebeurtenissen op de menigte inreed, en de aanwezigen sloeg en arresteerde.

'Ik kan daar niet naar toe,' zei ik. 'Tsila vermoordt me.'

'Ze zal het zelfs nooit weten. Vertel haar dat we gaan wandelen.'

'Dat kan ik niet.'

'Wat niet kan, kan niet. Ik zal de laatste zijn die wil dat je moeilijkheden thuis krijgt.' We liepen een eindje zonder iets te zeggen. 'Toch jammer,' zei ze even later. 'Ik heb gehoord dat Golde er zal zijn om de menigte toe te spreken.'

'Golde van de staking?'

'Wie anders?' antwoordde Sore, terwijl er een glimlach op haar gezicht verscheen. Golde was afgelopen winter een van de stakings-leiders in de luciferfabriek in Mozyr was geweest. In tegenstelling tot Palefski, de mannelijke leider die zich in het slachthuis verstopt had waar hij gevonden en gearresteerd was, was ze nog steeds op vrije voeten.

'Hoe weet jij dat?' vroeg ik.

'Dat heb ik gehoord,' antwoordde Sore.

Golde kwam uit Kalinkovitsj. Haar moeder was hoedenmaakster, haar vader voorzanger. Hij sprak niet tegen zijn familie om zijn stem voor heiligheid te sparen. Er werd gezegd dat de vrouwen in de fabriek zonder Golde die vorige winter niet aan de staking mee-gedaan zouden hebben. Ook werd gezegd dat ze altijd een pistool bij zich droeg. Mijn angst voor Tsila's woede viel in het niet bij het vooruitzicht een dergelijk meisje te kunnen aanschouwen.

De zon ging net onder toen we bij de brug aankwamen. Daar had zich al een menigte verzameld. Ik herkende een paar gezichten, maar er waren veel onbekenden. De toegang tot de brug zelf was afgesloten door een keten van jongemannen die de armen in elkaar gestoken hadden. Ze droegen een zwart hemd met een geweven rode gordel en hadden ijzeren staven bij zich.

'Wie zijn dat?' fluisterde ik tegen Sore.

'Arbeiders,' fluisterde ze terug. 'Bundisten.'

Ik herkende een van hen, een lange, goedgebouwde man met massa's dik zwart haar. Dat was de man die ik twee zomers daarvoor in het moeras tegengekomen was, toen ik op sjabbes teruggegaan was om riet voor Tsila te plukken.

'Kijk,' zei Sore en ze wees precies de man aan die ik herkende. 'Dat is Leib Zalmen. Zijn neef Jehoede is getrouwd met de dochter van onze eigenste kapitalist, Leizer Entelman.'

'Is dat Leib?' herhaalde ik. 'Leib die met Beile verloofd is?'

'Die is het,' antwoordde Sore. Toen boog ze zich naar me toe om in mijn oor te fluisteren. 'Hij is verliefd op Golde,' fluisterde ze.

Ik had nauwelijks tijd om te reageren op wat Sore me verteld had, toen er een gemompel door de menigte ging en mensen begonnen te wijzen. Aan de uiterste rand van de groep verschenen vier jongemannen. Net als hun kameraden droegen ze een zwart hemd met een rode gordel, maar in plaats van ijzeren staven droegen ze twee vaten van het soort waar gewoonlijk augurken of haring in zat. De mensen weken uiteen om ze door te laten en de keten van arbeiders werd even verbroken om hen toegang tot de brug te verschaffen. Toen ze daar eenmaal waren, zetten ze de twee vaten neer en legden er een houten plank overheen. Ze werden gevolgd door een jonge vrouw, een godsdienstige huisvrouw in een lange rok, haar haar was zedig bedekt met een hoofddoek. Voor ik tijd had om me af te vragen wie ze was, tilden twee van de mannen haar op de houten plank. Ik herkende haar toen, zelfs nog voor ze de hoofddoek aftrok om de menigte toe te spreken. Het was de vrouw die ik in het moeras gezien had. *Mijn kleine Golde* had haar metgezel – Leib – haar met genegenheid genoemd. Ze was klein en pezig zoals ze daar alleen op haar platform stond met haar zeer kort geknipte haar en bleke gelaatskleur, maar ze straalde een enorme energie uit, en haar ogen verlevendigden niet alleen haar eigen gezicht, maar ook de gezichten van de mensen in de menigte op wie ze toevallig haar blik liet rusten.

Wat ze zei, kan ik me nauwelijks herinneren, zo vervuld als ik was door mijn eigen opwinding. De toespraak was in het Jiddisch met hier en daar een Russisch woord er doorheen.

'Wat is een uitbuiter?' vroeg iemand naast me.

'Een kapitalist,' antwoordde Sore.

'Een bedrieger,' zei iemand anders.

Golde praatte maar door, maar wat ze zei, deed er niet toe. Het waren haar ogen die me fascineerden, ogen die zo schitterden dat iedere keer als ze op mij bleven rusten, er weer een rilling van opwinding door mijn lichaam ging.

'Weg met de autocratie!' schreeuwde ze ten slotte en ze stak haar rechter vuist in de lucht.

'Weg met tsaar Nicolaas!' schreeuwde de menigte. 'Lang leve de Revolutie! Lang leve de Bund tussen Polen, Rusland en Litouwen!' schreeuwden de arbeiders, en hun keten werd verbroken toen ook zij hun vuist in de avondlucht staken. Toen ik omkeek naar de brug, waren Golde en haar geïmproviseerde platform verdwenen. De menigte begon de *Shevuo* – de Eed – te zingen, maar op het moment dat het lied afgelopen was, verdwenen de arbeiders in hun zwarte hemd met rode sjerp. Ook de menigte begon zich nu te verspreiden.

'We moeten hier snel weg,' waarschuwde Sore terwijl ze me haastig meetrok. 'We willen niet hier zijn als de politie arriveert.'

Siberië, augustus 1911

Gisteravond zouden we over onze politieke bewustwording praten. Dat was het afgesproken gespreksthema. Discussiëren is een vast onderdeel van de avondmaaltijd. We zouden het hebben over het moment waarop ieder van ons zich van de sociale onrechtvaardigheid bewust werd en over de gebeurtenissen die ons ertoe gebracht hadden ons leven aan de revolutie te wijden. Maar zoals zo veel in ons leven, ging het niet volgens plan.

Het was een zware dag geweest. De avond ervoor was Lydia teruggekomen van haar vaste bezoek aan de cellen van de misdadigers – voor ze gearresteerd werd, was ze student in de medicijnen geweest en ze heeft toestemming gekregen de vrouwelijke misdadigers te verzorgen. 'Er heerst daar wat,' rapporteerde ze. Een nieuwe ziekte boven op de gewone ziektes die met koorts gepaard gaan, maagproblemen en zenuwziektes waardoor we allemaal met vaste regelmaat getroffen worden. Twee dagen geleden was er een kind overleden en nog twee waren ernstig ziek. Difterie, vreesde Lydia, en met zo veel kinderen die zo dicht op elkaar gepakt leefden... 'De smerigheid daarbinnen is onbeschrijflijk,' zei ze. 'Ik ben bang voor wat er komen gaat.'

Overal in onze cel keken hoofden op uit hun boek, en ogen die verzwakt waren door jaren van getemperd licht, werden in concentratie tot spleetjes geknepen.

'Er moet een dokter gehaald worden,' zei Vera, een opmerking die stompzinnig bleef hangen in de stilte die daarop volgde. De toestemming alleen al voor Lydia, om haar hulp te kunnen blijven voortzetten, heeft enorm veel wilskracht en moeite gekost. Maar er steekt iets optimistisch in Vera, een schijnbaar onuitroeibaar vertrouwen dat in ieder mens iets goeds steekt, wat afwisselend een bron van grote troost en grote ergernis voor de rest van ons is.

'En van wie precies verwacht je dat die een dokter gaat halen?' vroeg Lydia ten slotte, terwijl ze geen poging deed haar ergernis te verbergen.

We praatten er verder over en er werd besloten dat bij afwezigheid van een dokter een stel van ons de volgende dag in ieder geval met Lydia mee zou kunnen gaan om hulp te bieden. Dit is ook verboden – het contact tussen misdadigers en politieke gevangenen is ten strengste aan banden gelegd – maar de afdwinging van de regels wordt geheel en al aan de discretie van de bewakers overgelaten, en toen we ons vanmorgen een weg door de gevangenis zochten, probeerde niemand ons tegen te houden.

In Maltsev zijn zes gevangeniscellen – drie voor politieke gevangenen en drie voor misdadigers – en hoewel er in de cellen van de politieke gevangenen gewoon te veel mensen zitten, kun je de omstandigheden in de cellen van de misdadigers het beste beschrijven als dat het er krioelt van de mensen. Ik weet niet hoeveel vrouwen er precies zitten, maar toen Vera nog toestemming had om de kinderen van deze vrouwen les te geven, had ze het altijd over honderd leerlingen.

De smerigheid is niet, zoals Lydia beweerde, onbeschrijflijk. Ik kan je die heel goed beschrijven. Het licht is zwak en de muren – zwart van het roet – maken het vertrek alleen nog maar donkerder. De kinderen zien er bleek en ongewassen uit. Ze staren je vanuit de duisternis aan, hun ogen wijd opengesperd en in veel gevallen loopt het pus eruit. Overal is ongedierte – in het beddengoed, op de vloer en de muren, op de hoofden en lichamen van de vrouwen en kinderen, langs de randen van hun ogen. Er hangt een stank van uitwerpselen, omdat vijf latrines gewoonlijk onvoldoende zijn om te voorzien in de behoeften van zo veel mensen, en er is er natuurlijk maar één per ruimte. Om de vloer te sparen staan overal in het vertrek emmers – boordevol uitwerpselen. En toch is dit, zo vertrouwde een vrouw Lydia toe – een dak boven haar hoofd, een bed om in te slapen, iedere dag iets wat voor eten doorgaat – de hemel vergeleken met het leven op straat dat ze in Sint-Petersburg had geleid.

We waren van plan geweest die dag schoon te maken, in een poging daar een gezondere omgeving te creëren, maar de vrouwen stonden ons dat niet toe. Voor hen waren we gerespecteerde dames. *Baryni*, stonden ze erop ons te noemen, tot ontsteltenis van mijn radicalere metgezellen. Want wanneer *baryni* als wij hun vuiligheid zouden opruimen, zou dat meer schaamte dan hulp opleveren. 'Alsjeblieft,' smeekten ze ons en wezen naar de tafel in het midden van het vertrek. Ze wilden dat we daar gingen zitten. Ze boden ons thee aan, maar stonden ons wel toe op de kinderen te passen terwijl zij de boel schoonmaakten. Ondertussen was er nog een kind gedurende de nacht gestorven en een ander ziek geworden. Lydia was echter niet meer zo bang dat het mogelijk difterie was. 'Het lijkt meer op keelontsteking,' besloot ze. Een eenvoudige verkoudheid die onder deze omstandigheden dodelijk blijkt te zijn.

Toen we in onze eigen cellen terugkwamen, werden we door rust en orde begroet: onze schone witgekalkte muren voorzien van boekenplanken en versierd met ansichtkaarten, onze netjes opgemaakte bedden die keurig op een rij tegen de muur staan, onze tafel in het midden van de kamer waar we elkaars gezelschap delen, of anders wel heilzaam voedsel. Ons onderkomen leek wel een paleis vergeleken met waar we geweest waren, maar dit stemde ons niet gelukkig.

'Wat was nu de ware reden dat we daar vandaag naar toe gingen?' vroeg Lydia, terwijl we samen rond de tafel zaten voor ons avondrantsoen blauwe grutten en brood. 'Was het omwille van hen of van onszelf?'

'Ho nou maar,' waarschuwde Vera. Ze doelde op de vragen die komen zouden. *Waarom doen we dit? Waarom doen we dat? Werden onze daden wel aangezet door de behoeften van diegenen namens wie we beweren gehandeld te hebben? Of kwamen onze beweegredenen voort uit een lagere behoefte van onszelf, waaronder de behoefte in onze eigen onbaatzuchtigheid te geloven?* Dit zijn de vragen die Lydia eindeloos stelt.

Een diepe neerslachtigheid daalde op ons neer, terwijl Lydia's onbeantwoorde vraag in de lucht bleef hangen. We aten onze grutten in stilte, en wachtten tot Lydia door zou gaan, zoals ze in het verleden gedaan had, over het saaie leven dat ze op haar vaders landgoed geleid had – *was dat mijn eigen beweegreden toen, verveling?* – de ongeïnteresseerdheid die ze voelde als ze tussen haar leeftijdgenoten stond, terwijl ze, dans na eindeloze dans, wachtte op jongemannen die de fluwelen linten om haar polsen kwamen binden waarmee ze haar voor iedere wals, mazurka en quadrille claimden; de opwinding die ze voelde toen ze voor de eerste keer zichzelf een menigte hoorde toespreken; de opwinding toen ze voor de eerste keer een automatisch pistool vasthield. Maar ze zei niets meer, en staarde mat voor zich uit totdat ze, ten slotte, van tafel opstond om een boek over anatomie te pakken.

Zes

Op de vooravond van Shavuos in 1903 liep ik Beile tegen het lijf. Ik had een boodschap in de stad gedaan. 'Ik was net op weg naar jullie om te zien of Tsila nog hulp nodig had,' zei ze. Tsila was eindelijk zwanger, wat ze precies drie maanden geleden met grote blijdschap bekend gemaakt had. 'Hoe gaat het met haar?' vroeg Beile nu.

'Goed, denk ik.' Het was een aantal weken geleden dat ik Beile voor het laatst gezien had. Ze kwam bijna nooit meer naar de stad. Haar werk hield haar in Mozyr, beweerde ze. Waarschijnlijk meer haar schaamte, dacht Tsila. Het was nu al drie jaar geleden dat zij en Leib zich verloofd hadden en ze was nog steeds niet getrouwd. 'Eigenlijk is ze erg moe.'

Vanaf het moment dat Sore onthuld had dat Leib van Golde hield, voelde ik me bij Beile niet op mijn gemak. Ik vond dat ik iets van haar wist wat ik niet zou moeten weten en dat ik op de een of andere manier loog, door er niets over te zeggen. Maar toch wist ik ook dat als ik iets zou zeggen, dat erger zou zijn dan liegen. Ik vond het moeilijk om haar aan te kijken. Maar Beile leek het niet te merken. Zo in beslag genomen was ze door haar eigen gedachten – gedachten die ze altijd voor zich hield – dat ze ook nauwelijks naar mij keek en me ook niets over mezelf vroeg. Zwijgend beklommen we de heuvel naar mijn huis.

Binnen was het warm en vanwege de aanstaande feestdag hing er een baklucht. Op de tafel stond een bord koekjes. Door de hitte van de oven was de suiker erbovenop gesmolten en veranderd in gebrande karamel. Het waren dezelfde koekjes als Tsila gebakken had op de eerste dag dat ik bij haar in huis kwam.

'Ik hoef alleen nog de *challahs* af te maken,' zei Tsila.

'Ga jij maar zitten,' zei Beile en nam de ganzenveer uit Tsila's hand. Ze streek een mengsel van olie en eigeel over de vlechtbroden en zette ze in de oven. Daarna warmde ze cichorei en melk, en zette drie dampende koppen op tafel.

'Je hoeft niet te doen alsof ik invalide ben,' zei Tsila, maar niettemin sloeg ze haar handen blij om de warme mok die haar zuster haar aanbood en ging op haar stoel zitten. Beile zat op de bank bij de naaimachine.

'Mirjem vertelde me dat je moe bent.'

'Een beetje,' gaf Tsila toe. Ze was zo uitgeput dat ze zichzelf nauwelijks door de dag kon slepen. 'En jij?'

'Met mij gaat het goed,' antwoordde Beile. Ze begon haar cichorei op te drinken. 'Je ziet er niet zo goed uit om eerlijk te zijn.'

'Jij ook niet. Om eerlijk te zijn.'

'Met mij gaat het goed,' verzekerde Beile haar.

'Met mij ook,' zei Tsila. Geen van beiden sprak nog een woord, terwijl ze met kleine slokjes hun cichorei opdronken. Verschillende keren ging Beile rechtop zitten alsof ze op het punt stond iets te gaan zeggen, maar dan liet ze zich weer zwijgend terugzakken.

'Een mooie Shavuos, hoor,' merkte Tsila ten slotte op terwijl ze uit het raam naar de zware grijze lucht keek.

'Ik kan me geen Shavuos herinneren die zo koud was,' stemde Beile in.

'Er komt een rebbe uit Sloetsk op bezoek voor Shavuos,' zei ik. 'Zijn zoon zal vanavond de leeravond leiden.'

De zoon van de rebbe uit Sloetsk had die morgen voor beroering gezorgd toen hij zich over de markt haastte. Hij was lang, bleek en nog ongetrouwd, en het gerucht deed al snel de ronde dat er een huwelijk overwogen werd tussen hem en Hadasse, de dochter van de rabbi van de nieuwe sjoel. De jongeman had iets elegants zoals hij zich door de smalle stegen van onze stad voortbewoog – hij had een blonde baard die zich donzig rond zijn gezicht krulde, zijn kaftan zat strak om zijn lijf zodat goed te zien was hoe slank hij was – en men zei dat hij een scherp verstand had. De meisjes van de stad waren er stil van. Ze waren vreselijk jaloers op Hadasse en dat drukte zwaar op hen. De leeravond die de jongeman vanavond zou leiden, zou een laatste karakterproef zijn om zijn toekomstige schoonvader te imponeren, en de hele stad was in afwachting of er aan het einde van de feestdag een verloving bekendgemaakt zou worden.

De hele stad, behalve Tsila en Beile. Geen van tweeën toonde ook maar een spoortje belangstelling voor het nieuws dat ik hun bracht. Tsila had haar cichorei op en staarde uit het raam. Beile ging steeds weer rechtop zitten alsof ze iets wilde gaan zeggen, maar deed dit vervolgens toch maar niet.

Omdat ik de spanning niet langer kon verdragen, kondigde ik ten slotte aan dat ik naar de rivieroever ging om wat groene takken en bladeren te halen om daarmee voor Shavuos het huis te versieren.

'Ik ga met je mee,' zei Beile snel.

Er waren al andere vrouwen op de rivieroever: Lipsa met vijf van haar kinderen (Rochl, haar oudste, was nu in de leer bij een vroedvrouw in Bobroeisk); Freide met haar achterlijke Ietsje en de twee jongens die ze na hem nog had weten te krijgen; Rivke, de vrouw van de visboer... Ze wilden allemaal weten hoe het met Tsila ging. Tsila's zwangerschap had hen net als haar verloving verrast. Maar ze hadden zich snel hersteld en ze leken al vergeten te zijn dat het nog maar een paar maanden geleden was dat ze het allemaal met elkaar eens geweest waren, namelijk dat het onmogelijk was dat er in de zure grond van Tsila zaad zou kunnen ontkiemen.

'Het gaat prima met Tsila,' antwoordden we alle twee, maar Beile nam Lipsa in vertrouwen en zei dat haar zuster uitgeput leek en overal opzwol, behalve haar buik. Hoewel Tsila zelf zich geen zorgen leek te maken, vroeg Beile zich af wat de reden was dat Tsila's vingers als worstjes opzwollen, terwijl haar buik plat bleef. En de uitputting, zo vond Beile, was buitensporig.

'Ik ga wel bij haar langs,' beloofde Lipsa, een belofte, zo wist ik, die Tsila boos zou maken.

Beile glimlachte en bedankte Lipsa. Ze leek niet op de hoogte van haar zuster's aanhoudende ruzie met de vrouw, en ze begon mijn armen vol riet te stoppen.

'Weet je waarom we met Shavuos het huis met groene takken en bladeren versieren?' vroeg ze me. Ze overviel me met die vraag. Sinds haar verloving met Leib was Beile enorm seculair geworden. Niets interesseerde haar nog wat met godsdienst te maken had.

'Op die dag worden de tarwe en de gerst in het Heilige Land geoogst,' antwoordde ik.

'En weet je waarom we de hele nacht opblijven om te lernen?'

Ik was geërgerd, maar ook verbaasd. Dacht ze nu echt dat ik een domkop was? Dat haar zuster me niets geleerd had? Een eindje bij ons vandaan was Lipsa begonnen haar dochters aan te wijzen welke planten verschillende kwalen konden genezen en welke een onvruchtbare vrouw vruchtbaar konden maken. Daar wilde ik naar luisteren. Ik wilde over het riet praten waarvan Tsila de voorgaande zomers zo veel gegeten had en over de zorgen die ik me maakte over de twijfelachtige kwaliteit van een aantal stengels dat ik geplukt had en wat voor invloed dat op de baby kon hebben, maar Beile herhaalde haar saaie vraag over Shavuos.

'We blijven de hele nacht op om te lernen, omdat we in de Sinaï in slaap gevallen zijn en dus willen we God nu laten zien hoe graag we de Tora willen ontvangen,' zei ik.

Beile knikte en glimlachte. Haar gezicht zag bleek, op de twee rode vlekken na die op haar wangen gloeiden. 'Alleen zijn we nooit echt wakker geworden, hè?' vroeg ze. 'Ik bedoel, elk volk dat keer op keer zijn nek uitsteekt om afgeslacht te worden, is duidelijk nog niet wakker, is het niet?'

De woorden van Beile hadden een verrassend effect. Ze had ze nog maar nauwelijks uitgesproken of er viel een vreemde stilte onder de vrouwen die zich daar verzameld hadden. Ze stonden als op hun plaats bevroren, zelfs hun monden bewogen even niet, alsof de woorden van Beile een poeder was dat ze in de apotheek bereid had, een poeder dat als het in vrouwenoren viel, verlamming teweeg kon brengen.

Rivke was de eerste die haar stem hervond. 'Vind je zulke praat geschikt voor kinderoren?' vroeg ze.

De kinderen daar hadden zulke taal natuurlijk al eerder gehoord. Het nieuws over de pogrom in Kisjinjov had onze stad vlak na Pesach bereikt, en hoewel we dergelijke moeilijkheden al vele jaren niet gehad hadden en onze verhoudingen met onze niet-joodse buren vriendelijk genoeg waren, leefde er angst in de stad en werd er gesproken over het oprichten van een verdedigingsgroep.

'Sinds wanneer heeft één van jullie ooit geaarzeld kinderen de waarheid te vertellen?' vroeg Beile. Niemand van de aanwezigen wilde toegeven dat ze ooit een dergelijke fout begaan had, maar Freide wist te antwoorden dat de Tora de enige waarheid was die ze haar kinderen vertelde.

Beile knikte en keek Freide ernstig aan. 'En staat er ergens in de Tora dat het verboden is zijn eigen leven en dat van zijn kinderen te verdedigen?'

Dat was geen eerlijke vraag. De vrouwen daar waren weliswaar vroom, maar kenden niet ieder detail van de Tora. Ze leefden volgens de Tora natuurlijk, maar ze bestudeerden hem niet. Daarom moest het gezonde verstand wel zegevieren en wat Beile zei, klonk verstandig. Was het sparen van leven niet het allerbelangrijkste? Stonden er in de Tora geen uitgebreide verhalen over hoe ons volk zichzelf moest verdedigen tegen indringers en aanvallers? Stonden er geen vervloekingen in tegen de gevreesde Amalek en werd er niet opgeroepen tot de strijd tegen Haman en soortgelijken? De vrouwen knikten en begonnen tegen elkaar te praten. Wat Beile zei was niet zo ongehoord, zo stemden ze in, hoewel God verhoede dat er ooit een verdedigingsgroep in onze stad nodig zou zijn.

Tegen de tijd dat we klaar waren en genoeg riet geplukt hadden, heerste er weer een vredige feeststemming. 'Gelukkig Jontev,' wensten ze ons, toen we aanstalten maakten om te vertrekken. 'En ook aan Tsila,' voegden ze eraan toe, terwijl we de heuvel weer begonnen op te klimmen.

Het was gaan regenen, een koude motregen. Beile keek me bezorgd aan, trok toen haar jas uit en legde hem om mijn schouders.

'Jij wordt nat zo,' protesteerde ik.

'Stil nu maar.'

Ik sprak haar verder niet tegen. Ze zag er zo groot en statig uit dat het leek dat niets, laat staan regen, haar kon deren. Ik op mijn beurt voelde me al helemaal verkleumd. Ik trok de jas dichter om me heen, maar voelde me alleen maar kouder en kouder worden.

'Ik ga weg,' zei ze tegen me. 'Daarom ben ik vandaag gekomen, om het Tsila te vertellen.'

'Weg?' vroeg ik.

'Met Leib.'

'Naar Bialystok?'

'Bialystok? Waarom zouden we naar Bialystok gaan?'

'Leib komt daar vandaan.'

'Waar iemand vandaan komt, is minder belangrijk dan waar hij naar toe gaat,' zei ze tegen me.

'Waar gaat Leib naar toe?' vroeg ik.

Beile glimlachte. 'Dat was niet letterlijk bedoeld. Ik bedoel dat de toekomst belangrijker is dan het verleden. Als volk zijn we geneigd geweest stil te blijven staan bij het verleden en de toekomst te negeren. Al eeuwenlang hebben we dat gedaan, en waar heeft het ons gebracht?' Beile maakte een weids, dramatisch gebaar met haar hand als om het hele landschap om ons heen te omvatten. Het was een bijzonder troosteloze dag. 'Leib en ik gaan verder, we gaan vooruit,' zei ze ferm.

'Wanneer gaan jullie?' vroeg ik.

'Morgen.'

'Op Shavuos? Jullie gaan op Shavuos reizen?'

Beile glimlachte. 'Met de avondtrein.'

We liepen zwijgend verder terwijl ik het nieuws verwerkte.

'Ik ben nog nooit met de trein geweest,' zei ik na een poosje.

'Ik nog maar één keer.'

'En hoe is dat?'

'Snel,' zei ze. 'Zo snel dat je nauwelijks kunt zien wat er langs je raam voorbij vliegt. Hele dorpen schieten voorbij, zo zijn ze er en zo zijn ze weer weg, voor je ook maar de tijd hebt om een keer met je ogen te knipperen.'

Ik bedacht hoe onze ossen hierbij afstaken, onze kolossale, langzame ossen die voortsjokten langs onze modderige straten en lanen, ik dacht aan onze karren die door paarden getrokken werden, en ik voelde een rusteloze nieuwsgierigheid in mij ontwaken. 'Als je tot na Shavuos wacht, kom ik naar het station om je uit te zwaaien,' zei ik tegen haar.

Beile maakte met een teder gebaar mijn haar in de war. 'Ik ben bang dat mijn zuster niet zo blij is met de weg die ik gekozen heb, dat ze naar het station zal komen om afscheid te nemen.'

'Dan ga ik met mijn vader.'

'Je vader?' Dat ze lachte, stak me. Waarom níet met mijn vader? Hij werkte weer voor Noam de Voerman en vertrok iedere morgen in een eiken wagen, met dikke ijzeren wielen, naar het station in Kalinkovitsj. 'Denk je dat zo'n uitbuiter als Noam het goed zou vinden dat je vader je heen en weer rijdt naar Kalinkovitsj?' vroeg Beile.

Daar wist ik geen antwoord op. Ik was een beetje bang voor Noam om redenen die ik niet kon uitleggen. Hij was niet al te groot, maar ons huis leek altijd onbehaaglijk vol als hij naar binnen stapte. Op een keer had hij in de deuropening gestaan en me van top tot teen bekeken. Het was in het modderseizoen – er zaten overal modderspatten op zijn hoge laarzen en leren beenstukken. Ze zaten zelfs op zijn zweep. Hij was niet naar binnen gekomen of naar buiten gegaan; hij stond daar maar de hele tijd naar mij te kijken. 'Ze lijkt niet erg op haar moeder, hè?' zei hij ten slotte. Mijn vader had niets geantwoord, maar had instinctief zijn houding zo veranderd dat Noam me niet meer kon zien. 'Je vader is niet iemand die mensen als Noam trotseert,' zei Beile.

'Weg?' vroeg Tsila. 'Hoe bedoel je, weg?'

Beile kleurde licht.

'O, ik begrijp het al. Waar sleept hij je mee naar toe?'

'Hij sleept me nergens mee naar toe.'

'Waar gaat hij heen?'

'Dat kan ik niet vertellen.'

'Natuurlijk niet. Je kunt me tegenwoordig niets meer vertellen. Niets over wat je denkt, niets over wat je doet, en niets over wat je van die nobele verloofde van je denkt, die maar doorgaat je te vernederen.

Maar misschien kun je me dit wel vertellen: wil hij wel dat je meegaat?'

'Natuurlijk wel.'

Tsila snoof. 'Dat geloof ik pas als ik op je bruiloft gedanst heb.'

'Dan moet ik het maar zonder je geloof doen, want morgen vertrek ik.'

Voor één keer was Tsila met stomheid geslagen. 'Morgen?' slaagde ze er ten slotte in uit te brengen.

'Ongetrouwd?'

Beile gaf geen antwoord.

'Je gaat met hem weg, zonder dat je met hem getrouwd bent?'

'Het is maar voor even,' zei Beile vriendelijk, maar Tsila's tong had zijn scherpte al weer hervonden.

'Je wilt liever in een vreemde stad in de steek gelaten worden, waar het niemand ook maar iets kan schelen of je leeft of doodgaat van de honger?'

'Hij laat me niet in de steek,' antwoordde Beile.

Tsila knikte zonder dat ze het er mee eens leek te zijn.

'Probeer niet zo bezorgd te zijn,' zei Beile op een toon die plotseling vol genegenheid klonk. Ze stak haar hand uit om haar zuster's wang te strelen. Tsila wuifde haar weg.

'Wil je je trouwjurk mee?' vroeg ik. Die lag nog steeds in de stapel lappen bij Tsila's stoel.

Beile draaide zich naar mij om. 'Ik denk niet dat ik hem nodig heb,' zei ze zacht. 'Misschien kan Tsila hem voor jou bewaren.'

Ik keek naar Tsila, maar haar blik was leeg. Van verdriet, weet ik nu. Ik heb genoeg gezichten gezien die leegte vanbinnen weerspiegelden om die lege blik op Tsila's gezicht te herkennen, maar toen nog niet. Tsila's blik zwierf rond zonder ergens naar te kijken en haar handen, die gewoonlijk zo druk bezig waren, deden iets wat ik ze nooit eerder had zien doen: ze duwden doelloos tegen het tafelblad. Tien vingers, opgezwollen als worstjes, duwden vergeefs tegen de houtnerf van de tafel.

De meeste vrouwen zouden het brokaat na Beile's vertrek weggedaan hebben. Er was geen twijfel meer mogelijk over de fortuin die erop rustte. De volgende sjabbes, tijdens sjoel, zei Freide dat het verbrand zou moeten worden en de as buiten de stad begraven. Rivke herinnerde haar eraan dat er nauwelijks een kleermaakster was die het zich kon veroorloven zulk mooi materiaal te verbranden. Dat was waar, gaf Freide toe, maar misschien moest het geen jurk blijven, en zeker geen trouwjurk, en kon er een andere bestemming voor gevonden worden. Een leunstoel bij voorbeeld, gordijnen. Rivke zei dat ze zulk ongeluk niet als gordijnen in een huis van haar wilde hebben hangen.

'Ik zal hem op míjn bruiloft dragen,' zei ik.

'Je zult iets gelukkigers dragen,' zei Lipsa tegen me, en gaf me een geruststellend klopje op mijn arm.

'Waar is je stiefmoeder?' vroeg ze. Een paar dagen daarvoor was ze Tsila komen opzoeken, maar die had haar niet binnengelaten.

'Ze voelt zich niet goed,' legde ik uit. 'Ze is bij haar moeder.'

'En je vriendin Sore?'

'Die voelt zich ook niet goed,' zei ik. Ik wilde niet onthullen dat Sore besloten had dat ze sinds Kisjinjov atheïst was.

'Dan kom je maar bij mij zitten,' zei Lipsa en ze schoof een beetje op, zodat er een piepklein plaatsje naast haar op de bank vrijkwam. Ik perste mezelf erin.

'Mijn vader maakt zich zorgen om Tsila,' vertrouwde ik Lipsa fluisterend toe. 'De zwelling.' De zwelling van Tsila's vingers had zich uitgebreid naar haar benen, haar nek... overal naar toe, leek het wel, behalve naar haar buik. De plaatselijke vroedvrouw, Dvoire, was gekomen en weer weggegaan, en had niets anders gedaan dan haar lippen getuit en een paar kruiden gegeven die niets geholpen hadden.

Onze Dvoire was best een aardige vrouw, maar had niet het juiste gevoel en ook niet de vakkundigheid om baby's op de wereld te zetten. Daarom gingen Rochl van Lipsa en andere jonge vrouwen naar andere steden om bij een vroedvrouw in de leer te gaan. Niemand zei het hardop, maar er deden geruchten de ronde over het grote aantal bevallingen dat er misging in onze stad, en meer dan eens, als Dvoire hen bijstond, had een bevallende vrouw de Engel des Doods door haar ogen zien spieden. Om die reden had mijn vader me apart genomen, toen ik water uit ons voorraadvat aan het halen was, om te vragen of Lipsa er misschien weer bijgehaald moest worden om naar Tsila te kijken. Zijn toon, die vertrouwelijk was en bezorgd klonk, was niet langer als van een volwassene die tegen een kind praat.

Ik gaf niet meteen antwoord. Beiden wisten we hoe Tsila op Lipsa's eerste bezoek gereageerd had en geen van beiden voelden we er iets voor om met haar woede geconfronteerd te worden. Ook Rosa leek zich aan de aanwezigheid van Lipsa te storen, alsof het inhield dat haar eigen hulp tekortschoot. Maar er was geen twijfel mogelijk, er ging iets mis met de zwangerschap van Tsila, en Lipsa, hoewel niet geschoold, was de enige persoon die, naar ons weten, in staat was leven weg te lokken uit de omarming van de dood. 'Ik praat wel met haar in sjoel,' beloofde ik mijn vader.

'Eet je wel?' vroeg Lipsa aan Tsila toen ze de volgende ochtend arriveerde. Tsila was verbaasd geweest toen Lipsa weer voor de deur stond, maar niet boos. Haar vingers waren nu zo opgezwollen dat ze geen naald meer kon vasthouden. Dit vond ze verontrustend genoeg om Lipsa dringend te verzoeken binnen te komen.

'Natuurlijk eet ik,' zei Tsila. 'Je denkt toch niet dat ik hem probeer te verhongeren?'

Lipsa trok Tsila's oogleden naar beneden, zodat ze het rood aan de binnenkant kon zien. 'Eieren en melk zijn belangrijk. Gebruik je eieren en melk?'

Tsila verzekerde haar dat dit het geval was.

'En slaap je een beetje?'

'Slapen is moeilijker,' zei Tsila. 'Hij drukt zo op me.'

Lipsa betastte de harde, platte buik van Tsila en tuitte haar lippen zoals ook Dvoire gedaan had.

'Droom je?' vroeg ze.

'Hoe kan ik nu dromen als ik nauwelijks slaap?'

'En waar droom je van?' vroeg Lipsa.

'Vissen,' zei Tsila.

'Vissen?' Lipsa tuitte haar lippen weer. 'Wat voor vissen?'

'Allerlei soorten vis… karper, haring, houting…'

Lipsa's adem stokte. 'Op een bord?' vroeg ze.

'Nee, zwemmend.'

'Ah… zwemmend,' ademde Lipsa uit, en voor het eerst sinds ze met haar onderzoek begonnen was, ontspande haar gezicht. 'Goed zo,' zei ze. 'Dat is heel goed.'

Lipsa duwde met haar vingers achter Tsila's oren en betastte de klieren in haar nek, daarna nam ze Tsila's handen in die van haar en drukte op de gezwollen knokkels en vingers. 'Daarom droom je van vissen. Al dit vocht... hij denkt waarschijnlijk dat hij in een rivier ligt. Drink je wel paardebloemthee tegen de zwelling?'

'Af en toe,' zei Tsila.

'Vergeet dat af en toe maar, je moet veel drinken. Iedere keer als je ook maar een slok kunt nemen, moet je wat drinken. En daarnaast moet je meer rusten.' Lipsa begon in haar tas te rommelen op zoek naar de kruiden die ze meegenomen had.

'Meer rusten? Hoe kan ik nu meer rusten? Wie zorgt er voor eten op tafel?'

'Betaalt Noam Arn Leib geen loon meer?'

'Dat is niet genoeg,' zei Tsila bits.

Lipsa keek op van haar kruiden. 'En je moet proberen om niet aan onplezierige dingen te denken. Anders zal de rivier waarin je baby zwemt, een zee van bitterheid worden.'

Maar terwijl Lipsa dat zei, richtte ze haar blik – alsof die daar als vanzelf naar toe getrokken werd – op iets onplezierigs wat niet vermeden of uit de gedachten gebannen kon worden: het kobaltblauwe brokaat dat als een onafgewerkte hoop in de stapel bij Tsila's stoel lag. Ze dwong zich weer naar Tsila te kijken zonder te vragen of we al iets van Beile gehoord hadden. Dat hadden we niet en de hele stad wist dat.

'Mirjem kan ondertussen wel wat doen,' zei Lipsa.

'Dat doet ze al,' antwoordde Tsila, en ze vervolgde: 'In tegenstelling tot wat anderen misschien van me denken, ga ik niet omwille van mijn eigen baby de opvoeding van mijn stiefdochter opofferen.'

'Wie heeft het nu over opofferen?' vroeg Lipsa. 'Ze kan toch lezen, nietwaar?'

De weduwe Ida had twee dagen daarvoor een brief gekregen, zei Lipsa, een officiële brief en het was heel goed mogelijk dat daar de verblijfplaats van haar zoon Moisje in stond.

'Een kind dat ik opgevoed heb, neemt geen geld van een arme weduwe aan,' zei Tsila.

'Is het dan beter dat de arme weduwe dag na dag alleen moet zitten met een brief die ze niet kan lezen?'

'Mirjem zal hem haar voorlezen. Ze gaat nu meteen naar haar toe en leest hem aan Ida voor, maar niet voor geld.'

'En Ida haar trots ontzeggen?'

Tsila gaf geen antwoord.

'Een oude vrouw het enige ontzeggen wat ze nog heeft in deze wereld, een beetje trots?'

Een paar kopeken dan, stemde Tsila in, maar dan ook echt maar een paar, en dan alleen vanwege Ida's trots.

En er werd gezegd dat mevrouw Entelman steeds minder vaak uit bed kwam, zei Lipsa, zo kapot als ze was door het vertrek van Sjeindl naar Montreal. Zou het niet goed voor haar zijn als ze een paar uur per week gezelschap zou hebben?

Tsila staarde Lipsa met open mond aan, haar wangen werden rood van kwaadheid. 'Een kind van mij gaat niet bij eenzame mensen zitten en neemt daar geld voor aan.'

'Wie heeft het over zitten?' vroeg Lipsa. 'Denk je dat een vrouw van haar stand het gezelschap van een arm meisje als Mirjem zou accepteren zonder niet net te doen of er karweitjes zijn die gedaan moeten worden?'

'Ik heb haar niet opgevoed om dienstmeisje te worden,' antwoordde Tsila, en misschien was er verder niets van gekomen als het met mijn hulp aan Ida anders gelopen was.

De weduwe Ida woonde in de stad, in de laatste hut voor de heuvel waarop ons huis lag. Haar woning was wel bijzonder armzalig, met karton in de ramen in plaats van glas, een aarden vloer, en een met riet bedekt dak dat zwart was van verrotting. Binnen was het donker, zelfs op een zomermiddag, daarom duurde het even voor ik kon zien hoe de kamer ingericht was. Ida zat bij het fornuis, in de enige stoel die in de kamer stond. Behalve haar stoel en het fornuis, stond er een tafel en hing er een gordijn waarachter zich, dat wist ik, het bed bevond. Er was geen plek voor mij om te zitten, en omdat er alleen maar een lamp met zwak licht was om bij te lezen, stond ik met de brief in de deuropening. Moisje, Ida's geliefde zoon, was tien jaar geleden gearresteerd. Zijn misdaad had te maken met de zilveren kandelaars die altijd een ereplaats in zijn moeders huis gehad hadden. Ze waren een geschenk van Ida's eigen moeder geweest en het was het enige waardevolle bezit dat Ida nog had weten te bewaren tijdens de moeilijke jaren na de dood van haar man waarin ze haar kinderen alleen moest grootbrengen. Ze stonden altijd midden op tafel, in die donkere kamer was hun glans een troost voor het oog. Iedere donderdag poetste Ida ze ter ere van de naderende sjabbes en ze was er trots op dat ze zelfs onder deze armzalige omstandigheden sjabbes kon inleiden met de stijl en schoonheid die passend is voor het bezoek van een bruid. Het was daarom extra vernederend voor Moisje, toen hij hoorde dat de belastingontvanger, die zijn schuld kwam ophalen, zijn moeders huis was binnengedrongen, de kamer doorgezocht had om te zien of er iets van waarde was en vervolgens de kandelaars in zijn tas had geveegd.

Moisje stond niet als heethoofd bekend. Hij was een evenwichtige jongeman die vanaf de tijd dat hij oud genoeg was om een bijl te hanteren, als houthakker voor Entelman gewerkt had. Maar toen hij hoorde wat er net bij zijn moeder gebeurd was, gooide hij zijn bijl neer en beende vastberaden de stad in.

Ida probeerde hem te kalmeren, vertelde ze later aan de vrouwen op de markt. Ze was bang voor de blik in zijn ogen. 'Wat stellen een paar kandelaars nu voor?' vroeg ze. Materiële zaken waren het. En wat waren de materiële zaken in het leven nu in vergelijking met de geestelijke? Ging het niet vooral om wat je in je hart voelde als je sjabbesbruid verwelkomde? Maar toch was ze verbaasd, terwijl ze sprak, over de pijn die ze in haar hart voelde om het verlies van die kandelaars, een geschenk van haar moeder toen ze zelf bruid was en vol hoop over haar toekomst. En toen Moisje de pijn in zijn moeders ogen zag, marcheerde hij haar huis uit naar de herberg van Markowitz, waar de belastingontvanger een maaltijd verorberde voor hij naar de volgende stad vertrok. De kandelaars zaten in de tas van de man – makkelijk weg te halen – en voor deze misdaad tegen de regering kreeg Moisje tien jaar dwangarbeid, tien jaar die nu bijna om waren.

Moisje zou negenentwintig geweest zijn, niet langer een jongeman, maar niet te oud om nog een nieuw leven te beginnen, een gezin te stichten. In de brief die Ida me onmiddellijk in mijn handen gedrukt had toen ik aan haar deur verscheen, stond mogelijk het goede nieuws waarop ze tien lange jaren gewacht had. Ik maakte de brief met een zwierig gebaar open, het belang van het moment en mijn eigen rol als brenger van geluk maakten dat ik mij warm voelde vanbinnen. Een eerste blik op de brief maakte me echter duidelijk dat er geen goed nieuws in stond. Ik stond op het punt het laatste sprankje hoop in het leven van een vrouw te doven in plaats van een daad van vriendelijkheid te verrichten, als ik de inhoud van deze brief zou voorlezen. De straf zat erop. Zoveel stond er wel in. Maar om deze woorden hardop voor te lezen, kortstondig hoop te wekken, terwijl op de volgende regel de lezer op de hoogte werd gesteld van de dood van de gevangene – een nummer gevolgd door de naam, Moisje's naam… dat kon ik niet. Ik stond daar enige tijd zwijgend en door die stilte werd het Ida duidelijk wat er in de brief stond, zonder dat ik een woord voorgelezen had.

'Vertel het me,' zei ze. 'Ik wil weten hoe en wanneer.'

Maar zelfs dat mocht ze niet weten, dat vertelde de brief niet.

Ze knikte dat ze het begreep. 'Ga nu maar,' zei ze, en misschien was ik ook wel gegaan ware het niet dat het geluid dat vervolgens uit haar keel kwam, een schreeuw was geweest alsof vlees en spieren scheurden, uit elkaar getrokken werden, zodat ik instinctief mijn armen om haar heen sloeg om haar bij elkaar te houden. Ze bleef maar schreeuwen, wat spoedig vergezeld ging van een beven, een verschrikkelijk vibreren van binnenuit, alsof het verdriet binnenin haar zichzelf tegen de muren van haar lichaam beukte. Ik hield haar nog steviger vast, verontrust over de breekbaarheid van haar gestel – de broze ribbenkast, het zachte oude vlees. Hoe kon dat bestand zijn tegen het geweld van haar verdriet? We bleven zo zitten, ik weet niet voor hoelang, mijn kleinere lichaam ving haar vibrerende schokken op, totdat een hand op mijn schouder, Lipsa's stevige greep, mijn armen losmaakte en zij Ida in haar eigen armen nam.

Ida's kreten waren ver buiten de muren van haar huis te horen geweest en er kwamen troosters nu, alleen of met z'n tweeën. Ik wilde niet gezien worden – de boodschapper van smart en dood – en begon de heuvel naar mijn huis op te klimmen.

Tegen die tijd was het avond, een vochtige avond, vol gezoem en gebrom van insecten. Het was een maanloze nacht, de weg was pikkedonker. Ik liep langzaam, uitgeput als ik was door de gebeurtenissen van de dag. Mijn armen deden zeer, een dof, loom gevoel dat zich naar mijn schouders uitbreidde en de holte van mijn borst binnen sijpelde. Mijn benen voelden ook zwaar, iedere stap kostte me moeite, alsof ik door water liep, of droomde. Ik rook sigarettenrook, een sliertje rook dreef door die diepe duisternis. Ik wist toen dat ik niet alleen was, maar vreemd genoeg was ik niet bang. Ik liep langzaam, rustig, was me bewust van iemand ander's aanwezigheid, een stille aanwezigheid, die zich niet door middel van een geluid of een beweging bekend wilde maken, er was alleen maar dat dunne sliertje rook dat door de zware lucht kronkelde.

Toen was hij naast me. Ik rook zijn klamheid, zijn verrotting. Ik stopte onmiddellijk, maar ik zag of hoorde niets. Hij was er nog, ik kon hem ruiken, maar toen ik mijn hand uitstak, voelde ik alleen maar lucht. Ga weg! wist ik dat ik krachtig en luid moest zeggen. Zo sprak Lipsa tegen de doden. Ze moeten zich altijd bewust zijn van je kracht, had ze tegen me gezegd. Maar op dat ogenblik voelde ik geen kracht, alleen maar de loomheid van mijn ledematen, de uitputting van die dag en alle dagen die daaraan voorafgegaan waren. Nu hoorde ik zijn stem, een zacht, dringend gefluister, maar ik kon niet verstaan wat hij zei. Ga weg! wist ik dat ik tegen hem moest zeggen, maar mijn tong voelde te dik in mijn mond, mijn hoofd te zwaar op mijn schouders. De lucht rondom mij werd dikker en ik kon geen stap meer verzetten, en daarom ging ik langs de kant van de weg op de zachte, vochtige aarde liggen.

Ik lag in het pikkedonker, overmand maar niet buiten bewustzijn. Ik hoorde geluiden – boven mij een zachte, regelmatige ademhaling, voetstappen op de weg, het roepen van mijn naam. Ik had misschien antwoord kunnen geven, maar de lucht om mij heen was dik als water en sloot me helemaal af. Ik was alleen toen, helemaal alleen, zelfs mijn gedachten waren uit mijn hoofd weggevlogen.

Hoe lang ik daar gelegen heb, weet ik niet, maar uiteindelijk zag ik licht. Een wreed licht, dat meer verblindde dan verlichtte. Maar terwijl ik mijn ogen stijf dichtdeed om het buiten te sluiten, zorgde het ervoor dat mijn andere zintuigen weer terugkeerden. Ik werd me bewust van een geluid, een geklapper dat anders was en losstond van de geluiden die ik in de verte hoorde. Het waren mijn eigen tanden die op elkaar klapperden. Gal vulde mijn mond. Ik spuugde het uit en voelde meteen de vochtigheid van de aarde tegen mijn rug, de stijfheid van mijn nek, mijn eigen handen die willoos naast me lagen. Ik tilde een hand op van de grond om mijn ogen te bedekken, ze af te schermen tegen het licht dat zo pijnlijk onder mijn oogleden gluurde. Een sterke hand pakte toen de mijne, een warme hand, de hand van mijn vader. Hij trok me overeind, sloeg zijn armen om me heen en trok me tegen zijn warme lijf.

Ik kon niet uitleggen wat er gebeurd was. Ik zat in de deken gewikkeld die Tsila om me heen geslagen had, nadat ze mijn natte, vieze jurk uitgetrokken had. 'Niemand heeft me pijn gedaan,' zei ik. Tsila inspecteerde zorgvuldig mijn lichaam op verwondingen, maar die waren er niet. Ik dronk de kersenlikeur die mijn vader me gaf en vertelde hun over Ida. Ze keken naar me, terwijl ik sprak, Tsila's vorsende blik, mijn vaders ogen zacht als slik. Ik vertelde hun over Ida's kreten van smart, het stuipachtige geschok dat uit haar opgerezen was en waaronder ze dreigde uiteen te vallen, de duisternis van de weg, de uitputting die me overviel, de plotselinge klamheid van de lucht. 'Rookte Moisje?' vroeg ik.

'Stil nu maar,' zei Tsila.

'Heb ik Moisje op de weg ontmoet?'

'Stil nu,' zei Tsila en legde haar hand op mijn mond om een verdere woordenvloed te stuiten. Het was mijn verbeelding die ik op de weg tegengekomen was, zei Tsila, niet Moisje. De doden maakten geen wandelingetjes op de weg. Maar ik had sigarettenrook geroken, nietwaar? Sinds wanneer rookten de doden? De doden rookten niet. De levenden wel. De breedgeschouderde mannen die in groepjes op de markt stonden of langs de weg of buiten de herberg van Markowitz – ja, die rookten. Jongemannen zoals Moisje eens geweest was, houthakkers en timmerlieden met hun pet zwierig op hun hoofd en een sigaret die tussen hun lippen bungelde – ja, die was ik op de weg tegengekomen. Mijn eigen verbeelding. Mijn eigen visioen van wie Moisje eens geweest was. Maar Tsila rilde ondanks zichzelf, bang misschien dat het inderdaad de dood geweest was die ik op de weg naar ons huis tegengekomen was, op een tijdstip waarop de geboorte van haar eigen kind zo nabij was.

Mijn vader was me ondertussen de hele tijd blijven aankijken. Hij keek naar me zonder te knipperen, zonder zijn blik af te wenden, alsof hij iets opgemerkt had dat hem tot dan toe ontgaan was, tot hij mij van de grond optilde waarop ik gelegen had. 'Verbeelding op zichzelf is geen zonde,' zei hij, 'maar het moet wel voor iets goeds aangewend worden.'

'Kies je ervoor je hart aan de dood te wijden?' vroeg Tsila en haar stem schoot omhoog van teleurstelling. 'Kies je ervoor je leven in deze wereld te verspillen, en naar het volgende te smachten? Er zijn mensen die dat doen, weet je. Het kerkhof ligt er vol mee. Zal ik je daar morgen mee naar toe nemen, om ze te laten zien?'

Ze kon het antwoord van mijn gezicht lezen.

'Genoeg nu met je aanvallen van flauwtes,' zei ze. 'Genoeg met je onzin.' Ze nam mijn kin in haar hand en bracht haar gezicht dicht bij het mijne. Ik rook haar gezonde frisheid, voelde de verkwikkende waakzaamheid van haar blik. 'Sta op,' beval ze me. 'Je bent een groot meisje nu, een vrouw bijna. Sta op, het wordt tijd dat je opstaat uit het graf van je eigen morbiditeit.'

Zeven

Mijn ervaring had Tsila bang gemaakt. Er was een tijd geweest dat ze het van zich afgeschud zou hebben, geweigerd zou hebben te zwichten voor bijgelovige angsten en voorgevoelens, maar door de aanwezigheid van een nieuw leven binnenin haar was ze gevoeliger voor dergelijke angsten geworden. Opgezwollen van een zwangerschap die niet ging zoals zou moeten, was ze zich pijnlijk bewust van alles in het heelal dat haar begrip te boven ging en het vele kwaad dat ze onmogelijk kon voorkomen. Ze besloot me uit werken te sturen, niet alleen om me uit mijn eigen morbiditeit wakker te schudden, maar ook om haar eigen huis er een paar uur per dag van te verlossen.

Dat wist ik toen ik de daaropvolgende zondag het huis verliet, en ik verwachtte half dat mevrouw Entelman me dan ook zou wegsturen, dat ze haar eigen eenzaamheid zou verkiezen boven de morbiditeit waarvan Tsila mij beschuldigd had, een morbiditeit die zowel zij als mijn vader vergeleken hadden met de kiem van het kwaad die ik in me droeg. Maar mevrouw Entelman leek verrukt me te zien. Of ik zo lief wilde zijn de valeriaandruppels van het bureau te pakken, vroeg ze me zodra Gitl, het dienstmeisje dat met me mee naar boven gelopen was, ons alleen gelaten had. 'Ik zou ze zelf wel kunnen pakken natuurlijk…' en onmiddellijk stak ze van wal.

Het kwam niet enkel door het vertrek van Sjeindl dat ze geveld was, in weerwil van wat ik gehoord had. Zeker, ze miste het meisje. Wie zou zo'n dochter niet missen, vroeg ze. Natuurlijk had ze bittere tranen gehuild – of ik zo lief wilde zijn een andere doek op haar voorhoofd te leggen? Nee, maakt niet uit; het was wel goed zo.

'Natuurlijk verlang ik naar mijn dochter, maar kijk nu eens hoe ik hier lig...'

Ze had beslist een mager gezicht, maar ze had een gezonde kleur.

'Raakt een vrouw door louter verlangen zo verzwakt?'

Daarop kon ik geen antwoord geven. Ik was nog maar net begonnen te bedenken wat verlangen allemaal niet teweeg kon brengen.

'Natuurlijk niet,' zei mevrouw Entelman. 'Verlangen, als het puur is, onttrekt tranen en vreugde aan het hart, maar zodra verlangen door woede en spijt verwrongen wordt...' Ze aarzelde nu. 'En dan te bedenken dat we zo blij waren met het huwelijk. Ook meneer Entelman, en die is niet gek, mijn man, zoals iedereen in de stad kan getuigen.'

Dan ging het dus toch om Jehoede, dacht ik, *dan had het dus toch iets met het huwelijk te maken.*

'En om nu te horen dat Beile ook in de klauwen van die familie is terechtgekomen... o dat lieve meisje,' kreunde mevrouw Entelman. 'Ik hoor dat Rosa en Avrohem ons de schuld geven van die partij,' zei ze, en ze keek snel naar mij – lang genoeg echter om haar vrees bevestigd te zien. 'Als ze maar met me zouden willen praten – weet je dat ze niet meer tegen me praten?'

Ik knikte. Hoe zou ik dat niet kunnen weten? De hele stad wist dat Rosa en Avrohem zich omdraaiden als iemand die familie van de Entelmannen was hen passeerde.

'Ze geven ons de schuld, alsof wij iets van de Zalmennen wisten en dat niet verteld hebben, maar als ze alleen maar met me zouden komen praten... Heeft de familie al wat van Beile gehoord?'

'Niets,' zei ik.

'Zelfs niet of hij al met haar getrouwd is?'

Zelfs dat nieuws had ons nog niet bereikt.

'Als ze alleen maar naar me toe zouden komen, dan zouden ze

weten dat ik net zo moedeloos ben als zij. Moedelozer nog. Kijk eens naar mijn toestand vergeleken met die van hen. Weten ze wel hoe erg ik er aan toe ben?' Ze wierp een snelle blik op mij om er zeker van te zijn dat ik hun dat vertellen zou. 'Ze geven mij er de schuld van dat ze hun dochter kwijt zijn, maar zijn ze vergeten dat ze nog vier andere dochters hebben? Vier mooie, gezonde dochters en een kleinkind op komst?' Ze spuugde drie keer om de aandacht van het boze oog af te leiden van de zwangerschap waar ze net over gesproken had. 'Niet om iets af te doen aan hun pijn – maar vergeleken met die van mij, een ziekelijke vrouw als ik die het enige vlees en bloed kwijt is dat haar op haar oude dag zou kunnen verwarmen...'

'U bent niet oud,' haastte ik haar te verzekeren. Ze lag met een bonnet op in haar ziekbed, en haar gezicht daaronder was rimpelloos, en haar handen waren zo glad en ongetekend als die van haar dochter.

'Poeh!' antwoordde ze. 'Ik ben een opgedroogde, oude vrouw die gedoemd is de rest van haar dagen hier alleen in het donker te liggen en weg te rotten als een hond.'

Het was moeilijk te volgen wat mevrouw Entelman allemaal zei. Dat alleen in het donker liggen bij voorbeeld. Het huis leek een onuitputtelijke hoeveelheid bedienden te hebben die met regelmatige tussenposen opdaagden om te zien of mevrouw Entelman misschien iets nodig had. En de duisternis waarover ze sprak – het huis was net zo vol licht als ik me herinnerde, zelfs zonder Sjeindl als zonnetje in huis. En wat haar opmerking betrof over het wegrotten als een hond – maar er was geen tijd om uitgebreid na te denken of honden makkelijker wegrotten dan mensen, want mevrouw Entelman was nu de vloek aan het uitleggen die Jehoede haar opgelegd had, toen hij terugkwam om Sjeindl mee te slepen. 'Sjeindl snikte,' legde mevrouw Entelman uit. 'Ze wilde niet weg – dat hoef ik je niet te vertellen. Ze hing aan me, zo met beide armen –' Mevrouw Entelman demonstreerde dit door haar eigen armen rond mijn nek te slaan, terwijl ze me ondertussen doordrenkte met de geur van seringen. 'Jehoede ondertussen keek verbluft en deed net of hij niet begreep waarom ze huilde. *Waarom?* bleef hij maar vragen met die flemende stem van hem. Heb je zijn *stém* wel eens gehoord? *Zeg me Sjeindle, alsjeblieft*, smeekte hij. En dan te bedenken dat het zijn stem was waar we nog maar een paar jaar geleden zo van gecharmeerd waren, en datzelfde geldt voor Beile's ouders. *Je zult een nieuw thuis hebben*, beloofde hij haar. *Een van echt steen. Daar zijn de huizen in Canada van gebouwd. Van steen en baksteen. En niet van dit hout dat bij iedere gril van de natuur in vlammen opgaat.* Heb je ooit zoiets gehoord? Hij zegt dat de natuur grillig is, die ongelovige, alsof de Almachtige louter het hulpje is van juist die krachten die Hijzelf geschapen heeft. *Met een smeedijzeren hek*, vervolgde hij, *en elektrische lampen die aangaan met een knip van de vinger, en wc's binnen, en water dat je uit een kraan kan drinken zonder dood te gaan aan tyfus.* Alsof iemand hier in de buurt de afgelopen jaren dood gegaan is aan tyfus – niet om iets aan jouw verlies af te doen. Ik kende je grootouders, mogen ze rusten in vrede. Aardige mensen allemaal.

'Sjeindl vond niet veel troost in zijn beloftes. Waarom zou ze ook? *Moedertje toch*, huilde ze terwijl ze zich nog eens tegen me aan wierp. *Ik zal je kinderen schenken*, antwoordde hij, alsof de toekomst de behoefte aan een verleden uitwist.

' "Maar Sjeindl's wortels liggen hier," zei ik tegen hem. "Wil je haar loswrikken en vraag je je dan vervolgens af waarom ze verwelkt?" Waarop hij me met een koude blik aankeek, dezelfde blik die nog geen drie korte jaren geleden zo vleierig en twinkelend geweest was. *Sjeindl is niet een van de bomen van uw echtgenoot*, zei hij tegen me, alsof ik het verschil niet kon zien tussen mijn dochter en een jong boompje. *Bomen hebben wortels, joden hebben benen.* Dat is wat hij tegen mij zei, de goochem.'

Waarom een dergelijke bewering – nauwelijks een originele of schokkende observatie – haar *geveld* zou hebben, zoals zij het uitdrukte, was een raadsel waar veel over gesproken werd in het lager gelegen gedeelte van de stad. Niemand kende het antwoord, maar op het moment dat die woorden over zijn lippen kwamen, begaven haar benen het. 'Het ene ogenblik sta ik naast mijn dochter en probeer haar alle troost te geven die een moeder in zo'n situatie geven kan. Het volgende ogenblik lig ik als een worm op de grond. Ja, een worm die op zijn buik rondkruipt, dat is waar die man mij toe verlaagd heeft. Maar kom eens dichterbij, lief kind, ik heb je gezicht nog niet goed gezien.'

Ik gehoorzaamde haar, voelde de lichte aanraking van haar vingers op mijn wangen, lippen, mijn oogleden. Ze tastte mijn gezicht af zoals een blinde dat zou doen. 'Je lijkt helemaal niet op een kraai,' verklaarde ze ten slotte en mijn wangen werden heet van schaamte. Het was nog niet zo heel lang geleden dat de jongens en jongemannen langs de kant van de weg bleven staan terwijl ze krassende geluiden maakten als ik langs kwam. 'Je haar mag dan wel zwart zijn, je huid donker, je ogen klein, je neus opvallend, maar ik vind je mooi, en weet je waarom?'

Ik schudde mijn hoofd en voelde me ellendig. Nog maar nauwelijks een paar weken daarvoor had Lipsa's dochter Mirl me lang aangekeken en gezegd dat ik begon bij te trekken, dat als ik nu alleen nog leerde een rechte zoom te naaien en ervoor zorgde dat mijn gezicht bij mijn neus ging passen, mijn vader toch nog een goed huwelijk voor me zou kunnen sluiten.

'Je hebt een goed hart,' zei mevrouw Entelman. 'Dat voelde ik met mijn vingertoppen. Ik voelde de warmte van je hart. Met zulke dingen heb ik het nooit mis. Ga nu wat water voor me halen. Je vindt het beneden in de keuken. Gitl zal het je laten zien. Maar pas op dat je niet morst bij het naar boven gaan. Je moeder morste altijd.'

'Mijn moeder?' vroeg ik.

'Ja, je moeder. Ze werkte voor me; wist je dat niet? In het jaar voor haar eigen huwelijk. Ze was een goed meisje – trek je niets aan van wat ze zeggen – maar onvast. Ze kon niet van hier naar daar een dienblad dragen zonder te kliederen en te morsen. Ga nu, snel. Ik ga dood van de hoofdpijn.'

En daar ging ik dan, terwijl mijn eigen hoofd nu tolde, om water voor mevrouw Entelman te halen. En toen ik terugkwam, vol vragen over mijn moeder, had ze het al weer ergens anders over. Zo ging dat bij mevrouw Entelman. Ze praatte, nu weer over dit, dan weer over dat, als een vogel die van de ene tak op de ander hipt, terwijl ik het ene werkje na het andere deed zoals het maar in haar opkwam, ik drukte kompressen tegen haar voorhoofd, haalde water voor haar, stofte de reeds blinkende oppervlakken in haar slaapkamer, en vaak schakelde ik van het ene naar het andere karweitje over voor ik met het eerste klaar was. 'Wees een schat en doe dít...' zei ze altijd. 'Nee, bij nader inzien, doe dát maar.' Tot ik begreep dat het niet nodig was dat er ook maar iets in dit huis gedaan werd. Ik zou dít kunnen doen zoals ze voorstelde, of dát, of niets behalve alleen maar luisteren naar mevrouw Entelman's melodieuze stem die oppervlakkig over de onderwerpen van ons gesprek scheerde.

'Je bent een goed meisje,' zei ze tegen me, ergens in de middag. Had ik net de bloemen geschikt die Gitl uit de tuin gehaald had? Of was het nadat ik de sprei over haar benen glad getrokken had? Die waren koud, hield ze vol, zelfs in de zomerwarmte. 'Je moeder was ook een goed meisje,' zei ze nog een keer, terwijl ze met kleine slokjes de kamillethee dronk die ik haar in de namiddag gebracht had. 'En ze was zo'n goede dochter. We zouden allemaal gezegend zijn met zo'n dochter. Weet je dat er geen dag in je moeders leven voorbijging dat ze niet het graf van haar ouders bezocht?'

Ik schudde van nee.

'O ja, dat kan ik je wel vertellen. Het maakte niet uit wat voor weer het was, wat ze allemaal moest doen – en dat was veel, een wees zoals zij zonder familieleden om haar groot te brengen – ze vond altijd wel tijd om een paar ogenblikken met haar ouders door te brengen.' Het was even stil. 'Het is waar dat ze na verloop van tijd ander gezelschap op het kerkhof vond om een paar ogenblikken mee door te brengen, maar was dat nu zo erg? Twee eenzame zielen die hun jonge jaren met de doden doorbrachten...' Mevrouw Entelman's ogen werden vochtig nu. 'Twee eenzame wezen.' En weer was het even stil. 'Noam was natuurlijk niet echt een wees. Hij had alleen maar zijn moeder verloren. *Alleen maar*. Hoor mij eens. *Alleen maar zijn moeder*, alsof een dergelijk verlies minder erg was omdat de vader gespaard bleef. En zijn moeder was zo'n lieve vrouw. Wie kan de wegen van de Almachtige begrijpen dat zo'n vrouw – een engel onder de vrouwen – gehaald zou worden met achterlating van een man en een jonge zoon, terwijl de zondigen gespaard worden zodat ze ons met hun slechtheid kunnen bestoken.'

'Noam?' vroeg ik. Dezelfde Noam voor wie mijn vader nu werkte? De voerman Noam die Beile een uitbuiter genoemd had en tegen wiens blik mijn vader me eens met zijn eigen lichaam afgeschermd had?

Maar mevrouw Entelman was het niet eens met de afkeer voor Noam die ze in mijn stem en op mijn gezicht bespeurde. Dat was onbetamelijk, zei ze, een ander beoordelen op zijn karakter. Zoiets verbitterde het gelaat, om maar te zwijgen van de ziel. En ik, die toch al zo'n lang, mager gezicht had – ik wilde toch niet in een zuurpruim veranderen, hè? Ik schudde van nee.

En verbeeldde ik me, zo ging mevrouw Entelman door, jong en goedverzorgd als ik was, dat ik ooit ook maar iets geproefd had van de bitterheid die het leven sommigen schonk? 'Ben je wel eens naar het moeras geweest?' vroeg ze me.

Dat was ik, verzekerde ik haar.

'Dan heb je zelf de verwrongen vormen gezien die levende wezens aannemen als ze hun voedsel uit bittere offers moeten halen.'

Ik knikte, terwijl een misselijkmakende steek in mijn maag me herinnerde aan het bittere riet dat ik voor Tsila's baby verschaft had.

'Hij maakt je bang, hè?' vroeg mevrouw Entelman. Ze had het over Noam. Er klonk nu minder afkeuring in haar toon, en ik zag Noam in volle galop, zijn ogen dichtgeknepen, zijn gezicht hardvochtig, terwijl hij zijn paarden met de zweep aanspoorde om ze steeds maar harder te laten lopen.

Ik knikte. 'Er wordt gezegd dat hij wreed is. Hardvochtig,' zei ik om het recht te zetten. Ik was bang om iets te zeggen dat als *loshon hora* opgevat kon worden. 'Voor zijn paarden.'

'Daar weet ik niets van. Ik weet niets over paarden. Maar vertel me eens, zou iemand met een wreed hart om een oude man geven, zoals hij om zijn vader geeft?'

Noam's vader, Chaim, die in zijn jonge jaren ook voerman geweest was, was enige jaren geleden onder de wielen van zijn koets gevallen, en hoewel zijn geest en levensadem de beproeving doorstaan hadden, had zijn lichaam zich nooit meer hersteld. Hij lag verlamd op zijn brits in Noam's huis. Iedere morgen stond Noam vroeg op om zijn vaders gebroken lichaam te wassen en te voeden, en iedere avond kwam hij thuis om weer een maaltijd in zijn wachtende mond te lepelen. Dat Noam nooit getrouwd was, was het enige geluk dat de oude man ooit in zijn leven gehad had, zo werd er in de stad gezegd, want welke schoondochter zou zo teder en liefdevol haar nutteloze schoonvader verzorgen?

'Mijn moeder en Noam?' vroeg ik.

'O ja,' zei mevrouw Entelman, terwijl ze haar voorhoofd afveegde waar zich zweetdruppeltjes gevormd hadden omdat de thee zo heet was. 'Zeer zeker ja. Na het bezoek aan de graven van hun ouders wandelden Henje en hij meestal urenlang langs de rivier. Noam praatte en Henje lachte, zo'n lichte en zilveren lach dat de mensen die het hoorden die nooit meer vergaten.' Het was weer even stil, terwijl mevrouw Entelman achterover op haar kussen lag en leek te luisteren naar die zilveren lach in de verte. En toen hoorde ik het ook, ongenood – een lach, zoeter en lichter dan ik ooit gehoord had. En tegelijkertijd verscheen er een meisje voor mijn geestesoog. Tot dan toe had ik nooit een duidelijk beeld van mijn moeder gehad. Ze was altijd als een schaduw aan me verschenen, een glimp van neergeslagen ogen en ingevallen wangen, een donkere vlek die door mijn hoofd ging zoals een wolk die langs de zomerhemel drijft. Maar terwijl ik in de middagzon zat, in de kamer van mevrouw Entelman – een lichte bries rimpelde de gordijnen bij het raam, mevrouw Entelman's lepeltje tinkelde tegen het dunne porselein van haar theekopje – hoorde ik mijn moeders lach en tegelijkertijd vormde zich het beeld van een meisje, een slank meisje, niet veel ouder dan ikzelf, met lang haar, niet zo zwart als dat van mij, en een smal gezicht dat door het zonlicht beschenen werd, terwijl ze lachend opkeek naar haar metgezel. Ik deed mijn ogen dicht en zag ook hem, een jongeman, goedgebouwd en lang, zonder ook maar een vermoeden van een ronde rug. Hij droeg de hoge laarzen van een voerman, zijn rijzweepje hing werkeloos aan zijn riem. Ik keek hoe ze langs de oever van de rivier liepen, de laatste zonnestralen van die dag filterden door de trillende populierenbladeren.

Mevrouw Entelman zuchtte diep. 'Je moeder begreep het gebod dat je je ouders moet eren, een gebod dat niet met hun dood eindigt.'

De scène bij de rivier vervaagde, maar ik zag haar nog steeds, maar nu terwijl ze gehurkt bij een grafsteen zat en zachtjes met haar hand over het oppervlak ervan streek om het vuil eraf te vegen, terwijl haar haar als een donkere sluier om haar hoofd viel.

'De wortels van een mens liggen daar waar zijn ouders begraven zijn,' zei mevrouw Entelman. 'We halen ons voedsel uit de grond waarnaar ze teruggekeerd zijn. Je moeder wist dat, ook al lijken anderen dat vergeten te zijn.' Mevrouw Entelman was even stil en haar ogen werden vochtig, terwijl ze wellicht aan haar eigen dochter dacht die zo ver weg was, of misschien dacht ze aan haar eigen toekomstige graf, niet bezocht en niet onderhouden, de aarde waarnaar ze zou terugkeren en waarmee de kinderen van vreemden zich zouden voeden. Ze schudde de gedachten van zich af en vervolgde: 'Nee, een meisje als je moeder was niet iemand die bij haar ouders wegliep.'

Maar hoe zat het met haar pasgeboren kind, dat nog leefde, vroeg ik me af. En de onbeminde echtgenoot? En de man van wie ze wel hield, als het waar was wat mevrouw Entelman gezegd had. Maar mevrouw Entelman zei niets over de levenden die ze achtergelaten had, alleen maar over de doden, en het lachende meisje in mijn hoofd werd opzij geschoven door een ander meisje met sluik haar, matte ogen en een smal bleek gezicht, dat hunkerde naar de doden.

'Was ze dan morbide?' vroeg ik aan mevrouw Entelman.

'Morbide?' Die vraag leek mevrouw Entelman te ontstemmen. 'Is het nu ook al morbide om het graf van je ouders te verzorgen?' vroeg ze. 'Leren de verlichte leden van onze gemeenschap hun kinderen zulke dingen?'

Ik deed net of ik de steek onder water aan Tsila's adres niet gehoord had en sloeg mijn ogen neer, terwijl ik me met mevrouw Entelman's kompres bezighield.

Toen ik het huis van mevrouw Entelman verliet, klonken haar stem en alles wat ze me verteld had, nog na in mijn hoofd. In mijn lichaam voelde ik een rusteloosheid die door haar woorden teweeggebracht was, een rusteloze energie die op geen enkel doel gericht leek. Ik ging naar de winkel van mevrouw Gold, hoewel ik wist dat het nog uren zou duren voordat Sore vrij zou zijn. De lucht in de zeer krappe ruimte was benauwd en het was er stil, en na het felle zonlicht van de middag moest ik verschillende keren knipperen voordat mijn ogen aan de schemering gewend waren. Sore stond op een ladder en ordende trossen touw op de bovenste plank.

'Kan ik je helpen?' vroeg mevrouw Gold – haar dwingende blik was nog scherper dan een venijnige tong.

'Ik had gehoopt even met Sore te kunnen praten,' legde ik uit.

'Sore is aan het werk zoals je kunt zien.'

Ik knikte en begon achteruit de winkel uit te lopen.

'Gaat alles goed met je stiefmoeder?' vroeg mevrouw Gold.

'Ja hoor,' loog ik.

'We zien haar nooit meer. Doe haar de groeten van mij.'

Ik wandelde vervolgens op mijn gemak naar de rivier, terwijl ik het beeld van mijn moeder probeerde op te roepen dat eerder die dag zo makkelijk in mijn hoofd opgekomen was. Maar de herinnering aan haar was niet van mezelf en zonder mevrouw Entelman's stem om dat beeld voor mij te schilderen, was er slechts die ongerichte rusteloosheid van mijn lichaam. Het was nog steeds warm, terwijl de middag overging in de avond. Het licht dat door de bomen langs de rivier filterde was zacht en vol, de hitte drukte zwaar op mijn huid. Ik stond naar de trage Pripjat te kijken, zo langzaam als hij zomers stroomde, ik keek naar de *berlinkes* met hun lading timmerhout die zuidwaarts naar Kiev afzakten. Daarna wendde ik me af van de rivier, en liep in de richting van de stad.

De laatste verkopers op de markt waren bezig hun zaak af te sluiten voor de dag. Jongemannen stonden in groepjes rond het marktplein en spuugden de doppen van zonnebloemzaden uit, terwijl ze met elkaar stonden te praten. Meisjes wandelden twee bij twee en hand in hand, hun hoofden naar elkaar toe gebogen. Hun vrije hand hielden ze voor hun mond, terwijl ze elkaar geheimen toefluisterden. Ik keek naar hen en voelde me buitengesloten, iets wat niet meer gebeurd was sinds Sore en ik bevriend waren geraakt.

Ik zou net op weg naar huis gaan, toen Sore kwam aangesneld. Ze kwam uit de steeg die uitliep op de straat achter de markt. 'Ik dacht dat ze me nooit zou laten gaan,' zei ze. 'We hadden geen klanten nadat je weggegaan was, dus besloot ze dat we de inventaris moesten opmaken.'

'Ik dacht dat jullie dat vorige week al gedaan hadden?'

'Dat hebben we ook. En twee weken daarvoor ook al. Hoe minder ze verkoopt, des te meer ze telt. En het was vandaag zo heet daarbinnen dat ik dacht dat ik zou flauwvallen.' Sore stak haar onderlip naar voren om een lok haar uit haar ogen te blazen, maar het haar zat door het zweet aan haar voorhoofd geplakt. 'En hoe ging het? Is ze zo gek als iedereen zegt? Ik zie dat ze je in ieder geval vroeg heeft laten gaan.'

Ik had Sore alles willen vertellen over wat mevrouw Entelman tegen me gezegd had, maar terwijl ik daar zo voor haar stond, was het onmogelijk er ook maar iets van onder woorden te brengen. 'Ze praat veel,' zei ik over mevrouw Entelman.

'Dat heb ik gehoord, ja. Ze heeft te veel tijd om handen.' Sore pakte mijn hand en we liepen van de markt vandaan. 'Ik heb wel zin om te gaan zwemmen, jij ook?' vroeg ze terwijl we in de richting van de rivier gingen. Er was een plek net buiten de stad waar sommige vrouwen zichzelf op bijzonder warme dagen verkoelden.

'Ik moet naar huis. Het is al laat.'

Sore keek me aan. 'Er staat vanavond iets te gebeuren,' zei ze. 'Maar het is geheim.'

'Wat dan?' vroeg ik en Sore legde uit dat een meisje dat ze in Mozyr gekend had, een studiekring begon, een nieuwe cel van de Bund.

'Hier dus. In dit moddergat,' zei Sore grijnzend. 'Ik kan je niet zeggen waar, maar als je me bij…'

'Ik kan niet,' zei ik

'Je *kunt niet*?' herhaalde ze, meer verbaasd dan boos.

'Het spijt me, maar Tsila is de hele dag alleen geweest. Het is moeilijk voor haar in haar conditie om dingen gedaan te krijgen, nu ze zo'n last heeft van zwellingen. En vandaag was het zo warm…'

'Je *wilt* er helemaal niet naar toe,' zei Sore, boos nu. 'En ik dacht nog wel dat je net zo opgewonden zou zijn als ik, vereerd zelfs dat je uitgenodigd wordt.'

'Natuurlijk wil ik er wel naar toe,' protesteerde ik, meer uit bezorgdheid om Sore teleur te stellen dan dat ik oprecht de avond studerend wilde doorbrengen na mijn dag bij mevrouw Entelman.

'Wat gaan jullie bestuderen?' vroeg ik.

'Zaken van belang,' zei Sore kortaf.

'Als ik weg kan, kom ik,' beloofde ik.

'Je kan niet weg,' zei Sore.

Noam's pad kruiste het mijne, terwijl ik de heuvel opliep naar huis. Gewoonlijk sloeg ik mijn ogen neer als hij eraan kwam en ging aan de kant van de weg staan tot hij voorbij was. Maar de verhalen die mevrouw Entelman die middag verteld had, hadden me nieuwsgierig naar de man gemaakt. Ik durfde op te kijken toen hij passeerde, in de hoop een glimp op te vangen van de jongeman bij de rivier die de oorzaak van de zilveren lach van mijn moeder geweest was.

Hij leunde voorover over zijn paard heen, en sloeg het dier met zijn zweep, maar spoorde het niet tot grote snelheid aan. Bij het passeren keek hij naar me, en hoewel we elkaar aankeken, was het niet Noam die ik zag. Ik keek hem in de ogen, maar was me slechts bewust van het gewicht van mijn eigen donkere haar dat op mijn rug en schouders hing, de rankheid van mijn ledematen, mijn donkere ogen, mijn smalle gezicht. Ik had niet de schoonheid van mijn moeder, dat had ik altijd al geweten, maar ik vroeg me nu af of er op zijn minst niet iets in mij was – een gelaatstrek, een bepaald gebaar – wat hem aan haar deed denken. Ik knikte een keer, een uiterst miniem gebaar, een groet, nauwelijks merkbaar, de eerste keer dat ik dat ooit naar hem gedaan had. Hoewel hij als reactie geen spier in zijn gezicht vertrok, beantwoordde hij mijn gebaar met een lichte hoofdknik en hij bracht twee vingers naar de klep van zijn pet.

Ik liep snel de rest van de weg de heuvel op. Het was bijna donker; ik had al uren geleden thuis moeten zijn. Er was nog slechts een reep licht aan de horizon te zien. Die zag er bijzonder helder uit, gloeiend als vuur onder het oprukkende duister van de nachthemel.

Gezegend zijt Gij, Heer onze God, Koning van het heelal dat U zoiets in Uw wereld heeft, sprak ik, terwijl ik even stil bleef staan om het te bewonderen.

Met het vallen van de avond was het koeler geworden, een lichte bries vanuit het moeras beroerde nu mijn vochtige huid en speelde door mijn katoenen jurk. Ik sloot mijn ogen om meer te genieten van de koelte op mijn voorhoofd en armen. Ik wist dat ik op mijn kop zou krijgen omdat ik te laat was, en dat hoe langer ik wachtte, ik des te meer op mijn kop zou krijgen, maar toch bleef ik nog een ogenblik langer op de top van de heuvel staan, mijn armen uitgespreid, zodat de avondbries zachtjes het haar uit mijn nek omhoog kon blazen en langs het oppervlak van mijn huid kon strijken.

***

Er is een verhaal over de chassidim en dat gaat over het dilemma van een man die de hemel probeert binnen te komen. Terwijl hij voor de Hemelse Rechter staat, vertelt hij uitvoerig over alle goede daden die hij verricht heeft, maar hij geeft toe dat hij ooit in feite een zonde begaan heeft. 'Ik viel voor de verleiding van een vrouw,' legt hij uit, waarop één engel minachtend lacht en vraagt: 'Ben je zo zwak dat een vrouw voldoende is om je te laten zondigen?'

De man mocht de hemel niet in, maar ook de engel werd gestraft: als straf moest hij als vrouw een mensenleven op aarde doorbrengen.

'Ik ben die engel,' had Henje tegen Arn Leib gezegd op de dag dat ze aan elkaar voorgesteld werden. 'Mijn leven hier op aarde is een straf.'

'En zo begon je moeder haar leven met je vader,' zei Tsila tegen me terwijl we binnen in diepe duisternis zaten. Het was 's avonds laat en geen van tweeën kon slapen. Door de hitte, door onze eigen gedachten. De ambachtslieden van de stad hadden in het spoor van het bloedbad in Kisjinjov een zelfverdedigingsgroep opgericht en mijn vader was naar een bijeenkomst daarvan. Tsila en ik hadden ieder apart op ons eigen warme bed gelegen, terwijl de een lag te luisteren naar het gewoel van de ander, totdat Tsila ten slotte opgestaan was om wat water voor zichzelf te pakken.

'Zal ik wat voorlezen?' had ik gevraagd terwijl ik bij haar aan tafel ging zitten. Als ze niet kon slapen, vond ze het prettig als ik de Psalmen voorlas, maar deze avond zat ze zich alleen maar lusteloos koelte toe te wuiven en vroeg wat mevrouw Entelman allemaal te zeggen gehad had. Ik vertelde het haar en ze knikte, alsof ze niet verontrust of verbaasd was dat er over mijn moeder en Noam gesproken werd.

'Heeft ze verteld wat er verder gebeurde?' vroeg Tsila. 'Hoe vreselijk liefdadig zij en haar zuster Zelde voor de wees Henje waren?'

Ik schudde van nee en leunde tegen de warme muur van het huis, terwijl Tsila begon te praten.

'Henje en Arn Leib werden door toedoen van Zelde Tsjajvits aan elkaar voorgesteld,' zei Tsila tegen me.

Ik kende Zelde natuurlijk. Het was de vrouw van Faivl de slager en ze was de jongere zuster van Yitta Entelman, mijn nieuwe werkgeefster. Zelde was minder nerveus dan haar oudere zuster en minder gelukkig in het huwelijk, maar ze stond in de stad bekend om het goede werk dat ze verrichtte voor mensen die minder gefortuneerd waren dan zijzelf. Het verhaal ging dat ze pijn in haar schouders gevoeld had toen ze nog een jong meisje was, een gewicht dat ze al vroeg herkend had als de pijn van anderen en dat haar eigen geluk haar geen plezier verschafte als ze dat niet met anderen kon delen. 'Een heilige,' zeiden sommigen over haar en dat had zeker ook de koppelaarster gezegd toen Zelde de huwbare leeftijd bereikte. En als er in die tijd een heel stel heiligen geweest was die naar een bruid op zoek geweest waren, wie weet wat voor huwelijk ze dan had kunnen sluiten. Maar zoals dat gaat, er waren alleen maar gewone jongemannen beschikbaar en zo trouwde ze met Faivl die verderop in de straat woonde.

'Zelde was dik bevriend met Perla Zoeptnik, wist je dat?' vroeg Tsila.

Ik schudde van nee, wist zelfs niet precies wie Perla Zoeptnik was.

'O ja,' zei Tsila. 'Een hartsvriendin. Ze waren al vriendinnen van jongs af – ze waren even oud en woonden tegenover elkaar in de straat. Mijn vader woonde in dezelfde steeg en zegt dat je de een nooit zonder de ander zag.

'Zelde was de sterkste. Ze was groter dan Perla – een volle kop – maar het was niet alleen haar lengte. Ze had de neiging om het leven van andere mensen te regelen, Zelde. Zelfs toen al. En Perla, neem ik aan, liet zich graag regelen. Dat hebben sommige mensen. Je kon de hele dag door Zelde horen vertellen wat Perla moest doen en laten – hoe ze moest zitten zodat ze er zediger bij zat, hoe ze moest staan. Op een keer – ze konden niet ouder geweest zijn dan negen of tien – hoorde mijn vader hoe Zelde namen aan het uitkiezen was voor de toekomstige kinderen van Perla.'

Tsila keek me aan en haalde haar schouders op bij de gedachte.

'De banden die tussen hen gesmeed waren, bleven bestaan, ook toen ze volwassen waren. En hoewel ze niet langer tegenover elkaar in de straat woonden, zoals toen ze nog klein waren, woonden ze niet ver bij elkaar vandaan en de een kon gewoonlijk in de keuken van de ander gevonden worden, terwijl hun gelach op klonk, zoals dat altijd gedaan had. Het verschil was dat de baby's die ze nu op hun knie hadden, hun eerstgeborenen waren en niet hun kleine broertjes en zusjes.

'Perla was net drie jaar getrouwd toen ze ziek werd, en Zelde zorgde de hele tijd voor haar. En op Perla's sterfbed beloofde Zelde plechtig voor Perla's enige kind Noam te zorgen, alsof hij haar eigen kind was, en om alles te doen wat in haar vermogen lag om zijn levenspad te verlichten.'

'Noam de Voerman?' vroeg ik.

'Inderdaad. Maar luister nu. De plechtige belofte uitspreken nam slechts een kort ogenblik in beslag, maar het nakomen van deze belofte zou veel van Zelde's jaren vergen, omdat Noam, die nog maar een kleine dreumes was ten tijde van zijn moeders dood, bij het groter worden precies het soort rouwdouwer werd waarvan Zelde graag zou willen dat haar kinderen die vermeden. Laat dit een les zijn, wees altijd voorzichtig met wat je belooft.' Ik knikte.

'Arme Zelde,' zuchtte Tsila. 'Ze probeerde begripvol te zijn. Het kan niet anders of een jongen zonder moeder is een beetje onbehouwen, placht ze te zeggen in die eerste jaren na Perla's dood. Zeker met zo'n vader. Zelde had Chaim nooit gemogen, snap je wel. Ze had nooit begrepen hoe haar lieve Perla zich bij zo veel ruwheid kon neerleggen. Ze rilde iedere keer als ze Chaim's koets voorbij zag vliegen met Noam naast zijn vader op de bok, met een zweep in zijn onschuldige hand in plaats van een verhandeling van de Talmoed, en ze zorgde ervoor heilige boeken voor Noam te kopen iedere keer als de boekverkoper in de stad was. En ook liet ze geen vrijdag voorbijgaan zonder langs het huis van het kind te gaan met een paar *challahs* en wat van haar eigen gefillte fisch, zodat Noam en zijn vader tenminste een behoorlijke sjabbes konden hebben.

'Zo probeerde Zelde haar belofte aan Perla na te komen en in het begin liet Chaim haar begaan. Hij nam aan wat Zelde zoal aanbood, vroeg haar zelfs zo af en toe binnen voor een glas thee. Maar na het ongeluk wilde Chaim niemand meer zien die hem nog van voor het ongeluk kende – dat kon men hem nauwelijks kwalijk nemen – en Noam stond in de deuropening als Zelde langskwam, en versperde haar de doorgang. Het was een rijzige jongeman. Hij had niets van Perla's bouw. En het hart zonk Zelde in de schoenen toen ze de hardvochtigheid in zijn ogen begon op te merken.'

Hier stopte Tsila om iets te drinken en daarna ging ze weer verder.

'In de zomer van 1884, vijftien jaar na de dood van Perla, hoorde Zelde gelach opklinken toen ze langs de rivier liep. Het was een lichte lach, een plezierige lach. Je werd al vrolijk bij het horen ervan. Zelde merkte dat ze wat bij de rivier bleef treuzelen om te genieten van de geurigheid van de warme zomeravond, iets wat ze daarnet niet eens opgemerkt had. Toen de duisternis inviel, zag ze een jong paartje te voorschijn komen uit het beboste pad dat langs de rivier liep.

' "Goedenavond, mevrouw Tsjajvits," begroetten ze haar.

' "Goedenavond," had Zelde geantwoord. Ze zag de gloed op Noam's gezicht en als reactie daarop de glans in Henje's ogen.

'Nu is Zelde geen hardvochtige vrouw, maar ze is ook niet onpraktisch. Henje was een arme wees die behalve haar glanzende ogen niets in te brengen had in een huwelijk, en Noam was de zoon van haar hartsvriendin aan wie ze een bindende belofte gedaan had. Zelde werd niet door wreedheid gedreven. Zo beweerde ze later. Maar door loyaliteit. Loyaliteit aan haar gestorven vriendin en aan haar eigen belofte.

' "Misschien moet je de zaken gewoon op zijn beloop laten," stelde haar man Faivl voor. "Ze wordt verondersteld een goed meisje te zijn, deze Henje, een aardig meisje. En zo mooi. En Noam heeft zo'n zielensmart gehad, waarom zou hij geen mooie vrouw hebben?"

' "Zou je haar voor je eigen zonen willen hebben?" vroeg Zelde.

' "Onze omstandigheden zijn anders," wees Faivl haar erop.

' "Ik heb Perla beloofd dat ik voor hem zou zorgen alsof hij mijn eigen zoon was."

' "Maar hij is je eigen zoon niet," zei Faivl. "Denk je soms dat ouders in de rij gaan staan om hem met hun dierbare dochters te laten trouwen? Denk je dat hij zo zonder opleiding een goede vangst is, met een kreupele vader en een moeder die zulke zwakke longen had dat ze dood is gegaan aan een verkoudheid?"

' "Het was geen verkoudheid," sprak Zelde hem tegen. "Het was longontsteking."

' "Wie zal zeggen dat deze Henje niet het beste is wat hij kan krijgen? Wie ben jij om daarover te beslissen?" Dat is wat haar man vroeg.

'Zelde gaf geen antwoord, maar Faivl's argumenten hadden haar een beetje aan het twijfelen gebracht. Ze besloot met het meisje te gaan praten, alleen maar praten. Als Henje daarna nog steeds Noam wilde hebben, dan zou dat God's wil zijn. En natuurlijk, als ze van hem afzag, dan was dat ook God's wil.

'Zelde benaderde haar vroeg in de avond. Ze wist dat Henje op dat tijdstip op weg was naar het kerkhof voor haar avondbezoek aan haar ouders. Zelde zorgde dat ze op hetzelfde tijdstip op hetzelfde pad was. "Goedenavond," zei ze.

' "Goedenavond, mevrouw Tsjajvits," antwoordde Henje. Ze was een mooi meisje, je moeder, dat kon niet ontkend worden, en ze had goede manieren.

' "Een mooie avond, nietwaar," zei Zelde.

'Henje glimlachte vriendelijk en Zelde voelde haar voornemen wankelen. Wie wist wat het beste was, vroeg ze zichzelf af. Het is algemeen bekend dat veertig dagen voor de geboorte al vaststaat wie iemands man of vrouw zal worden. Kon ze er echt zeker van zijn dat Henje niet degene was die voor Noam uitverkoren was? Wie was zij, Zelde Tsjajvits, om met het lot te knoeien? Dat is wat ze zichzelf afvroeg. Tenminste dat beweerde ze later.

'Ze stond op het punt het meisje nogmaals een goedenavond te wensen en door te lopen, toen er een herinnering aan Perla in haar opkwam: Perla als jonge moeder, haar ronde gezicht glimmend van plezier terwijl ze zich over haar baby boog en hem op zijn buik kietelde. "Je zult mijn kleine geleerde zijn," kirde Perla terwijl ze hem kietelde. "Je zult met de dochter van een rabbi trouwen." Ze kuste zijn buik. "Je zult tien gezonde zonen krijgen, elk van hen wordt geleerde." De baby kraaide van genot.

' "Henje, vergeef me," zei Zelde tegen het meisje voor haar. "Ik weet dat je een goed meisje bent, en ik wil je niet beledigen."

'Ze deed niets achterbaks, oefende geen druk uit. Ze legde haar eenvoudigweg haar dilemma voor, terwijl ze de scène beschreef met Perla en Noam die zich net weer in haar hoofd afgespeeld had, en ze sprak over de hoop die Perla gekoesterd had voor haar enige zoon, Noam. Zou Henje willen dat Zelde haar belofte aan haar stervende vriendin zou verbreken, vroeg ze zich hardop af. Zou Henje de wensen van een dode vrouw willen weigeren, de wensen die ze over de toekomst van haar zoon gekoesterd had?

Natuurlijk wilde ze dat niet. Niet Henje. Ze was de doden onwankelbaar trouw.'

'Was ze morbide?' onderbrak ik haar.

'Dat zou je kunnen zeggen,' antwoordde Tsila.

'Op driejarige leeftijd was ze al wees, en de daaropvolgende jaren waren ellendig geweest. Haar leven werd gekweld door eenzaamheid tot, op de leeftijd van zeven jaar, haar ouders aan haar verschenen waren om haar te vertellen dat het haar doel op deze aarde was om hen te gedenken. Ze had niet geslapen toen haar ouders kwamen, maar was klaarwakker geweest, terwijl ze bij Elke thuis de schachten van veren brak – Elke, de verenplukster, had haar in huis genomen en aan het werk gezet, toen er geen ander levend familielid gekomen was om haar op te eisen. Ze voelde de aanwezigheid van haar ouders zelfs nog voordat ze hen zag: ondanks de vochtigheid in Elke's souterrain was er een golf van warmte voelbaar geweest, een gevoel van rust dat zelfs het rammelen van haar lege maag deed verstommen. Hun gezichten, toen ze zich bekend maakten, zagen er vredig uit, onverstoord, ondanks de ellendige omstandigheden waarin hun dochter verkeerde. Ze zagen het benauwde, koude huis waarin ze woonde en werkte, haar honger, de eentonigheid van haar dagen, maar ze huilden niet om haar, noch strekten ze hun armen uit om haar eindelijk weer op te eisen. "Gedenk ons," smeekten ze, en ze begreep waarom ze achtergelaten was om in dit leven te lijden.

'En lijden deed ze tot ze op een avond, toen ze vijftien jaar was, Noam over een rij grafzerken heen aankeek. Ze voelde een schok en die leek op niets wat ze ooit eerder gevoeld had. Een gevoel dat niet onplezierig was, stroomde door haar lichaam. Dat was het leven natuurlijk en ondanks haar loyaliteit jegens de doden, verwelkomde ze het. Ze vergat haar ouders niet, maar naast haar herinnering aan hen flakkerde er iets anders in haar op: hoop dat er toch nog een plaats voor haar in dit leven zou zijn. Had ze haar ouders met deze hoop verraden, vroeg ze zich af toen Zelde voor haar stond. Hoe kon ze anders die vreemde inbreuk begrijpen die Zelde op haar leven maakte?

' "We zullen een andere bruidegom voor je vinden," verzekerde Zelde haar. "Er zal een bruidsschat geregeld worden." '

Tsila nam nog een slokje water, ging toen weer verder.

'Arn Leib en Henje waren geen onbekenden van elkaar. Ze hadden elkaar niet gesproken, maar hun ogen hadden elkaar meer dan eens ontmoet. Arn Leib moest twee keer per dag langs Elke's huis, vergeet dat niet, op weg van en naar zijn werk. Toch leek Henje te twijfelen. Zelde vroeg haar naar de omstandigheden waarin ze bij Elke moest werken. Ze was een moeilijke werkgeefster, nietwaar? Vervolgens vroeg Zelde zich hardop af of Henje mogelijk geïnteresseerd was in een baan in haar zuster's huis – mevrouw Entelman's huis. Juist die dag had haar zuster Yitta nog tegen haar gezegd dat ze een nieuw dienstmeisje nodig had.

'Henje werd nu bang. Van Elke's huis naar dat van mevrouw Entelman? Van verenplukker naar dienstmeisje in het chicste huis van de stad, en dat alles om Noam op te geven en met een ander te trouwen? Een dergelijke ommezwaai kon alleen maar vanuit het graf komen. Ze had duidelijk haar ouders beledigd, hen verraden door haar liefde voor Noam. Ze waren tussenbeide gekomen, hadden deze vrouw gestuurd...

' "Voor licht werk," zei Zelde ondertussen. "Niets te zwaar..."

' "Ik ben gewend aan zwaar werk," mompelde Henje. Ze was zestien en had haar leven tussen de karkassen van kippen door-gebracht. Ze had horen zeggen dat de kamers van mevrouw Entelman met seringen gevuld waren, zelfs in de winter.'

'Ze gaf Noam op voor een baan als dienstmeisje?'

'Je vraagt dat met de minachting van iemand die nog nooit echte armoede gekend heeft,' zei Tsila. Ik bloosde diep, terwijl Tsila verder ging.

'Het stoorde Arn Leib niet dat Henje haar leven hier op aarde als een straf zag. Zijn eigen leven was nu ook niet direct een beloning.

Had hij zijn eigen ouders niet tijdens dezelfde epidemie verloren als waarbij Henje ook haar ouders verloren had? Hij voelde een verwantschap met het meisje. Hij dacht dat hij haar kon beschermen, haar verblijf hier op aarde kon verlichten.'

'Hield hij van haar?'

'Hij voelde verwantschap met haar. En Henje voelde hetzelfde toen ze Arn Leib ontmoette, maar dat was jammer genoeg iets waarvoor ze onmiddellijk terugdeinsde. Ze herkende het sterke verlangen in zijn ogen, het verdriet, en keek snel de andere kant op. Ogen als drijfzand, zei ze tegen haar vriendinnen. Als ze er te lang in zou staren, zou ze in het moeras van zijn melancholie verdrinken.'

'Ze hield niet van hem.'

'Maar ze zou met hem trouwen; haar ouders hadden hem uitgezocht. Hij was naar haar toe gestuurd via de boodschapper die ze uitgekozen hadden, Zelde Tsjajvits – daar was Henje van overtuigd.'

'Heeft ze nooit van hem gehouden?'

'Ze heeft het wel geprobeerd. Tijdens hun eerste ontmoeting praatte ze zachtjes tegen hem. Ze praatte, maar Arn Leib gaf geen antwoord. Dat kon hij niet. Hij zag iets in haar ogen. Diep in haar ogen glinsterde iets hards. Ze wendde haar blik af, maar hij had het al gezien. Hij probeerde te praten, haar vragen te beantwoorden – hij wist dat ze zat te wachten – maar toen hij de blik van zijn toekomstige bruid ontmoette, ontglipten de woorden zijn hoofd.

' "Hij praat niet," zei Henje tegen mevrouw Entelman, toen die vroeg wat ze van Arn Leib vond.

' "Maar hij die zijn lippen weerhoudt, is kloek verstandig," zei mevrouw Entelman, uit het boek Spreuken citerend, maar je moeder kende de Spreuken niet. Ze vroeg of de verloving ontbonden mocht worden. Dat werd toegestaan en ze liep weg, naar Mozyr, om slechts een paar maanden later met hangende pootjes terug te keren. Voor Chanoeka waren ze getrouwd. Je arme broer werd geboren in de zomer die daarop volgde.'

Ik stelde me de bruiloft voor, Henje die in de modderogen van haar bruidegom keek, en aan Noam's ogen dacht, hard als diamant en vol licht. Arn Leib die haar starende blik opving en het weer opmerkte:

die glinstering in haar die zijn tong met twijfel verstrikte. En Henje wendde haar blik af – verloren was het pad door dit leven dat Noam misschien voor haar uitgehakt zou hebben met zijn harde, glinsterende ogen.

Siberië, september 1911

In het begin kwam er vaak een brief van Beile. Er werd veel in geklaagd. 'Niet dat Sjeindl een onaardige werkgeefster is,' zei ze altijd. 'Ze is in feite guller dan ik verwacht had. Misschien wel omdat ze gelukkig is. Ze zeggen dat geluk het beste in een mens naar boven brengt, hoewel zich in mijn eigen leven nooit de gelegenheid voorgedaan heeft om deze hypothese te toetsen.'

Ja, zo schreef Beile, Sjeindl Entelman Zalmen was gelukkig met haar nieuwe leven in Montreal. Het huis was niet helemaal het herenhuis dat Jehoede beloofd had – nóg niet, merkte Jehoede altijd vermanend op – maar er waren andere compensaties. Jehoede was er een van. Sjeindl had voor haar huwelijk al geweten dat haar toekomstige echtgenoot een knappe man was. Dat kon iedereen zien. En ze had aangenomen dat hij goed voor haar zou zorgen – haar vader Leizer had een uitstekende neus voor zakeninstinct in een andere man, en was hierin net zo feilloos als de dorpsreu die een loopse teef opspoort. Maar het was zijn tederheid ten opzichte van haar, had ze Beile verteld, waardoor ze het aangenaamst verrast was toen ze zich ten slotte bij hem in Montreal gevoegd had, de vriendelijkheid in zijn stem als hij haar goedemorgen wenste, de tederheid op zijn gezicht als hij haar aan het einde van de dag in zijn armen sloot.

Dat en haar eigen kracht waarvan ze tot sinds kort niet geweten had dat ze die had. Ze had zich snel in haar nieuwe land thuis gevoeld, en deed dat met een gemak dat ze nooit van zichzelf verwacht zou hebben. Ze had een nieuwe taal geleerd, nieuwe gewoonten, twee kinderen gebaard, daarna een derde – en al die tijd was er geen spoor van zenuwzwakte geweest, en dat terwijl ze verwacht had ze daar haar hele leven door zou worden gekweld.

'Ze zal dat nooit toegeven natuurlijk,' schreef Beile. 'Ze zal in feite bij hoog en laag volhouden dat ze haar moeder mist en dat de pijn hierom iedere dag van haar leven als een mes door haar hart snijdt, maar de waarheid is anders. Iedere nieuwe dag dat ze haar moeder niet ziet, lijkt ze sterker en zelfverzekerder dan tevoren. Of is het misschien de afstand tot haar vader? Ik vraag het me af. In ieder geval is dit een andere Sjeindl dan we eens gekend hebben. Weet je dat ze nu ook al hardop zingt? Mannen of geen mannen. Haar stem galmt zo helder en luid als ze in de keuken bezig is, dat je zou denken dat ze vergeten is dat de stem van een vrouw een verzoeking tot zonde is. En ze bedekt haar haar ook niet meer. Kan je je dat voorstellen? Onze Sjeindl, de allervroomste van ons allemaal. Het ogenblik dat ze besefte dat het iets was dat vrouwen in toonaangevende kringen hier deden en dat het niet iets was waardoor ze over de tong zou gaan, trok ze haar pruik af en liet haar eigen haar weer groeien. En raad eens? De hemel viel niet naar beneden. Dat zei ze tegen me. Iets wat ik haar jaren geleden al had kunnen vertellen. Iets wat we in feite jaren geleden al aan vrouwen probeerden te vertellen en wat kregen we als beloning? Angst, minachting en beledigingen.'

Echter wat Beile betreft, zag het er niet zo rooskleurig uit. Ze wilde niet klagen natuurlijk, maar de taken die ze verwacht werd uit te voeren, het uniform van dienstmeisje dat ze moest dragen, zij, Beile Rubin Zalmen, een ontwikkelde vrouw… 'Het enige wat me troost is de gedachte dat ik jouw Chajje voor jou onder mijn hoede houd. Ik moet natuurlijk wel doen of ze van mij is. Zelfs tegen haar. Dat doet me pijn – en vooral als ik iets van jouw trekken en gedrag in haar zie – maar wat voor keus heb ik? Sjeindl is vriendelijk, maar ik ben niet in de positie uit te vinden waar de grenzen van haar vriendelijkheid liggen. Wat als in een ogenblik van vergeetachtigheid kleine Chajje zich verspreekt? Dienstmeisjes zijn hier niet zo schaars dat Sjeindl er eentje moet aanhouden die ook nog het onwettige kind van een ander bij zich heeft. Niet dat ik denk dat Chajje onwettig is natuurlijk. Alle kinderen zijn wettig, het maakt niet uit wat hun afkomst is. Dat vind ik. Maar vindt Sjeindl dat ook? Zelfs nu ze recentelijk haar geest verruimd heeft? Onze materiële veiligheid – die van mij en Chajje – is nog te onzeker om uit te zoeken of ze er bezwaar tegen heeft.'

Daarna verontschuldigde Beile zich altijd dat ze het woord onzeker gebruikte met betrekking tot haar materiële situatie, terwijl die van mij zo veel slechter was. 'Maar toch, zo onplezierig als jouw situatie in materieel opzicht ook moge zijn, in geestelijk opzicht bevind je je op een veel hoger plan dan ik,' ging ze door. 'Niet dat ik ook maar voor een ogenblik je situatie romantiseer – ik denk dat ik door de gebeurtenissen van de laatste jaren de laatste romantische ideeën die ik nog had, kwijtgeraakt ben – maar als ik me 's morgens aankleed, als ik de zwarte jurk en het witte schort van de dienende klasse aantrek, voel ik me meer vernederd dan wanneer ik een gevangenisuniform zou moeten dragen. Dat vind ik.'

We dragen geen uniformen hier in Maltsev, behalve wanneer we functionarissen van buiten verwachtten die de gevangenis komen inspecteren. Maar dat heb ik Beile niet verteld.

'Wanneer je bedenkt dat na alles waarvan we gedroomd hebben en wat we meegemaakt hebben, ik zou eindigen als een dienstmeisje in een rijk gezin, niet beter af dan een verpauperde wees als je moeder – niet dat ik op de een of andere manier een *beter* of *waardiger* mens ben dan iemand als je moeder. Maar toch, als ik naar de omstandigheden kijk waarin ik verkeer, de ruimere omstandigheden...' (Dit mag ik zelf invullen om te voorkomen dat het door de gevangenis-functionarissen gecensureerd wordt.) 'Ik moet mezelf vragen waar het allemaal nu eigenlijk om ging. Ik weet dat ik zo niet moet denken. Dat is niet goed voor me. Het is belangrijk om vooruit te kijken in het leven, nooit terug – je weet hoe overtuigd ik daarvan ben – maar ik schijn er niets aan te kunnen doen. Ik lig wakker in de drukkende hitte – we hebben een hete zomer en in onze zolderkamer valt geen zuchtje koele lucht te bespeuren. Ik lig te woelen en denk aan alles wat we doorgemaakt hebben en waarvoor? Dat vraag ik mezelf af.'

Acht

1903

Ik vond het plezierig om voor mevrouw Entelman te werken, en ook plezierig om iedere dag bij zonsopkomst op te staan en alleen in de frisse ochtendlucht de heuvel af de stad in te lopen, een glas thee met Gitl te drinken in de keuken vol licht, om daarna de dag door te brengen met stoffen en schoonmaken en voor mevrouw Entelman te zorgen. Ik vond het ook plezierig om het gewicht te voelen van de munten die mevrouw Entelman me betaalde, ze lagen zwaar in mijn zak, terwijl ik in de stad bleef treuzelen om op Sore te wachten. Voor ik weer naar huis terugging, maakten Sore en ik altijd een avondwandeling.

Op zo'n avond riep Freide me vanachter haar kraam, en ze bood me voor een speciale prijs haar laatste dozijn bagels van die dag aan.

'Een speciale prijs voor een eersteklas kostwinner,' riep ze. Een golf van verlegenheid stroomde door me heen. Het was een bron van vermaak voor Freide en andere vrouwen in de stad dat Tsila's ontwikkelde stiefdochter als dienstmeisje voor Yitta Entelman werkte.

'Een speciale prijs voor oudbakken waar, zal je bedoelen,' antwoordde ik.

'Brutaal wicht,' zei Freide, maar toen ik een van haar bagels kocht, vroeg ze me bij haar te komen zitten en haar gezelschap te houden terwijl ik hem opat.

Ik aarzelde – sinds wanneer stelde Freide prijs op mijn gezelschap? – maar mijn benen waren moe en ik had sinds het ontbijt niets meer gegeten.

'En?' vroeg Freide onmiddellijk toen ik ging zitten. 'Wat vind je van haar?'

Mevrouw Entelman, bedoelde ze. Ondanks de grote rijkdom van haar echtgenoot was Mevrouw Entelman er ellendig aan toe, wat altijd een geliefd onderwerp van gesprek was. Wie verspilde er nu zulk geluk door in ellende te zwelgen, vroegen de mensen zich af. Als aan iemand van hen zulk geluk, zelfs al was het maar een fractie ervan, ooit ten deel zou vallen dan zou je die niet kreunend in bed aantreffen. Maar dan, wie kon dat zeggen? Wist niet iedereen dat rijkdom het karakter verzwakt? Ik zou willen dat ik zo gekweld werd, had iemand opgemerkt. Vergeet de rijkdom, het is die man, zei Freide altijd op haar neuzelige toon. Als ze dat zei begonnen altijd heel wat mensen veelbetekenend te knikken, omdat meneer Entelman, hoewel hij zijn vrouw niet onvriendelijk bejegende, ook tegen andere vrouwen niet onvriendelijk was. Er waren maar weinig vrouwen in de stad die niet het vuur van Leizer Entelman's waarderende blik gevoeld hadden, en hoewel niemand het zou willen toegeven, was er iets in zijn blik waardoor ze gedwongen werden terug te kijken, zijn ogen straalden een energieke intensheid uit waar hun eigen ogen als vanzelf naar toe getrokken werden. Freide slaakte altijd een ontzettend diepe zucht als ze de gelaatstrekken van haar eigen echtgenoot Sender, een grijze muis die verkoper van potten was, vergeleek met die van meneer Entelman, de priemende zwarte ogen, de witte tanden die onder zijn gekrulde snor blonken. 'Die arme vrouw,' zuchtte ze altijd. 'Arme vrouw,' zeiden de anderen dan instemmend, terwijl er ondertussen een siddering langs hun ruggengraat liep bij de gedachte aan de laatste glimp die ze van meneer Entelman opgevangen hadden.

'Is haar beddengoed van satijn?' wilde Freide weten. En vond ik dat ze inderdaad zo week in het hoofd was als wel van haar beweerd werd? En haar houding... Er werd gezegd dat ze hooghartig was tegen degenen die ze minder achtte dan zichzelf. Freide had haar handen op haar heupen gezet. Ze was al verontwaardigd bij het idee dat ik eventueel slecht behandeld werd.

Ik kauwde langzaam op mijn bagel, en vertelde Freide allerlei roddelpraatjes in de hoop dat haar pas verworven belangstelling voor mijn welzijn nog even zou voortduren. Nee, mevrouw Entelman behandelde me niet slecht, antwoordde ik, en ja, ze was misschien een beetje week in het hoofd, zei ik, en beschreef de eigenaardige manier waarop mevrouw Entelman naar me staarde als ik de bloemen schikte of afstofte, alsof ze een ogenblik vergeten was wie ik was of waarom ik daar was. Maar haar hersenen leken bij lange na niet zo week als haar handen. Die zagen eruit alsof ze er nooit iets inspannenders mee gedaan had dan ze te wringen in smart.

'Weke handen, een hardvochtig hart,' was Freide's commentaar, alsof eeltvorming plotseling een epidemie van vriendelijkheid had veroorzaakt onder de arbeiders in onze stad. Ik zei dat ik mevrouw Entelman's hart niet bijzonder hardvochtig vond.

'Wacht maar,' waarschuwde Freide me, maar genoeg over mevrouw Entelman. Had ik gehoord dat mevrouw Leibowitz, Chavve's moeder, gezien was, terwijl ze in de namiddag vanuit een van de naburige boerendorpen terugkeerde?

'Van wie moet ik dat gehoord hebben?' vroeg ik.

'Jouw vader was het die haar vond. Op de meest verlaten weg die er is. Hij nam haar natuurlijk onmiddellijk mee en bracht haar veilig thuis, maar ik weet zeker dat hij zijn ogen nauwelijks kon geloven toen hij haar daar zo zag. Stel je voor, een joodse vrouw alleen op zo'n weg. Geloof jij het?'

Ik niet, gaf ik toe en pakte blij de tweede bagel aan die Freide me aanbood.

'Ze was naar de zigeuners geweest,' vertelde Freide me en ze ging zachter praten, zodat haar stem toepasselijk samenzweerderig klonk. In de zomermaanden trokken er vaak zigeuners door het gebied. Ze kampeerden buiten de stad of de naburige dorpen en brachten nieuws dat van ver kwam. Vaak was het via hen dat wij nieuws over ongelukken of vrolijker gebeurtenissen te horen kregen: een pogrom in een andere stad, een trouwerij, of dat er iemand gezien was waarvan men dacht dat die al lang dood was. 'Ze wilde het niet toegeven natuurlijk. Eerst vertelde ze je vader dat ze naar het dorp geweest was voor zaken. *Zaken.* Geloof jij dat? Wat voor zaken zou ze in zo'n dorp mogelijkerwijs te zoeken hebben? Het is nauwelijks een dorp, alleen maar een rijtje hutten, de een nog smeriger dan de ander. Zelfs mijn Sender kan daar niet terecht voor zaken, hoewel God weet dat niemand daar een behoorlijke kookpot kan hebben.'

Aangezet door mijn vaders zwijgen, of misschien eenvoudigweg om haar last met een ander mens delen, had mevrouw Leibowitz ten slotte toegegeven dat ze naar een zigeunervrouw geweest was om haar over Chavve te raadplegen. 'Een waarzegster nog wel, geloof jij dat?' vroeg Freide nog een keer.

'Beslist niet,' verzekerde ik Freide en vroeg of de waarzegster de arme vrouw nog iets te vertellen gehad had.

'Waardeloos gebabbel,' zei Freide, maar opwinding verlevendigde haar gewoonlijke geneuzel. 'Nog erger dan waardeloos,' vervolgde ze en toen – ze liet haar stem weer dalen – onthulde ze dat de waarzegster feitelijk een visioen gehad had en dat ze die aan mevrouw Leibowitz verteld had, een visioen waarin Chavve naar huis terugkeerde.

'Dus ze leeft nog?' had mevrouw Leibowitz gevraagd. 'Ik wist het! Al die tijd heb ik het geweten. Voelt een moeder niet de hartenklop van haar dochter, zelfs als ze door tijd en afstand van elkaar gescheiden zijn? Maar vertel me, waar is ze en wanneer zie ik haar weer?'

Maar het gezicht van de waarzegster stond somber. 'Ze leeft, m'vrouw, maar het gaat niet goed met haar.'

'Ooo.' Onmiddellijk begon mevrouw Leibowitz te weeklagen. 'Ik wist het. Al die tijd heb ik het geweten, maar toch durfde ik nog hoop te koesteren. O, mijn arme Chavve.'

'Haar arme, lieve, kleine Chavvele, die ze met liefde gedwongen zou hebben om met die visboer te trouwen,' merkte Sore op. Ze had zich bij ons gevoegd en sloeg haar ogen ten hemel terwijl ze Freide's verhaal aanhoorde. Freide negeerde de onderbreking.

'Niet goed?' vroeg mevrouw Leibowitz aan de waarzegster. 'Hoe bedoelt u, niet goed? Ze komt toch niet naar huis om te sterven? O nee, zeg het toch maar niet.'

Maar natuurlijk wilde ze het weten en ze had haar tenslotte kopeken betaald.

'Ze komt thuis voor een sterfgeval, maar niet dat van haarzelf,' zei de vrouw op zo'n onheilspellende toon dat mevrouw Leibowitz wegrende alsof ze haar net herkend had als de Engel des Doods.

'Ze rende niet voor de Engel des Doods weg, maar voor iets veel ergers,' zei Sore.

'Waarvoor dan?' vroegen Freide en ik in koor.

'De waarheid,' sprak Sore. 'Gewoon de waarheid, namelijk dat Chavve Leibowitz wegliep voor haar moeder en voor alle plannen die haar moeder voor haar had. En dat ze niet terugkomt, behalve om die vrouw onder de grond te stoppen. En niet anders.'

Freide sprak haar niet tegen. 'De vrouw is een heks en dat is ze altijd al geweest.'

'Ze wilden haar voor mijn oom Beryl,' zei Rivke, die er ook bij was komen staan. 'Maar hij wilde haar niet, omdat ze ook toen al een heks was. Dus kan ze rennen wat ze wil, maar waar zal dat haar brengen? Er zijn dingen waar je benen je niet van kunnen redden. Geloof me, ik kan het weten.'

Toen mijn vader haar aan de kant van de weg zag, poogde Mevrouw Leibowitz nog steeds snel vooruit te komen, maar de last van wat ze probeerde te ontvluchten samen met haar eigen behoorlijke omvang maakten dat al dat gehaast moeilijk vol te houden was.

'Denk je dan dat Chavve misschien terugkomt?' vroeg ik aan Freide. 'En zei de waarzegster waar ze al die tijd gezeten had?'

'Wat?' neuzelde Freide. 'Is Tsila's stiefdochter zo verlicht en beschaafd dat ze het gebabbel van een oude zigeunerwaarzegster gelooft?' De andere vrouwen lachten en weer werd ik door schaamte bevangen, een schaamte die mij maar al te bekend was, alleen pijnlijker nu omdat ik zo blij geweest was dat ik er een korte tijd van verstoken geweest was.

Sore was teleurgesteld in me. Ik kon haar afkeuring voelen, terwijl we bij Freide's kraam vandaan liepen. Ze pakte mijn hand niet zoals ze gewoonlijk deed als we 's avonds gingen wandelen, en ze zei helemaal niets tot we op ruime afstand van het marktplein gekomen waren en op het pad liepen dat naar de rivier leidde.

'Ik had nooit gedacht dat er een dag zou komen dat Freide en ik het met elkaar eens zouden zijn,' zei ze.

'Waar gaat het over?' vroeg ik.

De keus was aan mij, zei Sore. Ik kon zwelgen in bijgeloof, en me voor de rest van mijn leven voor antwoorden tot waarzeggers, rabbi's en dergelijke wenden, of ik kon me aansluiten bij de andere jonge mensen die, eindelijk, te voorschijn kwamen uit de nevel van onwetendheid die ons zolang al onderworpen hield. Ze vertelde me toen over een bruiloft die juist de dag ervoor in Kalinkovitsj plaatsgevonden had. Het was een traditionele bruiloft geweest, met de bruid die zeven keer rond de bruidegom liep en waar de zeven zegeningen opgezegd werden. Maar na de laatste zegening waren hun vrienden van het werk om de baldakijn gaan staan en een jongeman was op een stoel geklommen om de menigte toe te spreken. 'Waar waren jullie nu net getuige van?' vroeg de jongeman. 'Van wat verward gemompel van een geestelijke in een vettige kaftan!' Er ging een schok door de menigte. 'Wordt daarmee het paar dat hier voor ons staat, met elkaar verbonden? NEE!' schreeuwde de spreker. 'Liefde verbindt hen met elkaar. Liefde en trouw aan elkaar, en aan het proletariaat dat als het aan de macht komt, al die ceremonies voor altijd zal opdoeken. Weg met die muffe ceremonies!' De jongelui begonnen te schreeuwen. 'Weg met de geestelijken in hun vettige kaftans! Lang leve de Bund van Polen, Rusland en Litouwen!'

'Is dit echt gebeurd?' vroeg ik.

'Natuurlijk,' verzekerde Sore mij en lachte breeduit. De leider van haar studiekring, Malke, was een van de jonge mensen die daar aanwezig waren. 'De moeder van de bruid viel flauw, vertelde Malke mij. Uit schaamte. Had je daar ook niet ontzettend graag bij willen zijn?'

Ik knikte.

'Kom dan om te beginnen eens naar de studiekring.'

Dat ik nog steeds niet naar de studiekring ging, was een wig die Sore en mij steeds verder uit elkaar dreef. Maar de groep kwam 's avonds bij elkaar, precies op het uur van de dag dat Tsila zich het ongemakkelijkst voelde en ze het meest verontrust werd door voorgevoelens over haar zwangerschap. Mijn vader was 's avonds niet thuis, want hij ging dan naar de sjoel om te lernen, of hij was naar een vergadering van de zelfverdedigingsgroep van de stad. En als Tsila alleen in het steeds donker wordende huis zat, werd ze zwaarmoedig. Het enige wat haar leek te kalmeren, op dat uur van de dag, was het geluid van mijn stem terwijl ik de Psalmen voorlas. En daarom las ik haar altijd voor, en afhankelijk van de avond waren dat minuten of uren voordat ik haar in slaap gesust had. Dan alleen voelde ik me vrij om weg te gaan. Maar tegen die tijd was de studiekring klaar voor de avond, en daarom ging ik in plaats daarvan naar de rivier om verkoeling te zoeken in het water.

Sore ontmoette me vaak bij de rivier en ze vertelde me dan wat Malke hun die avond geleerd had. Dat was gewoonlijk iets over geschiedenis of economie en terwijl ik naar haar luisterde en probeerde Sore's opwinding te begrijpen, wist ik in mijn hart dat ik niet het serieuze meisje was waar zij me abusievelijk voor hield. Als Sore praatte, bereikten haar woorden mijn oren wel, maar het was de geur van de rivier die tot mij doordrong, de koelte van het water tegen mijn huid. Ik was een dromer, en was bang dat Sore dat ook begon te vermoeden.

'Als je meegegaan was naar Malke, dan had je al lang geweten wat je over Chavve wilde weten. En dan had je de waarheid geweten, niet de halfgare onzin van een waarzegster.'

Ik was er meteen weer met mijn hoofd bij, wat nooit het geval was als Sore over geschiedenis en economie uitweidde.

'Heb je nieuws over Chavve?' vroeg ik.

'Chavve woont in Gomel en werkt daar in de glasfabriek,' zei Sore.

'Gomel?' vroeg ik, lichtelijk teleurgesteld. Gomel lag zo dichtbij. Ik had gedacht dat ze in Amerika zou zijn, of in Palestina, of dood in een greppel, maar nooit in een fabriek in de volgende grote stad. 'Hoe weet je dat?' vroeg ik.

'Malke komt daar vandaan. Haar familie woont in Nieuw Amerika.'

'Nieuw Amerika?' vroeg ik, en mijn hoofd vulde zich met visioenen van brede lanen en moderne huizen.

'Rustig nu maar,' zei Sore met een glimlach. 'Ik denk dat de naam als grap bedoeld is. Van wat Malke ons vertelt, begrijp ik dat de omstandigheden in dat deel van de stad nog erger zijn dan hier, hoewel ik me niet voor kan stellen hoe iets erger kan zijn dan de geestelijke achterlijkheid die we in dit gat vol onwetendheid moeten verdragen. In ieder geval, een paar jaar geleden deed een meisje haar intrek in het souterrain van het gebouw waar Malke's familie woont. Een jonge vrouw zonder familie, helemaal berooid.'

'Chavve?' vroeg ik.

Sore knikte. 'Malke hielp haar een baan bij de fabriek te vinden, en behoedde haar voor werk dat ik je niet eens beschrijven kan.' Sore keek me veelbetekenend aan. 'Nu heeft ze niet alleen een baan, maar ze bekommert zich ook om andere meisjes, meisjes als zijzelf die weggelopen zijn van de achterlijkheid waaraan ze zelf ontsnapt is, om te zorgen dat ze niet net zo lijden als zij gedaan heeft. Een bed kan ze hen niet aanbieden natuurlijk. Zijzelf kan zich maar net een hoek veroorloven die groot genoeg is voor haar eigen bed – ze deelt de kamer met zes andere meisjes. Maar ze biedt wel altijd thee aan, en het maakt niet uit hoe laat het is. En een warm hart.'

'Heb je dat bij je studiekring gehoord?' vroeg ik.

Sore knikte. 'Maar meer kan ik niet zeggen,' zei ze. 'Wat er in de groep gebeurt, is geheim. Ik had je zelfs niet mogen vertellen wat ik je net verteld heb.'

Niemand gaf Arn Leib er de schuld van dat we die zomer zo veel minder inkomen hadden. Waren we dan zo laag gezonken, vroegen de mensen, dat een man nu ook al ontslagen wordt omdat hij een moment tijdens zijn werkdag gebruikt om zich tot zijn Schepper te richten? Want dat was Arn Leib aan het doen op de dag dat hij mevrouw Leibowitz tegenkwam. Hij had de hoofdweg verlaten die van Kalinkovitsj kwam en was een smallere weg ingeslagen. Het was nauwelijks een weg, meer een spoor, een wagen breed, dat door een gebied liep dat met een dicht bos begroeid was, en dat nergens heen ging behalve naar een paar troosteloze dorpen. Het spoor was zo smal dat de bomen elkaar met hun toppen raakten, en zo een dak vormden, een dik groen dak waar de zon alleen in strepen en vlekken doorheen kwam. Maar waarom had hij dat gedaan? Waarom had hij zo'n omweg gemaakt, als hij betaald werd voor het snel en nauwgezet bezorgen van goederen? 'Om de *Minchah*-dienst op te zeggen,' zei Tsila kortaf. Want het was blijkbaar daar onder dat groene bladerdak, in de strepen licht, dat hij die namiddag – sterker dan waar ook of wanneer ook – de aanwezigheid van zijn Schepper voelde.

En er was ook niemand die Noam de schuld gaf. Het waren nu eenmaal niet zulke makkelijke tijden, zo zeiden de mensen, dat men kon verwachten dat Noam een koetsier zou betalen die onder werktijd lange omwegen maakt. Vooral déze koetsier, voegden ze er met een veelbetekenende blik aan toe.

Ik negeerde de opmerkingen en bedekte toespelingen niet die het gevolg waren van mijn vaders ontslag door Noam – ik ben nooit iemand geweest die de meningen van anderen naast zich neer kon leggen – maar ook werd ik er niet wanhopig door. Ik was deze zomer vol hoop, hoop dat er spoedig een einde zou komen aan de opmerkingen, dat mijn familie's fortuin zich spoedig ten goede zou keren, dat de meningen over mijn vader en Tsila snel voor altijd zouden veranderen. De bron van mijn hoop was het nieuwe leven dat zich in Tsila's schoot vormde.

Tsila's lichamelijke toestand was niet opperbest, maar ging ook niet verder achteruit, en toen ze veilig door de zesde en daarna ook de zevende maand van de zwangerschap kwam, kreeg ik het gevoel dat alles goed zou komen. Zo machtig is nieuw leven. Ik begon me een voorstelling te maken van het kind dat in haar groeide en van alle veranderingen die zijn geboorte zouden brengen. Want het was een jongen, zo besloot ik. Dat wilde ik graag. Een broer om van te houden en om voor te zorgen, een broer om te bewijzen dat ons huisgezin net zo was als ieder ander gezin, en Tsila en Arn een stel als ieder ander; een broer om al diegenen de mond te snoeren die Tsila te zuur vonden, en Arn Leib te zwak en ons gezin te vervloekt om deel te nemen aan het wonder van de schepping dat het erfgoed van elk levend wezen is.

Ik vestigde mijn hoop op het leven – dat is wat ik je nu vertel – het leven dat zich in Tsila's schoot vormde en waarop ik in ieder geval al mijn vertrouwen in en mijn dromen over de toekomst vestigde. Onthoud dat, meer nog dan mijn naam.

De weken gingen voorbij, warm en regenachtig en zoetgeurig van al wat rijpte. De smarten van *Tisha B'av* lagen achter ons en voor ons lagen de bruiloften en feestelijkheden van *Sjabbes Nachamu*, de Sjabbes van de Troost, waarop we onze gedachten die daarvoor gericht waren op de vernietiging van Jeruzalem, richten op onze hoop op bevrijding en verlossing.

Die week kwam ik 's woensdags later thuis dan gewoonlijk. Het was al avond; de lamp had eigenlijk moeten branden en Tsila zou al met het avondeten bezig moeten zijn op de langzame, onwezenlijke manier waarop ze die zomer was gaan bewegen, alsof de lucht om haar heen zich verdikt had tot water. In plaats daarvan werd ik door een stille duisternis begroet. Ik bleef een ogenblik in de deuropening staan, en dacht dat ik alleen was.

'Doe de deur dicht,' hoorde ik eindelijk vanuit de duisternis. Het was Tsila's stem, hoewel die zo mat klonk dat ik hem nauwelijks herkende. Toen zag ik haar, terwijl mijn ogen aan de duisternis gewend begonnen te raken, haar ineengezakte gedaante op de bank, leunend tegen de muur. Ik ging naar haar toe en pakte haar hand, terwijl ik naast haar hurkte.

'Wat is er?' vroeg ik. Haar hand lag koud en slap in de mijne.

Ze draaide zich naar me toe – de zoete geur van haar adem maakte me misselijk – en keek alsof ze de vraag niet begreep die ik haar net gesteld had.

'Ben je ziek?' vroeg ik en ik voelde angst opkomen in mijn borst.

'Nee,' zei ze mat. Ze wendde haar hoofd af en staarde recht voor zich uit.

Mijn vader was nog niet thuis, maar hij zou snel komen. Ze vroeg me de lamp aan te steken, het avondeten klaar te maken. Koude bietensoep, dacht ze, plakjes komkommer. Het was warm geweest die dag, nietwaar? Ik deed wat ze me opgedragen had, en ze zat daar maar zonder zich te bewegen. Ik bracht haar een glas water. Ze nam het aan, maar dronk er niet van. 'Drink nu maar,' zei ik tegen haar.

'Waarom?'

'Dan voel je je beter. Het is erg warm hier.' Het was drukkend heet, de hitte van de dag lag opgesloten binnen de vier muren van ons huis.

Tsila gaf geen antwoord, en ze dronk ook niets.

Ik liet me naast haar op de vloer zakken, keek naar haar gezicht om te zien wat er mis was, maar ik kon er niets in ontdekken. Ik probeerde haar blik te vangen, maar ze bleef strak naar de muur voor haar kijken. Ik legde mijn hand op haar arm. Haar huid voelde warm aan. Ze haalde haar arm niet weg, dus haalde ik het glas uit haar hand en bleef gehurkt naast haar zitten, terwijl ik zachtjes over haar arm streek, en ten slotte durfde ik mijn hoofd op haar buik te leggen, op die harde, ronde koepel. Maar daaronder hoorde ik niets anders dan de snelle hartslag van Tsila, en hoe ze oppervlakkig in- en uitademde.

Ik weet niet hoelang het duurde voor mijn vader thuiskwam. Ik had hem niet horen aankomen, maar op een gegeven moment merkte ik dat de deur openging, werd ik me bewust van iemand anders' ademhaling, terwijl hij daar stond en de duisternis in keek.

'Haal Dvoire,' zei hij, zodra hij zag wat er aan de hand was. Het was een bevel en zijn stem klonk zo heel anders dan normaal, zijn resolute toon was zo ruw dat ik het gevoel had dat ik wakker schrok uit een diepe slaap.

Hij was al bij Tsila nog voor ik overeind kon komen, nam haar gezicht in zijn handen, tilde voorzichtig haar kin op zodat hij haar in de ogen kon kijken. Ze wendde haar blik niet af. Toen ging hij achter haar op de bank zitten, zijn borst ondersteunde haar rug, zijn armen... twee, vier, zes paar armen leek hij wel te hebben, zo volledig omsloot hij haar met zijn omarming. Alleen haar haar ontsnapte – het viel over de volle lengte van zijn armen – en haar starende blik, haar wegglijdende, lege blik.

***

Troost, troost Mijn volk, zal ulieder God zeggen.
Spreekt naar het hart van Jeruzalem,
en roept haar toe,

dat haar strijd vervuld is,
dat haar ongerechtigheid verzoend is,
't zij van de hand des Heeren
dubbel ontvangen heeft voor al haar zonden.

Sjabbes Nachamu bood geen troost. Toen ik de sjoel binnen kwam, werd het stil in de vrouwenafdeling. In de stad wist men al wat Dvoire aangetroffen had, toen ik haar mee teruggenomen had naar ons huis: geen baby, noch enig teken dat er een op komst was, Tsila met een wezenloze blik en Arn Leib die haar ondergedompeld hield in zijn omarming als om haar vluchtende ziel te vangen.

'Eruit!' beval Dvoire, zoals ze altijd deed als een echtgenoot de situatie niet al ontvlucht was. Ze was eraan gewend gehoorzaamd te worden – ik stond al bij het fornuis om water op te warmen zoals ze bevolen had – maar Arn Leib keek Dvoire aan en hield zijn vrouw alleen nog maar steviger vast. 'Eruit!' zei Dvoire nog een keer, een hand op haar heup, de andere wees naar de deur, maar Arn Leib weigerde zijn vrouw los te laten. Hij keek Dvoire met een vreemde blik aan, waarna hij met zijn hand Tsila's ogen voor Dvoire afschermde.

Hij was nog klein toen hij zijn ouders verloor, had Tsila me verteld, niet ouder dan twee of drie jaar. Zijn vader was 's nachts overleden terwijl hij sliep, maar zijn moeder leefde nog toen hij de volgende morgen naast haar hurkte en doeken op haar gezicht legde. De doeken waren niet langer koel of nat, en zijn moeder vroeg er niet langer om, maar toch legde hij ze nog op haar gezicht. Zijn moeders ogen waren gesloten, haar wangen vielen in, terwijl het leven uit haar vlees wegsijpelde.

Dat was op een zomerdag die net zo heet en windstil was als deze. Het licht had eerst door het ene raam van de kamer geschenen, daarna door het andere, was daarna verflauwd terwijl Arn Leib op zijn hurken naast zijn moeder zat. Niemand was die dag bij het huis geweest – er heerste een epidemie – en hij was bang, maar ook hongerig, dorstig en eenzaam. Maar toen het donker werd in de kamer, kwam er eindelijk een bezoeker. Hij klopte niet of kondigde zichzelf op de gewone manier aan, maar glipte ongezien de schaduw binnen, het was slechts aan zijn stem dat Arn Leib kon horen dat hij er was, het was de stem van een oude man, zwaar en vriendelijk. 'Laat har nu maar met rust, Arrele,' verzocht de stem hem dringend. 'Laat haar maar.' Arn wendde zich naar het geluid van die stem en de ogen die hem aankeken, susten zijn angst. Het waren dezelfde ogen die hem ook nu aanstaarden: geduldige ogen vol wijsheid en medelijden, ogen die helemaal niet bij Dvoire's gezicht pasten. Als tweejarige had hij zijn handen van zijn moeders gezicht gehaald, had zich van haar afgewend, voor een ogenblik slechts, om die ogen te ontmoeten, en op dat moment keken diezelfde ogen naar zijn moeder en was ze hem voorgoed ontglipt. Maar nu maakte hij deze fout niet. Hij schermde Tsila's blik af met zijn hand, en terwijl hij zijn eigen blik priemend op Dvoire vestigde, pareerde hij haar bevel met het zijne.

'Eruit!' zei hij, met een stem zo rauw dat Dvoire achteruit begon te lopen. Maar toch vluchtte ze niet. Het was een zelfverzekerde vrouw, zo niet bekwaam. Ze was gewend aan angst en pijn, en had wel vaker met moeilijke echtgenoten te maken gehad. Ze was er trots op dat ze wist wanneer ze streng moest zijn, en wanneer ze moest vleien en troosten. 'Arn Leib,' snorde ze nu, met fluwelen stem. Maar Arn Leib liet zich niet voor de gek houden.

'Eruit!' zei hij nog eens en in zijn ogen verscheen een geweld-dadigheid zoals Dvoire nog nooit eerder tegengekomen was in een man die de geboorte van een kind afwachtte. Ze was bang voor een confrontatie maar durfde zich ook niet om te draaien, en dus liep Dvoire achteruit het huis uit, en snelde vervolgens naar de stad, vol verhalen over al die vreemde, behekste dingen die er in Arn Leib's huis op de heuvel gebeurden.

> *Juicht, gij hemelen! en verheug u, gij aarde!*
> *en gij bergen! maakt gedreun met gejuich;*
> *want de Heere heeft Zijn volk vertroost,*
> *en Hij zal Zich over Zijn ellendigen ontfermen.*

'Hoe gaat het met Tsila?' fluisterde Lipsa tegen me. Van alle vrouwen in de sjoel was alleen zij opgeschoven om een plaatsje op de bank voor me vrij te maken.

'Niet zo goed,' antwoordde ik.

Tsila was alleen thuis geweest, toen ze de pijn in haar rug gevoeld had. Ze had eerst gedacht dat ze het mis had. Het was te vroeg, helemaal verkeerd, die band van pijn die steeds maar strakker werd. Eerst dacht ze dat de baby een bloedprop was, een prop zo groot als een van de rivierratten die 's nachts op de oever rondstruinden. Toen zag ze het perfecte hoofdje, de kleine gebalde vuist opgeheven tegen zijn lot. Ze scheurde een stuk van het kobaltblauwe brokaat, wikkelde hem erin en gaf hem aan de rand van ons erf terug aan de aarde.

Het is ook geen wonder, hoorde ik overal in de vrouwenafdeling van de sjoel fluisteren. *Die vrouw heeft zoiets zuurs, nietwaar?* fluisterden ze, terwijl ze onderwijl troostend hun hand naar me uitstaken. *En die man heeft zoiets zwaks. Ja, zwaks.*

'Zeg tegen Tsila dat ik haar straks kom opzoeken,' zei Lipsa en ze klopte op mijn hand, zoals ze altijd gedaan had om me gerust te stellen.

Sore stond me buiten sjoel op te wachten. Terwijl ze met me naar huis liep, probeerde ze me ervan te overtuigen dat ik niet moest luisteren naar de praatjes over mijn familie, ik moest geen aandacht besteden aan ieder roddelpraatje dat mijn oren teisterde, zei ze berispend.

Ik luisterde maar half naar wat Sore zei. Ik voelde zo'n drukkende pijn in mijn borst: verdriet om mijn babybroertje, dood, mijn eigen hoop die samen met hem in de hoek van ons erf begraven lag, terwijl ik nog steeds liefde voor hem voelde en naar hem verlangende; maar ook schaamde ik me dat ons huis geen plaats was waar nieuw leven kon groeien.

'Waarom luister je naar al die roddelende *yentes*, wanneer er duidelijk geen greintje waarheid schuilt in wat ze zeggen?' vroeg Sore.

'Zelfs in de gemeenste roddels zit gewoonlijk wel een greintje waarheid,' antwoordde ik en ik dacht aan mijn vader die misschien niet echt behekst was, zoals gezegd werd, maar die zich beslist eigenaardig gedroeg. Hij was niet van Tsila's zijde geweken sinds hij

Dvoire het huis uit gejaagd had. Ook wilde hij per se Tsila voeren en hij lepelde zoveel naar binnen als ze maar lustte, maar hij voerde ook andere, meer persoonlijke taken uit, die hij beter aan mij of haar moeder had kunnen overlaten.

'Wat voor waarheid?' vroeg Sore. 'De ene keer dolt je moeder met de voerman Noam, vergeef me dat ik me zo plat uitdruk, en de andere keer met de kapitalist Entelman. Wat voor greintje waarheid kun je mogelijkerwijs in…'

'Mijn moeder?' vroeg ik. 'Met meneer Entelman?'

Sore had onmiddellijk spijt dat ze haar mond opengedaan had, maar ik stond niet toe dat ze hem weer sloot voordat ze me alles verteld had wat ze gehoord had.

'Er is niets te vertellen,' hield ze vol. 'Domme opmerkingen over je moeder, meneer Entelman, zijn muziekkamer, weet ik veel.'

'Wat voor domme opmerkingen?' drong ik aan.

'Leugens,' zei Sore. 'Gemene opmerkingen. Kijk niet zo naar me.'

'Hoe bedoel je?' vroeg ik.

'Hecht niet aan roddel alsof je eigen waarheid erin gevonden kan worden,' zei Sore.

Ik zei niets.

' "Uit de mond van dwazen komt slechts dwaasheid," ' citeerde Sore, de eerste en enige keer dat ik woorden uit de Tora over haar lippen hoorden komen.

Toen ik bleef zwijgen, vroeg ze of ik dacht dat mijn familie de enige was waarvan de goede naam met modder besmeurd werd. Dat wat in onze stad voor een gesprek doorging, ging vrijwel altijd over modder. 'Denk je dat het makkelijk voor mij was, toen mijn moeder met haar cheder begon?'

Ik herinnerde me toen de opmerkingen die ik toevallig gehoord had, toen voor het eerst bekend werd dat de weduwe Hodl het op zich genomen had om de meisjes van de stad onderwijs te gaan geven. *Oude vrijsters. Dat is wat ze zal produceren. Opgedroogde oude vrijsters waar alleen maar letters in zitten.*

'Het zou beter geweest zijn als ze net als alle andere weduwen van liefdadigheid was gaan leven. Dat zouden de *yentes* goedgevonden hebben,' zei Sore, en nu was er iets van bitterheid in haar stem te horen. *O dank u mevrouw Tsjajvits dat u zo vriendelijk bent voor een arme weduwe en haar kinderen,* fleemde Sore en ze stak haar hand op voor een aalmoes zoals een bedelaar dat zou doen. 'Ja, dat zou meer acceptabel geweest zijn. Dan hadden Zelde Tsjajvits en haar vriendinnen nog wat meer *mitzvahs* voor zichzelf vergaard kunnen hebben met hun liefdadigheid voor de arme weduwe Hodl, liefdadigheid die uit medelijden geboren was.'

Sore liep met grote passen voor me uit. Naarmate ze bozer werd, ging ze steeds sneller lopen. Toen bleef ze plotseling staan. 'Ik weet wat de waarheid is over je moeder,' zei ze tegen me. 'Ik weet wat de waarheid is achter alle roddel en kan je vertellen wat die is.'

Ik wachtte, durfde nauwelijks adem te halen.

'Je moeder keerde de goede vrouwen van deze stad de rug toe. Ze keerde de zogenaamde hulp en de plannen die ze voor haar maakten, de rug toe en daardoor was ze er verantwoordelijk voor dat ze hun kostbare *mitzvahs* misliepen waarvan ze er steeds maar meer proberen te vergaren. Zelfs toen haar eigen plannen mislukten en ze moest doen wat de anderen bekokstoofd hadden, moest ze nog steeds niets van hen hebben, en daarom nemen ze voor altijd wraak op haar. Dat is de waarheid achter alle kletspraatjes waar je je zo aan ergert.' En na die verklaring liep Sore weer door.

Ik ging naast haar lopen, ik was diep teleurgesteld. Ik bewonderde de sierlijkheid van Sore's uitleg, de zekerheid van haar overtuiging, en ik probeerde uit alle macht mezelf te overtuigen, maar er waren tegendraadse gedachten die zich niet in dat web lieten vangen.

'Maar mijn moeder draaide niet alleen de vrouwen in deze stad de rug toe,' zei ik tegen Sore en ik voelde een brandende schaamte in me opkomen, die ik niet voorzien had. De onnatuurlijkheid van mijn moeders laatste daad – dat is waar ik over wilde praten. Dat ze zich van het leven afwendde dat net geboren en uit haar voortgekomen was. Kon het niet zo zijn dat dit eindeloze gepraat over haar, niets anders was dan een poging om achter het verhaal te komen, het ware verhaal, dat het onverklaarbare eindelijk zou kunnen verklaren? Maar ik zei niets van dat alles, want schaamte verstikte mijn stem, schaamte dat het feit dat ik bestond, niet voldoende voor haar geweest was om in dit leven te wortelen, en meer nog, dat het de uiteindelijke aanleiding gebleken was voor die onpeilbare diepte binnenin haar. Sore pakte mijn hand en we liepen een tijdje zwijgend verder.

'Niet iemands oorsprong of afkomst bepaalt hoe waardevol iemand is,' zei Sore rustig. 'Maar wat iemand doet of nalaat gedurende dit leven. Kom naar Malke's studiegroep,' spoorde ze me aan. 'Daar zul je je waarheid vinden.'

Negen

Het was echter niet omdat Sore zo aandrong dat ik ten slotte naar Malke's studiekring ging, niet vanwege een plotselinge interesse in 'mijn waarheid', zoals Sore dat noemde, of uit daadkracht, of omdat ik jonge mensen wilde ontmoeten die niet in iemands afstamming geïnteresseerd waren. Het was uit verdriet; een verdriet dat in dat vroege stadium nog slechts eenvoudige eisen aan mij stelde: alle mogelijke troost te zoeken door mezelf in dezelfde wereld te dompelen als waar Sore in geleefd had.

Vier avonden voor haar dood zag ik haar voor het laatst. De volgende dag zou ze naar Gomel gaan. 'Voor privé-zaken,' zei ze en haar gezicht glom van trots, ze voelde zich vreselijk belangrijk. 'Ik kan er absoluut niets over zeggen, tegen niemand.' Hoewel ze voor mij een uitzondering zou maken.

In Mozyr was onlangs een nieuw pamflet gedrukt. Illegaal natuurlijk. Was het *Een Brief aan Oproerkraaiers* van Gozjanski? *Wie Leeft Waarvan?* Van Diksjtein? Ik kan het me niet meer herinneren, maar Sore was uitgekozen om een aantal exemplaren naar Gomel te brengen voor de verspreiding aldaar. Ze zou alleen gaan, vermomd in het uniform van een schoolmeisje, met haar haar in vlechten en een schooltas die over haar schouder hing. Maar in plaats van wiskunde-

en grammaticaboeken zou haar tas vol pamfletten zitten.

'Ga je alleen?' vroeg ik. Ik voelde me jaloers, maar tegelijkertijd ook bezorgd.

'Zeker weten, ja,' antwoordde ze met zo veel vertrouwen dat ik nog jaloerser werd. 'Ik ben de jongste van de groep, degene die waarschijnlijk de minste argwaan wekt.'

'Hoe weet je wat je moet doen als je daar eenmaal bent?' vroeg ik.

'Ik heb instructies,' zei ze.

'Ontmoet je daar iemand?'

'Dat mag ik niet zeggen.'

'Chavve Leibowitz?' hield ik vol.

'Ik mag er geen woord meer over zeggen.'

Ze had al verschillende leugens bedacht om haar afwezigheid te verklaren. Eentje voor haar moeder en eentje voor haar werkgeefster, mevrouw Gold. 'Veel revolutionair werk behelst het verzinnen van leugens die aannemelijk zijn,' deelde ze me mee, en dat aspect van haar roeping had ze zeker onder de knie.

'Moet je snel thuis zijn?' vroeg ze me toen.

'Vanavond niet,' zei ik met een steek van twijfel. Er waren een paar weken voorbij gegaan sinds Tsila haar baby verloren had, en in die weken had ik er een gewoonte van gemaakt onmiddellijk naar huis terug te keren, nadat ik bij mevrouw Entelman weggegaan was, en had ik mijn wandelingen met Sore in de vooravond laten schieten.

Nu het weer koeler werd, werkte Arn Leib weer als schoenmaker en moest hij zijn tochten door de naburige dorpen weer hervatten. En daarom was hij soms verschillende nachten achter elkaar weg. Hoewel Tsila tegen die tijd voldoende hersteld was om weer haar beroep van kleermaakster en haar huishoudelijke taken op zich te nemen, had ze haar scherpzinnigheid nog niet terug, en zonder dat was ze niet bestand tegen de somberheid die haar iedere avond net voor het vallen van de avond overviel. Op het moment dat ik ons huis binnen kwam, voelde ik die om haar heen hangen, een zwaarmoedigheid die zo zwaar was dat ik bang was dat die haar zou verstikken als het volle gewicht ervan op haar hart zou rusten. Daarom probeerde ik voor het vallen van de avond thuis te zijn. Ik voelde dat mijn aanwezigheid haar afleiding en enige troost schonk.

'Tsila is vanavond niet alleen,' zei ik. 'Haar moeder is op bezoek.'

'Zullen we dan gaan wandelen?' vroeg Sore, en ze stak haar arm door de mijne.

We liepen naar het moeras. Ik wilde haar de kraanvogels laten zien, om haar te tonen dat ook ik mijn geheimen had.

Gedurende de warme maanden waren er altijd kraanvogels in de moerassen. Ze kwamen vroeg in het voorjaar aan, nadat het ijs op de rivier gebroken was, en gedurende het voorjaar en de zomer kon je ze zien rondlopen, alleen of in paren, terwijl ze met hun lange snavel naar voedsel zochten. In de herfst verzamelden ze zich op een veld waarvan ik wist waar dat lag, duizenden vanuit het hele moeras, waar ze knarsten en mompelden, en naar elkaar riepen voordat ze voor de winter wegvlogen. Gewoonlijk gebeurde dat later in de herfst, maar dit jaar was het weer al vroeg omgeslagen en de kraanvogels waren al begonnen zich te verzamelen ter voorbereiding op hun reis.

'Moeten we hier wel naar toe?' vroeg Sore zenuwachtig, toen ik haar over de voetbrug voerde die naar het moeras leidde. De zon was bezig onder te gaan en een grijze mist steeg op vanuit het moeras.

'Het is in orde,' verzekerde ik haar. Ik vond troost in de dikke, scherpe lucht die ons begon te omgeven, de ziel van mijn babybroertje bevond zich tussen de dampen die we inademden. Ik pakte Sore's hand, terwijl ik haar de mist binnenvoerde.

We liepen over de paden die me zo vertrouwd waren, Sore hield mijn hand stevig vast, en het duurde niet lang voor we het geluid hoorden.

'Wat is dat?' vroeg Sore en ze bleef onmiddellijk staan.

'Luister,' zei ik en legde mijn vinger tegen mijn lippen om te zorgen dat de kraanvogels, geschrokken door een geluid, niet weg zouden vliegen.

We liepen nog een stukje door en daar voor ons lag het veld vol mompelende kraanvogels.

Sore keek, een blik van verwondering op haar gezicht. 'Waar hebben ze het in hemelsnaam over?' fluisterde ze tegen mij.

Ik haalde mijn schouders op. Dat wist niemand.

'Hoelang blijven ze hier?'

'Een paar weken. Een maand.'

'En daarna?'

'En daarna…' Ik spreidde mijn armen uit en gooide ze omhoog de lucht in. 'Ze stijgen op, allemaal tegelijk.'

'Naar Afrika?' vroeg ze.

'Dat klopt, ja,' zei ik met dezelfde zelfverzekerdheid als die ik eerder die avond van Sore gezien had, hoewel ik geen flauw idee had waar de kraanvogels naar toe vlogen als ze ons verlieten.

***

De pogrom in Gomel begon zoals dat zo vaak gebeurt, naar aanleiding van iets onbenulligs. In dit geval was het de prijs van een vat haring. De vrouw die de haring verkocht, een jodin, wilde zes roebels voor het vat. Haar klant, een christen, bood anderhalve roebel. Een vechtpartij was het gevolg, joden tegen christenen, christenen tegen joden.

Dat was op vrijdag, de eerste dag dat Sore in de stad was. Tegen de avond was de strijd tegen de joden begonnen, giftige woorden die bewust gebruikt werden om iedere vonk haat die in het hart van de christelijke stadsbewoners smeulde, op te doen vlammen. Doeltreffende woorden: op zaterdag begonnen de eerste relletjes. De redevoeringen bleven maar komen, woorden vloeiden als stromen kerosine op de vuurhaarden van haat. Op zondag, meer ongeregeldheden.

Deze keer waren de joden bewapend, klaar om zich te verdedigen. Was het niet hulpeloosheid die de muitende menigte tot het bloedbad in Kisjinjov aangezet had, zoals een zwakke en ineengedoken hond het roedel aanspoort hem aan stukken te scheuren? Dat is wat de joden van Gomel zichzelf afvroegen, toen ze de stijgende woede van de muitende menigte hoorden. Wat in Kisjinjov gebeurd was, zou niet in Gomel gebeuren, zo besloten ze, er zouden geen vrouwen naakt aan hun haar door de straten gesleurd worden, geen baby's met hun hoofdje tegen het wegdek geslagen worden terwijl vandalen ze aan hun voetjes vasthielden. Niet in Gomel. De Bund had de verdediging van de stad georganiseerd, en die in districten verdeeld, elk met zijn eigen ploeg gewapende beschermers.

Op maandag echter, toen de verdedigers van de joodse wijk van de stad de plunderende menigte wilde beletten hun straten binnen te trekken, werden ze op hun beurt weer door soldaten tegengehouden. De relschoppers zwermden uit over de straten, terwijl ze alles aan puin sloegen, plunderden, beukten... maar de soldaten bewaakten de aanvallers, terwijl ze iedere jood die zijn eigen mensen wilde gaan helpen, in elkaar sloegen en arresteerden.

Toen het afgelopen was, waren honderden huizen en bedrijven van joden verwoest, vele tientallen joden waren gewond en verschillenden waren dood. Sore was een van hen.

***

> *Sta op nu en ga naar de stad van vergoten bloed;*
> *Baan u een pad, betreed het plein.*

De jongeman aan mijn linkerkant begon het gedicht van Bialik voor te lezen. Het was de eerste keer dat de studiekring na Sore's dood bij elkaar kwam. Ontevreden over het religieuze gemummel bij de begrafenis, hadden ze besloten Sore's nagedachtenis op een manier te eren die, zo meenden ze, haar leven meer recht zou doen en beter in overeenstemming zou zijn met haar wensen. Daarom was besloten het gedicht *Stad van Vergoten Bloed* van Bialik voor te lezen en te bediscussiëren.

> *Op boom, op steen, op hek, op klei van muren*
> *aanschouw, node,*
> *Het gespatte bloed, de verdroogde hersenen van de doden.*

Ik had het gedicht al eerder gehoord. Sore had het me voorgelezen op een van de warme zomeravonden wanneer we, lang nadat ieder ander naar bed gegaan was, elkaar ontmoet hadden om verkoeling te zoeken in de rivier. Sore had die avond niet gezwommen, maar was op de oever blijven zitten terwijl ze me voorlas en ik een eindje van haar af aan het watertrappen was. De avond was windstil, maar niet vredig. De woorden die Sore voorlas, verstoorden de atmosfeer. Toen ik langzamer ging watertrappen, kon ik de onrustige lichamen van alle anderen in de stad voelen, terwijl ze slapeloos in hun bed lagen te woelen.

'Wat in Kisjinjov gebeurd is, gebeurde niet zo maar,' zei Sore tegen me toen ze klaar was met lezen. 'Dat was door de regering opgezet, geënsceneerd vanaf de allereerste onrust, als uitlaatklep voor woede en frustratie die anders tegen de regering gericht konden worden, om die een andere richting te geven. En dat was de eerste keer.'

Ik herinnerde me dat Tsila me verteld had hoe de regering twintig jaar daarvoor, volgend op de moord op Alexander II, een golf van pogroms en verbanningen uitgelokt had.

'Niet de eerste keer, nee,' stemde Sore met zichzelf in. 'Maar er gaat nu iets veranderen.'

Het parfum zal van de knop van de acacia drijven
En de helft van zijn bloesem zullen veren blijken,
En hun geur is de geur van bloed!

De lucht was vol veren geweest, had Sore me verteld. Tot kilometers in de omtrek waren er veren als sneeuw uit de warme lentehemel komen vallen, ze bedekten de straten, bedekten de gezichten van de doden. Veren uit matrassen uit huizen van joden, die in stukken gesneden waren, uit de kussens die eens onder slapende hoofden gelegen hadden.

En ofschoon het u kwelt, vreemde wierook brengen zij
Verjaag uw walging – dit is het voorjaar in al zijn pracht.

Ik had een klein groepje jonge vrouwen verwacht, misschien een stuk of tien, die in een kring zouden zitten zodat niemand voor of achter een ander zou zitten, zelfs Malke niet. Zo had Sore het mij beschreven. Maar voor deze gelegenheid, deze nagedachtenis aan een gevallen kameraad, was de ruimte tjokvol jonge mensen, mannen zowel als vrouwen, en alle plaatsen op de banken waren bezet, en er stonden zelfs mensen tegen de muren en tussen de banken in.

Op de aardhoop liggen er twee, beiden zonder hoofd –
Een jood en zijn hond.
Beiden trof precies dezelfde bijl en beiden belandden
Op precies dezelfde hoop, waar zwijnen in drek wroeten.

Het gedicht werd doorgegeven van de ene persoon naar de ander, ieder las een regel of twee voor het weer aan de volgende door te geven. Zo veel verschil in toon en timbre... Sommige van de aanwezigen konden nauwelijks lezen, maar niemand dwong hen tot haast. Ze namen de tijd die ze nodig hadden om ieder woord uit te spreken, en de enkelen die helemaal niet konden lezen, hielden de tekst toch zelf vast terwijl iemand naast hen hun regels las.

Daal af dan naar de kelders van de stad,
Waar de maagdlijke dochters van uw volk werden besmeurd.

Er klonk vriendelijkheid in de stem die deze regels las, een tederheid die het geweld in de regels liefkoosde. Ik keek op en zag de jongen die ik een paar jaar daarvoor in het moeras ontmoet had, de jongen die één enkele toon verdriet uit een van de rietstengels gehaald had die ik voor Tsila geplukt had. Het verdriet dat hij die dag opgeroepen had, was sindsdien verwezenlijkt, het enige, leek wel, wat verwezenlijkt was sinds ik hem voor het laatst gezien had. Het was een jongeman nu, en zelfs in die ruimte vol gelijksgestemde jonge mensen raakte iets in zijn stem me dieper dan de andere stemmen. Ik rekte me om hem beter te kunnen zien, maar ik kon alleen zijn profiel zien – scherp en vel over been, zijn huid zag grauw in het flauwe licht van het vertrek.

Hoe toch kon hun manvolk dit gedogen, hoe toch
duldden ze dit juk?
Ze kropen uit hun holen te voorschijn, en vluchtten
naar het huis van de Heer
Om Hem dank te zeggen, voor de zoete zegen
van Zijn woord.

Terwijl het gedicht van de ene persoon aan de ander doorgegeven werd, veranderde de sfeer van verdriet die in het vertrek gehangen had, in groeiende woede, een woede die net zo gericht leek op de slachtoffers van het bloedbad als op de daders.

> *De Cohanim trokken erop uit, naar het huis van*
> *de Rabbi trokken ze:*
> *Zeg mij, o Rabbi, zeg mij, is mijn eigen vrouw*
> *nog wel toegestaan?*

Het gedicht, zo leek me, minachtte degenen die gestorven waren, voor hun hulpeloos martelaarschap, en minachtte ook diegenen die het overleefd hadden, voor hun lafheid. Was dit geen heiligschennis, vroeg ik me af, een eerverlies voor zowel de doden als de levenden?

> *Kom nu, en ik breng u naar hun krotten,*
> *De latrines, gemakken en varkenskotten,*
> *Waar de erfgenamen van de Hasmoniërs liggen,*
> *   met knikkende knieën*
> *Verborgen en ineengedoken – de zonen van*
> *   de Makkabeeërs.*

Het gedicht kwam steeds dichterbij, ik zou het spoedig in mijn eigen handen houden, en werd er verwacht dat mijn eigen stem door de stilte van de kamer zou klinken. Vrees trok zich als een steen samen in mijn maag. Ik dacht aan Sore's moeder bij de begrafenis, een figuur van verdriet net zo verwrongen als de knoestigste jeneverbessen in het moeras.

> *Moe van smarten en afgemat, rept een*
> *   donkere Shekhinah*
> *Naar iedere veilige hoek, maar kan geen rust vinden;*
> *Wil wenen, maar geen traan welt op;*
> *Wil brullen, maar is stom.*

Ik dacht aan de kraanvogels op hun veld in het moeras. Het weer was de hele week mild geweest en ze schenen geen haast te hebben om een einde aan hun samenzijn te maken. Daar wilde ik zijn, alleen met de kraanvogels in die laatste ogenblikken dat ze bij elkaar waren, alleen met de herinneringen aan de laatste ogenblikken die ik met Sore doorgebracht had. Maar ik kreeg het gedicht aangereikt, een paar velletjes dun papier, grauw en smoezelig van alle handen die het al vastgehouden hadden. De woorden waren nauwelijks te lezen, vanwege de slechte kwaliteit van het papier en het slechte licht in het vertrek. Was dit een passend huldebetoon aan mijn vriendin? Maar toch terwijl ik die velletjes groezelig papier in mijn handen hield, en mijn ogen over de woorden gleden die daarop gedrukt stonden, stroomde er een golf energie door mij heen, alsof met deze velletjes papier de kracht van alle handen die het voor mij aangeraakt hadden, en van alle ogen die deze woorden voor mij gezien hadden, zich samenbalde. Ik was verbaasd toen ik begon te lezen, dat mijn stem zo krachtig was.

> *Zijn kop onder zijn vleugel, zijn vleugel gespreid*
> *Heeft hij in schemer en in stilte zijn tranen bevrijd.*

Een paar handen pakte het gedicht aan toen ik het doorgaf, maar hoewel ik het gedicht niet langer vasthield, ebde de energie die het met zich meegedragen had, niet uit mij weg. Ik luisterde met een verscherpt bewustzijn naar wat er voorgelezen werd, merkte zelfs de gezichten en stemmen om mij heen beter op dan eerst.

> *Het is een priester die de kansel bestijgt.*
> *Hij opent zijn mond, hij stottert, stamelt, hijgt.*
> *Hoor, hoe de lege verzen zijn mond uitstromen.*

Het was Braine, de jongste dochter van de rabbi van de nieuwe sjoel, die deze regels las. Een paar weken daarvoor was haar zuster Hadasse met de zoon van de rabbijn uit Sloetsk getrouwd en nu, zo had Freide me verteld, werd er snel een huwelijkskandidaat voor Braine gezocht. Freide wist niet waarom. 'Niet omdat ze een oude vrijster is, met zestien. Waarom zo'n haast? Zijn ze bang dat over een jaar haar schoonheid verdwenen is?' Ik begreep uit de woede in Braine's stem terwijl ze las, dat het niet haar schoonheid was waarover haar ouders zich bezorgd maakten.

> *De ouderen houden zich aan zijn leer, en knikken.*
> *De jongeren luisteren naar wat hij zegt,*
> *iedereen gaapt.*
> *Het doodsteken staat op hun voorhoofd;*
> *Hun God heeft eenieder volledig verzaakt.*

Braine ging door met lezen, langer dan de anderen voor haar gedaan hadden, maar niemand stak zijn hand naar het gedicht uit, totdat ze net zo veel gelezen had als ze wilde. Het gedicht werd daarna doorgegeven aan een vrouw die in de schemering zat, in een hoek van het vertrek.

> *Wat heeft U hier te zoeken, O zoon der mensen?*
> *Sta op, verdwijn naar de woestijn!*
> *Ga derwaarts en neem de kelk der smarten met*
> *U mee!*

Haar stem klonk diep, krachtig, maar niet geforceerd. Ik keek op en zag dat het Chavve Leibowitz was. Ze was teruggekomen naar onze stad, zoals de waarzegster voorspeld had, voor een begrafenis, maar niet die van haarzelf. Ik herinnerde me haar als een onhandig meisje, een lompe verschijning die met een gebogen rug naast haar moeder stond, terwijl ze altijd des te meer opviel door haar poging zichzelf kleiner te maken. Maar de vrouw die ze geworden was, leek maar weinig op het meisje dat ze eens geweest was. Ze had nog steeds iets kolossaals, maar dat leek nu meer in evenwicht met het formaat van de persoonlijkheid die in haar huisde. Ze was sober gekleed in een jurk met een hoge hals en ze had een pince-nez, haar haar was strak naar achteren getrokken en zat in een knot waar geen haartje uitpiekte. Zoals Chavve er nu uitzag, straalde ze strengheid uit en er klonk gezag in haar stem, die andere blikken in de kamer – niet alleen de mijne – dwongen in haar richting te kijken. Waarom was ze naar deze plaats teruggekeerd, vroeg ik me af, een plaats die ze eens ontvlucht was. Om Sore te eren, vertelde ik mezelf, maar Tsila's stem echode in mijn hoofd. *Ze is als de vrouw van Lot*, had Tsila over Chavve gezegd op de morgen dat ze gevlucht was. *Ze was iemand die een ramp niet kon weerstaan.*

Het gedicht werd eindelijk aan Malke doorgegeven, die het uit las. En kalm vertelde ze ons dat de discussie die na de het voorlezen gepland stond, uitgesteld moest worden, omdat het bericht gekomen was dat de politie over deze bijeenkomst gehoord had en ieder moment een inval zou kunnen doen. We moesten onmiddellijk, in volkomen stilte, weggaan en ons direct verspreiden. En daarop was de kamer zo snel leeg dat, tegen de tijd dat ik alleen de koele avondlucht instapte, niets er meer op wees dat de gebeurtenissen van die avond iets anders geweest waren dan een droom.

Siberië, november 1911

Met deze nieuwe maan begint de bittere maand *Heshvan*. Bitter, omdat het de enige maan is waarin geen feestdag valt. In iedere andere maand hebben we iets gekregen om te vieren: een feest, een vastenperiode, een gelegenheid om te loven, te gedenken. Maar in *Heshvan* rijgen de dagen zich aaneen, en zo somber als die dagen zijn. Hier in Maltsev is de kou weer teruggekeerd, en neemt zijn eigen soort bitterheid mee, maar ook in de Pripjatmoerassen was deze maand altijd vol treurnis. De lucht, zo glorieus voor de feestdagen van *Tishrei*, werd dan donker en hing laag boven het vlakke landschap. Dan kwamen de regens, de wegen veranderden in modder. Bladeren verloren hun kleur en hingen levenloos in afwachting tot ze zouden vallen. Velden lagen er kaal bij, half onder water. Er is geen schoonheid in *Heshvan*, dacht ik als kind. Het oog richt zich naar binnen en wacht op de heldere vorst van *Kislev*. Maar toch moest de schoonheid erin gevonden worden. Dat leerde Tsila mij tijdens de *Heshvan* die volgde op het verlies van haar kind. Anders worden onze zegeningen voor iedere nieuwe dag, onze dank aan de Schepper, zonder oprechtheid geuit.

Ik voel me deze *Heshvan* extra bitter. De brieven van Beile, die ik zo lang zo regelmatig kreeg, komen niet meer.

De laatste brief kwam in de lente. Er waren de gebruikelijke vragen naar mijn gezondheid, de gebruikelijke geruststellingen over jou, hoe lief je was en hoe intelligent, en over hoe, als de tijd rijp was – *het ogenblik dat de tijd rijp is, en dat beloof ik plechtig* – je alles onthuld zal worden, over wie je echte moeder is. En daarna drie paragrafen die me met droefheid vervulden, een verhaal dat bedoeld was om een moment van vermaak te verschaffen.

'Gisteravond gaven de Zalmennen een etentje en ze hadden een speciale gast,' schreef Beile. 'De nieuwe compagnon die onlangs bij Jehoede in de zaak is gekomen. Sam Eisenberg heet hij. Hij ziet er niet slecht uit, hoewel erg zelfvoldaan. Ik hield niet van de blik die hij me toe wierp toen hij binnenkwam: hij schatte me koeltjes, alsof ik slechts een stuk handelswaar was dat hij zonder moeite zou kunnen verwerven. En dan zijn conversatie! Terwijl hij en Jehoede aan tafel zaten te wachten tot ze bediend zouden worden, praatte hij alleen maar over winst – waar hij blijkbaar geen tekort aan heeft in zijn leven. Kun je je zo'n gelikte heer voorstellen? Of moet ik ongelikte beer zeggen? Prompt morste ik soep op hem. Niet expres, maar wat maakt het uit? Daar ging die dan, Sjeindl's beroemde kippensoep uitgebreid over Sam Eisenberg's schoot. En de soep was ook nog vreselijk heet.

'Ik was natuurlijk als de dood, en ik probeerde de hitte onmiddellijk met kou te verdrijven – een hele grote kan koud water, die gooide ik in zijn schoot – daarna viel ik op mijn knieën, terwijl ik probeerde hem schoon te maken, maar wat ik eigenlijk voelde – toen ik eenmaal besefte dat hij niet ernstig gewond was – was voldoening. Dat had niet gemoeten – de man had zich nogal gebrand, en ik had wel op staande voet ontslagen kunnen worden, en wat zou er dan van me terechtgekomen zijn? Maar ik voelde me vreemd voldaan dat ik die man, die me nog maar net daarvoor met een superieure blik bekeken had, pijn gedaan had.

'Mijn voldoening duurde echter niet lang, want weet je wat hij zei? Terwijl Sjeindl probeerde hem van mij te bevrijden, een en al excuses tegen hem en kwaad op mij, legde hij zijn hand op Sjeindl's arm om haar tegen te houden en zei haar dat ze me moest laten begaan, want wanneer in zijn leven was hij ooit een vrouw tegengekomen die tegelijkertijd zo veel pijn en zo veel plezier kon schenken? Dat zei hij, de ongelikte beer. Tijdens een etentje. In gemengd gezelschap. Kun je je zo'n brutaliteit voorstellen?'

Dat kon ik me maar al te duidelijk. Op het moment dat Beile de scène beschreef, kwam die me levendig voor de geest. Sam Eisenberg, succesvol en knap, maar meer hongerig dan voldaan, ondanks Beile's verkeerde eerste indruk. Uitgehongerd is hij in feite – een man met een enorme eetlust. Dit is zijn eerste diner bij zijn nieuwe compagnon thuis. Het gesprek gaat over zaken en winst – in het heden en in de toekomst. Over uitbreiding. Hij praat, want daar is hij goed in, maar zijn gedachten zijn bij de vrouw die uit de keuken vandaan door de deur komt en die een groot, dampend blad draagt. Ze is lang en erg bleek, met golvend rood haar dat tot op haar middel hangt. Ze maakt een rustige indruk, ja zelfs kalm, terwijl ze het blad naar binnen draagt, maar er branden twee rode vlekken op haar wangen, alsof zich intense gevoelens binnen in haar roeren die, daar waar die twee brandende vlekken zitten, aan de oppervlakte komen. En waar nog meer, vraagt Sam zich af. Waar nog meer op dat lange blanke lichaam komt haar passie naar boven? Dat denkt hij als hij ziet dat het blad begint te hellen. Ja, hij ziet het gebeuren. Hij ziet het blad een beetje hellen, ziet dat de kommen beginnen te glijden, maar zoals zo velen van ons die het lot in de ogen zien, is hij niet in staat dat te stoppen.

Hij gaat met Beile trouwen, dat wist ik toen ik het verhaal las dat ze gestuurd had om mij te vermaken. Hij zal haar zijn naam schenken, zijn fortuin. Hij zal haar verwelkomen in het nieuwe leven dat hij in dit land begonnen is, haar en het kind dat ze uit het oude leven heeft meegebracht. Hij zal het kind net als de vrouw in zijn armen sluiten, het kind adopteren alsof het zijn eigen dochter is, want zo'n man is hij nu eenmaal, Sam Eisenberg. Net zo grootmoedig als uitgehongerd. En Beile zal hem niet afwijzen. Waarom zou ze ook, een vrouw die nog nooit de onvoorwaardelijke liefde van een man gevoeld heeft? Zal ze ervoor kiezen om Sjeindl te blijven dienen, als ze in plaats daarvan gast aan haar tafel kan zijn? Zal ze ervoor kiezen om een kind van een ander in armoede groot te brengen, en voor altijd blijven wachten op de moeder die niet zal komen om haar terug te vragen? Nee. Beile is niet dom en ook niet koppig. Ze gaat met Sam

Eisenberg trouwen, als ze dat al niet gedaan heeft, en toestaan dat hij mijn dochter adopteert alsof ze van hem is. Jou, mijn lief.

Tien

1903

'Het is niet altijd duidelijk wat de schoonheid van het leven is,' zei Tsila tegen me in die sombere *Heshvan* na de zomer van de doden. 'Maar het moet gevonden worden. Dat is onze taak hier. Om de schoonheid in Zijn werk te vinden en die aan het licht te brengen.'

Die maand ging ik op een druilerige middag de muziekkamer in het huis van de familie Entelman binnen. Ik was die dag vroeg met mijn werk klaar geweest – mevrouw Entelman was moe, vermoeider dan anders, en wilde slechts in haar verduisterde kamer alleen gelaten worden. Ze had die dag een brief van Sjeindl gekregen, een gebeurtenis waar ze eens blij om geweest zou zijn, maar nu leek die haar alleen maar meer uit te putten. De post was na het ontbijt gebracht, maar ze had de brief toen niet gelezen. Ze had hem op haar nachtkastje gezet waar hij de hele ochtend, ongeopend, had gestaan.

'Kamperfoelie,' mompelde ze op een gegeven moment, terwijl ze aan de envelop naast haar rook. 'Een walgelijke geur, vind je ook niet? Ik krijg er altijd hoofdpijn van.'

Het was de verandering in het weer waar ze hoofdpijn van kreeg, suggereerde ik. Met zonsopkomst was de wind opgestoken – als je zo'n grijze lucht al zonsopkomst zou kunnen noemen. Een koude wind uit het noorden.

'Misschien heb je gelijk. Wees een schat en haal een kompres voor me. Niet te koud – je weet wel hoe ik het hebben wil.'

En zo lag ze daar de hele morgen, zonder te spreken of zich te verroeren. En ik moest daarom ook blijven zitten – mevrouw Entelman hield niet van gedoe om zich heen als ze hoofdpijn had. Ze wilde geen middageten, at maar twee lepels heldere soep voordat ze het blad van zich af schoof, maar ze haalde in ieder geval het kompres van haar ogen en ging rechtop in bed zitten. En nadat ik het blad weggehaald had, pakte ze de brief naast haar op.

Ze las zonder iets te zeggen of zonder dat haar blik iets verried, waarbij ze ieder geparfumeerd velletje papier, zodra ze er mee klaar was, op de grond naast haar bed liet dwarrelen. Ik bukte om de blaadjes op te rapen die op de grond verspreid lagen.

'Gooi ze in het vuur,' zei ze, en toen ik haar in verwarring aankeek, zei ze: 'Toe nu maar, blijf daar niet als een standbeeld staan – vroeg ik je niet iets voor me te doen? En dit ook,' zei ze terwijl ze de zoetgeurende envelop met twee vingers vasthield. 'Als ze zich er niet langer toe kan brengen het gebod te gehoorzamen dat zegt dat ze haar ouders moet eren, kan ze in ieder geval de *mitzvah* op haar conto schrijven dat ze haar oude moeder wat warmte geschonken heeft. Schiet eens op. Ik kan dit niet de hele dag blijven vasthouden.'

Mevrouw Entelman keek hoe ik de brief van haar dochter in het vuur gooide, slaakte daarna een diepe zucht, nestelde zich weer in haar kussens en legde ook het kompres weer op haar ogen.

'Wie had gedacht dat ik zo zou eindigen,' zei ze. 'Alsof ik nooit een dochter gehad heb, en zij geen moeder.'

'U heeft nog steeds een dochter,' merkte ik op, terwijl ik naast de open haard bleef staan en zag hoe Sjeindl's brief opkrulde en zwart werd, daarna tot as verging.

Mevrouw Entelman gaf geen antwoord, maar ze glimlachte. 'Je moeder had ook altijd haar woordje klaar,' zei ze vanachter haar kompres. 'Ze was een brutaaltje, en opgewekt. Tenminste, dat leek zo.'

Mevrouw Entelman was een paar ogenblikken stil, en voegde er vervolgens aan toe: 'Je moeder was gelukkig toen ze hier werkte. Besteed maar geen aandacht aan wat er over haar gezegd wordt.'

'Ik heb niets gehoord,' zei ik snel.

'Ga nu niet tegen me liegen,' zei ze. 'Liegen is een zonde, zoals je ongetwijfeld geleerd hebt.' Ze haalde het kompres weg en deed haar ogen open, zodat ze zag dat mijn gezicht rood werd. 'Maar jouw leugens zullen je moeders hart tenminste niet breken. Je mag wel dankbaar zijn dat je omstandigheden je tenminste voor die zonde behoed hebben.'

Hoe heeft Sjeindl uw hart gebroken, had ik kunnen vragen, want wordt het pad naar de schoonheid in anderen niet door medeleven verlicht? Maar zo bitter was mijn eigen lijden tijdens die *Heshvan*, dat ik blind was voor het lijden dat zich voor mijn ogen afspeelde. Ik voelde alleen maar minachting voor mevrouw Entelman, en ongeduld dat ze op deze manier maar bleef doorgaan – midden tussen al die pracht en praal liggen, en brieven van haar dochter verbranden – terwijl Tsila en de weduwe Hodl werkten tot hun vingers tot op het bot versleten waren, en hun kinderen in de grond lagen te rotten.

'Kan ik verder nog iets voor u doen?' vroeg ik aan mevrouw Entelman. Mijn stem klonk kil.

'Breng me mijn thee maar. Zet maar op mijn nachtkastje en laat me voor de rest van de dag alleen.'

Ik deed zoals ze gevraagd had, en zette haar thee met citroen zo neer dat ze erbij kon, sloot zachtjes de deur van haar slaapkamer en ging vervolgens de smalle diensttrap af naar de keuken. Maar in plaats van meteen door de keukendeur naar buiten te gaan, veranderde ik van richting aan de voet van de trap en ging naar de hoge, voorname foyer bij de hoofdingang van het huis, vervolgens nam ik de gang die naar de muziekkamer leidde.

Van tevoren had ik niet geweten dat ik zoiets ging doen, wist zelfs niet waarom ik nu eigenlijk naar die kamer ging. Ik was er nog nooit eerder geweest – ik had in dat deel van het huis niets te zoeken – maar terwijl ik door de hal liep, herinnerde ik me Sore's stem terwijl ze de geruchten die ze gehoord had, probeerde te ontkennen. *Gemene opmerkingen*, had ze gezegd, *domme opmerkingen over je moeder, meneer Entelman, zijn muziekkamer, weet ik veel.*

De deur van de muziekkamer was dicht. Als ik in mijn gewone doen geweest was, zou ik me toen omgedraaid hebben. Ik zou beseft hebben dat ik ontslagen kon worden als ik op zo'n manier door het huis rondsloop. Ik zou bang geweest zijn voor wie ik achter die dichte, zware deur zou kunnen aantreffen. Wie ik zou kunnen storen. Maar die dag was de drang om naar binnen te gaan sterker dan ikzelf. Uit boosheid. Die had mijn angst en schaamte opzij geschoven, en mij de moed gegeven.

De kamer was enorm groot, met een hoog plafond en grote ramen en glanzend gewreven houten vloeren. Er lagen tapijten op de grond, Perzische tapijten in blauwe en roze schakeringen. De sofa was diep roze en voelde fluwelig aan. De leunstoel zag er net zo uit. Ik ging in de leunstoel zitten en vroeg me af of mijn moeder er vroeger voor mij in gezeten had. Er gingen minuten voorbij. Het grijze middaglicht drong tegen het raam, maar kon de rozige kamer niet in. De stoel waarin ik zat, was zacht; ik zakte er diep in weg. Het begon te regenen, een koude *Heshvan*-regen, maar de kamer was warm en weelderig. Te warm eigenlijk. Door al dat fluweel misschien. Op de piano lag een laag stof. Geen dikke laag, maar niettemin stof. Genoeg om te tonen dat de kamer weinig gebruikt werd. Maar toch stond er in de vaas op de piano een tak witte bloesem. Verse bloesem.

Ik bevrijdde me uit de leunstoel en liep naar de piano, ik was er zeker van dat ik me vergiste, maar dat was niet zo. De bloesem in de vaas op de piano was echt. Amandelbloesem. In *Heshvan*. Ik raakte er eentje even aan, met het topje van mijn vinger, haalde daarna de tak uit de vaas en liet mijn neus de zoete geur opsnuiven.

'Zijn ze niet mooi?' vroeg een stem. Het was een mannenstem, zwaar en sonoor, en ik draaide me om, zodat ik kon zien wie er sprak.

Ik had geweten dat hij zou komen. Vanaf het moment dat ik de kamer in gelopen was, had ik het geweten. Ik hoefde alleen maar te wachten en dan zou ik hem zien. Waarom ik dat deed, daar was ik nog niet zeker van. Ik wilde hem alleen maar zien. Oog in oog. Maar ik keek hem niet aan, terwijl ik daar met de tak amandelbloesem in mijn hand stond. In plaats daarvan keek ik naar de vloer – een werveling van blauw en roze.

'Ze komen uit mijn kas,' zei hij.

De bloesem, bedoelde hij.

'Ik heb je hier niet eerder gezien. Ben je nieuw hier?'

Ik zag zijn benen door de kamer naderbij komen. Zijn schoenen waren van voortreffelijk leer, en mooi gemaakt. De steken zagen er heel netjes uit, heel verzorgd. Dat was het werk van Arn Leib – ik herkende zijn precisie – en een gevoel van bemoediging vervulde mij. Toen voelde ik zijn hand onder mijn kin, mijn blik werd omhoog gebracht zodat ik hem aankeek.

Ik zag mijn eigen ogen. Dat zag ik onmiddellijk. Ik had altijd gedacht dat ik de ogen van mijn moeder had, maar dat was niet zo. Ik had zijn ogen. En terwijl ik in dezelfde ogen keek die ik mijn leven lang iedere ochtend en avond in de spiegel gezien had, wist ik zonder twijfel en zonder dat het me ook maar iets kon schelen hoe of waarom dat zo was, dat de man die ik op dat moment aankeek, mijn vader was.

Herkende hij me ook? Hij zei niets.

'Het spijt me dat ik u gestoord heb,' zei ik tegen hem. Ik voelde me kalm vanbinnen. En boos, wat verkoelend was na een leven vol brandende schaamte. 'Ik werk voor uw vrouw en ik heb in dit deel van uw huis niets te zoeken.'

Hij liet mijn kin los, en ik liep snel, zonder iets te zeggen, de kamer uit.

Elf

1904

In het tanende licht van een wintermiddag liep Arn Leib langzaam naar huis. Ik keek naar hem zoals hij daar liep. Hij had een succesvolle dag gehad, zou ik hem later tegen Tsila horen zeggen. Dat gold voor de hele week in feite. Maar dat was niet af te lezen aan zijn schuifelende gang. Hij zag er voor mij hetzelfde uit als anders – een man die de afgelopen zondag vroeg, met schoenmakersmaterialen in de hand, naar een naburig dorp vertrokken was en die nu op een donderdagmiddag terugkwam met nauwelijks meer munten in zijn zak dan waarmee hij vetrokken was.

Het was de hele week al mooi weer geweest. Zonnige, koude dagen die overgingen in heldere nachten vol sterren, het soort weer waar hij het meest van hield. Die ochtend had de sneeuw zo helder in het krachtige zonlicht geschitterd, dat als je 's morgens direct naar buiten keek, het daadwerkelijk pijn aan je ogen deed. Een zuivere aanwijzing, zou hij tegen Tsila zeggen, van de verblindende glans van de Goddelijke aanwezigheid. Hij wilde maar dat Hij wat vaker zulke aanwijzingen gaf. Want nauwelijks was hij aan de thuisreis begonnen of de lucht begon te betrekken, waarna het was gaan sneeuwen. Het was fijne, droge sneeuw. En nu, terwijl de avond viel, werden zijn voetstappen op het pad gedempt. En de donkere, dicht opeenstaande pijnbomen, waar de smalle weg doorheen liep, bogen enigszins onder hun zachte last.

De herfst was niet gemakkelijk geweest. Tsila was van haar ziekte hersteld, maar was ontzettend onrustig. Niet langer leek ze nog in staat ook maar ergens rust te vinden. Niets van wat ze zag, verkwikte haar, niets van wat ze deed, gaf haar voldoening. Ze werkte onafgebroken zonder enig doel, naaide alleen maar een zoom om die er gefrustreerd weer uit te halen, verfde een el stof om alleen maar te klagen dat de nieuwe kleur zo saai was. In de velden om haar heen zag ze slechts treurige eentonigheid, in de bossen en moerassen vochtigheid en schaduw. Zelfs haar dromen boden geen uitweg. Ze lag de hele nacht ongelukkig te woelen, en stond in het donker voor zonsopkomst weer onuitgerust op. En hoewel ze de hand die Arn Leib haar troostend aanbood niet wegduwde, bracht die haar ook geen rust.

'Ik droom nog steeds van vissen,' hoorde ik haar op een avond op een fluistertoon bekennen. 'Zwemmende vissen, de hele nacht door. Ze kwellen me.'

'Dat gaat over,' zei Arn Leib tegen haar. 'Alles gaat over, ook dit.' Maar wanneer en tot welke prijs? Elke keer wanneer hij aan het einde van weer een week naar huis sjokte, boog hij nog dieper onder de last van zijn leven.

Ik keek naar deze man – mijn vader, maar toch ook weer niet – en dacht terug aan die avond in *Heshvan*, toen ik totaal doorweekt te laat thuiskwam.

'Waar ben je geweest?' viel Tsila tegen me uit. 'Zo laat nog buiten op een avond als deze! Ik dacht dat er wat met je gebeurd was.'

'Het spijt me,' verontschuldigde ik me. Vervolgens had ik aangekondigd dat ik vanaf die dag niet meer voor de Entelmannen zou werken.

'Wat?' riep Tsila. 'Wat heb je gedaan?'

'Ik heb niets gedaan, ik heb alleen besloten dat ik niet langer daar ga werken. Ik ga ander werk zoeken, morgen begin ik daarmee.'

'Hoezo, ander werk?' had Tsila gevraagd. Haar scherpte, hoewel afgesleten, was nog niet helemaal verdwenen.

'Ik vind wel iets. Desnoods ga ik in een fabriek werken.'

'Wat is er gebeurd?' had Tsila gevraagd.

'Er is niets gebeurd.'

'Dan ga je daar morgen weer naar toe.'

'Ik ga daar niet meer naar toe.'

'Jij gaat daar niet weg om in een fabriek te werken voor de helft van het loon en het dubbele aantal uren. Niet terwijl je onder mijn dak woont, dat doe je niet.'

'Dan ga ik wel bij mevrouw Gold werken. Ze heeft nog niemand voor Sore in de plaats gevonden.'

'Ze betaalt nog niet de helft van wat je nu krijgt. Mevrouw Entelman heeft je altijd heel royaal bejegend. En ze heeft je niet bepaald te veel laten doen.'

Hierop werd ik heel verontwaardigd en zei: 'Ik spuug op haar liefdadigheid.' En de volgende dag al bood ik mevrouw Gold mijn diensten aan en ging ik akkoord met veel moeilijkere werkomstandigheden voor de helft van het loon dat ik tot dusver gekregen had.

Nooit had ik Arn Leib ook maar enige uitleg gegeven over mijn gedrag, hoewel ik heel goed wist wat het voor het huishouden betekende, deze vermindering van mijn loon. Had hij zich afgevraagd wat de oorzaak van zulk eigenaardig gedrag geweest was? Verbaasde hij zich überhaupt over mij? Wat dacht hij eigenlijk als hij aan het einde van de week op weg naar huis was? Hij zag er zo moe uit, zo vreselijk oud. Het was hem absoluut niet aan te zien dat het mooie winterweer eerder die dag hem blij gemaakt had, of dat er genoeg hoop in hem leefde om het nog een dag vol te houden. Ik keek naar hem met een mengeling van medelijden, woede en tederheid, totdat hij in de duisternis verdween.

'Het was om hém, nietwaar?' had Tsila me gevraagd op de avond dat ik aangekondigd had dat ik bij de Entelmannen wegging. Ik was spoedig na mijn aankondiging naar bed gegaan, te uitgeput door de gebeurtenissen van de dag om de avondmaaltijd te eten, te moe zelfs voor een kop thee. Ik was uitgeput, maar kon de slaap niet vatten. Ik lag in bed en luisterde naar de regen op het dak, het geknetter van het vuur, Tsila's gezucht terwijl ze worstelde met een jurk die al lang klaar en afgeleverd had moeten zijn, en ik hoorde Arn Leib's voorstel om er voor die avond een punt achter te zetten en te zien of het er de volgende ochtend niet beter uit zou zien. Ik hoorde Arn Leib weggaan om te lernen, zoals hij altijd deed op deze avond van de week. Zodra de deur achter hem in het slot viel, stond Tsila bij mijn bed. 'Het was om hem, nietwaar? Meneer Entelman. Wat heeft hij met je gedaan?'

'Niets,' zei ik.

'Vertel me niet dat hij niets gedaan heeft, als je in zo'n staat thuiskomt.'

Ik ging rechtop in bed zitten en keek haar aan. Ze was niet mijn moeder, had dat ook nooit geprobeerd te zijn, maar ze hield van me, besefte ik.

'Hij heeft niets gedaan,' zei ik nog een keer. 'Ik kwam hem in de hal tegen. Ik zag zijn ogen. Meer is er niet gebeurd. Helemaal niets.'

Tsila trok een stoel bij en ging naast me zitten, zoals ze altijd deed als ik ziek was.

'Waar hebben jullie het over gehad?'

'Nergens over,' zei ik. 'Een man als hij heeft niet de behoefte om te praten met zijn eigen dochter die als dienstmeisje in zijn huis werkt.'

Tsila trok haar wenkbrauwen op, een beetje maar. 'Je bent zijn dochter niet,' zei ze rustig, alsof het haar niet verbaasde dat ik zoiets zou beweren. En omdat ze niet verbaasd leek, zag ik dat als een bevestiging van mijn vermoedens.

'Ik ben Arn Leib's dochter niet,' zei ik.

'O jawel, hoor,'

'Niet waar. Ik ken de waarheid. Die heb ik vandaag gezien.' En toen Tsila me niet onmiddellijk tegensprak, ging ik verder. 'Daarom liet Arn Leib me niet komen. Daarom heb ik zes jaar bij Lipsa gewoond.'

'Je hebt die zes jaar bij Lipsa gewoond, omdat de omstandigheden ongeschikt waren. Hij kon jou niet bij zich hebben. Hij was vaak weg voor zijn werk – hoe kon hij dan voor je zorgen? Een jong kind heeft een vrouwenhand nodig.'

'Ik ben zijn dochter niet,' zei ik, een gevoel van zwaarmoedigheid overspoelde me. De hele middag en avond had ik me kalm gevoeld, de kalmte die over je komt als je eindelijk ziet wat altijd al zichtbaar was. Maar nu begon ik het verlies te voelen dat die kennis met zich meebracht.

'Hij was met je moeder getrouwd toen je verwekt werd, hij was met haar getrouwd toen je geboren werd. Je bent een kind uit dat huwelijk. Het enige, levende kind. Hij liet je komen op het moment dat de omstandigheden dat toelieten.'

'Ik ben zijn dochter niet,' zei ik nog eens en ik herinnerde me hoe hij me eens een ogenblik vol verbazing had aangekeken, nadat hij me een passage hardop had horen voorlezen, waarna hij tegen Tsila zei dat iedere generatie op de schouders van zijn ouders staat. 'Op die manier kan iedere generatie een beetje hoger staan en kan die een beetje verder kijken dan de vorige,' had hij met trots, ja trots in zijn stem uitgelegd. Ik stond op zijn schouders, zo begreep ik. Zijn schouders en die van Tsila hadden een afdruk in mijn voeten achtergelaten. Ik was vertrouwd met de hoekige rand van Tsila's schouders, de zachte glooiing van die van Arn Leib. Ik had mijn evenwicht gevonden – wankel, ja, maar niet zo wankel dat ik niet een beetje kon springen. Dus waarop zou ik nu staan, vroeg ik me af. Op de zuigende modder van het moeras? 'Ik ken de waarheid,' zei ik.

'Nee,' reageerde Tsila. 'Je denkt dat je de waarheid kent, maar dat is niet zo. Je zag iets in het gezicht van die man, een zekere gelijkenis van gelaatstrekken, misschien, en daaruit trek je je belangrijke conclusie. *Ik ben zijn dochter niet*, blijf je maar zeggen over je vader die je opgevoed heeft, alsof een dergelijke uitspraak, hardop in zijn huis, geen gebrek aan respect inhoudt, genoeg voor wel een heel mensenleven.'

'Het is niet zo dat ik gebrek aan respect heb,' zei ik zwakjes.

'Wat is het dan wel?' Er was nu woede te horen. 'Wil je naast onze levens ook je eigen leven verwoesten? Je vader vernederen in zijn eigen huis? Verklaren dat je een bastaard bent, zodat je tot in de tiende generatie verdoemd kan worden? Is dat wat je wilt?'

'Natuurlijk niet,' zei ik, ook boos nu. 'Ik probeer voor een keer de waarheid te spreken.'

'Nou, dan is "ik ben zijn dochter niet" de waarheid niet.'

'Wat dan wel?'

Tsila aarzelde, heel even maar. 'Je was niet van hem, maar nu ben je het wel.'

Ik was alleen, verborgen in een gebied dichtbebost met pijnbomen, terwijl ik naar Arn Leib keek en op Malke wachtte. Malke had me op een rustige plek willen ontmoeten, een plaats waar we konden praten zonder bang te hoeven zijn afgeluisterd te worden. Ik had een plek in het moeras voorgesteld. Ik kende een heuveltje bij de ingestorte hut waar Tsila me de eerste keer mee naar toe genomen had, maar Malke gaf de voorkeur aan het bos ten zuiden van de stad.

De lucht was mild, milder dan de heldere kou van voorgaande avonden, maar met de sneeuw die gevallen was, was het ook vochtig geworden en terwijl ik wachtte, raakte ik verkild. Malke was laat, en we hadden niet afgesproken hoe lang ik op haar zou blijven wachten. Alles over onze afspraak was vaag geweest, zelfs het doel van onze ontmoeting. Ze had me apart genomen, toen ik een paar avonden daarvoor na de studiekring vertrok en ze zei dat ze iets met me te bespreken had. Zou ik haar op de afgesproken tijd en plaats kunnen ontmoeten en er absoluut met niemand over willen praten? Ze had er gespannen uitgezien; van angst of opwinding, dat kon ik niet zeggen.

Ik wachtte vol spanning op wat er komen zou en aanvankelijk werd deze spanning, door het feit dat ze te laat was, er niet minder op. Ik was nog niet lang lid van de studiekring, dus was het een onverwachte eer dat Malke mij voor een vertrouwelijk treffen uitgekozen had. Ze moet iets bijzonders in me gezien hebben, zo redeneerde ik. Betrouwbaarheid, misschien. Gevoel voor loyaliteit. *IJdelheid der ijdelheden*, dat weet ik nu, maar toentertijd wilde ik slechts opgemerkt worden vanwege een deugd die alleen ik bezat. Sore had mij uitgekozen als vriendin, omdat ik kwaliteiten had waarvan ik niet eens wist dat ik ze bezat, totdat zij ze in mij zag. Serieus, noemde ze me, intelligent. En zo groot is de macht van vriendschap dat toen zij die kwaliteiten eenmaal zag, ik ze ook zag waarop ik mijn best deed ze verder te ontwikkelen. Ik kon me herinneren hoe heerlijk het was me bijzonder te voelen, en ik hunkerde ernaar de persoon te zijn die ik in haar aanwezigheid geweest was, net zoals ik ernaar hunkerde een glimp van haar gezicht te zien, haar zijdelingse blik, de manier waarop ze haar neusgaten opensperde en haar stem verhief als ze zich opwond over de een of andere onrechtvaardigheid. Te denken dat Malke toen misschien wel iets speciaals in me gezien had, vervulde me met een gevoel van verwachting, een gevoel dat ik al vele maanden niet gehad had. Als het betrouwbaarheid was dat ze gezien had, dan zou ik laten zien dat ik betrouwbaar was; als het trouw was, dan zou ik zo trouw zijn als Ruth.

Maar de tijd ging voorbij en nog steeds was er geen teken van Malke. Het was niets voor haar om niet op tijd te komen, niets voor haar om vaag over iets te zijn. Ondertussen werd het avond en ik wachtte nog steeds, en ik voelde angst in mij opkomen.

Ik herinnerde me de eerste bijeenkomst van de studiekring die ik na de herdenkingsbijeenkomst voor Sore bijgewoond had. We waren op een sjabbesmiddag bij elkaar gekomen, in het bos, omdat het te moeilijk geworden was om een plek in de stad te vinden waar onze geheimhouding verzekerd zou zijn. Er waren veertien meisjes bij die bijeenkomst, meer dan Sore beschreven had, en Malke had de nieuwkomers welkom geheten en ze had voorgesteld om eerst de kring rond te gaan waarbij iedereen zich voorstellen zou. Niet alleen je naam, voegde ze eraan toe, maar de omstandigheden waarin we woonden en leefden. Op die manier, legde Malke uit, zouden we een begin maken met de ontwikkeling van ons klassebewustzijn.

Ik was bang geweest om te beginnen, omdat sommige van de meisjes juist diegenen waren die met hun gestaar en gefluister mijn leven tot een hel gemaakt hadden. Maar terwijl ze ieder op hun beurt met kalme stem over de ontberingen in hun eigen leven spraken, voelde ik dat het gordijn dat altijd tussen ons in gehangen had, opgetrokken werd. Tot op dat ogenblik had ik niet geweten dat ook Mirl zich schaamde over hoe ze behandeld werd als ze wasgoed afleverde bij de rijkere huishoudens in de stad; of dat onder Braine's afstandelijkheid angst school dat ze gedwongen zou worden om te trouwen, weerzin had tegen de mogelijke kandidaten die tot dusver door haar ouders uitgekozen waren.

Toen het mijn beurt was om te spreken, was ik er niet zeker van hoe ik moest beginnen. Ik voelde mijn hart snel kloppen en was bang dat mijn stem zou trillen en dat de anderen zelfgenoegzaam zouden lachen en vervolgens veelbetekenend naar elkaar zouden kijken en knikken.

'Op de dag dat ik geboren werd, liep mijn moeder de rivier in,' hoorde ik mezelf zeggen en daarna begaf mijn stem het.

Er volgde een stilte die eindeloos leek, terwijl de groep wachtte tot ik verder zou gaan, maar niemand fluisterde of grinnikte zachtjes.

'Wil je hier nog iets anders aan toe voegen?' vroeg Malke ten slotte, haar toon was zakelijk alsof ik niets ander onthuld had dan dat mijn vaders werkgever hem vaak met zijn loon bedroog.

Ik was van plan geweest te beschrijven hoe ik bij Tsila en Arn Leib was komen wonen, en de huidige omstandigheden waarin we leefden, maar ik schudde mijn hoofd, ik was niet zeker van mijn stem.

'Je moeder heeft niet zelf een einde aan haar leven gemaakt,' zei Malke ferm.

Maar dat had ze wel gedaan, en dat wist ik, en iedereen die daar zat.

'Je moeder is van het leven beroofd. Ze werd vermoord. Begrijp je wat ik zeg?'

Ik schudde mijn hoofd, te geschokt door haar woorden – door de gewelddadigheid van het woord 'vermoord' – om te antwoorden.

'Het kwam door de vernederingen die je moeder moest verdragen, die haar leven ondraaglijk maakten, de onrechtvaardigheden van ons huidige, sociale en economische systeem.'

Maar toch, waren anderen ook niet onrechtvaardig behandeld en die hadden dat toch ook overleefd? Ongetwijfeld wist Malke dat. Anderen duldden toch ook onrechtvaardigheid en stonden toch op om de dag te begroeten? Was het nemen van een leven – je eigen leven of dat van een ander – niet de ergste zonde tegenover God die ons geschapen had, de ergste zonde tegenover de schepping zelf?

'We zullen je moeders nagedachtenis eren,' zei Malke.

Een nagedachtenis verhuld in gefluister, geruchten en schaamte. Er viel niets te eren, kon ik niet nalaten te denken, maar dan, was dat ook geen zonde? Was het bevel om je ouders te eren, niet net zo'n belangrijk als het gebod tegen het nemen van een leven?

'We zullen aantonen wat de omstandigheden waren die de dood van je moeder tot gevolg hadden,' zei Malke. 'En onze wereld voor altijd van een dergelijke onrechtvaardigheid bevrijden.'

Het was al avond en nog steeds wachtte ik op Malke. Ik durfde echter het licht van mijn lantaarn niet aan te steken. Ik begon met mijn voeten te stampen en mijn handen tegen elkaar te slaan om de kou te verdrijven die me bevangen had. Ik wist niet hoe lang ik al gewacht had. Wat uren leken, zouden slechts minuten geweest kunnen zijn, maar het was mogelijk dat er feitelijk al uren verstreken waren sinds ik Arn Leib naar huis had zien sjokken. Ik besloot de Psalmen op te zeggen om mezelf te kalmeren en zo bij te houden hoeveel tijd er verstreek.

> *Welgelukzalig is de man, die niet wandelt in den raad*
> *der goddelozen,*

begon ik.

> *Noch staat op den weg der zondaren, noch zit in het*
> *gestoelte der spotters.*

Ik droeg langzaam voor, mijn stem was een gefluister.

> *Waarom woeden de heidenen, en bedenken*
> *de volken ijdelheid?*

De eerste vijf Psalmen waren kort, niet meer dan een paar verzen elk. Er konden nog geen tien minuten voorbij zijn. Ik besloot door te gaan. Nog vijf. Misschien tien. En daarna, als Malke er nog steeds niet was, moest ik wel aannemen dat zich een probleem voorgedaan had, en zou ik teruggaan naar de stad.

> *O Heere, straf mij niet in Uw toorn, en kastijd mij niet*
> *in Uw grimmigheid! Wees mij genadig, Heere, want ik*
> *ben verzwakt; genees mij, Heere, want mijn beenderen*
> *zijn verschrikt.*

Er was die dag een vreemdeling op doortocht in de stad geweest, had Freide me verteld. Ik was bij haar langsgegaan, nadat ik bij mevrouw Gold vertrokken was. Een jood, zei Freide, maar dan eentje die een taal sprak die ze nooit eerder gehoord had. Vreemde klanken, hoewel niet onplezierig – hij zei dat het Spaans was. Dat leek voornamelijk van het voorste gedeelte van zijn tong te rollen, alsof de keel, te druk met ademhalen, bij het spreken geen rol speelde. 'Dat zou jou wel goed uitkomen,' voegde Freide eraan toe, een verwijzing naar het litteken op mijn keel, dat ze feitelijk nooit gezien had, verborgen als het was door mijn kleding, maar dat niet naliet de verbeelding van haar en sommige andere vrouwen in de stad te blijven prikkelen.

Ik betrouw op den Heere; hoe zegt gijlieden
tot mijn ziel: Zwerft henen naar ulieder gebergte, als een
vogel?

Dat Freide steeds over mijn litteken begon, stoorde mij. Ze had er wel vaker op gezinspeeld, omdat ze problemen verwachtte tegen de tijd dat er een huwelijkskandidaat voor me gevonden moest worden. 'Bij alles wat je al tegen hebt, om dan ook nog het merkteken van een vroege dood te dragen…'

Haar opmerking was wreed, niets anders. Ik herkende het als zodanig en vertelde haar, dat ik niet geïnteresseerd was in die onzin.

Ze trok haar wenkbrauwen op, net zo verbaasd over mijn vrijpostigheid als ikzelf. 'Ik neem aan dat je te verheven geworden bent voor mensen als ik,' antwoordde ze.

Wanneer eerder had ik zo tegen Freide gesproken? Nog nooit. En het kwam, zo wist ik, omdat ik Malke's studiegroep bezocht dat ik het nu wel deed.

'Je denkt misschien dat je te verheven bent voor de grond waarop je gedwongen wordt te lopen,' vervolgde Freide. 'Maar geen van je mooie ideeën kan het feit veranderen dat er een man voor je gevonden moet worden, en dat zal niet makkelijk zijn met de handafdruk van de dood op je keel.'

Ontsteek u niet over de boosdoeners, fluisterde ik vastberaden, in een poging dergelijke ziekelijke gedachten van mij af te zetten. Het was allemaal onzin, dat wist ik. Onheil gezaaid door een verstand dat nog steeds door bijgeloof geknecht wordt. Niets anders. *Benijd hen niet, die onrecht doen*, fluisterde ik. Ik was al bij de zevenendertigste Psalm, en nog steeds geen Malke. Toen hoorde ik een antwoord:

Want als gras zullen zij haast worden afgesneden, en als de groene grasscheutjes zullen zij afvallen.

Ik herkende de stem. Hoe zou ik die niet kunnen herkennen? Het was de jongen die ik in het moeras ontmoet had, de jongeman wiens stem me bij de herdenkingsbijeenkomst voor Sore niet minder diep geraakt had dan de eerste keer dat ik hem tegengekomen was en van wie ik gedacht had dat hij mijn eigen, dode broer was. Zou het mogelijk zijn dat mijn gedachten aan mijn eigen dood net enkele ogenblikken daarvoor, hem nu opgeroepen hadden? Die gedachte verkilde me. En hoewel ik wist dat een dergelijke gedachte achterlijk en bijgelovig was, bracht ik mijn hand instinctief naar mijn keel.

Vertrouw op den Heere, en doe het goede, ging hij verder. *Bewoon de aarde, en voed u met getrouwigheid.* Hij stak zijn lantaarn aan, en het licht scheen zwakjes tussen ons in. Ik had hem sinds de bijeenkomst die volgde op Sore's dood, niet meer gezien. Nu stond hij voor me, zijn bezittingen in een doek tot een bundel gebonden, die aan het einde van een stok over zijn schouder hing.

'Wie ben je?' vroeg ik.

'Wolf,' antwoordde hij.

'Ik ben Mirjem.'

'Dat weet ik.'

'Weet je dat? Hoe weet je dat?'

Als antwoord haalde hij slechts zijn schouders op.

'En waar is Malke?' vroeg ik.

'Dat weet ik niet.'

'Ze had me hier minstens een uur geleden moeten ontmoeten. Ik heb gewacht, zoals je kunt zien, maar...'

'Je afspraken met Malke moeten strikt tussen jou en haar blijven,' zei hij en hoewel zijn stem vriendelijk bleef, klonk er toch iets nors in zijn berisping. 'Je weet niet wie ik ben. Misschien ben ik wel een informant van de Ochrana.'

'En wat dan nog?' vroeg ik snel, beschaamd om mijn loslippigheid. 'Mogen vrienden elkaar niet langer op een winteravond voor een wandeling in het bos ontmoeten? Vallen meisjesgeheimen tegenwoordig onder de belangstelling van de Ochrana?'

Ik bekeek hem eens goed, een tenger gebouwde jongeman, zijn pet diep over zijn ogen getrokken, zijn trekken zacht in het licht van zijn lantaarn.

'En waar ga jij naar toe op een avond als deze?' vroeg ik hem.

'Wandelen. Net als jij.'

'Een avondwandeling?' vroeg ik. 'Met al je aardse bezittingen over je schouder? Of ben ik nu te nieuwsgierig? Tenslotte kan ik wel een informant van de Ochrana zijn, voor zover je weet.'

'Dat is niet iets om grapjes over te maken,' zei hij toen, zijn stem klonk zacht en ernstig. 'Malke is gearresteerd.'

'Onmogelijk,' zei ik en angst welde op in mijn borst.

Wolf bond zijn lantaarn en zijn bundel aan een tak van een boom, en zocht in zijn zakken naar een sigaret.

'Waarom zou je zoiets zeggen?' vroeg ik.

Wolf stak zijn sigaret aan, inhaleerde diep, en gaf hem daarna aan mij. Ik gaf hem terug zonder een trekje genomen te hebben.

'Ik heb je hulp nodig,' zei hij. Ik wachtte. Hij zoog snel en krachtig zijn sigaret op, en doofde hem vervolgens door hem met zijn voet in de sneeuw uit te trappen. Hij knoopte zijn bundel los uit de boom, haalde er een pakje uit dat in een katoenen doek gewikkeld was en gaf het aan mij. Het was een klein pakje, maar zwaar gezien de grootte ervan. 'Je moet dit voor mij verstoppen,' zei hij. 'En ik weet niet zeker voor hoelang.'

'Wat is het?' vroeg ik. Ik begon vlak voor zijn ogen de doek er vanaf te halen.

'Doe dat alsjeblieft niet,' verzocht hij me dringend. 'Hoe minder je ervan weet, des te veiliger dat voor je is.'

'Onwetendheid, en niet kennis, vormt een gevaar,' antwoordde ik.

'Normaal gesproken wel,' stemde Wolf toe. 'Maar...'

'Of je vertrouwt me, of je doet het niet,' zei ik, en stak het pakje naar hem uit, zodat hij het terug kon nemen. Maar hij pakte het niet aan.

'Het is dynamiet,' zei hij.

'Dynamiet?' Ik had woorden verwacht: pamfletten, propaganda.

'Niet veel meer dan drie kilo, maar wel krachtig.'

'En je wilt dat ik dit meeneem... dit werktuig van verwoesting, naar mijn huis, waar we nog maar onlangs een sterfgeval te betreuren hadden...'

'Het is een werktuig van schepping,' zei hij.

'Dynamiet?' vroeg ik, ongelovig nu.

'Vernietiging baart schepping,' sprak hij zacht.

Ik geef toe dat ik een zekere opwinding voelde toen hij dat zei, ik voelde me ook opgewonden dat ik voor zo'n taak uitverkoren werd, dat ik zo'n geheim toevertrouwd kreeg. Had hij via Malke van mij gehoord, vroeg ik me af. Was ik genoemd als iemand die bijzonder betrouwbaar en bekwaam was?

'Ben je bij de Bund?' vroeg ik hem.

'Dat was ik, ja,' zei hij. 'Maar nu niet meer.'

In die winter die volgde op de pogroms in Kisjinjov en Gomel, was men teleurgesteld geraakt in de Bund. Wat voor nut had het om een joods proletariaat te vormen, vroegen sommigen zich af, als onze niet-joodse medeproletariërs vonden dat we een nog groter kwaad dan de tsaristische onderdrukker vormden? En welke wijsheid school er in het langzaam en methodisch opbouwen van een arbeidersbeweging door middel van studiekringen, stakingen en demonstraties, als de kozakken en andere agenten van de tsaar op galopperende paarden inreden op deze stakers en demonstranten, waarbij ze iedereen die ze op hun weg vonden, neersloegen en vertrapten? 'Hoe kunnen we wachten tot het proletariaat zijn krachten ontwikkeld heeft, als overal om ons heen mannen, vrouwen en kinderen als bomen worden geveld?' had Braine boos op onze laatste bijeenkomst gevraagd. 'Niet eens als bomen, want welke boom wordt gemarteld voor die door het blad van de bijl geveld wordt?'

Ik wachtte tot Wolf met argumenten zou komen, om me te overtuigen van de waarde van zijn dynamiet.

'Ik heb gehoord dat ik ook gearresteerd zal worden,' zei hij. 'Ook anderen zijn gearresteerd, en er gaan geruchten dat er nog meer arrestaties op handen zijn. Ik verlaat onmiddellijk het land, tijdelijk, totdat...'

'Maar waarom ik?' vroeg ik hem, terwijl ik het gewicht van het dynamiet in mijn armen voelde. 'Ongetwijfeld zijn er anderen die je beter kent dan mij, anderen die je kunt vertrouwen?'

'Om eerlijk te zijn, die zijn er niet. Niet nu tenminste. Er is duidelijk een informant aan het werk. Ik dacht dat ik gearresteerd zou worden toen ik de stad uit ging. Ik wachtte op het geluid van voetstappen die me achtervolgden, toen ik de brug overstak die de stad uit voert, toen ik het bos binnenglipte. Toen hoorde ik een stem, een vrouwenstem die de Psalmen aan het voordragen was. Dat kon niet waar zijn, zei ik tegen mezelf. Waarom zou er iemand op een winteravond midden in het bos, in het volslagen duister nog wel, de Psalmen voordragen? Het was een droom, dacht ik. Er was zelfs een ogenblik dat ik me afvroeg of het mijn eigen dood was die me kwam halen. Dwaas, ik weet het.' Hij lachte flauwtjes. 'Ik was bang,' gaf hij toe. 'En toen realiseerde ik me dat jij het was.'

'Herinner je je onze eerste ontmoeting?' vroeg ik hem. Ik weet niet waarom; er waren zo veel andere vragen van meer praktische aard waarop ik een antwoord van hem had moeten zien te krijgen.

'In het moeras?' vroeg hij me. Hij knikte.

Ik herinnerde me de grauwheid van zijn huid bij die eerste ontmoeting, het geel van zijn ogen en de schok die ik aanvankelijk gevoeld had, de afkeer die verdwenen was, omdat ik mijn eigen leven in iemand anders herkende.

'Ik dacht eerst dat je mijn broer was.'

'Ik bén je broer.'

'Mijn overleden broer...'

Hij legde een vinger tegen mijn lippen, en er ontwaakte iets in me. 'Doe wat ik je vraag,' verzocht hij me dringend. 'Zelfs als je niet zeker weet waarom. Er zal iets goeds uit voortkomen, dat beloof ik je.'

Dat waren de woorden die Lipsa gebruikt had, toen ze me voor het eerst opdroeg de geboden van de Tora op te volgen. Ik was toen nog klein, niet ouder dan drie of vier jaar. Elk gebod had een doel, legde ze uit, elk zijn eigen plek op het pad. Ons doel was niet om deze geboden te begrijpen, maar om het pad te volgen. 'En waar leidt het pad naar toe?' had ik gevraagd, want zelfs een kind van drie weet dat ieder pad in het bos zijn eigen unieke bestemming heeft.

'Naar vertrouwen,' antwoordde Lipsa.

'Er zal iemand contact met je opnemen. Dat beloof ik,' zei Wolf nog een keer.

En daarop verdween hij in het bos.

Siberië, december 1911

Een ogenblik uit mijn jeugd: het kwam vanmorgen bij me op. Een vredig moment, in het begin van mijn eerste zomer bij Tsila en Arn Leib. Ik was van mijn ziekte hersteld en was samen met Arn Leib op het erf. Hij was de stoel aan het maken die voor mij zou zijn. Het begon te regenen, een zomers motregentje, en we schuilden onder de overhang van het dak. We keken een tijdje zwijgend naar de vallende regen, en toen zei hij tegen me: 'Het maakt een druppel water niet uit waar hij valt.'

Dat waren de eerste woorden die hij rechtstreeks tegen me sprak, en ik voelde me erdoor getroost, een gevoel alsof ik op dat moment, gewichtloos, door zijn stem omhelsd werd.

'Al het water stroomt namelijk naar de zee,' zei hij, terwijl we keken hoe de druppels water een plas vormden die vervolgens langs de helling wegliep naar de weg.

De druppels konden zich bij dit riviertje voegen of bij dat riviertje, begreep ik uit wat hij zei, deze beek of een andere. De een zag er misschien aantrekkelijker uit dan de ander, de een was wellicht sneller, maar die verschillen waren er maar even, ze waren onbelangrijk, want waar ze ook vielen, ze zouden altijd hun weg naar beneden vinden, verder en verder naar beneden, naar zee.

Toen ik me dat ogenblik weer herinnerde, voelde ik weer de troost die ervan uitgegaan was, het gevoel dat ik gehad had dat ik snel en moeiteloos door de stroom van het leven zelf meegevoerd werd. Maar de troost verliet me al gauw, want overal om me heen was ijs – we zijn in deze tijd van het jaar ingekapseld in ijs. Overal om me heen waren de druppels water na verloop van tijd bevroren en werden zo belet verder te gaan op hun reis naar de zee. Waar ik eerst troost gevoeld had, voelde ik nu onrust, paniek, licht nog, maar ik voelde die opkomen. Ik voelde me ingekapseld in ijs, gevangen binnen één enkele bevroren regendruppel. Ik stond op en liep langs de lange zijde van onze kamer heen en weer om die gedachte uit mijn hoofd te krijgen, maar dat lukte niet. Met ieder moment dat voorbij ging, werd het ijs om me heen dikker en dikker, laag op laag, en vormde een omhulsel dat steeds ondoordringbaarder werd. De kleuren van het leven filterden er nog steeds doorheen, maar de vorm was niet langer zichtbaar. Spoedig zouden de kleuren ook verdwenen zijn.

'Alles goed met je?' Natasja's stem.

'Het ijs,' zei ik.

Natasja stond van tafel op en liep naar me toe. 'Wat voor ijs?' vroeg ze.

'Op de muren. Overal om ons heen.'

'Het ijs zal smelten,' zei ze tegen me, ze deed haar best haar stem kalm te laten klinken. 'Het wordt elke winter gevormd, en elke lente smelt het weer.'

'En vindt zijn weg naar zee?'

'Dat klopt,' zei ze, haar stem klonk nog steeds kalm, maar er was nu duidelijk schrik op haar gezicht te zien.

'Maar voor ons is het anders,' zei ik tegen Natasja. 'Mensen zijn geen druppels water. Het ligt niet in onze aard om moeiteloos naar onze bestemming te stromen.'

Ik voelde haar armen om me heen, de warmte van haar wegkwijnende lichaam.

Alleen wijzelf zijn ervoor verantwoordelijk dat we op het juiste pad uitkomen, hoorde ik Lipsa weer tegen me zeggen.

En iedere actie die we ondernamen was belangrijk in de mate waarop die ons verder op ons juiste pad bracht of wegvoerde van onze uiteindelijke bestemming.

'We kunnen onze eigen bestemming kwijtraken,' zei ik tegen Natasja.

Daarom gaf de Almachtige de Tora aan ons, en niet aan de regendruppels, had Lipsa me geleerd. *Om ons naar ons juiste pad te leiden. De Tora verlicht ons pad.*

Ik begroef mijn gezicht in Natasja's nek en bedekte mijn oren.

'Praat tegen me,' zei ze.

Dit is je bestemming, hoorde ik Tsila zeggen, terwijl mijn hart in mijn oren bonsde.

'Praat tegen me,' zei Natasja nog een keer.

Luister naar de kracht ervan. Denk je dat het zo makkelijk van richting kan veranderen?

Ik tilde mijn hoofd op en keek Natasja aan.

'Het is niets,' zei ik tegen haar. 'Dubbelspionnen.' Zo noemen we dat als onze eigen gedachten zich tegen ons keren.

Twaalf

1904

Het is niet bepaald eenvoudig om een pakje explosieven te verstoppen in een krappe behuizing zoals die ik met Tsila en Arn Leib deelde. Ik kreeg het pakje zelfs niet zonder moeilijkheden thuis. Het was net zo groot als een gemiddelde verhandeling van de Talmoed – *Baba Matzia* schat ik – maar zwaarder. Ik stopte het weg onder mijn jas en begon te bedenken waar ik zo'n geheim voor Tsila's opmerkzame blik zou kunnen verbergen.

Maar dat was niet het enige waar ik me mee bezighield, terwijl ik door het bos terug naar de stad liep. Ondanks alles wat ik wist over de gevaren van onze bijeenkomsten, was ik geschokt door het nieuws van Malke's arrestatie. Zou ze nu naar de gevangenis gestuurd worden, vroeg ik me af, naar het troosteloze Siberië? En zouden wij, de andere leden van de groep, ook gearresteerd worden? Was dat het dan waarover ze met mij had willen praten, het toenemende gevaar van een arrestatie, het net dat steeds verder aangehaald werd? Ik dacht weer aan die eerste bijeenkomst toen ze me vertelde hoe ik de nagedachtenis van mijn moeder kon eren. Wie anders in ons godsvruchtige dorp had me geholpen en verteld hoe ik het meest fundamentele gebod moest naleven? Ik rilde nu bij de gedachte hoe alleen ze was en dat ze aan de genade van haar cipiers was overgeleverd.

En wie was Wolf, vroeg ik me af. Was het echt alleen maar toeval dat hij me in het bos tegengekomen was? Hij zei dat hij niet langer bij de Bund was, maar meer had hij me ook niet verteld. En ik, als betoverd, had hem niets gevraagd waar ik iets aan had. Hij had me met zijn dynamiet bang gemaakt, en met zijn gepraat over informanten, zijn *vernietiging baart schepping*. En wie zei me dat hij nu juist niet die informant was voor wie hij me waarschuwde? Maar ik had ook opwinding gevoeld, dat kon ik niet ontkennen. En ik kon nog steeds de druk van zijn vinger op mijn mond voelen, en nog steeds had ik het gevoel dat er iets in mij ontwaakt was. *Er zal iets goeds uit voortkomen*, had hij beloofd toen ik hem eenmaal mijn vertrouwen geschonken had.

Ik voelde het gewicht van de explosieven die ik bij me had, het gevaar van wat ik deed, en dat joeg me angst aan, maar ik vond het ook opwindend. Door welke handen waren de explosieven gegaan voordat ze bij mij terechtgekomen waren? En wie zou ze krijgen en waarheen zouden ze me voeren? Ik naderde de stad vanuit het zuiden, wandelde door de rijkere wijk. De straten waren rustig – dat waren ze altijd – de grote huizen lagen er vredig bij in de vallende sneeuw. Ook het huis van de familie Entelman zag er vredig uit, met zijn gevelspitsen en steile dak onder een deken van sneeuw, met de warme gloed van zijn verlichte ramen, die comfort en warmte beloofden. Maar ik wist dat er een ander leven schuilging onder het leven dat zo duidelijk zichtbaar was. Ik stond bij het toegangshek en beeldde me in dat ik precies wist wat er in het huis gebeurde: Gitl die met een van de jongere dienstmeisjes bij de keukentafel zilver zat te poetsen; mevrouw Entelman die alleen in haar kamer lag, met een zwaar hoofd van de valeriaan, maar niet sliep; meneer Entelman die in de muziekkamer bij de piano stond en de geur inademde van de verse amandelbloesem waar hij op elk tijdstip van het jaar aan kon komen – hij hoefde slechts met zijn vingers te knippen.

Ik kon Gitl praktisch aan de keukentafel zien zitten – zo goed wist ik wat er in dat huishouden gebeurde – terwijl ze ieder stuk zilver dat ze gepoetst had, op de steeds hoger wordende stapel aan haar rechterkant legde, terwijl de nog niet gepoetste stapel aan haar linkerkant steeds kleiner werd. Waar had Gitl het vanavond met haar jonge hulpje over, vroeg ik me af. Ze had altijd met me geroddeld over dienstmeisjes die daar vóór mij gewerkt hadden. Was ik nu ook voor haar onderwerp van gesprek geworden? Dat vreemde meisje dat zo maar vertrokken was om voor die vrekkige mevrouw Gold te gaan werken?

Ik richtte mijn blik op het raam op de bovenverdieping, mevrouw Entelman's kamer – er brandde nog steeds licht – waar ik zo veel uren doorgebracht had. Plezierige uren, dat moest ik toegeven, vooral als je die vergeleek met mijn huidige baan in de winkel van mevrouw Gold, waar ik de dag doorbracht met het op- en afklimmen van ladders en de volgepakte planken afzocht op zoek naar de spullen die klanten wilden hebben. Mijn dagen bij mevrouw Entelman waren daarmee vergeleken net een droom geweest. Hoewel mevrouw Entelman iets wreeds had, was ze niet zo gemeen als sommige anderen, en ook stond daar haar vriendelijkheid tegenover. Bijna altijd nodigde ze me uit ook een kop thee voor mezelf in te schenken als ze zelf thee dronk.

Ik spuug op haar liefdadigheid, zei ik zachtjes om mezelf eraan te herinneren waarom ik daar weggegaan was, maar terwijl ik bij het hek stond, verkleumd in de vallende sneeuw, hunkerde ik een ogenblik naar de warmte, de gesprekken en de hete kop thee waarvan ik wist dat die op me zou staan te wachten als ik dat huis niet uit gestormd was. En weg was plotseling het gevoel van opwinding dat ik enkele ogenblikken daarvoor nog gehad had. Ik voelde me moe nu, en ik had het koud, en de hardheid van het pakje dat onder mijn jas gepropt zat, joeg me angst aan.

Het licht ging uit in mevrouw Entelman's kamer. Ze zou nu urenlang slapeloos liggen woelen – dat is tenminste wat ze tegen het meisje zou zeggen dat 's morgens haar thee bracht. En wat zou ze nog meer zeggen tegen het meisje dat voor mij in de plaats gekomen was? Waarom had ze me om te beginnen aangenomen, vroeg ik me af. Was het uit gemeenheid of uit vriendelijkheid of om een heel andere reden? Ongetwijfeld had ze geweten wie ik was.

En hoe zat het met meneer Entelman, durfde ik me voor het eerst af te vragen sinds ik zijn huis verlaten had. Had hij herkend wie er die middag voor hem stond? Mijn ogen hadden dezelfde vorm als de zijne, dat was waar, maar misschien had hij in mijn ogen gekeken en gezien wat ik allemaal in mijn leven aanschouwd had, en ze niet als de zijne herkend. Was hij aardig tegen mijn moeder geweest, vroeg ik me af, en toen dwaalden mijn gedachten af, terug naar de keuken die behaaglijker was, en waar Gitl nog steeds zat te poetsen en te roddelen. Ik kon Gitl over haar dochter horen klagen die, nu ze eindelijk zwanger was, plotseling vond dat ze te teer was om 's morgens als eerste op te staan en het fornuis aan te steken – *Ze laat dat haar man doen, heb je ooit zoiets gehoord?* – maar de herinnering aan het gekabbel van Gitl's geroddel suste me niet.

Mijn oorsprong lag daar, ik voelde het, in dat warm verlichte huis dat ik nooit meer kon betreden. Mijn toekomst zat net als het dynamiet onder mijn jas gepropt – een harde compactheid, en het onontplofte poeder ervan had een kracht waarvan ik nog geen vermoeden kon hebben. En mijn bestemming – zou die niet bepaald worden doordat die twee elkaar op de een of andere manier zouden treffen?

'Je bestemming ligt hier,' had Tsila me eens verteld, terwijl ze mijn hand op mijn hart legde. Ik voelde het wild kloppen, zoals ik daar bij de poort van Entelman stond, en het was vol wanhoop.

Ik had verwacht dat de stad zou slapen. Er was zo veel gebeurd dat ik dacht dat het wel bijna middernacht moest zijn. Maar het was nog vroeg op de avond en in het lager gelegen gedeelte van de stad waren nog mensen op straat. Het was donderdagavond; de winkels waren laat open, zodat iedereen kon kopen wat hij voor sjabbes nodig had. Mensen die hun zaak voor de dag gesloten hadden, haastten zich voort, het hoofd gebogen en de schouders opgetrokken tegen de sneeuw. 'Goedenavond,' begroette ik iedereen die ik passeerde, op een zo'n terloops mogelijke toon, terwijl ik de hele tijd net deed alsof het vanwege de vallende sneeuw was dat ik mijn jas zo krampachtig dichthield. Toen ik de steeg indook die achter het huis van Lipsa langs liep, werd ik bijna tegen de muur gedrukt door een lawaaierig stel jongens dat van cheder naar huis terugkeerde. 'Kijk uit,' zei ik tegen hen en ik klemde mijn kostbare pakje tegen mijn buik. 'Het spijt me, het spijt me,' mompelden er een paar, wat een paar ogenblikken later gevolgd werd door een sneeuwbal die langs mijn hoofd suisde. 'Mirjem,' hoorde ik iemand roepen. Het was Benny, de oudste broer van Simpele Sorl. Ik was een paar weken daarvoor door zijn moeder ingehuurd om een brief op te stellen voor de gouverneur van onze *goebernia* waarin aangetoond werd waarom Benny vrijgesteld moest worden van militaire dienst. 'Hij is te onhandig,' had zijn moeder me opgedragen te schrijven. 'Hij is te dom. Vertel ze maar dat hij niet meer weet hoe hij een zin begonnen is tegen de tijd dat hij bij het einde aangekomen is. Vertel ze dat hij er achterstevoren uitgekomen is en sinds die tijd niet weet wat boven of onder is.'

Het was nutteloos gebleken haar erop te wijzen dat de gouverneur ieder jaar duizend van die brieven kreeg over de onhandigheid en domheid van de joden, en dat hij ze ieder jaar naast zich neerlegde. Zijn moeder had erop gestaan dat ik de brief zou schrijven, en toen er weken voorbij gingen zonder dat haar Benny opgeroepen werd, raakte ze ervan overtuigd dat mijn brief zijn redding was geweest.

Benny koesterde die illusie niet – hij wist dat de dienstplicht-ambtenaren gewoon nog niet bij de Pripjatmoerassen aangekomen waren om rekruten voor dat jaar te werven – maar hij was me aardig gaan vinden, zoals ik daar in zijn moeders huis zat en beledigende dingen over hem schreef.

'Wacht even,' riep hij me achterna, terwijl ik me haastte thuis te komen met ruim drie kilo explosieven onder mijn jas. Ik wachtte. 'Wat heeft die heks nu weer met je gedaan?' vroeg hij. 'Heeft ze je de hele dag buiten laten staan om klanten te lokken? Je ziet eruit als een sneeuwpop.' Mevrouw Gold bedoelde hij. Benny had er een gewoonte van gemaakt om langs te komen op mijn werk, zogenaamd om iets te kopen. Hij vroeg altijd om verschillende dingen voordat hij zijn keuze maakte, keek hoe mevrouw Gold me alle kanten opstuurde, en wachtte me vervolgens na werktijd op om namens mij zijn verontwaardiging te uiten en haar een heks te noemen. Eerst had ik het niet erg gevonden. Ik vond zijn aandacht op de een of andere manier wel plezierig. Echter, spoedig realiseerde ik me dat de dingen waar hij om vroeg altijd op de hoogste planken lagen, en het begon me te irriteren dat Benny niet alleen met zijn medeleven mijn gunsten probeerde te winnen, maar dat ook deed om onder mijn rok te kunnen kijken als ik de ladder op- en afklom.

'Ik zie dat ze je nog niet opgeroepen hebben,' beantwoordde ik zijn begroeting. 'Dank zij jou,' zei hij, en hij begon het pak sneeuw van mijn jas te vegen dat er in de loop van die avond op gevallen was. 'Ik ben op weg naar het huis van Kugelmass. Heb je zin om mee te gaan?'

Tsvi Kugelmass, de zoon van de kruidenier, had niet zo lang geleden bedacht dat het de Jiddische taal was die de bron van veel van onze problemen was, dat de Jiddische taal de onderdrukking symboliseerde waaronder we leden, en de verloedering waarin we gezonken waren tijdens onze lange ballingschap in landen die ons vijandig gezind waren. Als de Russische joden Hebreeuws zouden gaan spreken in plaats van Jiddisch, zo beredeneerden Tsvi en zijn vrienden, dan zou dat een begin zijn en zouden we onze waardigheid terug krijgen en het juk van onze onderdrukking afwerpen. Met dat in het hoofd was Tsvi soirees gaan houden waar jonge mensen van beide seksen de hele avond opbleven om met elkaar Hebreeuws te praten.

Ik was niet geïnteresseerd in de soirees van Kugelmass. Niemand uit die groep had me ooit hartelijk begroet – noch in het Hebreeuws noch in het Jiddisch – en ze waren allemaal van plan naar het Heilige Land te verhuizen waar ze, naar ik gehoord had, allemaal waarschijnlijk dood zouden gaan aan malaria.

'Ik ben moe,' zei ik tegen Benny.

'Ze houdt je te lang aan het werk. Je moet haar zeggen dat je gaat staken.' Hij lachte om zijn eigen grap.

'Ik kom niet van mijn werk,' zei ik. 'Ze heeft me vroeg laten gaan, omdat ik me niet lekker voelde.'

'Loop je er daarom bij als een ouwe vrouw?' vroeg Benny me. Gebogen bedoelde hij. Over het pakje dynamiet dat ik tegen mijn buik aan hield.

'Ja,' loog ik. 'Ik heb vreselijke krampen.'

'Dan kan ik beter met je mee naar huis lopen.'

'De soiree bij Kugelmass,' bracht ik hem in herinnering.

'O, die zijn er nog wel als ik terugkom,' zei hij en ging naast me lopen. Benny was een fatsoenlijk mens, dacht ik, terwijl we samen door de stegen van de stad liepen. En hij verdiende een goede boterham; hij maakte dakspanen. Benny was het soort man, besefte ik, die ik als huwelijkskandidaat kon verwachten. Dat hij een zwakzinnige zuster had, was een minpunt, maar dat woog op tegen een moeder die in de rivier verdwenen was. En ik zou geen goede reden hebben om hem te weigeren.

Ik voelde hoe het dynamiet onder mijn jas een beetje naar beneden gleed, en verschoof het iets. 'Dat is aardig van je, dat je aanbiedt met me mee naar huis te lopen,' zei ik tegen hem. 'Maar het zou nog aardiger zijn als je bij Ida langs zou gaan om te zien of ze genoeg hout heeft voor vanavond.' We liepen net langs het huis van de weduwe Ida, en hoewel ik wist dat ze genoeg hout had – ikzelf controleerde dat om de paar dagen, dat had ik steeds gedaan sinds ik het nieuws over haar Moisje gebracht had – wist ik ook dat Benny mijn voorstel niet zou weigeren. Hij was fatsoenlijk.

Ik was me er terdege van bewust dat Tsila misschien het dynamiet zou vinden dat in ons huis verstopt lag – ons verblijf was niet groot, zoals ik al gezegd heb, en ik kon het niet buiten verstoppen uit angst dat het door vocht aangetast zou worden. Maar dat ze het meteen de eerstvolgende dag al zou vinden, had ik niet verwacht. Na veel wikken en wegen had ik besloten het in het kobaltblauwe brokaat te wikkelen. Daar, zo dacht ik, zou het ten minste een paar weken veilig zijn. De half afgemaakte jurk lag onder op de stapel lappen van Tsila, waar ze het, zorgvuldig gevouwen, neergelegd had op de ochtend dat ze haar dode kindje in een stuk van de rok gewikkeld had. Ik dacht dat alleen al de aanblik ervan haar zou herinneren aan haar diepste smart en teleurstelling. Ik realiseerde me niet dat dat juist de reden was waarom ze het iedere dag uit de stapel haalde, om er lang en aandachtig naar te kijken. Ik kwam de volgende middag ruim voor donker van mijn werk thuis. Het was vrijdag; iedere winkel in de stad ging vroeg dicht als voorbereiding op sjabbes. Arn Leib was al thuisgekomen en naar het badhuis vertrokken. Ons huis was on-berispelijk, over de tafel lag een wit kleed en hij was gedekt. Tsila zat in haar stoel met op haar schoot het kobaltblauwe brokaat. 'Wat is dit?' vroeg ze me en ze trok het materiaal van het lijfje weg om te laten zien wat erin verstopt zat.

'Dynamiet,' zei ik simpelweg. Ik had nog nooit tegen haar gelogen, en ik begon er nu ook niet mee.

'Dynamiet,' herhaalde ze. Ik wachtte tot ze boos zou worden, maar ze zei verder niets meer.

Ze vouwde het materiaal weer zorgvuldig om het dynamiet heen, legde het voorzichtig naast haar naaimachine op de grond en bedekte het precies zoals ik gedaan had, met de rest van haar lappen. Vervolgens zei ze dat ik me moest opknappen en me voor sjabbes moest verkleden.

Toen Arn Leib die vrijdagavond van sjoel thuiskwam, bracht hij een gast met zich mee. Op vrijdagavond waren er altijd wel een paar mensen in de sjoel die niet uit de stad afkomstig waren, reizigers op weg hier naar toe of daar naar toe, die natuurlijk moesten blijven waar ze waren als de sjabbat eenmaal aangebroken was, en het was gebruikelijk om ze voor een behoorlijke maaltijd thuis uit te nodigen.

Tsila en ik hoorden de voetstappen naderen. Sinds ze het dynamiet weer teruggelegd had op de plek waar ik het verstopt had, hadden we geen woord meer gewisseld. Ze had op de vastgestelde tijd de kaarsen aangestoken en de *siddur* opengeslagen om het Hooglied voor te dragen, zoals we iedere vrijdagavond deden. Ik had mijn *siddur* opengeslagen en deed met haar mee.

Gewoonlijk vond ik dit het prettigste tijdstip van de week, dit schemeruur nadat de kaarsen aangestoken waren, als Tsila en ik samen het Hooglied lazen. Door dit voor te dragen konden we uitdrukking geven aan onze liefde voor de sjabbesbruid, had Tsila me een keer uitgelegd, en terwijl we op vrijdagavond lazen en het ondertussen steeds donkerder werd, kon ik altijd de sjabbat de kamer voelen binnenkomen. Maar die avond ontsnapte me het verwachte vredige gevoel, toen we lazen.

Tsila was woedend, dacht ik, en dat moest ze natuurlijk wel zijn. *En dit is je dank*, zou ze weldra tegen me zeggen. *Hiermee laat je me zien hoe dankbaar je bent voor al die jaren van toewijding en zorg*. Ik had ruim drie kilo dynamiet van een terrorist aangepakt, en het in het hart van haar huis verstopt. Ik kon niet uitleggen waarom; er was geen excuus.

Ik zette me schrap voor wat er spoedig ontketend zou worden.

"*Mijn Liefste is mij een bundeltje mirre,*' las Tsila hardop voor. '*Alzo is Mijn vriendin onder de dochteren.*' Ze was kalm terwijl ze las, haar woede was nog niet in haar stem te horen. Ik wierp een blik op haar gezicht, maar dat zag er ook kalm uit. '*Gelijk een lelie onder de doornen,*' vervolgde ze, zoals ze iedere vrijdag gedaan had sinds ze me bij haar in huis opgenomen had. '*Mijn Liefste antwoordt, en zegt tot mij: Sta op, Mijn vriendin, Mijn schone, en kom!*'

Ik las samen met haar, en dwong mezelf net zo kalm te spreken als zij. We waren net klaar, toen we mijn vader hoorden aankomen.

'Je vader is er,' zei ze en keek me aan. Op dat ogenblik was haar blik vast en helder. Weg was de matheid die haar ogen vertroebeld had in de eerste weken die volgden op de dood van de baby, het steelse wegkijken dat daarop gevolgd was toen ze door rusteloosheid werd overmand. Toen we mijn vaders voetstappen hoorden, ontmoetten onze blikken elkaar en ze keek me aan zoals ze dat in maanden niet gedaan had.

Arn Leib pauzeerde bij de deur om de sneeuw van zijn voeten te stampen. 'Gut sjabbes,' zei hij toen hij de deur opendeed.

'Gut sjabbes,' antwoordde Tsila.

'Ik heb een gast meegebracht.'

'Dat zie ik. Gut sjabbes,' begroette Tsila de gast en we verzamelden ons rond de tafel om *Sjalom Aleichem* te zingen.

De naam van de gast is me ontschoten – misschien is die ook nooit genoemd – maar hij ventte garen.

'Garen?' herhaalde Tsila. 'En wat nog meer?'

'Anders niet,' antwoordde onze gast. Hij zat over de soep gebogen die ik voor hem neergezet had, en slobberde die lawaaierig naar binnen.

'En daarmee onderhoudt u een gezin?' vroeg Tsila.

'We komen ervan rond,' antwoordde hij. Zijn hoofd kwam omhoog van de kom, net lang genoeg voor Tsila om er nog een soeplepel bij te gieten en daarna slobberde hij weer verder.

'Komt u uit de buurt?' vroeg Tsila.

'Niet ver hier vandaan,' antwoordde de gast.

En zo ging de maaltijd verder. We gaven onze pogingen tot een gesprek geleidelijk aan op, terwijl onze gast hongerig alles opat wat we voor hem neerzetten.

'Nog wat kip?' vroeg Tsila hem en ze legde haar eigen portie terug op de opschepschaal, zodat hij dat kon opeten.

Toen Arn Leib klaar was met eten, duwde hij zijn bord van zich af en begon een *Sjabbes niggun* te neuriën. Onze gast ging door met eten, maar uiteindelijk was ook hij klaar en begon met Arn Leib mee te zingen. Ze bleven zingen tot Tsila thee en een bord gedroogd fruit bracht. De gast dronk drie glazen thee en at al het fruit op dat op het bord lag. Toen hij en Arn Leib het dankgebed na de maaltijd uitgesproken hadden, bedankte hij ons en ging weg.

'De arme man,' zei Arn Leib zodra de deur dicht was. Aan zijn toon was duidelijk te horen dat hij de Almachtige al aan het danken was voor de zegeningen van zijn eigen leven die, vergeleken met die van onze gast die net vertrokken was, talrijk en overvloedig waren.

'Arme man,' zei ook Tsila. 'Maar denk je dat je op de een of andere manier beter bent dan zo'n stakker?'

'Niet beter,' zei Arn Leib rustig. 'Alleen fortuinlijker.'

'Vandaag ben je fortuinlijker, maar hoe is het morgen? En de dag daarna?'

'Niemand weet wat de toekomst zal brengen.'

'Niets goeds,' zei Tsila.

'We weten niet...'

'Dat weten we wel,' zei Tsila. 'We weten misschien niet of je een verhongerde venter zult worden, zoals onze geëerde gast, die van het ene dorp naar het andere zwerft en niets anders te bieden heeft dan een bol garen. We weten misschien niet of we dit jaar van honger zullen sterven of volgend jaar tengevolge van een pogrom. Maar wat we wel weten is dat welvaart, comfort, een behoorlijk leven – dat al die dingen niet in ons bereik liggen. Nooit. Niet als we hier blijven. Er is hier geen leven voor ons.' Ze keek me aan.

Zo, dit had ze dus bedacht.

'We gaan hier weg,' zei ze tegen Arn Leib.

Arn Leib gaf niet direct antwoord. Hij deed zijn ogen dicht, zoals hij zo vaak deed als er ongemakkelijke woorden tussen hem en Tsila dreigden, maar toen glimlachte hij. Het was een vredige glimlach alsof hij zojuist aangenaam getroffen was, zich een zoete geur herinnerde, abrikozen op een schaal misschien die op een tafel stond waar hij eens aan gezeten had, in het warme zonlicht van de zomer, tussen zijn moeder aan de ene kant en zijn vader aan de andere. Hij hield zijn ogen nog steeds gesloten, ademde diep in door neusgaten die door jaren van leer en dood gezwollen waren. Hij glimlachte nog steeds, alsof hij slechts de zoetheid van die abrikozen rook, slechts de warmte van die herinnering voelde die zich net zo makkelijk door hem verspreidde als een vloeistof die gemorst wordt en uit het vat vloeit waaruit die zojuist bevrijd is. 'We gaan hier weg,' sprak hij instemmend toen hij zijn ogen weer opendeed.

Precies een week daarvoor, na de avondgebeden, toen hijzelf en de andere mannen in de sjoel bij elkaar rond de kachel zaten, onwillig om zich weer in de winternacht te wagen, had Chaim Frumkin de laatste brief van zijn broer Sjmoelik uit zijn zak gehaald. Sjmoelik was drie jaar daarvoor naar het Heilige Land vertrokken. *Deze winter ging het makkelijker dan de vorige*, had Sjmoelik geschreven. *Regenbuien in overvloed, God zij gedankt, en nu, terwijl ik naar buiten kijk, kan ik de knoppen van de amandelbomen zien, gezwollen van nieuw leven, klaar om in bloeien uit te barsten.* Toen Chaim die woorden las, werden alle ogen van de groep naar het raam van het vertrek getrokken waarin ze bij elkaar zaten, een raam zo dik bevroren dat ze er niet doorheen konden kijken om de koude duisternis daarbuiten te zien. *We hebben nu een fatsoenlijk huis met vier muren*, zo ging de brief verder, *betrouwbaarder water. En de betrekkingen met onze Arabische buren zijn verbeterd sinds het voorval waarover ik je in mijn vorige brief geschreven heb.*

'Daar gaan we naar toe,' zei Arn Leib tegen ons. 'Naar het Heilige Land.'

We zouden binnen het jaar kunnen vertrekken, zo redeneerde hij, nadat de ergste vorst verdwenen was, maar voor de dooi in de lente, wanneer we vast zouden kunnen komen te zitten in de modder en zo vertragingen zouden kunnen oplopen. We zouden met de trein naar Odessa gaan, en vandaar met de boot. Dan zouden we tijdens de eerste zomerse warmte in het Heilige Land aankomen.

'En de ene woestijn voor de andere verruilen?' vroeg Tsila.

'We zullen de woestijn laten bloeien,' antwoordde Arn Leib, zoals een paar van de jongere mannen in de stad gezegd hadden, alhoewel met meer overtuiging.

'Staak je pleidooi.'

'Als Sjmoelik Frumkin het daar redt, redt iedereen het,' verweerde Arn Leib zich. De jongere Frumkin werd door iedereen Sjmoelik de Geit genoemd, nadat hij op een middag het dak van zijn cheder opgeklommen was om aan de roede van zijn *melamed* te ontsnappen, waarna hij geweigerd had naar beneden te komen. Schrander noch ijverig als leerling, leek hij voorbeschikt voor een leven vol niet-ingeloste onwetendheid. Maar nu verzorgde hij wijngaarden in het Heilige Land, trok de hele winter door groene uien uit de grond en had nieuwe aardappelen met Pesach. 'We gaan naar Petach Tikwa,' kondigde Arn Leib aan. 'Heeft je moeder daar geen neef?'

'Die is dood,' antwoordde Tsila.

'We gaan toch,' zei Arn Leib. 'We gaan net als Sjmoelik Frumkin druiven verbouwen. Laat die druiven maar, we gaan abrikozen kweken, een hele boomgaard vol.'

Tsila keek Arn Leib een paar ogenblikken aan, alsof ze zijn idee serieus in overweging nam. Daarna zei ze: 'We gaan naar Argentinië.'

'Argentinië?'

'Deze week stopte er een man bij ons huis,' legde Tsila uit. 'Was dat gister? Ja, dat moet wel. Hij was op weg de stad uit, en ging via het moeras naar Mozyr. Hij stopte om te vragen of hij de goede weg volgde. Het was koud, er was sneeuw op komst. Ik bood hem een glas thee aan, en dat aanbod nam hij aan.'

'Een jood?' vroeg Arn Leib.

'Een jood,' antwoordde Tsila, 'maar het Jiddisch dat hij sprak, klonk ongewoon. Het had een vreemd ritme, iets zangerigs. Spreek tegen me in uw eigen taal, zei ik tegen hem, daarna deed ik mijn ogen dicht om te luisteren.'

'Je deed je ogen dicht, terwijl er een vreemde man thee dronk in jouw huis?' vroeg Arn Leib.

' "Wat is dat voor taal die als muziek uw mond uitstroomt?" vroeg ik hem. "Spaans," vertelde hij me.'

'Spaans,' herhaalde Tsila en liet de klank ervan op haar tong dralen.

'Spaans?' vroeg Arn Leib.

'Hij komt uit Argentinië. Hij werkt voor baron de Hirsch.'

'En hieruit trok je de conclusie dat wij ook in...'

'De taal had iets moois,' vertelde Tsila hem.

Het kwam door het dynamiet, wist ik.

'Espagnol,' zei Tsila weer. Dat klonk zo soepel, op de een of andere manier verwarmde dat haar mond, iets wat de Heilige taal – moge God het haar vergeven – blijkbaar niet deed.

'Argentinië?' vroeg Arn Leib weer.

'Het is er net zo warm als in het Heilige Land, maar de grond daar is zwaar en vruchtbaar.'

Dat kwam door het dynamiet, ongetwijfeld. Dat is wat ik toen dacht. Ze had kwaad moeten zijn. Ze had bang moeten zijn, want ze begreep heel goed het gevaar van de situatie. Maar ze was niet kwaad en ook niet bang. Ze had iets beheersts over zich, een klaarheid, net als toen ze ontdekt had wat ze op haar schoot hield, gewikkeld in precies dezelfde lap stof als waarin ze haar eigen dode kind gewikkeld had – een lap waarvan ze ooit gedacht had dat die een bruid zou kleden, haar eigen zuster. Ze had iets kalms over zich gekregen. Een plotselinge kalmte, die onverwacht en onvoorzien was na wat, vergeleken daarbij, een leven vol strijd geleken had. En in die kalmte openbaarde zich een waarheid zoals een voorwerp, dat gedompeld is in troebel water, plotseling zichtbaar wordt als de storm eenmaal is gaan liggen. 'Er wacht ons hier niets anders dan de dood,' zei ze tegen Arn Leib. 'We hebben nog tijd om iets van ons leven te maken.'

'Van ons leven, ja,' zei Arn Leib instemmend. 'Maar waarom Argentinië?'

'De mensen zeggen dat de koloniën van de baron zich staande kunnen houden.' Ze doelde op de landbouwkolonies in Argentinië die daar door baron de Hirsch voor de Russische joden zonder land gesticht waren. 'En ik heb gehoord dat de christenen de joden daar niet haten.'

'Er waren daar problemen met de droogte,' antwoordde Arn Leib. 'Of waren het sprinkhanen? Sprinkhanen, geloof ik. Maar dat was een paar jaar geleden,' gaf hij toe. 'De omstandigheden zijn misschien verbeterd.'

'Je kunt daar je abrikozen kweken,' zei Tsila. 'We zouden in de zomer kunnen vertrekken.'

Laat in de zomer, besloot Tsila, zodat ze genoeg tijd had om het geld voor hun overtocht te verdienen. Dat ze in staat zou zijn om tegen die tijd het geld voor de overtocht bij elkaar te hebben, leed geen twijfel. Ze was in haar gesprek met Arn Leib al vol aandacht, en als ze die op haar werk zou richten, dan zou ze dubbel zo veel klanten terugwinnen als ze verloren had in de lange maanden van haar zwangerschap en ziekte.

En het dynamiet? Dat bleef waar ik het verborgen had, onzichtbaar maar we voelden de aanwezigheid wel, het verwoestende vermogen ervan manifesteerde zich als een stilte tussen Tsila en mij, een ondoordringbare, massieve stilte die de levensstroom versperde die altijd tussen haar en mij gevloeid had. We zeiden steeds minder tegen elkaar – hoe kon ik verklaren dat ik zo'n gevaar ons huis, ons leven binnengebracht had? En in de voortdurende aanwezigheid ervan, waar konden we anders over praten? Ik begon het dynamiet – het feit dat ik het aangepakt had – als een eiland te beschouwen dat opgerezen was in de rivier die eens mijn leven met Tsila geweest was, een obstakel waardoor dat wat eerst één stroom geweest was, nu in twee richtingen gedwongen werd.

Slechts één keer vroeg ze me ernaar. Het was laat op een avond. 'Wie heeft het je gegeven?' vroeg ze terwijl ze opkeek van haar werk.

'Een jongen,' antwoordde ik. 'Ik weet niet hoe hij heet.' Nu lag de eerste leugen tussen ons.

'Een jongen,' herhaalde ze. 'En je weet niet hoe hij heet.'

Ik verwachtte dat ze kwaad zou worden, wachtte op haar snijdende sarcasme, haar verontwaardigde ongeloof, maar er gebeurde niets. Niets. Dat is wat ik tussen ons geplaatst had, er was niets wezenlijks meer over, wat net zo dodelijk is als een explosief.

'Een jongen en je weet niet hoe hij heet,' herhaalde Tsila. Tegen haarzelf, niet tegen mij. Ze richtte haar aandacht weer op haar werk.

***

Een paar weken later, op een bijzonder koude middag, kwam er een jonge vrouw, goedgekleed in een lamswollen jas en hoed, de winkel van mevrouw Gold binnen.

'Kan ik u helpen?' wilde mevrouw Gold weten nog voor het meisje helemaal binnen was.

'Ja. Goedemiddag,' zei het meisje zacht, en ze trok haar sjaal opzij zodat er meer van haar lange, benige gezicht te zien was.

'Goedemiddag,' antwoordde mevrouw Gold.

'Ik vraag me af... mijn broer en ik zijn hier op doorreis op weg naar...'

Ik wachtte nieuwsgierig om te horen waarom zij en haar broer de hoofdweg verlaten hadden om in een plaats te stoppen die zo afgelegen was.

'Mijn broer is ziek geworden,' zei het meisje. 'Hij heeft hoge koorts, dus blijven we vannacht hier. Ik vraag me af of u ijskompressen heeft.'

Er was genoeg ijs buiten, en het enige wat ze hoefde te doen was er wat van in een stuk doek te wikkelen. Dat is wat ik voorgesteld zou hebben als mevrouw Gold niet al de duurste van haar twee soorten kompressen te voorschijn gehaald had en haar begon uit te leggen hoe ze die het beste kon gebruiken.

'Ik weet dat het niet zo ver meer is naar Mozyr,' zei het meisje. 'Maar nu hij zo'n hoge koorts heeft en de temperatuur buiten al zo laag is, en nog verder zakt, lijkt het...'

'Laat Mozyr toch zitten,' onderbrak mevrouw Gold haar. 'Markowitz heeft kamers boven de herberg, goed verwarmd, mijn eigen schoonvader heeft daar eens gelogeerd. Dat was een paar jaar geleden natuurlijk, maar wat betekenen een paar jaar nu voor een kamer? Alleen wij stervelingen lijden onder de tand des tijds. Neemt je broer kinine?'

'Ik denk niet...'

'Mirjem! Breng me wat kininetabletten.'

Ik verplaatste de ladder naar de farmaceutische voorraden.

'Ik denk alleen maar wat zeep misschien. Als u dat heeft.'

'Natuurlijk hebben we dat.'

Ik verplaatste de ladder naar de toiletartikelen.

'En ook nog...' Al die tijd was de stem van het meisje zo zacht dat je moeite moest doen om te horen wat ze zei. En haar huid had een ongezonde, bleke kleur, alsof er al tijden geen bloed meer onder stroomde. 'Wat schrijfpapier. Het hoeft niet van de beste kwaliteit te zijn.'

'Slechte kwaliteit kun je bij Tsirl aan de andere kant van de markt krijgen. Hier voeren we alleen het beste,' deelde mevrouw Gold haar mee. 'Daar,' dirigeerde mevrouw Gold me. 'De bovenste plank. Hoe vaak moet jou iets verteld worden, voordat je het onthoudt?' Ze lachte verontschuldigend naar haar klant.

'Ik wil graag een brief naar mijn ouders schrijven om hen op de hoogte te stellen...'

'Dan heeft u ook inkt nodig. Mirjem!'

'Ja, inkt,' zei het meisje.

'Maar met postzegels kan ik u niet helpen,' zei mevrouw Gold.

De deur van de winkel ging open en Benny kwam binnen.

'Jij alweer!' begroette mevrouw Gold hem.

Benny kwam nu zelfs nog vaker naar de winkel, bijna dagelijks, sinds hij ontdekt had dat mijn familie van plan was naar Argentinië te verhuizen. 'Argentinië!' had hij herhaald, toen ik het hem voor het eerst vertelde. Hij liep op een avond na werktijd met me mee naar huis. We kwamen net langs het huis van de weduwe Ida. Het was een heldere nacht, en het was koud. Het licht van onze lantaarns verplaatste zich over de sneeuw. Benny zweeg terwijl we de heuvel naar mijn huis beklommen.

'Het is warm daar,' vertelde ik hem. 'Ze spreken daar Spaans.'

Hij bleef zwijgen – wat ongewoon was voor Benny, die iedere stilte graag opvulde met grappen en geplaag.

'Tsila zegt dat de christenen daar de joden niet haten,' gaf ik nog als extra detail.

Er kwam nog steeds geen reactie van Benny.

'We gaan daar abrikozen kweken,' zei ik.

'En wil je daar wel naar toe?' vroeg Benny ten slotte. 'Wil je naar Argentinië en daar abrikozen kweken?'

'Dat weet ik niet,' moest ik toegeven. Mijn leven was beslist eenzamer en moeilijker geworden sinds de avond dat ik Wolf in het bos ontmoet had. Een paar dagen na de arrestatie van Malke waren ook Braine en een ander meisje gearresteerd. De studiekring had tijdelijk de bijeenkomsten opgeschort, maar zelfs als dat niet gebeurd zou zijn, zou ik ze niet bijgewoond kunnen hebben. Tsila stond er nu op dat ik onmiddellijk na werktijd thuiskwam, om avond na avond thuis te zitten met geen ander gezelschap dan haar stilte. En op sjabbes, de enige dag dat ik niet hoefde te werken, mocht ik nergens anders naar toe dan naar sjoel. Er gingen vele dagen voorbij dat ik dacht dat alles beter zou zijn dan het leven dat ik nu leidde, maar toch, als ik probeerde me voor te stellen wat me in Argentinië te wachten stond, kon ik niets bedenken.

Benny bleef staan en draaide zich om, zodat hij me aankeek. 'Je hoeft niet te gaan, weet je.'

'Natuurlijk wel,' zei ik luchtig. Er was iets in zijn stem waardoor ik zou willen dat er een einde aan het gesprek kwam. 'Wat word ik geacht te doen als Tsila en Arn Leib weggaan? Bij de heks intrekken?'

'Je hoeft niet te gaan,' zei Benny nog een keer, terwijl hij net deed of hij mijn zwakke poging om grappig te zijn niet hoorde. Zijn gezicht had iets afschuwelijks – zijn vierkante kin, zijn brede neusvleugels – zoals dat van onderen door zijn lantaarn beschenen werd. Ik hield mijn eigen lantaarn wat hoger, zodat zijn gezicht wat meer op het gezicht van Benny leek.

'Ik weet waarom je weggaat, waarom ze je hier weghalen,' zei hij.

Mijn lichaam verstijfde, zoals een dier dat doet als dat op zijn hoede is. Doelde Benny nu op het dynamiet? Dat moest haast wel. Maar hoe kon Benny dat weten? Was het mogelijk dat Benny gestuurd was om het bij me op te halen?

'Ik weet wat ze van je zeggen,' vertelde hij me.

Ik wachtte.

'Dat je nooit een bruidegom zult vinden,' zei hij.

'Is dat zo?'

Benny haalde diep adem. 'Ik geloof niets van die onzin. Want dat is het. Onzin.'

'Wat voor onzin?' vroeg ik. Ik durfde nauwelijks adem te halen.

'Je weet wel,' zei hij, ongenegen het te zeggen. Maar toen deed hij het toch. Hij zei het. 'Zeggen dat iemand een bastaard is. En tot in de tiende generatie, niet minder. Het is volslagen onzin, niets anders.'

Benny liet zien dat hij modern was, en ook fatsoenlijk. 'Voor mij ben je wie je bent. Het kan me niets schelen wie je ouders zijn.'

Ik zei natuurlijk niets. Je hebt lucht nodig om te spreken, en Benny's woorden hadden alle lucht uit me geslagen, als een stomp midden in mijn buik. Hier was iets wat me nooit eerder ter ore gekomen was, ondanks al het gefluister waarmee ik mijn leven lang al bestookt was. Hier was mijn geheim, mijn grote ontdekking over mijzelf, waarvan nu bleek dat dat net zulk gemeengoed was als een vieze, koperen kopeke die in de stad van hand tot hand ging. Hoe had ik het in mijn hoofd kunnen halen dat ik Benny had kunnen weigeren als hij voorgesteld zou worden als een mogelijke huwelijkskandidaat voor mij, hoe had ik me kunnen vleien met de gedachte dat hij misschien wel te saai was naar mijn smaak, had ik me kunnen inbeelden dat ik zelf mijn eigen toekomstige bruidegom had kunnen kiezen.

'Je hoeft niet naar Argentinië te vluchten,' zei Benny. 'Er is een nieuwe wereld op komst, zelfs hier. Niet echt hier, natuurlijk. We zouden naar Odessa of zo moeten gaan om een rabbi te vinden die ons wil trouwen. En moge God ons bijstaan als mijn moeder er voor die tijd lucht van krijgt. Maar ik zal met je trouwen, Mirjem. Je hoeft niet naar Argentinië te gaan om een man te vinden die met je wil trouwen.'

Benny stampte met zijn voeten, toen hij de winkel van mevrouw Gold binnenkwam, en hij trok zijn wanten uit om zijn gezicht met zijn handen te warmen. 'Goedemiddag,' zei hij tegen ons allemaal en tegen niemand in het bijzonder. Ik had hem niet meer gesproken sinds ik me na zijn huwelijksaanzoek sprakeloos van hem afgewend had.

'Goedemiddag,' zei de jonge vrouw in de lamswollen jas en ze keek Benny aan met een vrijpostigheid die mij wat onbetamelijk voorkwam.

'Ik heb wat kerosine nodig,' zei Benny. 'En o ja, wat ganzenvet, zodat ik op weg naar huis niet bevries.' Hij ging naast mijn ladder staan, terwijl ik voor het ganzenvet omhoogklom. 'Maar ook...' ging het meisje verder tegen mevrouw Gold, 'hij krijgt van die rare steenpuisten op zijn gezicht.'

'Wie?' vroeg Benny aan mij.

Ik negeerde hem, ik hoefde hem alleen maar te zien om me weer vernederd te voelen.

'Geen steenpuisten eigenlijk, maar meer puistjes. Ik vraag me af of er een apotheek is waar ik er iets voor kan krijgen.'

'Een apotheek? In dit achtergebleven gebied?' vroeg Benny lachend. 'Daarvoor moet je in Mozyr zijn, zus.'

Ik klom de ladder af en telde zijn aankopen op.

'Je hebt geen apotheek nodig om steenpuisten te behandelen,' zei mevrouw Gold.

'Puistjes eigenlijk.'

'Puistjes, steenpuisten, karbonkels – het maakt niet uit hoe je ze noemt. Ik heb iets wat helpt. Gegarandeerd.'

'Verpulverde spinnenwebben,' mompelde Benny.

'Je hebt toch al betaald?' vroeg mevrouw Gold.

'Ik heb betaald, ja.'

'Wat doe je hier dan nog? Wil je dat ik je laat arresteren voor rondhangen?'

'Goedemiddag,' zei Benny en hij vertrok.

'Ik heb iets wat uw broer zal helpen, maar ik moet het klaarmaken,' zei mevrouw Gold. 'U zult moeten wachten.'

'Hmmm. Ik wil hem eigenlijk niet in de koets laten zitten. Dat wordt zijn dood nog.'

'Moge God dat verhoede.'

'Kan uw meisje het me niet later komen brengen?'

'Dat zal niet eerder zijn dan aan het einde van de dag,' antwoordde mevrouw Gold.

'Dat is goed,' zei het meisje en produceerde iets van een glimlach, de eerste sinds ze de winkel binnengekomen was. Ze was streng als ze niet vrijpostig was tegen jongemannen die ze net ontmoet had. 'Ik betaal natuurlijk extra.'

'Natuurlijk,' zei mevrouw Gold.

De herberg van Markowitz bestond uit een vertrek met donkere muren en een vloer van klei, en had een plafond met lage balken dat omhooggehouden werd door dikke houten palen. Zo zonder ramen en gedeeltelijk onder de grond had het makkelijk gebruikt kunnen worden als opslagplaats voor wortels, maar Markowitz had in plaats daarvan de ruimte vol gezet met lange tafels, ruwe banken, een fornuis en een bar van waarachter hij en zijn vrouw en dochters wodka en andere alcoholische dranken, en eenvoudige maaltijden serveerden. Die avond, zoals op iedere winteravond, waren de tafels bezet die het dichtst bij het fornuis in het midden van het vertrek stonden. Aan een ervan zaten Kugelmass en zijn vrienden die een levendig debat in het Hebreeuws voerden. De andere tafels werden bezet door boeren uit naburige dorpen die nog iets kwamen drinken, voordat ze van de markt op weg naar huis gingen. Aan de tafel het dichtst bij het fornuis warmden Noam en een paar andere voerlui zich na een dag op de weg met wodka. Noam gebruikte een van de steunpalen als ruggensteun. Hij leunde er tegenaan, terwijl hij toekeek hoe ik de herberg door liep. Ik liep rechtstreeks naar de bar om aan Dine, de jongste dochter van Markowitz, te vragen me de kamer van mijn klant te wijzen.

'Dat kan ik wel doen,' antwoordde ze. 'Maar sinds wanneer zoek jij jongemannen op in hun slaapkamer?' Ze sprak zo hard dat iedereen in het vertrek het kon horen, duidelijk geamuseerd door deze onverwachte kans op vermaak.

'Ik kom niet voor de jongeman, maar voor zijn zuster,' antwoordde ik en mijn stem beefde van woede en schaamte. 'Ik moet medicijnen afgeven.' Ik hield het flesje medicijnen als bewijs omhoog.

'Geef die dan maar af,' zei Dine en ze wees naar de tafel bij de verste muur waar ik, nu mijn ogen gewend waren aan de rokerige schemering, een eenzame vrouwengestalte kon zien zitten.

Ik zocht me een weg naar haar tafel. Ze was aan het eten, en haar avondmaaltijd bestond uit haring, zwart brood, gezouten komkommer en thee.

'Het zijn toch niet echt spinnenwebben, hè?' vroeg ze terwijl ik haar het flesje gaf.

'Misschien zit er wel een beetje van in,' veroorloofde ik me te zeggen. 'Maar het is heel effectief.'

'Ik heb hetzelfde horen beweren over duiveluitdrijvingen,' zei ze. Ze legde wat haring op een stuk brood en gaf dat aan me. 'Geeft je werkgeefster je gedurende de dag geen tijd om te eten?' vroeg ze terwijl ze toekeek hoe snel de haring in mijn mond verdween.

'Gewoonlijk wel,' antwoordde ik, hoewel het juist die dag zo druk geweest was dat zowel mevrouw Gold als ik geen ogenblik pauze gehad hadden.

'Je hebt iedere dag recht op een lunchpauze van een uur, weet je,' zei het meisje.

Ik keek zenuwachtig om me heen om te zien wie er misschien meeluisterde, wie ons misschien zou kunnen rapporteren aan de Russische beambten van de stad.

Het meisje lachte om mijn zenuwachtige blikken en gaf me nog een stuk brood met haring. 'Je vriend Wolf laat je groeten,' zei ze.

De haring, die een ogenblik daarvoor zo heerlijk geweest was, voelde nu als een harde klomp in mijn maag.

'Misschien begrijp je nu waarom ik helemaal niet enthousiast ben over de magische drankjes vol spinnenwebben van je werkgeefster,' zei ze. 'Ik ben op zoek naar een effectiever geneesmiddel tegen de ziekte waar we allemaal aan lijden.'

Ze sprak op een gewone gesprekstoon die zich ongemerkt met de geluiden in het vertrek vermengde. Mijn stem, toen ik antwoordde, klonk als die van haar. 'Ik heb wat je nodig hebt,' antwoordde ik en terwijl ik dat zei, voelde ik onmiddellijk hoe mijn bloed sneller ging stromen en hoe mijn zintuigen zich verscherpten.

'Ik kan het hier morgen bij je komen afleveren,' zei ik.

Het meisje glimlachte. 'Ik hoop eigenlijk dat mijn broer en ik hier morgenochtend vroeg kunnen vertrekken. Misschien kun je onze koets onderweg bij de brug ontmoeten?'

Ik verzekerde haar dat dat mogelijk was en we spraken een tijd af.

'Bedankt voor je hulp,' zei ze. Achter mijn rug hoorde ik Dine lachen. Het was een ongegeneerde, onvriendelijke lach. 'Wolf zei al dat je ons niet in de steek zou laten.'

De gedachte dat Wolf over me gesproken had, en nog wel vol lof, vervulde me met trots, waardoor ik het ongemakkelijke gevoel dat Dine's gelach bij me veroorzaakte, kwijt raakte.

'Ik zou jullie nog wel meer willen helpen,' zei ik.

Ze keek me zonder iets te zeggen aan. Nog steeds klonk Dine's gelach achter me, samen met het gelach van een paar mannen aan de tafel van de voerlui.

De jonge vrouw voor mij knikte. 'Misschien gebeurt dat ook,' zei ze zonder glimlach. 'Dora is mijn naam,' deelde ze me mee en ze stak haar hand uit.

'En ik ben Mirjem.'

Siberië, januari 1912

Ze was een vrouw die verliefd was op de dood. Dat zul je waarschijnlijk over Dora horen. Als je al iets hoort. *Ze was een vrouw die verliefd was op de dood. Geen man hoefde te hopen dat hij daarmee wedijveren kon.*

In de strijdorganisatie van de Sociaal-Revolutionaire Partij was Dora's specialiteit de chemische samenstelling van explosieven. Zij was het die de bommen voor de vele 'gedurfde klappen' van de partij vulde. Dat sommigen van haar kameraden zo over haar dachten, kwam niet zozeer door de aard van haar specialiteit maar eerder door de vastbeslotenheid die ze daarbij aan de dag legde.

'Er is maar één soort explosie waar Dora in geïnteresseerd is,' hoorde ik een mannelijke kameraad op een keer over haar zeggen. Het was natuurlijk een grap en dan ook nog een grove, maar deze kameraad kan overtuigend praten en hij heeft nu veel invloed in zijn nieuwe partij, zodat ik bang ben dat zijn beoordeling van Dora het wint van die van anderen die niet meer gehoord worden.

Ze studeerde verloskunde voor ze lid werd van de partij. Klinkt dat als een vrouw die verliefd is op dood? Ze zat bij Lydia in de klas – onze Lydia hier – en ze was er alleen maar mee gestopt omdat ze niet langer, met een rein geweten, baby's op een ellendige en onrechtvaardige wereld kon zetten. 'Behoort het ook niet tot de taken van een dokter om de gemeenschap te genezen?' vroeg ze aan Lydia, een vraag die Lydia na verloop van tijd op hetzelfde pad als dat van Dora gebracht had. 'Als dit land door de revolutie weer gezond gemaakt is, zal ik met groot plezier weer nieuw leven op de wereld zetten.'

Pijpbommen waren haar specialiteit. Het was haar handwerk waardoor de groothertog Sergei Alexandrovitsj, gouverneur-generaal van Moskou en zwager van de tsaar, geveld werd. Ze werd spoedig daarna gearresteerd en werd opgesloten in het Peter-en-Paulvesting waar ze binnen een paar maanden gek werd. Het nieuws van haar dood in een krankzinnigengesticht bereikte ons in de winter van 1908. We weten nog steeds niet hoe ze gestorven is.

Dertien

Laat in de winter van 1904 verliet ik mijn huis. Het was net Poerim geweest, en het was dezelfde tijd van het jaar als toen ik bij Tsila en Arn Leib was komen wonen. De oudere mevrouw Frumkin, de moeder van Sjmoelik de Geit, ging met haar dochter Tsivje naar Kiev. Er was daar een kliniek waar gratis operaties verricht werden, en ze hoopten dat er iets gedaan kon worden aan het gezwel dat onder aan mevrouw Frumkin's ruggengraat zat en steeds verder begon uit te puilen. Omdat de rivier nog niet bevaarbaar was, namen de Frumkins de langere, duurdere route: per koets naar Kalinkovitsj vanwaar ze de trein zouden nemen. En ik, zo had Tsila besloten, reisde met hen mee.

Een week daarvoor was een beoogd huwelijk van Tsila's jongere zuster, Toibe, door de familie van de toekomstige bruidegom in het laatste stadium van de onderhandelingen afgeblazen. Het was een goede partij geweest, een uitstekende familie – de jongeman in kwestie kwam uit een koopmansfamilie in Kiev – en de Held en Rosa waren zichtbaar verrukt geweest dat er eindelijk een huwelijk voor Toibe op handen was.

Toibe, nu vierentwintig, had al lang getrouwd moeten zijn, en er waren door de jaren heen zeker genoeg mannen als kandidaat aangedragen. Maar ze had te veel noten op haar zang, haar smaak en verwachtingen gingen haar schoonheid alsook de waarde van haar bruidsschat ver te boven; en haar ouders waren toegeeflijk – verblind, noemden velen het. Het laatste wat ze wilden was hun dochters een huwelijk opdringen.

De laatste kandidaat, die door Chippa voorgesteld was – alhoewel ze op jaren raakte, was ze nog steeds onvermoeibaar – had eerst te goed geleken om waar te zijn. Hier was eindelijk een man wiens rijkdom en woonplaats pasten bij Toibe's gezwollen ambities en wiens tekortkomingen – vier kinderen van een overleden eerste vrouw – niets van doen hadden met karakter of gezondheid. Zoals gewoonlijk werden er inlichtingen over de achtergrond en de familie ingewonnen, en er waren geen vervelende zaken aan het licht gekomen. Spoedig daarna ontmoetten de bruid en bruidegom elkaar, en ze verklaarden dat ze met het huwelijk instemden. Het leek er ten slotte op dat Toibe toch nog eens een gewoon leven zou gaan leiden. Er werden plannen gemaakt voor een huwelijk voor Pesach en er werd een begin gemaakt met de samenstelling van haar uitzet. Maar toen was daar die noodlottige complicatie.

'Ik had in Kiev kunnen wonen,' jammerde Toibe toen ik op een avond na werktijd de deur van ons huis opendeed. Ze zat op de vloer bij Tsila's stoel, haar hoofd in de schoot van haar oudere zuster.

'Nou ja, wie wil er nu in zo'n stad wonen?' vroeg Tsila, en streek over haar zuster's lange blonde haar. 'Een stad waar het een eerlijke jood verboden is om te wonen – wie heeft zo'n stad nu nodig? Poeh!'

Tsila doelde op de residentiewetten van Kiev, de voortdurende arrestaties en uitzettingen, die het voor een jood uit de lagere klassen bijna onmogelijk maakten een vergunning te krijgen, zodat hij daar legaal kon wonen.

'Ík wilde daar wonen,' jammerde Toibe.

'Het komt allemaal goed, dat weet ik zeker,' suste Tsila. 'Zijn familie aast er waarschijnlijk op dat de bruidsschat verhoogd wordt.'

'Het komt niet goed,' zei Toibe en tilde haar betraande gezicht omhoog uit Tsila's schoot. 'Het is gebeurd. Het is met me gedaan.'

'Stil nu maar. Het is nog lang niet met je gedaan,' zei Tsila. Door ongeduld begon haar stem gespannen te klinken.

'Het is met me gedaan,' herhaalde Toibe. 'En dat komt allemaal door Beile.'

'Beile?' zei Tsila bits. 'Wat heeft Beile hiermee te maken?'

Het bleek dat de oom van de toekomstige bruidegom op het allerlaatste ogenblik besloten had om wat dieper in Toibe's familie te graven. Waarom hij daar zo lang mee gewacht had, wist Toibe niet. Maar hij had zeker niet erg diep hoeven spitten om Beile aan het licht te brengen. Ze leefde praktisch onder hun neus, in Kiev dus.

'Kiev?' vroeg Tsila. 'Met hém?'

'Hoe moet ik dat nu weten? Met een stelletje nihilisten klaarblijkelijk.' Toibe's gezicht werd verwrongen door een nieuwe huilbui. Ze probeerde zich weer in Tsila's schoot te werpen, maar Tsila liet dat niet toe.

'Nihilisten?' vroeg Tsila. 'Dat kan ik me niet voorstellen, Toibe.'

'Ja, nihilisten. Daar ben ik absoluut zeker van. Dat is precies het woord dat Hersjl's vader gebruikte toen hij de verloving verbrak.'

'Hoe heeft die oom haar gevonden?'

'Hoe bedoel je, hoe? Hij groef een beetje en als een mol kwam ze boven. Hij zei dat ze er ziek uitzag – doodsbleek, als een geest – en ze heeft absoluut geen manieren. Ze vroeg hem zelfs niet binnen te komen, de oom van haar toekomstige zwager. Ze stond gewoon in de deuropening van haar huis, zag er vreselijk uit, en verzuimde het zelfs die oom ook maar een glas thee aan te bieden. Kun je je dat voorstellen? Dus dat was het dan. Ik kan die oom nauwelijks zijn verslag kwalijk nemen – of de familie hun beslissing. Wie zou er nu door een huwelijk geassocieerd willen worden met zulk…' Toibe vertrok haar mond in afkeer.

'Zulk uitschot,' zei ze, waarop Tsila haar een klap in haar gezicht gaf.

'Ik ga naar Kiev,' had Tsila aangekondigd, onmiddellijk bij het wakker worden na de dag van Toibe's bezoek. Het was nog donker buiten, maar we waren allemaal op en maakten ons klaar om de dag te beginnen. Arn Leib stond bij het fornuis en wachtte tot het water in de ketel zou koken. Hij nam een citroen uit de mand die bij het bordenrek hing, rolde hem tussen beide handen, sneed hem toen in stukken en verdeelde die over drie glazen.

'Beile heeft me nodig,' zei Tsila. 'Ik heb van haar gedroomd.'

Arn Leib knikte. Hij goot heet water in de drie glazen en gaf er toen een aan Tsila en een aan mij. 'Heeft ze gezegd wat ze van je wilde?' vroeg hij.

'Niet met zo veel woorden,' zei Tsila.

Arn Leib knikte nog een keer en dronk zijn hete citroenwater. 'Als ze je zo hard nodig heeft, had ze je ook een brief kunnen sturen,' zei hij. Tien maanden waren er voorbijgegaan zonder een woord van Beile.

'Ze schaamt zich te veel om me te schrijven,' zei Tsila. 'Hij is nog steeds niet met haar getrouwd. Ze schaamt zich te moeten toegeven dat ik gelijk had.'

'Hoe weet je dat hij niet met haar getrouwd is?'

'Een zuster weet zulke dingen. Hij heeft haar in de steek gelaten en nu is ze bang die mensen onder ogen te komen die vanaf het begin af wisten dat het zo zou eindigen. Het is uit schaamte dat ze nu in Kiev blijft, en niet vanwege haar grootse, revolutionaire overtuigingen. Beile is geen revolutionair.'

'Voor ze vertrok, leek dat er wel op,' herinnerde Arn Leib haar.

'Dat was alleen maar vanwege hém,' zei Tsila. 'Dat zag je wel vaker bij haar, ze had altijd voorkeuren die afgestemd waren op degenen die ze wilde plezieren of bijvallen. Maar voorkeuren veranderen bij Beile gewoonlijk niet in overtuigingen. Daarvoor is ze te gevoelig van aard. Ze is net klei die nooit hard wordt, klaar om in model gekneed te worden door ieder paar handen dat haar vasthoudt.'

Arn Leib trok een wenkbrauw op, maar zei niets. Tsila had haar thee met beide handen vast en hield het hete glas tegen haar voorhoofd, terwijl ze aan haar zuster dacht. 'Ze zou met ons mee naar Argentinië moeten gaan. Ze kan daar met een nieuw leven beginnen.' Ze tilde haar hoofd op en keek Arn Leib aan.

'Je wilt helemaal naar Kiev om haar uit te nodigen met ons mee naar Argentinië te gaan?' vroeg Arn Leib. 'Je hebt het al zo druk,' zei hij en wierp een blik op de stapel lappen die op Tsila's werkplek lagen. Tsila volgde zijn blik. Het zou zeker twee weken duren voor ze zich door haar achterstand in opdrachten heen gewerkt had. En tegen die tijd zou er nog meer werk liggen, omdat Pesach en Pasen in aantocht waren.

'Mevrouw Frumkin en haar dochter vertrekken over een week naar Kiev,' zei Arn Leib. 'Kan je hun geen brief voor Beile meegeven?'

'Er wordt al genoeg over Beile gepraat zonder die Tsivje te sturen, zodat ze het allemaal zelf kan zien. Wat kan die vrouw kletsen!'

'Tsila, Tsila,' smeekte Arn Leib. 'Waarom denk je dat Beile zelfs maar mee...'

'Ik ga wel,' zei ik.

'Jij?' Tsila draaide zich naar mij om. 'Jij verwacht dat ik je vertrouw op zo'n reis, wanneer ik je zelfs niet een avond uit het oog kan verliezen zonder dat je God weet wat ons huis binnen brengt?'

Tot op dat moment had ik niet geweten dat ze Arn Leib over het dynamiet verteld had.

'Misschien is het beter voor haar als ze een tijdje hier weg is,' opperde Arn Leib, alsof ik niet langer in de kamer was. 'Ze kan met de Frumkins meereizen, bij hen op hetzelfde adres in Kiev verblijven. Het zijn nette mensen – ik ben met Sjmoelik naar cheder geweest. Ze zullen wel op haar passen.'

'Mevrouw Frumkin is een idioot. En die Tsivje niet minder.'

'Je hoeft geen genie te zijn om op en neer naar Kiev te gaan. Misschien is het wel goed voor haar. En ze zijn maar een week of zo weg. Twee weken op zijn hoogst.'

Tsila gaf geen antwoord, maar ze sprak hem ook niet tegen. Arn Leib begon zijn overjas aan te trekken en maakte aanstalten om te vertrekken.

'Als ik je dit toevertrouw, zul je je dan zo volwassen en verantwoordelijk gedragen als we van je verwachten?' vroeg Tsila, terwijl ze zich tot mij wendde. Het was de eerste keer in weken dat ik haar volle aandacht kreeg.

Ik was zo blij met die aandacht, met de mogelijkheid om haar vertrouwen weer terug te winnen, dat ik ter plekke besloot haar opdracht met succes in Kiev uit te voeren. Als ik Beile ervan kon overtuigen om met ons mee naar Argentinië te gaan, kon ik niet alleen Tsila haar voor eeuwig verloren gewaande zuster teruggeven, maar ook mijzelf.

De dag van mijn vertrek was net zo vreugdeloos als de dag, tien jaar geleden, dat ik aan de hand van Lipsa langs dezelfde weg omhoog geleid werd als waarlangs Noam's koets me nu naar beneden bracht. Ik kon mijn toekomst net zo min onderscheiden als toen – de gedaante van de volgende dag was zelfs in nevelen gehuld – maar toen ik op de harde bank van Noam's koets ging zitten, en schapenhuiden om me heen schikte om warm te blijven, was het hoop en opwinding waarmee ik vervuld werd.

Noam's koets was niet de enige die die dag naar Kalinkovitsj ging. De koetsen reisden nu in konvooi, omdat ze steeds vaker onderweg door bandieten overvallen werden. Noam reed voorop, en de Frumkins en ik waren zijn enige passagiers. Niemand zei iets. Want waar moesten we over praten? De rit was verraderlijk; we reden door een dicht bos en onze ogen spiedden in het rond, op ons hoede, want we konden niet weten wie er ieder moment te voorschijn kon komen. Het was een grijze, mistige dag De pijnbomen naast de weg stonden dicht op elkaar en ze leken zwart in een licht dat niet in staat was het groen van hun takken op te laten lichten. Iedere keer als de glij-ijzers van de koets een voor raakten, kreunde mevrouw Frumkin, iets wat steeds weer gebeurde omdat het ijs zacht aan het worden was en daardoor de weg in een wasbord veranderde. Ik vroeg me af of ze misschien dood zou gaan, of ze zelfs Kalinkovitsj wel zou halen. En daarna vroeg ik me af of ik gedwongen zou worden terug te gaan als ze doodging of dat ik misschien alleen naar Kiev verder mocht reizen. Ik kroop onder de schapenhuiden en vroeg de Almachtige me te helpen deze zelfzuchtige gedachten te bedwingen.

Vanaf het moment dat de plannen voor mijn reis voor het eerst vorm begonnen te krijgen, had ik me op de treinreis verheugd. Maar de scène in de derdeklas coupé die richting Gomel ging, was teleurstellend vertrouwd. Er waren rijen zitplaatsen die net zo hard waren als die in Noam's koets, en het rook er naar natte schapenhuiden, uien en haring, de gewone wintergeuren. Ik had verwacht dat mijn medereizigers een uitheemse mengelmoes zouden zijn, maar het waren dezelfde boeren en joden die ik op iedere willekeurige marktdag zag. We vonden een zitplaats bij de kachel aan het einde van de wagon, en mevrouw Frumkin's dochter dronk met kleine teugjes thee.

Terwijl de conducteurs de trein klaarmaakten voor vertrek, verdrongen zich verkopers op het perron met sigaretten, kooltaart, zaden en andere hapjes. Er luidde een bel, één keer, daarna een tweede keer. Passagiers renden over het perron, terwijl ze opdrachten aan kruiers gaven en onhandelbare kinderen verzamelden. De bel ging voor de derde keer, gevolgd door de stoomfluit van de locomotief en daarna, bijna onmerkbaar, begon de trein langzaam vooruit te rollen.

Het was gestaag gaan motregenen. Urenlang reden we door precies hetzelfde landschap, bos en in mist gehuld moeras, als waar ik tot dan toe iedere dag van mijn leven op uitgekeken had, maar de bewegingen van de trein zelf brachten iets nieuws met zich mee, het had iets eigenaardigs om niets anders te doen dan uit het raam te kijken en te zien hoe het landschap zich ontvouwde. Hier en daar lagen dorpen, die er allemaal hetzelfde uitzagen met hun huizen dicht opeen, grijs in de motregen, en hun vlakke velden bestonden bijna helemaal uit modder en stoppels, op een paar plekken na waar nog wat sneeuw lag.

Het station in Gomel leek op dat van Kalinkovitsj, maar het had meer van een station weg. Er waren hier dezelfde bedelaars, dezelfde priesters met hun lange haren en gewaden. Op het station in Kalinkovitsj hadden verschillende aanplakbiljetten gehangen met daarop kleine, geelhuidige aapjes met spleetogen die alle kanten op renden, weg van de enorme witte vuist van een Russische soldaat. Dit had te maken met de Russisch-Japanse oorlog, die nog maar drie maanden daarvoor begonnen was. Op de aanplakbiljetten in Gomel daarentegen stond een grote kozakkenmuts waaronder vandaan een zwerm spinachtige Japanners probeerde te ontsnappen, met de kop 'Vang ze met mutsen tegelijk!'

De wachtkamer was groter dan in Kalinkovitsj, maar er waren net zo weinig zitplaatsen. Alle banken waren bezet, en hele gezinnen, vele ervan bestonden uit emigranten, zaten overal op de vloer met hun koffers en manden om zich heen. De emigranten waren vooral joden die in steeds grotere getale uit Rusland wegtrokken, nu zich een nieuwe golf pogroms over het land verspreidde en een veel strengere dienstplicht ingesteld was vanwege de oorlog met Japan. Er was maar één enkele kachel om het vertrek te verwarmen, maar de lucht was bedompt en benauwd. En goedgeklede niet-joodse vrouw in een lange bontjas bedekte delicaat haar neus, terwijl ze zich een weg zocht door de menigte. Mevrouw Frumkin's hand ging naar haar hart, spoedig nadat we vanaf het perron binnengekomen waren, en ze verklaarde dat ze niet verder kon.

'Het is niet ver meer, mama,' verzekerde haar dochter Tsivje haar. De trein naar Kiev was feitelijk al in het station. De eerste waarschuwingsbel had al geklonken. 'Kom,' spoorde Tsivje haar moeder aan. Maar mevrouw Frumkin bleef waar ze was, terwijl ze haar gezicht koelte toewuifde en verklaarde dat ze uitgeput was.

'Wat water,' mompelde Tsivje, en een vrouw die in de buurt op een koffer zat, riep om water. 'Snel,' riep ze. 'Er is een vrouw niet goed.'

'Ik kan niet verder,' kreunde mevrouw Frumkin.

'Wat zei ze?' vroeg iemand aan de vrouw op de koffer.

'Ze is stervende,' antwoordde iemand.

'Maak ruimte,' riep iemand anders en begon een van de banken vrij te maken. 'Er ligt een vrouw hier op sterven.'

'Ze gaat niet dood,' zei Tsivje. 'Ze is ziek. Ik breng haar voor behandeling naar de kliniek in Kiev.'

Er ging een gemompel van afkeuring door de menigte die zich nu rond ons verzameld had. De vrouw lag duidelijk op sterven en de dochter was onverschillig, koud. 'Geef die arme vrouw wat lucht,' zei iemand. 'Wat water.' Mevrouw Frumkin liet zich op de bank zakken, terwijl de groep mensen kibbelde over wat er het beste gedaan kon worden.

Ik werd ongerust, voor het eerst sinds ik van huis was weggegaan. Mijn benen voelden plotseling zwaar, mijn armen zwak, mijn hoofd was zo licht dat het leek of het wegdreef. In plaats van naar Kiev te reizen en Beile te vinden, zou ik in Gomel stranden, om mevrouw Frumkin bij te staan. Of erger nog: ik zou haar en haar dochter naar huis moeten vergezellen op de volgende trein terug naar het westen, die volgens de groep die zich daar verzameld had, binnen één tot drie uur hier zou zijn. Ondertussen klonk het tweede waarschuwingssignaal van de trein naar Kiev – twee keer werd de bel van de stationschef geluid.

De mensen om mij heen begonnen in beweging te komen, en dromden langs me heen richting perron. Daar was nog een moeder met dochter bij, vergezeld van een kruier. De moeder zag er net zo ziekelijk uit als mevrouw Frumkin, maar zo te zien was zij het die haar dochter begeleidde. Die had een verdwaasde uitdrukking op haar gezicht en knipperde onafgebroken met haar ogen alsof ze nog maar kort geleden vanuit totale duisternis in het licht gestapt was, licht dat haar hinderde. Ze liepen recht op me af en, hoewel ik opzij had kunnen stappen, uit de loop van die stroom passagiers, deed ik dat niet.

'Kiev?' vroeg de kruier me en keek op mijn kaartje. Hij zei dat ik hen moest volgen, wat ik ook deed, voorbij de blauwe wagons van de eerste klas, de geelbruine wagons van de tweede, waarna we eindelijk bij de derdeklas wagons kwamen juist toen het derde waarschuwingssignaal klonk. Ik keek achterom, terwijl ik de trein instapte, en ik verwachtte half de Frumkins te zien die zich achter mij aan haastten, maar ze waren in geen velden of wegen te bekennen.

Tegen die tijd was het avond en ik was uitgeput. De moeder van het stel – mevrouw Kaminski, zo stelde ze zichzelf voor – stond erop dat ik bij hen kwam zitten en duwde me op de zitplaats bij het raam.

'Weet u zeker dat u of uw dochter niet bij het raam wil zitten?' vroeg ik. Mocht ik al bedenkingen gehad hebben over wat ik net gedaan had, dan wogen die niet op tegen het gevoel van opluchting dat ik had, omdat ik in de trein zat.

'Het is te koud voor me. En mijn dochter wordt altijd zenuwachtig als ze niet makkelijk weg kan.'

De dochter zag er hoe dan ook zenuwachtig uit, zelfs terwijl ze naast het gangpad zat. Haar gezicht glom van het zweet en haar oogleden knipperden nog steeds onafgebroken en ik besefte nu dat het een zenuwtrek was. Maar zodra de trein zich in beweging zette, vielen haar ogen dicht, haar mond viel open en ze begon zacht te snurken.

Ik deed ook mijn ogen dicht, en voelde me bijna onmiddellijk wegzinken in een welkome slaap.

'Heb je ooit zulke harde banken gevoeld?' vroeg mevrouw Kaminski me.

Ik schudde van nee zonder mijn ogen open te doen. Mevrouw Kaminski schoof heen en weer op haar zitplaats.

'Hier. Eet dit maar,' zei ze en ze porde me net zo lang in mijn ribben tot ik mijn ogen open deed.

'Ik heb geen honger,' zei ik tegen haar.

'Ik ben een zieke vrouw,' zei ze terwijl ze het broodje begon op te eten dat ik net afgeslagen had. 'Ziek van zorgen om mijn dochter. Daarom zijn we op weg naar Kiev.'

Ik reageerde niet.

'Er woont daar een rebbe, rabbijn Sjpira. Misschien heb je wel eens van hem gehoord? Ze zeggen dat hij iedereen kan genezen, hoewel ik, tussen ons gezegd, bang ben dat ze niet meer te helpen is.' Ze wierp een blik op haar dochter. Die zat daar met open mond waar een sliertje speeksel uit droop. 'En jij?' vroeg mevrouw Kaminski. 'Waarom ben jij zo helemaal alleen op reis? Leven je ouders nog?'

'Ja,' zei ik en ik realiseerde me voor het eerst sinds ik voor de Frumkins op de loop gegaan was, wat ik gedaan had en hoe kwaad Tsila zou zijn als ze het zou horen. Ik legde uit dat mijn tante in Kiev op het punt stond te gaan trouwen, maar dat ze ziek was. Ik weet niet hoe ik op zo'n verhaal kwam, alleen dat het makkelijker was dan de waarheid.

'Is ze nu al ziek? Zelfs nog voor de bruiloft?' Mevrouw Kaminski nam een hap van haar broodje en ging er eens goed voor zitten om te horen wat Beile's symptomen waren, maar toen ik daar niets over kon vertellen, keek ze me met half dichtgeknepen ogen aan alsof ze me opnieuw beoordeelde. 'En je ouders sturen jóu om voor haar te zorgen?'

'Er was niemand anders die kon,' mompelde ik.

'Ik begrijp het,' zei mevrouw Kaminski op zo'n toon dat ik me afvroeg wat het dan wel was dat haar plotseling duidelijk geworden was. Maar ze vroeg verder niets meer en na een poosje voelde ik mijn ogen weer dichtvallen.

Het ritme van de trein suste me, en al snel verdrong ik elke gedachte aan de woede van Tsila en mijn eigen onverantwoordelijke gedrag, terwijl ik in plaats daarvan peinsde over mevrouw Kaminski en haar rabbi die wonderen kon verrichten. De poging van mevrouw

Kaminski om bij zo'n charlatan genezing voor haar dochter te zoeken, deed mij denken aan Lipsa's complot om mijn fortuin te misleiden toen ik nog een baby was. *Nutteloos*, dacht ik. *Achterlijk.* Maar toch, terwijl ik wegdommelde en het ratelen van de wielen op de rails het ritme werd van de steeds groter wordende afstand tussen mijn heden en mijn verleden, kreeg ik heel duidelijk het gevoel dat ik ten slotte mijn fortuin misleid had, dat ik ervan bevrijd geraakt was op het moment dat ik bij de Frumkins wegglipte. Ik viel in slaap met het beeld van mijn verdorven fortuin die vruchteloos rondrennend in het station van Gomel aan iedereen vroeg of ze een meisje als ik gezien hadden, in een poging – te laat nu – om me nogmaals terug te vinden.

Ik weet niet hoelang ik geslapen had, toen ik mevrouw Kaminski's vinger weer in mijn ribben voelden en de geur van hardgekookte eieren rook.

'Eet maar,' zei ze, en ze duwde een ei onder mijn neus toen ze zag dat ik mijn ogen op een kiertje had.

'Dat kan ik niet aannemen,' protesteerde ik.

'Je bent te mager,' drong ze aan. 'Iedereen zal denken dat je ziekelijk bent, net als je tante, en dan zal je nooit een man vinden.'

Ik herinnerde me het vernederende huwelijksaanzoek dat ik al van Benny gehad had en deed mijn ogen weer dicht. Ik telde de klikken van de trein over de rails, iedere klik bracht me verder weg en vergrootte daarmee de kans dat ik ze nooit meer hoefde te zien, mensen als Benny, Dine Markowitz, Freide... Ik viel vervolgens in een diepe slaap en werd pas wakker toen we in Kiev aankwamen.

Het was zonnig in Kiev. Talloze gouden koepels schitterden vanaf de beboste hellingen van de stad, terwijl we de brug over de Dnjepr overstaken. Ik was aan het einde van de winter van huis weggegaan, maar hier was het lente. De bomen waren nog niet in blad, maar de takken zaten vol dikke knoppen, en onder ons fonkelde de onmetelijke Dnjepr, blauw in het ochtendlicht, en vrij van ijs.

Natuurlijk was de Dnjepr buiten zijn oevers getreden, wat veel schade toebracht aan de armere, lager gelegen gedeeltes van de stad en wat de watervoorraad van de stad, die al smerig was, nog meer vervuilde. Maar dat wist ik niet. Ik zag alleen de onmetelijke watervlakte, de schoonheid van de klippen die oprezen vanaf de oevers, de zonbeschenen koepels en toppen van daken die op de hellingen boven alles uitstaken. Dat alles wenkte mij de stad binnen te gaan.

'Je komt maar naar ons toe als je een probleem hebt,' zei mevrouw Kaminski toen we uit elkaar gingen, en ze gaf me het adres van haar bloedverwanten waar zij en haar dochter zouden logeren.

Ik bedankte mevrouw Kaminski en stopte het adres weg, opgelucht als ik was dat ik van haar, haar zenuwachtige dochter en haar hardgekookte eieren af was. In mijn eentje verliet ik het station en liep het bleke lentelicht in. En ik begreep hoever ik gereisd had 's nachts. Nergens zag ik de halfverhongerde ossen die door de straten van onze stad zwierven, de patrouillerende ganzen, de lintvormige modderpaden die we wegen noemden, de ruwe grijze wagens die getrokken door kleine paardjes ons enige vervoermiddel waren naast onze eigen benen, de voerlui in hun lange jassen van schapenhuiden en met modder bespatte laarzen. De weg buiten het station was breed en geplaveid met gele straatstenen. Er stond een rij huurrijtuigen. De koetsiers zaten hoog en kaarsrecht op de bok, onberispelijk in hun blauwe mantels met helder gekleurde sjerpen. Hun pet, ook blauw, stond hoog en kaarsrecht op hun hoofd; hun glimmende laarzen waren brandschoon. Zelfs hun paarden leken verfijnder dan die in onze stad. Keurig verzorgd en weldoorvoed stonden ze daar trots in hun met zorg afgewerkte tuig. Ze gooiden hooghartig hun hoofd omhoog en er kwam damp uit hun neusgaten.

'Kunt u me naar de Stsjilianskistraat brengen?' vroeg ik aan een koetsier en ik liet hem het papier zien waarop Toibe Beile's adres geschreven had. Hij was blond en had een breed gezicht, met een dikke nek en een gele snor waarvan hij de punten aan beide kanten met was mooi opgedraaid had. Hij bestudeerde het papier zorgvuldig, waarbij hij ondertussen de punten van zijn snor opdraaide, toen keek hij me aan. 'Vijfentwintig kopeken,' zei hij. Zoals je het Jiddisch in mijn Russisch kon horen doorklinken, zo kon je aan hem horen dat hij uit de Oekraïne kwam.

'Voor het eerst in Kiev?' vroeg hij mij en ik voelde meteen hoe sjofel ik eruit zag, ondanks de nieuwe jurk van fijn linnen die ik onder mijn jas droeg, en de nieuwe laarzen die ik op de ochtend van mijn vertrek naast mijn bed gevonden had.

'Voor het eerst,' gaf ik toe. Ik sloeg hiermee de waarschuwing van mevrouw Kaminski in de wind die gezegd had dat de inwoners van Kiev op de loer lagen om boerenkinkels als mijzelf te bedriegen.

'Dan zal ik de toeristische route nemen. Dat kost niets extra's.' En hij bood mij zijn arm aan om me het rijtuig in te helpen.

Verfijndheid, dacht ik, toen we ons bij de stroom rijtuigen voegden die vanaf het station richting stad vertrokken, en *verfijndheid*, dacht ik nog eens, terwijl ik naar alle bezienswaardigheden om me heen keek. De ruime straten waar we over reden, waren breed en geplaveid met gele straatstenen die volmaakt pasten bij het gele steen van de gebouwen die we passeerden. Alle straten waren omzoomd met bomen, zonder blad maar toch gracieus in proportie. Ik zag een groot, bakstenen gebouw in de kleur van bloed.

'De universiteit,' meldde de koetsier, en vervolgens, niet lang daarna, draaiden we een brede boulevard op vol mensen. De meeste gebouwen daar waren drie tot vijf verdiepingen hoog en hadden op de begane grond winkels met geweldig grote, glazen ramen waarin koopwaar lag uitgestald. 'De Kresttsjatik,' riep de koetsier.

Veel van de mensen die langs de Kresttsjatik flaneerden, waren elegant en goed gekleed, maar lang niet iedereen. Ik zag twee vrouwen en ze droegen dunne winterjassen die met bont afgezet waren. Ze wandelden arm in arm en keken in de etalages. Ze negeerden de man met laarzen van schors die schoenveters op een blad verkocht, de vrouw zonder benen die vanaf de stoeprand riep hoe goed de kwaliteit was van de gemberkoek die ze te koop had.

In het midden van de boulevard rolde een tram zonder paarden, aangedreven blijkbaar door een energie van binnenuit. De tram was elektrisch, dat wist ik – ik was geen ongeletterde boerenkinkel, niet de een of andere provinciaal uit Pissebedstad, van het soort dat ik later in de Kievse kranten tegenkwam en waarmee de draak werd gestoken. Ik had over deze tram gelezen – het was de eerste in het tsarenrijk – en ik had er een afbeelding van gezien in een boek uit Hodl's uitleenbibliotheek. Maar toch is het niet hetzelfde, ergens van weten of het meemaken, en ik voelde mijn hart van louter vreugde kloppen toen die wonderen zich voor mijn ogen ontvouwden.

Dit was een stad die zich gracieus over het heuvelland drapeerde, zich nestelde in de ravijnen, zijn pieken bekroonde met vergulde koepels en kruizen. Bij iedere bocht die de koetsier maakte, opende zich een nieuw vergezicht. 'De Podol,' riep hij en wees met zijn hand naar de vlakke wijk onder ons die zich uitstrekte naar de rivier. 'Pertsjerk,' meldde hij en wees vaag naar een wijk die op een beboste richel boven ons lag. De hemel boven die richel was hoog en blauw. De lucht die uit de steppe kwam waaien, rook schoon, fris. *Dit was dan eindelijk verfijndheid*, dacht ik, terwijl we langs een uitbundig vergulde toegangspoort reden. Waar die poort heen leidde, daar kon ik me geen voorstelling van maken.

We reden vervolgens weg uit het centrum van de stad naar een gebied met woonwijken. Hier waren de straten smaller, rustiger, met houten huizen waarvan sommige met ruw pleisterwerk bedekt waren.

'Stsjilianskistraat,' kondigde de koetsier aan, terwijl hij nog een hoek omsloeg. Toen stopte hij. Hij hielp me uit het rijtuig en, zoals beloofd, inde hij geen kopeke meer dan de vijfentwintig die we bij het station afgesproken hadden.

Toen ik bij Beile's woning aankwam, deed een jonge vrouw open. Ze zag er afgepeigerd uit. Ze had haar donkere haar eerder die dag in een knot gedaan, en dikke lokken piekten er nu uit en vielen over haar gezicht. Twee bleke kinderen met donkere ogen hielden zich aan haar been vast. Ze fronste toen ze me zag, en haar frons werd alleen maar dieper toen ik vroeg of Beile thuis was. Ze kende geen Beile, zei ze tegen me en ze keek niet eenmaal naar het stukje papier dat ik voor haar gezicht hield, het papier waarop Toibe zo zorgvuldig het adres geschreven had. De vorige huurders waren vertrokken. 'Weg,' zei de vrouw en ze maakte een kappend gebaar met haar hand. Ze wist niet waar naar toe en de huisbaas was er niet. En was hij er wel geweest, dan had hij niet lastig gevallen willen worden, voegde ze er aan toe. En zij wilde ook niet lastiggevallen worden; zoveel was wel duidelijk. Ze zei zelfs geen goedendag voor ze de deur voor mijn neus dichtdeed.

Ik was niet ontmoedigd door de ongemanierdheid van de vrouw. Ik was vanaf de allereerste ogenblikken van mijn leven geconfronteerd geweest met een ongemanierdheid die veel meer tegen mij persoonlijk gericht was. Ik was ook niet bang om alleen te zijn in een stad waar ik niemand kende. Deze stad leefde, zo dacht ik, terwijl de stad om mij heen pulseerde. Hier lag mijn lot, dat wist ik zeker. Het levendige ritme van de stad paste volmaakt bij mijn eigen hartenklop. Beile was hier ergens; ik zou haar vinden. Maar eerst moest ik een plek hebben voor de nacht.

Ik liep naar de dichtstbijzijnde drukke straat en hield een ander rijtuig aan. De jas van de koetsier, hoewel ook blauw, was niet zo onberispelijk als die van de eerste. En ook zijn paard was niet zo keurig verzorgd en weldoorvoed. Ik gaf hem het adres waar de Kaminski's logeerden, en onderhandelde over de prijs. Die kwam uit op twintig kopeken, alsof het huren van een rijtuig in Kiev net zo normaal voor me was als het marchanderen over twaalf eieren op de markt, en hij reed met me weg, van de brede boulevards die me zo in verrukking gebracht hadden naar de smalle straatjes in de joodse wijk.

Mevrouw Kaminski en haar dochter gebruikten net thee met hardgekookte eieren, toen ik bij de woning van hun bloedverwant aankwam. Die lag in het laag gelegen Ploskaja, een buurt met houten huizen van één verdieping met steile daken. Die leken veel op de huizen in de stad waar ik vandaan kwam, al stonden deze dichter op elkaar. Het huis van de Kaminski's lag in de buurt van de rivier, maar niet zo dichtbij dat hun straat onder water stond. Maar de rioolstank die het gevolg van de overstromingen was, drong door in de armoedige keuken waarin ze zaten.

'Je tante was er niet om je te begroeten,' zei mevrouw Kaminski toen ze me zag. Er was geen spoor van verrassing op haar gezicht of in haar toon te bespeuren. Wat ze over mijn tante gehoord had, was niet veel goeds, dat was duidelijk, ze had van begin af aan getwijfeld aan de betrouwbaarheid van een vrouw die niet lang genoeg gezond kon blijven om onder de huwelijksbaldakijn te geraken.

'Ze is verhuisd,' zei ik.

'Verhuisd?'

'Weg,' zei ik en maakte met mijn hand hetzelfde kappende gebaar in de lucht als de vrouw bij de woning gemaakt had.

'En je weet niet waar naar toe?'

Hierop wierp mevrouw Kaminski een blik op de nicht van wie de woning was. Er waren behalve de krappe keuken met bruine muren waarin we zaten, nog twee kamers – genoeg ruimte, ongetwijfeld, voor het gezin van acht personen dat er gewoonlijk woonde. Maar nu kwamen mevrouw Kaminski en haar dochter er nog bij. De nicht knikte naar mevrouw Kaminski, die zich daarna weer tot mij wendde.

'Je kunt hier blijven,' zei ze. 'Dat is geregeld.'

Haar dochter's wimpers knipperden zelfs nog sneller dan ik daarvoor gezien had, terwijl ze een glas thee en een hardgekookt ei voor me op tafel zette.

Maar in de duisternis die nacht had de dochter geen last van geknipper. Haar stem was strelend als satijn, terwijl we op de smalle keukenbanken lagen die ons 's nachts als bed dienden. Ze heette Tsirl en ze was vierentwintig jaar. Ze had altijd al met haar ogen ge-knipperd, vertelde ze me. Dat was niet het probleem waar ze hulp voor zochten bij rabbijn Sjpira. Haar knipperende oogleden waren in feite helemaal geen probleem. Die waren alleen maar de lichamelijke uitdrukking van de buitengewone gevoeligheid van haar ziel, een ziel die niet bestand was tegen een onbelemmerd zicht op de onrechtvaardigheid in deze wereld.

'Zo legde mijn man dat uit op de avond dat we ons verloofden,' vertrouwde Tsirl me toe.

'Ben je getrouwd?' vroeg ik. Daar snapte ik niets van. Waarom moesten ze dan zo nodig naar de rabbijn, als er al een man voor haar gevonden was?

'Ik ben getrouwd gewéést,' corrigeerde Tsirl me.

Ze was negentien, toen het huwelijk geregeld werd. Men had de toekomstige bruidegom van tevoren gewaarschuwd voor de vreemde bewegingen van haar oogleden, maar dat had hem niet afgeschrikt. 'We zullen kennis maken zonder dat we elkaar zien,' had hij aan-gekondigd en zo was het gebeurd. Ze hadden met elkaar gesproken vanachter een laken dat tussen hen in gespannen was. Tegen de tijd dat hij haar in werkelijkheid zag, was hij gaan houden van de zachtheid van de stem die vanachter het laken gesproken had, de vriendelijkheid en goedheid die hij in haar opgemerkt had.

De bruiloft vond plaats in de week voor Chanoeka. Het was triest weer, maar toch kwamen er honderden gasten; de bruidegom was de zoon van de beroemde rabbijn Frisch.

'Op die dag ervoer ik al het geluk dat deze wereld te bieden heeft,' vertelde Tsirl me. 'En vervolgens al het verdriet.'

'Wat gebeurde er?' vroeg ik.

'Hij ging dood,' zei Tsirl. 'Maar niet door een ziekte of door geweld. Hij werd me door zoetheid en sappigheid ontnomen.'

Een boze geest, dacht ik. Lilith.

'Hij stikte in een stuk kip,' zei Tsirl.

'Kip?'

'Tijdens onze huwelijksmaaltijd.'

Ik schoof ongemakkelijk heen en weer op mijn bank. Ik had natuurlijk van de tragedie gehoord. Die was zo legendarisch, dat ik niet beseft had dat het tijdens mijn eigen leven gebeurd was. De overleden jongeman werd als een heilige beschouwd: in ieder opzicht een goed mens en briljant als geleerde. Dat zo'n leven zo moest eindigen. En bij zo'n gelegenheid. De verdenking viel zoals dat met verdenkingen gebeurt. Op de bruid.

'Ik ben vervloekt,' zei Tsirl. 'Geen man zal me ooit nog als bruid willen hebben. Ik was klaarblijkelijk al eerder aan iemand anders beloofd die me niet wilde vrijgeven.'

'Maar aan wie?' vroeg ik.

'Als ik dat nu maar wist...' Tsirl zuchtte diep. 'Daarom ben ik hier.'

'Om uit te vinden aan wie je toebehoort?'

'Om iedere aanspraak die op mij gemaakt wordt op te heffen. Om de vloek op te heffen.'

Daarna zei ze niets meer. Ik luisterde naar de onbekende geluiden van het huis om mij heen, de ademhaling van een hele familie onbekenden in de andere kamer.

'Ik ben ook mijn hele leven al vervloekt,' vertelde ik Tsirl na een tijdje.

'Echt waar?' vroeg ze. Er klonk geen vreugde in haar stem, geen voldoening dat een ander haar tegenspoed deelde. Haar bruidegom had het bij het rechte eind gehad; ze was een goed en zachtaardig mens. Ze zweeg enige tijd. Toen voelde ik haar warme adem op mijn gezicht, terwijl ze in het donker naast mij hurkte, de lichte druk van haar hand op mijn schouder.

'Kom met me mee naar de rabbijn,' zei ze.

'Jouw rebbe kan me niet helpen,' zei ik tegen haar. Mijn geval was niet zo simpel, ik werd niet lastig gevallen of opgeëist door gene zijde. Allereerst waren er de omstandigheden rond mijn geboorte, en niemand bij mij in de stad zou die ooit vergeten. En dan het feit dat ik een *mamzer* was, een bastaard, een wettelijke status waarvan geen enkele rabbi me zou kunnen bevrijden. 'Mijn situatie is anders dan die van jou,' zei ik en terwijl ik dat zei, bemerkte ik een lichtheid die mij onvertrouwd was als ik aan mijn afkomst dacht. Het was een gewaarwording die leek op wat ik in de trein gevoeld had toen ik, wegdommelend, mezelf bevrijd voelde uit de klauwen van mijn fortuin.

'Hij kan je helpen,' zei Tsirl nog een keer. 'Hij staat bekend als iemand die wonderen verricht.'

Ik gaf geen antwoord.

Tsirl bleef nog een tijdje gehurkt naast me zitten. Daarna liet ze me met een klein kneepje in mijn schouder los.

Ik rustte niet uit die nacht, omdat ik me zo verward voelde. Niet omdat ik op een onbekende bank lag, of omdat de geluiden zo anders waren dan waar ik aan gewend was. Het was mijn eigen lichaam waarvan ik vond dat het nieuw en vreemd voelde, een plotselinge lichtheid die ik niet eerder ervaren had. Als ik indommelde, kreeg ik meteen het gevoel dat ik dreef, alsof de lucht in de kamer te ijl was om me beneden te houden. Onbeladen lucht, dat was het, lucht vrij van gefluister en geruchten, zonder naamloze verschijningen die altijd zo zwaar op me gedrukt hadden. Niet dat hij onbewoond was natuurlijk, de lucht. Maar er woonden onbekenden, volslagen onbekenden van wie ik de aanwezigheid niet kon voelen, van wie het gewicht op iemand anders drukte, op schouders die niet de mijne waren.

En het was niet alleen de lucht in dat bepaalde huis. De hele dag door had ik de lucht van onbekenden ingeademd. Een ijle, lichte lucht – de lucht van onverschilligheid – en ik had me er vrij in bewogen. Niemand kende me in Kiev, niemand kon het schelen wie ik was, waar ik vandaan kwam. Dat kon gevaarlijk zijn, veronderstelde ik, om zo alleen te zijn, maar ik voelde geen gevaar, alleen maar lichtheid.

Veertien

Tegen het einde van mijn vijfde dag in Kiev had ik Beile nog steeds niet gevonden. Ik had in de tussentijd bij iedere apotheek die ik in de stad kon vinden, navraag naar haar gedaan, en iedere keer als ik het apothekersteken zag, was ik er zeker van dat dit de apotheek was waar ze werkte. Maar bij ieder schouderophalen en iedere keer dat er nee geschud werd, begon de twijfel meer en meer aan me te knagen. Wie zei trouwens dat Beile in een apotheek werkte, vroeg ik me nu af, terwijl ik terugging naar de woning van de familie Kaminski. En zo ja, wie zei dat ik haar kon vinden? Kiev was een grote stad, nietwaar? Het kon weken duren voor ik iedere apotheek opgespoord had. Misschien wel maanden. En ondertussen was ik al langer gebleven dan de Kaminski's lief was.

Het was laat in de middag toen ik de Kresttsjatik insloeg, die vol kopers en kijkers was. Het weer was gedurende de dag omgeslagen, het werd nu zo donker dat er een dreigende lucht laag en zwart boven de boulevard hing, de gouden koepels van de stad staken er onnatuurlijk helder tegen af. De wind was in kracht toegenomen, en joeg zand en stukjes afval over de stoep. De straatlantaarns waren nog niet aan, maar de etalages waren helder verlicht, schel bijna, in het onheilspellende licht van het naderende noodweer. Voor me zag ik een apotheek waar ik nog niet geweest was, maar ik bleef eerst voor de etalage van een banketbakkerswinkel staan om de piramides gesuikerde pruimen, kersen en peren te bewonderen. Iemand botste van achter tegen me aan, een oude vrouw met een mand broodjes. Ik had geen honger, maar verderop op de stoep zag ik een politieagent onze richting op kuieren. Ik wilde geen aandacht trekken, want ik had geen vergunning voor een langer verblijf in de stad, dus onderhandelde ik met de oude vrouw tot hij voorbij was.

'*Barin*,' riep een sigaretverkoper tegen de goedgeklede man vlak voor me. 'Koop een pakje Doves. Tien voor vijf kopeken.' De verkoper was lang en goedgebouwd, hij had een blad met sigaretten voor zijn buik en een haveloze pet op zijn dikke zwarte krullen.

'Leib,' zei ik, want die was het.

Hij keek me verward aan. Per slot van rekening hadden we elkaar nog nooit ontmoet. Ik had hem een keer in het moeras gezien toen hij met Golde langsgelopen was en een andere keer bij de betoging op de brug toen Sore me verteld had wie hij was.

'Ik ben Mirjem,' zei ik tegen hem. 'Beile's nicht.'

'O ja, Mirjem,' zei hij zonder ook maar een ogenblik te aarzelen. Hij lachte en pakte mijn hand alsof het de gewoonste zaak van de wereld was dat hij me zo op de Kresttsjatik zou tegenkomen. 'En wat brengt jou naar Kiev? Kom, laten we een eindje lopen?'

Vroeg ik me af waarom Leib, een leraar van beroep, nu als straatventer in Kiev werkte? Nee, dat deed ik niet. Hem in die rol te zien vond ik niet vreemder dan al het andere wat ik in die eerste paar dagen in Kiev meegemaakt had. Ik ging naast hem lopen en vertelde hem dat ik naar Kiev gekomen was om Beile te vinden.

'Is er iets in de familie gebeurd?' vroeg Leib, op zijn knappe gezicht was duidelijk bezorgdheid af te lezen. Tsila had het wat hem betreft aan het verkeerde eind, besloot ik op dat ogenblik. Hij hield duidelijk van Beile en was waarschijnlijk met haar getrouwd, zoals hij had beloofd.

'Nee, nee, alles is in orde. Het is alleen…' Ik kon hem moeilijk vertellen dat Tsila bang was dat hij Beile in de steek gelaten had. 'We gaan naar Argentinië verhuizen, en Tsila wilde dat Beile laten weten.'

'Argentinië.' Leib floot zachtjes. 'Dat is ver weg.' Hij stopte en tikte bij wijze van groet tegen zijn pet naar een krantenverkoper een stukje verderop. De krantenverkoper knikte en we liepen terug in de richting van waar we vandaan gekomen waren. 'Wat is er met Sint-Petersburg gebeurd?'

'Sint-Petersburg?' vroeg ik.

'Ja. Beile vertelt me dat haar zuster er altijd van gedroomd heeft om kleermaakster in de hoofdstad te zijn.'

'Niet dat ik weet,' zei ik, hoewel ik me de modebladen uit Sint-Petersburg herinnerde, die Tsila twee keer per jaar placht te ontvangen toen ik net bij haar was komen wonen, tijdschriften waarvan ze later beweerde dat die in een stad als de onze een verspilling waren. 'Ik denk niet dat mijn stiefmoeder ooit wegdroomde over een stad waar joden niet mogen wonen.'

'Of durft te dromen verandering in die wantoestand te brengen,' zei Leib. Hij lachte innemend, terwijl zijn donkere ogen de mijne aankeken.

'Dat zou ik niet weten,' mompelde ik, plotseling van de wijs gebracht. Ik voelde mijn wangen rood worden toen hij zo naar me keek. Zijn blik was zo intens dat ik op dat ogenblik besefte dat het iets in mij was – iets aantrekkelijks in mijn gelaatstrekken misschien of iets charmants in mijn manier van doen – wat zo'n aandacht rechtvaardigde.

'Nu heb je me nog steeds niet verteld wat jou helemaal alleen naar Kiev brengt. Ben je alleen?'

Ik bevestigde dat ik alleen was, en uit zijn aandachtige blik maakte ik op hoe moedig dat was. Ik biechtte op waarom ik gekomen was en ook de verandering die ik in mezelf bespeurd had op de allereerste dag dat ik hier was, en ik kon uit de uitdrukking op zijn gezicht opmaken hoe bewonderenswaardig en buitengewoon hij me vond. 'En nu ik je gevonden heb, kan ik misschien een paar dagen langer in Kiev blijven voor ik weer naar huis ga. Als jij en Beile dat niet erg vinden, natuurlijk...'

Iets in mijn woorden verbrak de betovering. Leib fronste niet, of toonde zich geërgerd, maar zijn blik verplaatste zich, zijn aandacht dwaalde af. Weg van mijn buitengewoonheid, naar een andere gedachte of aangelegenheid. Hij zei tegen me dat hij nu weer aan het werk moest, maar dat hij me over een poosje zou ontmoeten in een koffiehuis een paar deuren verderop. Hij gaf me wat geld en zei me dat ik wat voor mezelf moest kopen, terwijl ik wachtte.

Tot op dat moment was ik nog nooit een eetgelegenheid binnengegaan die niet door een jood uitgebaat werd, had ik nog nooit voedsel gegeten dat niet streng kosjer was. Zelfs het broodje dat ik eerder van de oude vrouw gekocht had, had ik niet opgegeten. Zo leefde ik nu eenmaal, had ik altijd geleefd. Of het uit gewoonte was of vanwege het geloof, dat weet ik niet. Was ik me bewust van de kloof die zich opende tussen mijn toekomst en mijn verleden, toen ik het koffiehuis binnenging waar Leib me naar toe gestuurd had, een kloof die met iedere stap breder werd? Ik denk nu dat ik het wel wist, want ik herinner me duidelijk de draai in mijn maag, toen ik de deur opendeed en het koffiehuis binnenstapte. Maar ik herinner me ook dat ik het een prettig gevoel vond, zo vol beloften.

Het was een schitterend koffiehuis, groot en spelonkachtig, met marmeren tafels en vergulde spiegels aan de muren, en op dat tijdstip van de dag klonk overal het gegons van gesprekken en het getik van lepeltjes tegen schoteltjes. Een nevel van tabak verdikte de lucht en vermengde zich met het aroma van koffie en parfum dat van iedere tafel omhoog rees, de lichte geur van sinaasappelschil. Tussen de tafels gleden kelners in het zwart met een gesteven witte doek over hun onderarm. Ze hielden hun zilveren bladen hoog in de lucht, hun bovenlichaam bewoog niet als ze door het vertrek gleden, dat boog alleen licht naar voren als ze hun bestelling afleverden.

Ik ging bij de deur zitten aan een marmeren tafel met drie poten. Aan de ene kant zat een groep matrozen, aan de andere kant drie dames die thee zaten te drinken. De dames wierpen een blik op mij, en bogen daarna hun hoofden zo dicht naar elkaar toe dat de veren op hun hoeden elkaar raakten en samen dansten op de maat van alle gefluisterde roddelpraatjes.

Een kelner kwam naderbij en stond bij mijn tafel zonder me aan te kijken. Heel even voelde ik paniek in me opkomen. Hij had ontdekt wie ik was; zijn minachting was voelbaar. Ik was bang dat zodra ik mijn mond zou opendoen, alle gesprekken in het vertrek zouden stokken, alle tikkende lepeltjes zouden stilvallen, de nevel zou opklaren, en alle ogen naar de tafel bij de deur gericht zouden worden waar de kelner, de witte doek hing als een vlag over zijn onderarm, die onderarm zou uitsteken…

'Koffie alstublieft,' zei ik.

De kelner bewoog niet, reageerde zelfs helemaal niet, leek me feitelijk ook niet gehoord te hebben. Ik keek verwilderd om me heen. De veren aan de volgende tafel dansten nog steeds. Aan de andere kant van mij daverde gelach als een geweerschot op. Ik draaide me snel om. De matrozen leunden achterover, ontspannen, lachend, hun half opgegeten porties ijs stonden her en der op de tafel voor hen.

De kelner stond nog steeds naast me. Ik keek naar hem, maar zijn ogen waren op een punt ergens boven mijn hoofd gevestigd.

'En ijs,' zei ik.

'Vanille of pistache?'

'Pistache. Alstublieft.'

Hij knikte en gleed weg.

Ik wierp nog een blik op de matrozen. Hun zwarte uniformen waren rijkelijk versierd met blinkende gouden insignes die me deden denken aan de met goud afgebiesde jurk voor Lena Tsjajvits waarmee Tsila aan het worstelen geweest was voor ik vertrok. Op de petten van de matrozen zaten smalle linten met de naam van hun schip: *Azimut*. Een van de matrozen ontmoette mijn blik en lachte breeduit, waarbij hij sterke gele tanden liet zien. Ik keek snel de andere kant op.

De koffie, toen hij er eenmaal was, smaakte totaal anders dan wat ik ooit geproefd had. Stroperig en donker, smaakte het bitter op mijn tong, maar toch was er duidelijk iets zoets te proeven. Ik dronk het langzaam op, genietend van de volle smaak, terwijl er een gevoel van warmte en weldadigheid door me heen trok. Klanten kwamen en gingen, sommigen bleven bij de deur dralen om op vrienden te wachten, of om de ruimte af te speuren op zoek naar de tafel die ze wilden. Hoewel ik half afgewend van de deur zat, kon ik de mensen voelen komen en gaan, kon ik de regen horen toen die begon te vallen, toen die buiten op de straat kletterde. Ik proefde een lepel ijs, maar hoewel de romige zoetheid lekker genoeg smaakte, bekoorde die me niet. Ik nam nog een slokje koffie, en genoot van de donkere bitterheid op mijn tong.

Toen ik eindelijk het koffiehuis verliet, was het opgehouden met stortregenen, maar overal om me heen drupte de stad nog na. Leib had zich niet aan zijn afspraak met mij gehouden. Waarschijnlijk was hij dat nooit van plan geweest. En ik, in mijn zwakheid, had nagelaten, toen ik de kans nog had, om ook maar de kleinste aanwijzing over Beile's verblijfplaats te krijgen. Er verscheen een blos op mijn wangen, zoals eerder gebeurd was toen ik met hem op straat stond te praten, alleen voelde ik nu schaamte, schaamte omdat ik me van mijn doel had laten afleiden, omdat ik zo genoten had van zijn blik.

Maar toch voelde ik me niet helemaal ontmoedigd. Mijn vastberadenheid werd er alleen nog maar groter door. Als Leib zijn belofte om me in het koffiehuis te ontmoeten, kon breken, en dan nog wel min of meer onmiddellijk nadat hij die gedaan had, wie weet wat voor beloftes hij aan Beile gedaan had, en vervolgens had gebroken? Tsila had gelijk gehad om zich ongerust over haar zuster te maken, gelijk gehad om me op pad te sturen om Beile te vinden, en vinden zou ik haar. Daar was ik zeker van.

Na de regenbui was de lucht in de stad koel en fris en mijn stap was kwiek, voelde ik, mijn lichaam licht. Ik begon onder het lopen een brief aan Tsila en Arn Leib te componeren, de tweede brief sinds mijn aankomst in Kiev. In de eerste had ik hen ervan verzekerd dat ik veilig aangekomen was, en dat ik van plan was onmiddellijk naar huis terug te keren nadat ik contact met Beile gehad had. En nu vertelde ik hen dat ik Beile niet gevonden had op het adres dat we gekregen hadden, en over mijn speurtocht naar apotheken in de stad, mijn toevallige ontmoeting met Leib. *Ik blijf tot ik haar gevonden heb*, zo schreef ik, hoewel ik nog niet bedacht had hoe ik dat zou moeten doen. Ik had geen vergunning om in de stad te blijven, geen uitzicht op werk, geen plek om te wonen. Ik vind wel een baan, dacht ik, een behoorlijke plek om te wonen. Was ik er al niet in geslaagd om hier vijf dagen zonder problemen of ongelukken te blijven? *Het zal niet voor lang zijn*, beloofde ik Tsila en Arn Leib. *Ik heb er alle vertrouwen in dat ik Beile zal vinden.*

Maar hier aarzelde ik. Hoe kon ik uitleggen dat ik zo vol vertrouwen was als ik goed beschouwd niet veel verder gekomen was op mijn zoektocht naar Beile sinds mijn aankomst in Kiev, terwijl mijn ontmoeting met Leib me feitelijk – vaag, maar ontegenzeglijk – de indruk gegeven had dat Beile misschien niet gevonden wilde worden. *Alle vertrouwen*, herhaalde ik, maar toen ik naar woorden zocht om dat vertrouwen toe te lichten, kon ik alleen maar aan de lucht denken, hoe die langs mijn huid streek, aan het zwevende gevoel dat ik had als ik liep, de glans van Leib's krullen onder zijn haveloze pet.

'Je kunt hier niet blijven.' Zo begroette de jongere mevrouw Kaminski me, toen ik die avond weer bij haar woning aankwam. Tsirl en haar moeder waren al uit de stad vertrokken. Ze hadden rabbijn Sjpira ontmoet, niet één keer, maar drie keer, en waren nu op weg naar huis met zijn volledige garantie dat elke aanspraak op Tsirl opgeheven was en dat ze met een nieuwe huwelijkskandidaat van start kon gaan. Ik had wel verwacht dat mijn gastvrouw afstandelijker zou worden na hun vertrek – had dat al bemerkt op de avond daarvoor, toen Tsirl en haar moeder hun bezittingen aan het bijeenpakken waren – en was nu volledig bereid zelf onderdak te gaan zoeken, maar het idee dat dat al zo snel moest gebeuren, bracht me erg van mijn stuk.

'Wat heb je nodig, geld voor je treinkaartje naar huis?' vroeg mevrouw Kaminski. Ze begreep mijn blik van ontzetting verkeerd. Ze pakte haar portemonnee en begon er in te rommelen.

'Ik heb geen geld nodig,' zei ik. De bankbiljetten die Tsila me gegeven had, zaten nog steeds in de voering van mijn jas waar ze ze verstopt had. 'Als ik alleen nog een paar nachten bij u mag blijven...'

Mijn gastvrouw stak haar onderlip naar voren en ademde scherp uit, terwijl ze een pluk haar die van onder haar hoofddoek ontsnapt was, uit haar ogen blies.

'Alleen maar tot ik mijn tante vind.' Het vertrouwen dat ik net gevonden had, leek nu te vervliegen, het veranderde in juist die lucht die het even daarvoor opgewekt had.

'Dit is geen hotel voor weglopers.'

'Ik ben niet weggelopen,' zei ik.

'Ga dan naar huis, naar je ouders, waar je hoort.'

'Mijn ouders zijn al naar Argentinië vertrokken,' zei ik. Die leugen kwam als vanzelf, zonder erbij na te denken, alsof alleen nog mijn tong de wilskracht bezat die nodig was om in Kiev te blijven. 'Eén nachtje nog,' pleitte ik.

Mevrouw Kaminski zuchtte diep. 'Mevrouw Plotkin op nummer zeven verhuurt bedden. Vier roebels per maand, als het niet verhoogd is. Heb je al een baan gevonden?'

Ik schudde mijn hoofd.

'Een verblijfsvergunning?'

Ik gaf geen antwoord. Mevrouw Kaminski zuchtte nog eens. 'Ik heb gehoord dat Sjamski meisjes zoekt.'

'Ze noemt zichzelf mevróuw Plotkin, maar er is nooit een meneer Plotkin geweest voor zover iemand weet,' zei Hinde, de kleinste van de twee meisjes. Ze waren ongeveer van mijn leeftijd. Ze waren naar me toe gekomen, toen ik een paar dagen later op een ochtend water stond te putten op de binnenplaats van mevrouw Plotkin. 'Niet dat dat haar ervan weerhouden heeft een gezin te hebben. Ik heb gehoord dat haar rotjongens alle vier een andere vader hebben.'

'O stil toch, Hinde,' zei de ander, een lang, mager meisje met te veel haar en een te klein gezicht en een klein rond brilletje, dat maar van haar neus bleef glijden. 'Ik ben Masja,' stelde ze zichzelf voor. 'En dit is mijn zuster Hinde. We wonen op nummer negen. In de kelder.'

'En hoeveel rekent ze jou?' vroeg Hinde. Ze was de jongste van de twee, en had knap kunnen zijn met haar gladde zwarte haar en haar ogen die schitterden als onyx. Maar ze was nogal humeurig. Ik kon dat meteen zien. Dat had haar ogen tot glinsterende spleetjes gemaakt en haar lach verwrongen tot een zelfgenoegzaam lachje.

'Vijf roebel,' zei ik.

'Vijf?' herhaalden de twee in koor.

'Waarvoor? Voor een bed in haar keuken?' vroeg Hinde.

'Maar het staat vlak naast het fornuis,' wees ik hen erop.

'Dat is een misdaad,' zei Masja.

'Ik mag al blij zijn dat ze me een bed heeft willen verhuren.'

Toen ik de eerste keer op mevrouw Plotkin's deur klopte, had ze hem slechts op een kiertje geopend, en wilde ze weten wat ik kwam doen voordat ze me binnenliet.

'Ik heb gehoord dat u bedden verhuurt,' zei ik tegen haar.

'Wie zegt dat?' vroeg ze.

'Mevrouw Kaminski op nummer elf.'

'Nou, mevrouw Kaminski van nummer elf moet zich met haar eigen zaken bemoeien,' antwoordde mevrouw Plotkin, maar ze deed de deur ietsje verder open, zodat ik haar gezicht kon zien, met diepe rimpels en ingevallen rond een tandeloze mond. 'Heb je een vergunning?' vroeg ze. Ik vertelde haar dat ik die niet had.

'En mevrouw Kaminski stuurde je hier naar toe?' Geen plukje haar kwam van onder haar hoofddoek vandaan, en haar wenkbrauwen waren haarloze randen.

'Ik heb genoeg geld voor een maand huur.'

'Hoe weet je wat ik voor een maand huur reken? Wacht, laat me raden... mevrouw Kaminski op nummer elf heeft je dat verteld.'

Ik knikte, waarop mevrouw Plotkin glimlachte, een vermoeide glimlach, alsof we elkaar net een grap over de toestand in de wereld verteld hadden. 'En?' vroeg ze. 'Hoeveel is de huur?'

'Vier roebel,' zei ik.

'Dat is voor meisjes met een verblijfsvergunning. Maar voor meisjes zonder... om je de waarheid te vertellen, dan zou acht roebel nog niet genoeg zijn.'

'Vier en een half,' bood ik aan.

'Daar doe ik het niet voor.'

'Nu goed dan,' zei ik en liep weg.

'Zeven,' riep ze me achterna.

'Daar kan ik een hele kamer voor vinden.'

'Zes, en verder ga ik niet.'

'Vijf, en ik zal u eerlijk vandaag betalen.'

'Natuurlijk zul je me eerlijk betalen. Zie ik eruit als de bank van lening? Maar voor zo'n gereduceerde huur moet je ook wat huishoudelijke karweitjes voor me doen.'

Ze had me daarop mijn bed laten zien. Het was een brits achter het fornuis in de keuken. Dat vond ik niet erg, want ik had opgezien tegen de vochtige duisternis van een souterrain. Maar ik had mijn tas nog niet neergezet of mevrouw Plotkin begon alle karweitjes op te sommen die ik voor de reductie van de huur moest doen. Om te beginnen moest ik 's morgens eerst het fornuis aansteken en water putten voor die dag.

'Is er iets mis met dit water?' vroeg ik aan Hinde en Masja. Het water uit het reservoir op de binnenplaats had een eigenaardige bruinrode tint.

Alle twee staarden ze me een ogenblik aan. 'Hoe lang zei je dat je in Kiev was?' vroeg Hinde.

'Daar heb ik niets over gezegd.'

Hinde grijnsde, terwijl Masja uitlegde dat het water direct uit de Dnjepr kwam en ongefilterd was. Dat was zo in alle armere wijken, en ook in sommige rijkere. Deze tijd van het jaar was het ergst, als door de voorjaarsoverstromingen al het rioolwater van de hele winter ineens de rivier in gespoeld werd. 'Er zijn al gevallen van cholera en het is nog niet eens Pesach. Maar zeg eens,' zei ze, 'heb je al werk gevonden?'

Ik gaf toe dat dat niet zo was.

'Heb je al verblijfspapieren?'

'Nee,' zei ik, en ze vertelde me, zoals mevrouw Kaminski ook gedaan had, dat Sjamski meisjes zocht.

'Wat is Sjamski?' vroeg ik.

'Wat is Sjámski?!' Hinde's zelfgenoegzame lachje veranderde in een spottende grijns.

Masja vertelde me dat de familie Sjamski een grote suikerfabriek had, en van hen was bekend dat ze een oogje dichtknepen als nieuwe migranten niet de juiste papieren hadden. 'Dat schept meer loyaliteit onder de werknemers, als je begrijpt wat ik bedoel.'

'Ze kunnen minder betalen zonder bang te zijn voor een staking,' legde Hinde uit. 'Maar het is een heel eind lopen hier vandaan. We hebben geluk. Waar wij werken is maar vijftien minuten lopen.'

Ze werkten in een suikerwerkfabriek in de Podol, legde ze uit, het was soortgelijk werk als ik zou moeten doen als ik een baan bij Sjamski zou krijgen. 'Wij pakken snoep in, jij zult suiker moeten inpakken,' zei ze.

'De hele dag?' vroeg ik. Ik moest ervan slikken.

'Van zeven tot zeven, met een uur pauze voor de middagmaaltijd.

Het is niet moeilijk, maar het betaalt weinig tot je de slag te pakken hebt. Het was vorig jaar maar dertien kopeken per *pood*, maar ik heb gehoord dat het nu veertien kopeken betaalt.'

'Vorige maand heb ik elf roebels verdiend,' zei Hinde opschepperig.

'Maar je kunt niet verwachten dat je in het begin zo veel verdient,' zei Masja. 'Dat doet niemand.'

'Vooral niet bij Sjamski,' hinnikte Hinde.

'Maar je zult het snel genoeg in de vingers krijgen,' verzekerde Masja me.

Ik glimlachte naar hen beiden en probeerde mijn ontmoediging voor me te houden, toen ik besefte wat ik allemaal niet moest doen om mezelf in Kiev te onderhouden terwijl ik op zoek naar Beile was.

'Trek aan het einde van de maand bij ons in,' zei Masja. 'Drie en een halve roebel voor een bed, en we maken 's avonds samen een pan soep, daarmee sparen we nog meer uit.'

Ik bleef glimlachen, een stroeve glimlach, daar ben ik van overtuigd, terwijl ik me voorstelde hoe het zou zijn om iedere morgen in een sijpelend souterrain op te staan, met Masja en haar adviezen en Hinde met haar zelfgenoegzame lachje. Ik kon alleen maar hopen dat mijn loon voldoende zou zijn om mevrouw Plotkin de huur te betalen, de voordelen van mijn onderkomen waren me des te duidelijker nu ik wist wat het alternatief was. Mevrouw Plotkin was kortaangebonden, maar niet onvriendelijk nu we het eens geworden waren over de huur. Ze vroeg me niet waar ik vandaan kwam of waarom ik hier was. En toen ik de avond ervoor bij haar vier jongens was gaan zitten om ze het Alef-Bet te leren, had er een glimlach om haar mond gespeeld toen ze bij het fornuis stond. Later zette ze een kom soep voor me neer, hoewel dat niet bij de huur inbegrepen was.

***

Eerst duurde het maar lang voor het echt lente werd, het water van de overstromingen ebde geleidelijk aan weg, terwijl de populieren en kastanjes hun eerste blaadjes ontvouwden. Toen volgde er een week met warm weer, en boven ons hoofd groeiden de blaadjes uit tot een dicht bladerdak, zodat de stoepen en de boulevards er in het zonlicht bespikkeld uitzagen. Meikevers vlogen door de open ramen, nachtegalen zongen in de nacht, en op de warme bries dreef de zoete geur van seringen die paars en wit tegen de rode kliffen van de stad bloeiden.

Iedere morgen stond ik heel vroeg op en voor ik de stad uit ging naar Sjamski, putte ik het water voor die dag. Ja, ik werkte op de raffinaderij van Sjamski, en liep iedere dag een uur door de stad om twaalf uur per dag suiker in te pakken, en daarna liep ik 's avonds een uur terug. Het werk was vermoeiend, maar niet moeilijk. Het enige waar ik echt tegen op zag, was het einde van de dag als de mannen van de veiligheidsdienst ons fouilleerden om te controleren of we geen suiker van de eigenaars gestolen hadden. Iedere middag als mijn armen en schouders moe werden, en ik kramp in mijn benen begon te krijgen, groeide de angst in mij. En iedere avond de woede, als de handen van de bewakers me op plaatsen betastten waar niemand me ooit aangeraakt had. De schaamte.

Maar toch was ik niet ongelukkig met het werk. Het duurde niet lang voor ik bijna twee en een halve roebel per week verdiende, en hier was ik niet alleen blij mee, ik was er ook trots op. De gedachte dat ik mijn eigen inkomen in mijn zak had, beviel mij, zoals ook de vrijheid dat ik zelf kon beslissen waar ik het aan kon uitgeven – zoals aan een zak zonnebloemzaden op weg naar huis, of stoppen voor een gesuikerde pruim bij een banketbakkerszaak, of sparen voor een nieuwe hoed of jurk als ik dat wilde – maar ook om niemand verslag uit te hoeven brengen over de besluiten die ik nam.

Ik had op het werk geen vrienden, maar als ik gewild had, had ik ze wel kunnen hebben. Één meisje in het bijzonder probeerde me voor zich in te nemen. Tonja heette ze, een meisje met opgestoken kastanjebruin haar, dat met haar scherpe profiel en doordringende ogen net een havik leek. Ze nodigde me vaak uit om bij de groep te komen zitten, die tijdens de lunchpauze in de kantine bij elkaar kwam en ook na werktijd ontmoetten ze elkaar voor verschillende activiteiten. Ik stond niet onverschillig tegenover Tonja's toenaderingen – ik waardeerde een dergelijke vriendelijkheid – en soms ging ik tijdens het middagmaal bij haar groep zitten. Maar mijn avonden verkoos ik alleen door te brengen, op zoek naar Beile.

De meeste avonden liep ik na werktijd door de stad, van de buurt bij de suikerfabriek waar de schamele houten krotten van de arbeiders over de heuvels verspreid lagen en waar op de bodem van ravijnen afval lag te rotten, naar de brede boulevards van Lypki met zijn lindebomen en voorname herenhuizen waar de familie Sjamski resideerde. En bij iedere apotheek die ik onderweg zag, stopte ik om naar Beile te vragen. Waar ik maar liep, overal school gevaar, dat wist ik, gevaar waarvoor mevrouw Plotkin me waarschuwde, iedere keer als ik terugkeerde van mijn eenzame zwerftochten. In Lypki zou ik gearresteerd worden voor rondhangen, daar was ze zeker van. Nabij de ravijnen zou ik verkracht worden en worden achtergelaten om te sterven. Dat was het jaar daarvoor juist met een ander meisje gebeurd, dat ook vers van de *shtetl* kwam. Dat meisje was ouder geweest dan ik, maar net zo dwaas, zei mevrouw Plotkin, dwaasheid was het om de hele tijd alleen rond te lopen. Of ik dood in een greppel wilde eindigen, vroeg mevrouw Plotkin zich af.

De lente schreed voort. De ochtenden waren fris en mild, de avonden vol licht. Tijdens de lengende avonden stroomden de mensen de straat op: rondparaderende matrozen die met verlof waren van hun schip, jonge stelletjes die bedompte appartementen ontvluchtten en alleen oog voor elkaar hadden, heren met hun dame aan de arm. Keurig geklede fabrieksmeisjes liepen uitdagend voorbij met een glimlach vol zelfbehagen. Ze hadden hun woordje klaar voor de jongemannen die in het voorbijgaan om een kus vroegen, maar ze keurden hun saaie nichten van het platteland nauwelijks een blik waardig. Die stonden met een hoofddoek om en op blote voeten op iedere straathoek, en ze hadden bloemen in emmers te koop, plakken gemberkoek, kannen koude melk waarvan ze verzekerden dat die vers was. Ik keek toe, maar zorgde ervoor niet gezien te worden, altijd bedacht op politie of andere staatsdienaren die me aan zouden kunnen houden en om mijn papieren zouden kunnen vragen.

Ik kocht mijn versnaperingen bij de straatverkopers. Het werkterrein van de vrouw die broodjes verkocht en die tegen me aangestoten had op de dag dat ik Leib ontmoette, besloeg een groot gedeelte van de stoep op de Kresttsjatik. Haar broodjes waren zo oudbakken dat ze eerst in de melk gedoopt moesten worden als je ze wilde eten, maar ze waren per dozijn vijf kopeken goedkoper dan de broodjes van anderen. In de Foendklejevstraat, vlak bij het François Café, was een verkoopster en haar warme kwarktaart zat barstensvol rozijnen. Maar als ik naar haar toe wilde, moest ik de bedelaar verdragen die een vaste stek naast haar had. Die mopperde zo luid over hoe smerig de joden waren, dat iedere keer als ik langs hem heen moest, zijn gif bij me binnendrong, en me kortstondig vergiftigde met schaamte en twijfels over mijn eigen reinheid. 'Let niet op hem,' zei de verkoopster altijd, terwijl ze me mijn kwarktaart overhandigde, maar op een dag stopte ze de munten die ik haar gegeven had, in zijn houten kom.

Iedere week kreeg ik een brief van Tsila waarin ze me gebood onmiddellijk naar huis terug te keren, en iedere week stuurde ik een brief terug waarin ik haar en Arn Leib ervan verzekerde dat ik bij mevrouw Plotkin veilig was, dat mijn speurtocht naar Beile goed verliep, dat het loon dat ik verdiende, gebruikt kon worden voor mijn overtocht naar Argentinië. Herkende ik mijn eigen bedrog in die brieven die ik zo trouw stuurde? Hoe zou ik dat niet hebben kunnen zien? Hoe kon ik maar net blijven doen alsof het mijn zoektocht naar Beile was die me in Kiev hield? Maar hoe kon ik me afkeren van het verlangen dat me die eerste paar weken in Kiev vervulde, een verlangen naar een nieuw leven – mijn eigen leven – dat eindelijk zijn hand naar mij uit leek te steken.

Op een avond stopte ik bij het koffiehuis waar ik op Leib gewacht had. Ik had eerder op de dag een brief van Tsila gehad. Ik moest onmiddellijk naar huis terugkeren, vertelde ze me nog een keer. Ik bestelde een kop volle en bittere koffie – zo veel verleidelijker dan de thee die ik thuis dronk – en schreef Tsila terug dat ik heel spoedig naar huis zou komen. Daarna las ik de krant – vol nieuws, zoals altijd, over ziektes in de stad en rampen in de oorlog met Japan. En problemen in de Pripjatmoerassen, las ik die avond in de *Kievskaja Mysl'*, een krant die minder liberaal was dan de andere kranten in de stad. De schoft Andrej Gon en zijn troep bandieten waren nog steeds op vrije voeten en hielden zich op in het moeras, zo stond er in het artikel. Een hele detachering dragonders en boswachters waren er niet in geslaagd hem gevangen te nemen. Hij kwam regelmatig te voorschijn om zijn schandalige overvallen op afgelegen landgoederen te plegen, om daarna in het veenmoeras en drijfzand te verdwijnen waar de arm van de wet hem niet kon bereiken. En zo verbleven er nog veel meer ongure bewoners in die wetteloze streek, zo vervolgde het artikel. Het was altijd al een toevluchtsoord voor bandieten en bedelaars geweest – dat was niets nieuws – maar nu was bekend dat het ook onderdak bood aan kampementen van revolutionaire terroristen. Het hele moeras moest drooggelegd worden, zo verklaarde de schrijver. Erger nog dan alleen waardeloos land, was het nu ook een etterende puist geworden en de giftige elementen daarvan bedreigden het leven van het regime zelf.

Een etterende puist? Giftige elementen? Overdreven, maar toch, ik herinnerde me de dampen die vanuit het moeras dreven, het geknotte landschap dat in mist gehuld lag, en toen ik de krant neerlegde, was het net of er een koude nevel langs mijn huid streek. Heel even maar, maar hij was er echt. Dit was de eerste keer sinds ik in Kiev aangekomen was, dat ik het voelde: een vertrouwde klamheid – mijn verleden? mijn bestemming? – het was zo dichtbij. Ik dronk snel mijn laatste beetje koffie op, liet een stapeltje munten op tafel achter, en haastte me naar buiten, de warmte van de avond tegemoet.

De straat was vol mensen, en hoewel het nu donker was, voelde de lucht warm en zwaar. Ik worstelde me door de mensenmassa en negeerde de blikken die me werden toegeworpen terwijl ik me tussen de mensen door wrong en negeerde ook de aansporingen om uit te kijken waar ik liep. Mijn huid voelde warm en was vochtig van het zweet, nu die tegen de warme, vochtige huid van vreemden aangedrukt werd. De klamheid die ik eerder gevoeld had, was nu verdwenen. Een herinnering. Een angstdroom. Aan de andere kant van de Kresttsjatik verzamelde zich een grote groep mensen rond een orgeldraaier. Het was de orgeldraaier met de rood met groene papegaai en zijn specialiteit was *De Blauwe Donau*. Hij speelde ook andere liedjes, natuurlijk – *O, de Ketel Staat op Springen*, *Verlangend naar het Vaderland* – maar het was *De Blauwe Donau* dat altijd het meeste volk trok. Ik kwam naderbij, in de verwachting de vertrouwde wals te horen en ritmisch mee te deinen met het publiek. Maar de mensen waren vreemd stil toen ik dichterbij kwam, en het was niet een wals die ik hoorde, maar een snijdende smart, een verlangen zo diep dat die de glans van vreugde had. *Het Bittere Afscheid* speelde de orgeldraaier, en ik sloot mijn ogen om te luisteren, terwijl overal om me heen de mensenmassa groter en groter werd – voorbijgangers stopten, aangegrepen misschien zoals ik door het geluid van hun eigen verlangen, dat plotseling makkelijker te dragen leek door de schoonheid die de orgeldraaier erin gevonden had.

Toen *Het Bittere Afscheid* afgelopen was, was het even stil, toen vroeg hij, zoals hij altijd deed, of er iemand was die geluk wilde grabbelen. 'Slechts vijf kopeken,' bood hij aan en ik voelde dat ik knikte. Ik had het al eerder geprobeerd. Ik had zijn papegaai een gekleurd reepje papier laten trekken waar een voorspelling op gedrukt stond. Alle keren was de voorspelling duister geweest – *Pas op voor de oranje kat in het schemerdonker*, bij voorbeeld – alsof de papegaai per ongeluk een waarheid getrokken had die voor iemand anders bestemd was, maar die avond koos hij er eentje die voor mij alleen bestemd was. *Donkere ogen brengen je geluk*, beloofde de voorspelling, en opluchting stroomde door me heen. 'Wat staat erop?' hoorde ik mensen om mij heen vragen. Een man naast me keek over mijn schouder en las de voorspelling hardop voor. Een goedkeurend gemompel ging er door de menigte, en terwijl de orgelman de eerste tonen van de *De Blauwe Donau* speelde, was het hoop voor mijn toekomst waarmee ik werd vervuld.

Met het wegebben van het water van de overstromingen nam het aantal choleragevallen niet af. De cholera week niet, maar verspreidde zich terwijl het warmer werd. Omdat er meer gevallen in onze buurt gerapporteerd werden, had mevrouw Plotkin het in haar hoofd gehaald dat al het water dat ik 's morgens putte, gekookt moest worden voor ik naar mijn werk ging. Dat was bezwaarlijk voor me, niet alleen vanwege de extra tijd die ik 's morgens kwijt was, en de warmte die dat opleverde in de toch al te warme keuken, maar ook vanwege het inkomen dat ik erdoor kwijtraakte. De kosten van het extra hout dat nodig was om ons water te koken, moesten we samen delen, zo drong mevrouw Plotkin aan.

'Wat?!' schreeuwde Masja toen ze van deze laatste wantoestand hoorde. Zij en Hinde waren natuurlijk ook voorzichtig met hun water, ze dronken alleen thee of heet water, maar om het water te moeten koken dat voor de was werd gebruikt, en om dan ook nog verplicht te worden in de kosten van deze buitenissigheid te delen... 'Je trekt bij ons in,' drong Masja aan. 'Waar heb je die lelijke, oude heks voor nodig?'

Ik hoorde Masja's verontwaardiging, maar ik was met mijn gedachten ergens anders. Er was een brief van Tsila gekomen, waarin stond dat als ik niet onmiddellijk terug zou keren naar huis, zij zelf naar Kiev zou komen om me te halen. Ik kon Tsila en mezelf niet langer voorhouden dat ik Beile wel zou vinden, terwijl ik op goed geluk door de stad zwierf, en nu dat doel er niet meer was, wist ik dat ik niet de wil had om haar openlijk, oog in oog, in Kiev te trotseren. Ik kocht een treinkaartje voor de volgende week en bracht Tsila op de hoogte van mijn plan.

Terwijl de cholera zich steeds verder verspreidde, begon de agitatie daarover te groeien. In de kranten, op straat, tijdens onderbrekingen op het werk. Iedereen sprak erover. Het kwam door de corruptie van de gemeenteraad, zeiden velen. Hoe kon anders verklaard worden dat het water in de stad zo vervuild was, terwijl het probleem gemakkelijk verholpen kon worden door eenvoudigweg filters te installeren?

Een meisje op het werk werd ziek – Olga heette ze – en er werd geld voor haar ingezameld. 'Wat heeft ze hieraan?' vroeg Tonja, terwijl ze ieder van ons om de beurt doordringend aankeek. We zaten in de kantine te eten, de groep meisjes die te ver weg woonden om voor het middagmaal naar huis te gaan.

'Hoe bedoel je, wat heeft ze hieraan?' vroeg Anna die het geld aan het inzamelen was. 'Ze kan er eten voor kopen, medicijnen, de huur ervan betalen...'

'Dat bedoel ik niet,' zei Tonja. 'Ik vraag wat het voor zin heeft, zo'n opzichzelfstaande daad van liefdadigheid? Het is net alsof je door de hel rent en probeert loopvuren te doven.'

Anna keek Tonja met een dom gezicht aan. 'Suggereer je nu dat we Olga niet moeten helpen?'

'Je weet best dat ik dat niet zeg.' Tonja liet een paar kopeken in de doos vallen.

'Ik stel gewoon een vraag. Wat doen we aan het grotere probleem?'

Nu was Tonja een populair meisje, bewonderd om haar snelle lach en haar snelle handen, dat er altijd in slaagde per dag bijna vier *poods* suiker in te pakken. Maar op dat moment schoven alle meisjes om haar heen ongemakkelijk op hun stoel heen en weer. Een paar meisjes wierpen een blik op de bewakers, de mannen van de veiligheidsdienst die ons iedere avond fouilleerden, die de hele dag door op ons letten en al onze gesprekken afluisterden.

'Welk groter probleem?' vroeg Anna.

'O, laat maar zitten. Laat vooral maar zitten,'zei Tonja. Ze had een opvliegend karakter dat paste bij haar snelle lach en snelle handen.

'De watervoorraad,' zei ik rustig. 'Dat is het grotere probleem dat niemand schijnt aan te kunnen pakken.'

'Aan wil pakken,' verbeterde Tonja me. 'Ze kunnen het wel, maar willen het niet. Maar dat is slechts een symptoom. Slechts één klein symptoompje van de corrupte hebzucht van het kapitalisme.'

'De installatie van filters zou niet zo'n ingewikkelde zaak hoeven zijn,' zei ik. Juist die avond ervoor had ik er in de *Kievskaja Gazeta* alles over gelezen.

'Maar dat kost misschien wel geld,' zei Tonja, haar gezicht werd rood van opwinding of woede. 'Daardoor zouden er wellicht een paar kopeken uit de glibberige vingers van bepaalde gemeenteraadsleden kunnen glippen.'

'Ik, bij voorbeeld, ben niet geïnteresseerd in deze discussie,' zei Anna luid. Te luid. Het was duidelijk dat ze dat zei, opdat de mannen van de veiligheidsdienst het zouden horen.

'O, rustig nu maar, Anna?' zei Tonja. Niemand gaat je arresteren voor je vanavond thuiskomt in je *grisjka*. Dat beloof ik je. Maar vertel eens,' zei ze en ze leunde naar voren om met haar hand over Anna's buik te strijken. 'Heeft hij je al een cadeautje gegeven?'

Daarop begon iedereen te lachen, behalve Anna. Haar wangen werden rood.

De volgende dag nodigde Tonja me uit om een avond met haar naar het theater te gaan, een uitnodiging die ik aannam. Ik had genoten van mijn gedachtewisseling met haar in de kantine, en zij dacht er kennelijk nct zo over. Ik keek uit naar de avond die komen zou.

Na werktijd wachtte ze me buiten de fabriekspoort op, en stak haar arm door de mijne, terwijl we naar het centrum van de stad liepen.

'Het was zo'n opluchting dat je het voor me opnam gister,' zei ze tegen me. 'Ik heb soms het gevoel dat ik hier de enige ben die de dingen ziet zoals ze zijn.'

'Het is eenzaam,' stemde ik in, en dacht eraan hoe ik genoten had van de scherpte van haar argumenten. Ik genoot ook van de warmte van haar arm tegen de mijne na al die weken dat ik alleen geweest was.

'Het is om razend van te worden,' verbeterde Tonja me. 'Het is niet dat ze dom zijn. Ik vind domheid niet erg. Maar lafheid kan ik niet dulden.'

Ze praatte enige tijd over de lafheid van meisjes als Anna, en ik kon de beschaving in haar stem horen. Ik had die al eerder opgemerkt, en ik vroeg nu hoe het kwam dat ze op de suikerfabriek werkte.

'Ik ben actievoerder,' gaf ze toe, zonder een ogenblik te aarzelen. 'Een mislukte actievoerder,' voegde ze er met een snelle lach aan toe, de lach waardoor ze zo populair was op het werk. 'Het is zo duidelijk wat er in Rusland moet veranderen dat het niet eens gezegd hoeft te worden – tenminste dat vind ik – en toch zeg ik het, en ik zeg het nog een keer, en toch krijg ik alleen maar lege blikken als antwoord.'

'Je bent te ongeduldig,' antwoordde ik en ik herinnerde me de vriendelijkheid waarmee Malke iedereen in onze studiekring antwoordde, en de vriendelijke toon als ze iemand verbeterde. Tonja hield een paar minuten haar mond en ik, bang dat ik haar beledigd had, begon me te verontschuldigen.

'Denk je dat ik niet al lang weet dat ik niet deug voor het voeren van actie?' onderbrak ze me abrupt. Ze bleef nog een paar minuten zwijgen, en trapte onder het lopen tegen steentjes. 'Denk je dat je de eerste bent die tegen me zegt dat ik ongeduldig ben?'

'Het spijt me,' zei ik. 'Ik wilde niet…'

'Als je je mening geeft, moet je die niet teniet doen door je vervolgens te gaan verontschuldigen. Ik kan de mensen niet uitstaan die iets zeggen en daar vervolgens niet achterstaan,' zei ze tegen me en ik hield mijn mond, bang dat ze nog bozer zou worden.

'En wat is er trouwens zo fantastisch aan geduld?' vroeg ze. 'Heeft dat ooit onze landgenoten geholpen, die al zo lang moeten lijden?'

De boeren bedoelde ze. Niet de joden. En toch verwees ze naar hen als 'onze' landgenoten. Het kwam bij me op dat ze misschien niet eens wist dat ik joods was.

'Heeft geduld er ooit voor gezorgd dat degenen die land en voedsel nodig hebben, die ooit hebben kregen?' vroeg ze me. 'Natuurlijk niet. Hoe kan er nu iets veranderen als we als een stom rund blijven wachten?'

Ik was bang dat ik de sfeer van de avond verpest had, maar meteen bij haar volgende uitspraak veranderde ze van uitdrukking en toon. Haar gezicht ontspande zich, de frons verdween van haar voorhoofd. 'Maar genoeg hierover. En hoe zit het met jou? Hoe komt het dat jij op de fabriek werkt? Je komt niet bij Kiev uit de buurt. Dat kan ik aan je accent horen.'

'Ik ben weggelopen,' zei ik.

'Echt waar?'

'Nee, niet echt,' zei ik tegen haar, maar onmiddellijk toen ik dat woord – weggelopen – uitsprak, zag ik mijn fortuin op het station van Gomel rondrennen in die allereerste ogenblikken dat die zich realiseerde dat ik ontsnapt was.

'Wat is er zo grappig?' vroeg Tonja.

'Niets,' zei ik en ik vertelde haar hoe ik in Gomel de Frumkins had laten staan en me haastig uit de voeten gemaakt had en dat ik in mijn eentje naar Kiev gereisd was en hier al die weken al zonder vergunning verbleef.

En zo bedank je degenen die van je houden, hoorde ik Tsila tieren, terwijl ik Tonja vertelde wat ik gedaan had. Tsila's pijn en woede werden volstrekt niet getemperd door de afstand die ze moesten afleggen om bij me te komen. *En zo hou jij op jouw beurt van hen. Zo lijk je precies op je moeder.* Ik werd er stil van toen me duidelijk werd hoe het eigenlijk zat.

'We hebben meer mensen als jij nodig,' zei Tonja. 'Mensen die zichzelf toestemming geven, in plaats van dat ze eindeloos wachten tot ze die krijgen. Geduld en volgzaamheid zijn deugden die overgewaardeerd worden, vind je niet?'

Tonja lachte op dat moment zo innemend naar me, dat ik haar niet vertelde dat ik al een retourkaartje naar huis gekocht had, op bevel van Tsila.

'Waar kom je vandaan?' vroeg Tonja.

'De Pripjatmoerassen. Dat heb ik je net verteld.'

'Ik bedoel je achtergrond.' Ze richtte haar schrandere gouden ogen op mijn gezicht, en ik voelde me slecht en smerig onder haar nauwkeurige blik.

'Ik ben joods,' zei ik snel, en ik was me er terdege van bewust dat deze woorden haar interesse in mij zouden kunnen doven.

'Dat bedoel ik niet,' zei ze bozig. 'Zulke verschillen doen er onder kameraden niet toe. Ik bedoel uit welke maatschappelijke klasse kom je. Wat doet je vader?'

'Hij is schoenmaker,' zei ik.

'Ach,' antwoordde ze, er kwam een milde uitdrukking op haar gezicht. 'Schoenmaker.' Ze legde haar hand op mijn arm. 'Dan kan jíj míj waarschijnlijk heel veel leren.'

Siberië, februari 1912

Vannacht droomde ik weer van jou. Ik voelde je gewicht, je leven, in me. Ik hoorde je roepen en begon wakker te worden. Maar toen ik het oppervlak van mijn bewustzijn bereikte, wist ik dat jij het níet was. Maria misschien. Ze roept de laatste tijd wel vaker in haar slaap. Of misschien was het Vera, hoewel in haar gekreun niet langer nog iets te horen is van het wellustige leven waarover ze ons verteld heeft. Ik sliep nog, maar wist dat ik je voor de zoveelste keer verloren had.

Ik zweefde op het randje van de slaap, probeerde je opnieuw te bereiken, probeerde weer diep in mezelf terug te zakken, terug naar de diepste slaap, de enige plek waar jij en ik elkaar kunnen ontmoeten, maar tegen die tijd had angst me in zijn greep. Die vulde mij met een zwaarte die zo anders was dan die van jou. Die sleurde me uit mijn slaap, net zo stellig als de bewakers gedaan hadden die me tegenhielden toen ze je me voor de eerste keer uit mijn armen rukten.

Toen ik mijn ogen opendeed, baadde onze cel in het licht, het koude, bleke schijnsel van de Siberische maan. Ik dacht dat ik niet meer in slaap zou vallen, zo zwaar was de angst die ik voelde, maar toch, toen ik mijn ogen dichtdeed, kwam je weer bij me, een meisje van zes nu, tenger en donker met lang zwart haar dat tot op het midden van je rug reikt. Je draaide je naar me om. De contouren van je gezicht waren die van je vader, maar beschaduwd door ervaringen die helemaal de jouwe waren. Je ogen waren donker als die van mij en stralend van het leven waaraan ik jou verloren heb.

Vijftien

Natuurlijk had ik niet verwacht dat het Solovitski Theater in Kiev zou lijken op de hal van de nieuwe sjoel waar we onze feestelijkheden met Poerim hielden, maar desondanks was ik niet voorbereid op de weelderigheid die me begroette, de zware bloemengeur in de toegangshal, de gangen die behangen waren met spiegels in gouden lijsten, de rijen stoelen die met hemelsblauw fluweel gestoffeerd waren.

We zaten op het allerhoogste balkon, vanwaar je nauwelijks het toneel kon zien. Het stuk van die avond heette *Madame Sans-Gêne*, en lang voor het einde van de eerste acte vroeg ik me af waarom Tonja dat stuk uitgekozen had. Niet dat ik mezelf niet vermaakte. Alleen al het kijken naar de dames in de loges onder me bood op zich al genoeg vermaak. Ze hadden ontblote witte schouders en parelmoeren toneelkijkers. En de jurken waren zo prachtig dat ik het betreurde dat Tsila niet de gelegenheid had ze te zien.

Maar het stuk was saai. Het enige opwindende kwam aan het einde van de eerste acte, toen Tonja fluisterde: 'Hou je klaar,' en ze gaf me een stapel foldertjes waarop stond: Burgers! Sta Op Uw Recht! Eis Schoon Water! Zodra het doek viel, liet ze een handvol foldertjes over de balustrade vallen. Ze dwarrelden als sneeuwvlokken in de richting van de met juwelen getooide hoofden onder ons. 'Snel,' beval ze me, terwijl ze er nog een stel liet vallen. Ik volgde haar voorbeeld en liet ook de mijne los. Ik keek hoe zo'n honderd velletjes papier naar beneden dwarrelden, maar ik zag ze niet neerkomen. Tonja had mijn hand al gegrepen en trok me de vele trappen af naar beneden, de zijdeur uit en de straat op.

'Doe gewoon,' fluisterde ze, en ze boog haar hoofd naar het mijne en giechelde, alsof ze me net de naam toevertrouwd had van de man waarop ze verliefd was. En zo liepen we, als twee giechelende schoolmeisjes, maar we waren niet ver van het theater toen we 'Halt' hoorden roepen, en we begonnen te rennen.

Ik voelde een stevige greep zich om mijn ene arm sluiten, toen om de andere. Mijn beide armen werden op mijn rug gedraaid, tot onbeweeglijkheid gedwongen. Mijn gedachten bevroren. Mijn hoofd was leeg. Ik had geen angst voor wat er komen ging, geen spijt over wat er gebeurd was, ik registreerde slechts, zonder gedachte of gevoel, wat er volgde, hoe mijn zintuigen aangerand werden. Ik zag het blauwe kamgaren van de militaire politie die me in toom hield, de vluchtige en starende blikken van voorbijgangers. Ik hoorde een stem, vertrouwd maar toch ook weer niet, die voor mij pleitte. 'Laat haar gaan,' hoorde ik als van heel ver weg. 'Laat haar gaan, smeek ik u. Ze is totaal onschuldig.'

Ik keek naar beneden, toen mijn voeten zich onder mij begonnen te bewegen. Dat waren mijn eigen voeten, vertrouwd als ze eruit zagen in de laarzen die Arn Leib voor me gemaakt had, maar die toch bewogen als door de wil van een ander. Dat waren mijn eigen bruine leren laarzen, nieuw dit jaar en gestikt door de fijne, nauwkeurige hand van Arn Leib, maar versleten en stoffig vergeleken met de glimmende laarzen waar ze tussenin liepen. Wat glansden die andere laarzen. Wat een diepe zwarte glans. Als de kevers die ik vaak had bekeken in onze tuin thuis: groot, zwart en glanzend. En mijn eigen voeten, die als twee dofbruine larven tussen die zwartglanzende laarzen in de val zaten.

De keien waren ongelijk en ik struikelde. Mijn armen werden naar achter gedraaid, en naar boven, en ik voelde een pijnscheut door mijn rug schieten. Ik probeerde voorzichtig te lopen, maar kon dat niet. Ik kon niet langer de voeten voelen die onder me stapten. Ik kon niet langer de armen voelen waaraan ik meedogenloos voorwaarts gedreven werd. Er was alleen maar pijn, een scherpe en uitstralende pijn, die zich over mijn hele bovenrug verspreidde.

Ten slotte kwam er vlakheid voor de keien in de plaats, het platte grijze steen van een trap die omhoog leidde, het ruwere steen van een gang. Meer trappen, naar beneden deze keer. Het licht was flauw, de lucht bedompt en vochtig. Er klonk gerinkel van metaal op metaal, een deur ging open en ik werd de duisternis in gesmeten.

'Varkens,' hoorde ik naast me mopperen. Het was Tonja. 'Alles goed met je?' Haar stem rees lichaamloos op uit de duisternis. Ik deed mijn ogen dicht om sneller aan het duister te wennen, maar toen ik ze weer opendeed, was het nog steeds even donker als daarvoor. We waren in het binnenste van de aarde gegooid, vuil en donker. Er was geen licht, geen ontsnappen mogelijk. Ik voelde paniek in me opkomen. 'Alles goed met je?' hoorde ik weer, maar nu dringender dan eerst. 'Ik kan niets zien,' zei ik, paniek brak mijn stem.

Daarop klonk gelach, maar het was niet Tonja. Ik werkte mezelf snel overeind, zodat ik zat. 'Wie is daar?' vroeg ik gebiedend, mijn hart klopte wild. Ik voelde warmte op mijn arm, levende warmte. Ik gilde.

'Ik ben het maar,' zei Tonja, haar stem klonk rustig, vriendelijk.

'Wie lachte daar?' vroeg ik, wat nog meer gelach tot gevolg had.

'Je kunt beter zorgen dat je vriendin wat kalmeert, tantetje, anders schrikt ze zich nog dood,' zei iemand. Een vrouwenstem.

'Doe je ogen dicht,' fluisterde Tonja.

'Dat heb ik al gedaan.'

'Laat die ogen maar zitten. Blijf daar niet op de vloer zitten,' zei iemand, en terwijl ze sprak, werd ik me ervan bewust hoe vochtig het onder mij was, hoe glibberig. Ik sprong overeind wat nog meer gelach tot gevolg had. 'Kalmeer een beetje, tantetje. Het is alleen maar stront.'

Ik rook aan mijn handen en armen, maar er hing zo'n sterke geur van uitwerpselen overal om me heen, dat ik niet kon bepalen waar die vandaan kwam.

'Er is hier een brits,' zei iemand. Ik begon nu vormen te onderscheiden. Een hand pakte de mijne en leidde me een paar stappen. Ik voelde de rand van de brits tegen me aan en liet mezelf erop zakken. Tonja ging naast me zitten.

'Je rilt,' zei ze en ging naast me liggen.

Het oppervlak onder ons was hard en hobbelig, maar droog. Tonja sloeg haar armen om me heen. Haar lichaam voelde warm aan tegen het mijne. Binnen enkele minuten klonk overal om ons heen gesnurk. 'Ze zullen je niet lang vasthouden,' fluisterde Tonja. 'Je hoeft alleen de nacht maar door te komen.'

'Hoe weet je dat?'

'Ik ken ze,' zei ze.

'Ik heb geen papieren.'

'Dat doet er niet toe,' verzekerde ze me. 'Ze zullen je de stad uitzetten. Meer niet.'

'Weet je dat zeker?' vroeg ik.

'Absoluut.'

'En jij?'

'Ze kunnen me geen kwaad doen,' zei ze. 'Niet echt.'

Ik sliep – ik weet niet hoe – en toen ik wakker werd, bevond ik me in een cel op een smalle brits die bedekt was met stro. Er lekte licht, nog steeds flauw, door een smal raam hoog boven ons, en dat verlichtte de gezichten van de acht andere vrouwen met wie ik de cel deelde, vrouwen die er precies zo uitzagen als de verkoopsters of winkelmeisjes die ik op mijn nachtelijke wandelingen over de Kresttsjatik kon zien. Tonja was al op en zat op de rand van onze brits.

'Zijn jullie gepakt omdat je zonder kaartje werkte?' vroeg een van de oudere vrouwen.

'Wat voor kaartje?' vroeg ik, waar nog hartelijker dan eerst om gelachen werd.

'We zijn politieke gevangenen,' zei Tonja streng, waarop een van de jongere vrouwen een paar danspasjes maakte, boog en zei: 'Nou, neem ons vooral niet kwalijk. We zitten hier alleen maar omdat we de kost proberen te verdienen.'

De vloer, zo zag ik tot mijn opluchting, bestond alleen maar uit aarde die op sommige plaatsen door het vocht van de grond in slijk veranderd was. Er stonden twee emmers, allebei vol uitwerpselen, maar we zouden allemaal later op de morgen mee naar de latrine genomen worden, zo vertelde een van de vrouwen ons.

'Eén keer per dag, of je nu moet of niet.'

'En wat als je nog een keer moet?' vroeg ik.

'Dit is niet Hotel Rossija.'

'Ik zie het verschil niet,' antwoordde ik, en voor het eerst klonk er gelach dat niet spottend van toon was.

Toen de bewaker ons thee en brood kwam brengen, vroeg Tonja wanneer we aangeklaagd zouden worden. De bewaker negeerde haar. Ze vroeg het nog eens toen hij ons kwam halen, twee aan twee en met handboeien om, om ons naar de latrine te brengen, en weer negeerde hij haar.

Een paar van de andere vrouwen werden die ochtend vrijgelaten en in de namiddag kwamen er twee bewakers voor mij.

'Zie je wel?' zei Tonja, terwijl ze me omhelsde. 'Ik heb je het toch gezegd.'

De bewakers gingen ieder aan een kant van me staan en ze voerden me de trap op, een lange gang door, een binnenplaats over, nog meer trappen op een ander gedeelte van het gebouw binnen en nog een gang door. We hadden het huis van bewaring nu verlaten en kwamen de gevangenis zelf binnen. Terwijl we daar liepen, hoorde ik een ritmisch gebonk tegen de houten deuren die we passeerden en stemmen begonnen te zingen.

'Wat is dat?' vroeg ik, maar de bewakers staarden voor zich uit alsof ze niets hoorden.

Dat zingen was voor mij, besefte ik al spoedig. De andere gevangenen keken door het sleutelgat van hun cel en zagen me voorbijkomen, bonsden op de deuren, schreeuwden een groet als ik langs kwam en begonnen te zingen. En hoewel mijn angst niet verdween, helemaal niet zelfs, was die aandacht even hartverwarmend.

We klommen nog een stel trappen op, en liepen een gang in waar de stilte slechts verbroken werd door het geluid van onze eigen voetstappen die de stenen gang afliepen, en ten slotte stopten we bij een kamer waar een politiebeambte aan een bureau een document zat te lezen. Hij keek niet op bij onze aankomst, maar ging door met lezen, terwijl hij ondertussen de punten van zijn snor omhoog draaide. Enige tijd stond ik in de deuropening, geflankeerd door mijn twee bewakers die niets deden om zijn aandacht te trekken. Uiteindelijk keek hij op alsof hij ons nu pas opgemerkt had.

Niet vet, maar vol. Volheid en verzadiging druipen van hem af. Dat waren de woorden die in mijn hoofd opkwamen, toen ik voor het eerst de blik ontmoette van de kolonel van de militaire politie die me zou ondervragen. Het zat ver weg gestopt in mijn herinnering, maar ik herinnerde me opeens hoe Beile ooit een toekomstige bruidegom beschreven had die Chippa eens voor haar meegebracht had. Want zo'n man was het die vandaag voor me zat. Zo'n man was het in wiens handen mijn toekomst nu lag.

'Ga zitten, alsjeblieft,' nodigde hij me uit. Zijn toon was beleefd. 'Jullie kunnen ons alleen laten,' zei hij tegen de bewakers.

Het was bedompt in de kamer – voor het enige raam hing een donker, zwaar gordijn – en meteen nadat de deur achter de bewakers dichtgeslagen was, welde even de angst in me op dat ik, voor nu en altijd, met die druipende kolonel begraven zou zijn.

Hij richtte zijn aandacht voor een paar ogenblikken nog een keer op het document, en keek vervolgens weer naar mij. 'Mag ik je verblijfsvergunning zien?' vroeg hij. Een redelijk verzoek op een redelijke toon. Ik bevroor van angst, toen ik dat hoorde.

'Heb je me verstaan?' vroeg hij.

'Jawel.'

'En?'

'Die ligt thuis,' zei ik.

'Lieg niet. Het laatste wat je wilt is tegen me liegen, dat kan ik je beloven.' Hij glimlachte. 'Begrijp je wel, we zijn bij je thuis geweest. Bij je dierbare mevrouw Plotkin.'

De angst kreeg mij nu nog meer in zijn greep. Hoe wist hij waar ik woonde?

'Je bent verbaasd, dat kan ik zien.'

Ik zei niets.

'Denk je dat ik niet weet wie je bent? Wie je vriendin is?'

'Tonja?' vroeg ik.

'*Tonja*,' hij spuugde de naam uit alsof die een bijzonder onplezierige smaak op zijn tong achterliet. 'Denk je dat we niets weten van het ongedierte dat zich onder onze ogen uit de voeten maakt?'

Er moest een informant op het werk zijn. Anna misschien. Een man van de veiligheidsdienst.

'Ik weet dat je illegaal in Kiev verblijft. Ik weet ook dat dit je eerste overtreding is.' Hij glimlachte weer. 'Ik wil je hier net zo min houden als jij hier wilt blijven, dat verzeker ik je.'

Daarna duwde hij een document over het bureau heen mijn kant op, het document dat hij zo zorgvuldig aan het bestuderen was toen ik de kamer binnenkwam. 'Kun je lezen?' vroeg hij, terwijl mijn ogen over de tekst gleden.

'Ik weet hier niets van,' zei ik. Ik begreep dat het de bedoeling was dat ik het document zou ondertekenen waarin stond dat ik gezien had dat Tonja, samen met verschillende andere mensen die me volslagen onbekend waren, betrokken was bij allerlei activiteiten met de bedoeling de regering omver te werpen. 'Dit kan ik niet tekenen,' zei ik.

'Dat begrijp ik niet,' antwoordde hij. 'Eerst vraag je me je vrij te laten. Maar als ik je vervolgens laat zien hoe je dat gedaan kan krijgen, weiger je.' Hij stond op uit zijn stoel achter het bureau en liep naar het raam, waar hij een punt van het gordijn wegtrok en naar buiten keek – het werd al donker. Lange tijd stond hij zo in die beschouwende houding, en wel zo lang dat het leek alsof hij me vergeten was.

'Ik ken niemand van die mensen. En Tonja en ik zijn nog maar net met elkaar bevriend geraakt. Dit was de eerste keer dat we samen uitgingen. Dat moet u toch weten,' zei ik, maar toen hij zich naar mij omdraaide, kon ik een verandering in hem bespeuren. Hij liep naar me toe, leunde half staand, half zittend tegen de rand van zijn bureau en nam me met een koude blik op. Hij leunde naar voren, zijn gezicht was nu zo dichtbij dat ik de poriën op zijn wangen kon zien en zijn adem op mijn gezicht kon voelen.

'Als je zo onschuldig bent als je beweert, waarom zongen al je trawanten dan voor je, toen je hier naar toe liep?' vroeg hij. 'En dan zo'n lied! Zo'n tumult! Ik kon het hier zelfs horen.'

'Dat weet ik niet,' zei ik, en hij sloeg me in mijn gezicht, eerst met de voorkant van zijn hand, daarna met de achterkant.

Een verschrikkelijke woede steeg in me op. Verschrikkelijk, omdat het al het andere binnen in me uitwiste. Pijn, angst, verwarring – alles werd door de vlam van die woede verteerd. Ik herinner me weinig van wat er volgde. Ik herinner me absoluut niet dat ik in zijn gezicht spuugde, maar daar was mijn spuug, vermengd met het bloed van mijn gescheurde lip, terwijl het langs zijn witte, volle gezicht naar beneden liep.

Er was een ogenblik, één enkel ogenblik maar, dat ik verrassing op zijn gezicht kon zien. Die was verdwenen toen hij zijn hand in zijn zak stak om er een zakdoek uit te halen. Hij maakte zijn gezicht zorgvuldig schoon en liet geen spoortje van mijn spuug achter, waarna hij, net zo zorgvuldig, zijn zakdoek weer opvouwde en terug in zijn zak stak. Toen sloeg hij me met zo'n kracht dat mijn hoofd tegen de harde achterkant van de stoel sloeg.

De cel waar de bewakers me naar toe brachten, was niet dezelfde als die ik net verlaten had. Ze leidden me door een gang van de gevangenis, langs een reeks houten deuren, maakten er eentje open, maakten mijn handboeien los en duwden me naar binnen. De duw was zo hard dat ik, wederom, tegen de vloer gesmeten werd. Ik hoorde hoe de deur achter me dichtging, de klap toen hij dichtgeslagen werd, het geschraap van de sleutel die in het slot omgedraaid werd, en daarna was er stilte. Onmiddellijk voelde ik de kou. Een klamme, snode kou. De vloer van deze cel was van steen, en voelde koud en vochtig aan. Ik lag daar een tijdje, was niet in staat me te bewegen. De angst, de pijn in mijn hoofd, het besef dat de kansen zich tegen me gekeerd hadden. Ik wist dat ik me moest bewegen. Ik wist dat ik van de vloer moest opstaan, maar ik kon het niet. Ik bleef waar ze me neergeworpen hadden, half zittend, half liggend – ik weet niet voor hoelang. Was het een uur? Tien minuten? De halve nacht? Ik begon te beven, zo verschrikkelijk te beven dat ik niet kon opstaan, maar toch moest het, zo wist ik. Het steen van de vloer onttrok alle warmte aan me, zoog de warmte uit mijn diepste wezen. Als ik bleef waar ik was, zou ik tegen de morgen niet meer in leven zijn. 'Sta op,' gebood ik mezelf, en uiteindelijk deed ik dat, waarna ik langs de muren van mijn cel heen en weer begon te lopen.

Het was een kleine cel, negen passen bij zes passen. Tegen een van de muren stond een brits. Tegen een andere een kleine tafel. Ook was er nog een kruk, een emmer, een hoog raam met tralies waardoor ik, op dat uur van de avond, alleen maar duisternis kon zien. De deur was van dik hout met een sleutelgat waardoor ik de lange gang kon zien waar we door gekomen waren, geflankeerd door houten deuren, en verlicht nu door lampen.

Ik ging met mijn vingers langs de muren. Ze waren als de vloer, van koud steen en er sijpelde water doorheen. Tranen, dacht ik, maar de tranen waren koud. De tranen van de Engel des Doods. De tranen van mijn dode broer die me in mijn moeders schoot gekweld had en die niet zou rusten zolang de adem van het leven, die hem geweigerd was, nog in me huisde. Ik herinnerde me de koude damp die ik een paar weken daarvoor in het koffiehuis langs me heen had voelen strijken. Ik was toen naar buiten gerend om aan zijn aanraking te ontkomen, om mezelf te omringen met de vochtige warmte van levend vlees, maar nu was er geen ontkomen aan. De Dood had me weer eens verrast en hield me omklemd.

Ik kon zijn ademhaling horen, rasperig en krassend. Mijn hart bonsde luid in mijn borst. 'Ik ken jou,' zei ik tegen hem, terwijl ik mijn best deed om mijn stem kalm en krachtig te laten klinken. Ik streek met mijn hand over de klamme huid van de cel, en bracht vervolgens mijn vingers naar mijn gezicht – zo heet als dat was ondanks het feit dat ik beefde – en verkoelde het met het vocht ervan. 'Ik ken jou,' zei ik nog een keer. 'Je bent dezelfde slappeling als je altijd al geweest bent.'

Zijn ademhaling bleef, moeizaam, oppervlakkig. Ik bleef heen en weer lopen, alsof het me onverschillig liet. 'Ik ken jou,' zei ik weer, in de hoop hem met de kracht van mijn stem te kunnen verjagen. 'Je betekent niets voor me.' Ik bleef nog wat langer heen en weer lopen, langs de lengte en de breedte van mijn cel, en daarna bukte ik me om door het sleutelgat te kijken, maar merkte dat het licht versperd werd. Een bewaker gluurde naar binnen. Ik gilde.

'Kalmeer een beetje, zussie,' zei hij, zoals de vrouwen de avond ervoor gedaan hadden. Het was een oude man; dat kon ik aan zijn stem horen.

Ik vroeg hem om water, en ik kalmeerde een beetje door het geluid van mijn eigen stem terwijl die om zoiets eenvoudigs vroeg. Hij zei dat ik pas 's ochtends wat kon krijgen.

'Ik moet nu wat hebben.' Mijn mond was uitgedroogd, mijn dorst ondraaglijk. 'Ik moet iets drinken,' zei ik tegen hem. En andermaal begon er paniek in mijn stem door te klinken.

'Kalmeer een beetje,' zei hij, maar nors nu, en er klonk gezag in de norsheid die door de nevel van mijn paniek heen drong. Ik begon weer heen en weer te lopen, maar nu schoten er aardsere zorgen door mijn hoofd. Waar was Tonja nu, en wat zouden ze met haar doen? En hoe zat het met mevrouw Plotkin? Wat zou ze gedacht hebben toen de politie bij haar thuis kwam? Wat hadden ze haar verteld? En wat hadden ze met haar en de jongens gedaan? Hadden ze haar ervan beschuldigd dat ze een misdadiger onderdak verleend had? En was ik dat nu ook, een misdadiger? Wat voor misdadiger? Voor welke misdaad zou ik aangeklaagd worden? Openbaar wangedrag? Verraad tegen de tsaar? Zou ik een week vastgehouden worden? Een maand? Tien jaar? Zou ik in een kerker geketend worden? Naar Siberië gestuurd worden? En hoe zat het met Tsila en Arn Leib? Zouden ze ooit te weten komen wat er van me geworden was? Zou het hen wat kunnen schelen? Zouden ze zich van me afkeren, omdat ik hun genegenheid en zorg verraden had?

Ik voelde een hand op mijn rug, een koude, klamme hand, en de haren langs mijn ruggengraat gingen overeind staan terwijl die hand zachtjes in de richting van mijn nek streek. 'Je betekent niets voor me,' fluisterde ik nog een keer als in een gebed.

Ik was bang om te gaan liggen, bang om op die plek mijn ogen dicht te doen, maar ik wist dat het toch moest. De brits zat vast aan de muur, het was onmogelijk hem te verplaatsen, weg te halen van die koude, doorsijpelende muren. Toch ging ik liggen en deed ik mijn ogen dicht. Ik dwong mijn lichaam stil te blijven liggen, maar de gedachten bleven maar door mijn hoofd malen. Ze kunnen me niet vasthouden, zei ik tegen mezelf, maar ik wist dat ze dat wel konden. Was dit dan mijn lot, vroeg ik me af, om in deze kooi te liggen met alleen mijn dode broer als gezelschap? Was dit altijd al de plek van mijn bestemming geweest waar al mijn hunkeringen en verlangens mij naar toe geleid hadden?

's Morgens was mijn broer er niet meer. Ik deed mijn ogen open en zag een grijze stenen cel, een bleek licht, en niet lang daarna kwam er een bewaker met brood en thee mijn cel binnen. Ik vroeg hem voor hij weer wegging, hoelang ik vastgehouden zou worden en hij haalde zijn schouders op. Ik zat op de kruk bij de tafel, en wachtte – waarop, daar was ik niet zeker van. De paniek van de vorige avond was bedaard. In plaats daarvan voelde ik me dodelijk vermoeid. Door het raam van mijn cel kon ik, nu het ochtend was, een groot stuk hemel zien. Die dag was dat wit.

Ik zat de hele ochtend op mijn kruk, maar er kwam niemand behalve de bewaker die me soep, brood en thee bracht. De middag bracht ik op mijn bed door: een stromatras boven op een ijzeren draagstel, met ruwe lakens en een grijze deken. Het was rustig in mijn cel; ik kon alleen de voetstappen van de bewakers op de gang horen, en het getik van knaagdieren in de buizen. Door die stilte wist ik dat mijn raam moest uitkijken op de binnenplaats, waardoor, zo besefte ik, ontsnappen zo te zien onmogelijk was. Ik zette de kruk bij de muur onder het raam, maar ik kon niet naar buiten kijken totdat ik ook de tafel die kant op getrokken had en ik op de kruk boven op de tafel ging staan. Het uitzicht was zoals ik verwacht had: een kleine binnenplaats waar twee gevangenen lusteloos rondliepen. Ik maakte me nog even ongerust over de straf die ik zou krijgen als ik boven op mijn uitkijktoren ontdekt werd, maar tot aan de avond kwam er niemand naar mijn cel, toen ik mijn derde maaltijd van de dag, brood en thee, kreeg.

'Heeft u er enig idee van wanneer ik misschien vrijgelaten zal worden?' vroeg ik aan de bewaker die me mijn avondeten bracht, maar weer kreeg ik geen antwoord.

Dagen gingen voorbij zonder dat er een aanklacht tegen me ingediend werd. Een week. Twee weken. Ik werd niet aangeklaagd, maar ook niet vrijgelaten, en ook werd ik niet nog een keer voor ondervraging naar de kolonel van de militaire politie gebracht. Was dit dan mijn straf, begon ik me af te vragen, was dit het loon van de kolonel voor de klodder spuug op zijn gezicht? Zou ik hier nu voor eeuwig wegkwijnen, zonder aanklacht, onveroordeeld en vergeten? Ik had geen menselijk contact. De vragen die ik de bewakers stelde, leverden slechts een schouderophalen op, een lege blik. Ik kreeg geen brieven, geen bezoekers. De oude bewaker die de eerste nacht door het sleutelgat naar me gekeken had, verscheen niet meer. Zelfs mijn dode broer leek vergeten te zijn dat ik bestond. Alleen slaap bracht verlichting aan mijn dagen, slaap, en dat korte ogenblik bij het ontwaken, voor mijn bewustzijn weer in alle zwaarte op mij rustte.

Aan het einde van mijn tweede week verkondigde de bewaker die me mijn middagmaal bracht, dat ik nu boeken en papier mocht hebben. Een privilege, dat wist ik, maar er was niemand die me deze dingen kon brengen, niemand daar buiten die wist waar ik was, als ik al bleef voortbestaan, en daarom maakte me dat alleen nog maar wanhopiger.

De lente ging over in de zomer. Ik zag hoe de lucht buiten mijn raam veranderde en wachtte tot de warmte en geurigheid zich door de stenen muren van mijn cel zouden dringen. Maar de lucht in mijn cel bleef bedompt en klam. En zwaar. Zo vreselijk zwaar. De klamheid ervan sijpelde mijn lichaam binnen, deprimeerde me, zodat alleen al zoiets eenvoudigs als opstaan in de morgen spoedig een beproeving werd die een kracht vereiste waarvan ik dacht dat ik die niet bezat. De zwaluwen kwamen, zoals ze altijd doen, en ze vlogen vrijelijk door de open tralies van mijn ramen, en vervolgens vertrokken ze weer.

Op een lange middag, terwijl ik in mijn deken gewikkeld op bed lag, kwam het me voor dat het geklop dat ik hoorde, te regelmatig voor knaagdieren was. Ik stak een hand uit en klopte op de buis die mijn brits met de muur verbond. Onmiddellijk kreeg ik een soort antwoord. Ik klopte nogmaals – twee keer nu – en weer gebeurde hetzelfde. Ik ging verschrikt rechtop zitten. Er volgde een hele reeks klopjes. Ik luisterde nauwkeurig, en mijn opwinding groeide toen er een patroon in bleek te zitten. Het was een alfabet, besefte ik, en tegen het einde van die middag had ik een nieuw alfabet geleerd dat, zoals ieder alfabet, de sleutel was tot een compleet nieuwe wereld, waarvan de poorten nu voor me open waren gegaan.

De gevangene die onder me woonde, heette Larissa Semjonovna Petrova. Ze was net als ik een politieke gevangene, hoewel zij al aangeklaagd was en wel voor opruiing tegen de regering en samenzwering met de opzet te doden. Ze wachtte opgewekt op haar proces.

'Ze hebben me hier naar toe gebracht, kilometers van huis, in een poging me door afzondering te breken,' klopte ze. 'Maar natuurlijk ben ik hier nooit alleen. Daar, in mijn vorige bestaan, was ik alleen.'

'Waar woon je?' klopte ik terug.

'Hier.'

'Maar daarvoor?'

'Ik was dakloos voordat ik binnen deze muren kwam, die zovele van mijn broeders en zusters onderdak bieden.'

Ik stelde mijn vraag anders. 'Waar wonen je ouders?'

'Ik heb geen ouders. Ik ben een kind van de revolutionaire idealen die me gebaard hebben.'

Ze was gearresteerd voor een aanslag die ze gepleegd had op de gouverneur van Toela – de Slager van Toela, noemde ze hem. 'De slager die de opdracht gegeven had om op onbewapende mensenmassa's te schieten, om dorpen tot de grond toe af te branden, om naar willekeur te verkrachten en te plunderen.' Er volgde een lange pauze, en toen: 'We hebben van je onschuld gehoord,' klopte Larissa. 'Van je moed.'

'Is dat zo?'

'O ja,' was Larissa's antwoord.

Het nieuws van mijn klodder spuug had zich blijkbaar over de gevangenis verspreid, en gaandeweg was die veranderd in een symbool van onschuldige kracht die zegeviert in de confrontatie met verdorvenheid.

'We voelen ons vereerd je in ons midden te hebben,' klopte Larissa.

En dat was het begin van een gedachtewisseling die mijn verblijf in de gevangenis drastisch veranderde. Uren die zich eindeloos voortgesleept hadden, werden nu met geklopte gesprekken gevuld. Larissa vertelde me over haar leven op haar vaders landgoed – haar leven voor haar geboorte, zoals ze dat noemde – en stelde me uitvoerig vragen over mijn eigen leven. Ze beschreef haar visie op een wereld waarin iedereen kleding en voedsel zou hebben en vrij zou zijn van de verloedering die tegenwoordig iedere laag van de maatschappij vergiftigde.

'Er is verandering op komst,' beloofde ze. 'En ze kunnen niets doen om het tegen te houden. Ze denken dat ze hier met ons afrekenen, onze geest breken, maar niets is minder waar. Hun gevangenissen zijn zwanger van revolutie.'

Daarmee kon ik het niet eens zijn, dat mijn eigen geest niet gebroken werd. Ik dacht aan de lange dagen die ik doorgebracht had, terwijl ik niet in staat was van mijn brits op te staan, de paniek die ik gevoeld had die eerste nacht alleen in mijn cel, toen ik de dood door de muren om me heen voelde sijpelen. Ik vertelde Larissa dit, en ze zei dat ik hierin niet uniek was. 'Velen van ons hebben gevoeld wat jij net beschreven hebt. Hoe kunnen we de aanwezigheid van de dood niet voelen, gevangen als we zijn in de boezem van het kwaad?' vroeg ze. 'Maar het is juist uit de boezem van de verrotting waar nieuw leven ontspringt. Dat is de wet van de natuur, die ook in de sociale orde van kracht is…'

Ze bleef kloppen, maar ik dacht nog steeds aan mijn eerste nacht in mijn cel, de angst die ik voelde.

'…Net zo vol gevaar als de baarmoeder,' zei Larissa. 'Maar ook net zo vol beloften. We bevrijden ons hiervan en worden opnieuw geboren, ieder van ons. Getransformeerd. Let op mijn woorden.'

Mijn gedachten dwaalden ver af van Larissa's gepraat over zwanger zijn van de revolutie, naar de tijd dat ikzelf door mijn moeder gedragen werd, de dorst die mijn moeder gehad had toen ze zwanger van me was, haar bovenaardse dorst, een verlangen naar de dood, terwijl binnen in haar mijn eigen leven gestalte begon te krijgen. Maar toch, was ik er niet in geslaagd die beproeving te doorstaan? Had ik niet de dood door de muren van mijn moeders schoot voelen sijpelen en was ik toch niet ontsnapt, het leven in? Die gedachte troostte me enigszins

Op sommige middagen praatten Larissa en ik niet over onszelf of de komende revolutie. Ze klopte dan meestal poëzie – Poesjkin voornamelijk – mijn cel binnen. 'Het is niet echt decadent,' verzekerde ze me. Dat had ik ook niet gedacht. Twee middagen achter elkaar lag ik met mijn ogen dicht, terwijl de regels van Jevgeni Onegin mijn cel binnenstroomden.

We hadden het ook over praktische zaken natuurlijk. Larissa was op de hoogte van het reilen en zeilen binnen de gevangenis en wist hoe je informatie van buitenaf kon krijgen. Ze kenden de namen en connecties van alle politieke gevangenen om ons heen. Ze wist wie er het laatst gearresteerd was en wie op het punt stond vrijgelaten te worden.

'Heb je iets over Tonja gehoord?' vroeg ik haar.

'Vrijgelaten,' vertelde ze me. 'Tot haar diepe schaamte.' En dat maakte mij bijna ondraaglijk afgunstig.

Ze vertelde me op een dag dat een familielid van mij op bezoek gekomen was en dat die weggestuurd was.

'Wie was het?' vroeg ik.

'Dat weet ik niet. Maar je moet je uitspreken, je rechten opeisen, uitgesproken zijn in je eisen, desnoods water en voedsel weigeren. Anders reageren ze niet.'

Ik kon me niet voorstellen dat ik water en voedsel zou weigeren, net zo min als ik de lucht zou weigeren die ik inademde. Terwijl Larissa haar kracht leek te putten uit de ideeën en idealen die ze met me deelde, leek het beetje kracht dat ik bezat, geworteld in het rijk van het lichamelijke. 'Ik denk dat ik wel een maand lang voedsel zou kunnen weigeren en na die maand zou ik honger hebben, maar zou ik nog steeds rechteloos zijn,' zei ik tegen haar.

Het was een ogenblik stil en toen: 'Misschien, maar je zou ook door een kracht beheerst worden waarvan je daarvoor niet wist dat je die had.'

'Misschien,' stemde ik in.

De volgende morgen echter, kort na het ontbijt, verscheen er een bewaker bij mijn cel. 'Dit is voor je gekomen,' zei hij en hij gaf me een stapeltje papier en een pen en inkt. Hij kon me niet zeggen wie het gebracht had, zelfs niet of het een man of een vrouw was.

'Wees voorzichtig,' waarschuwde Larissa me. 'Wat een privilege lijkt, is vaak een val. Ze doen niets uit goedheid. Alles wat je schrijft, zal gelezen en tegen je gebruikt worden.'

Ik bedankte haar, maar kon geen weerstand bieden aan de pen. Het was een veer, maar niet zo eentje als ik in de winkels van Kiev bewonderd had. De veer was niet stralend van kleur noch majestueus van vorm, maar klein en zwart – het ondoorgrondelijke zwart van een kraai – en onooglijk, vond ik. Maar hoe kon ik dan de opwinding verklaren die ik voelde, toen ik hem vastpakte? Ik hield de pen vast en voelde dat hij me de kracht gaf van de vleugel waar die uitgehaald was. Ik doopte hem in de inkt en begon te schrijven. *Ik heb het koud*, schreef ik. Eenvoudige woorden – hoe kon ik de vreugde verklaren die ik voelde, toen ik ze opschreef, de plotselinge zekerheid van mijn eigen bestaan waarmee ik vervuld werd, terwijl de woorden onder mijn hand gestalte kregen? *Dit is de zomer van mijn zeventiende jaar, en ik heb het altijd koud.* De pen nestelde zich in de greep van mijn vingers alsof hand en pen één instrument waren, dat over het papier gleed, zoals een vogel door de lucht zeilt.

Larissa's proces naderde. 'Bij het eerste licht van de ochtend moet ik klaarstaan,' liet ze me op een avond kloppend weten. 'Verheug je voor mij.'

Ze was er zeker van dat ze ter dood veroordeeld zou worden, en naarmate het ogenblik naderde, zag ze dit vonnis tegemoet in wat alleen maar beschreven kan worden als een staat van opgetogenheid. 'De ultieme schoonheid in het leven van een revolutionair is de opoffering van dat leven voor het mensdom,' citeerde ze me die avond.

Dat was dus wat ze bedoeld had met al haar gepraat over hergeboorte. Dit zou haar transformatie zijn.

'Ben je niet bang?' vroeg ik.

'Is een blad bang, dat zichzelf wegcijfert om het gewas van het volgende jaar te voeden?'

'Bladeren hebben geen bewustzijn,' klopte ik terug.

'Des te betreurenswaardiger is het, want ze kennen de schoonheid van hun offer niet.'

Maar later, veel later die nacht, lang nadat we allemaal hadden moeten slapen, hoorde ik een zacht geklop. 'Mirjem,' klopte ze.

'Ik ben wakker,' klopte ik terug.

'Er zijn ogenblikken dat ik bang ben.'

De volgende ochtend, voor het eerste licht, was ik al op, maar ik hoorde geen beweging in de cel onder me. Ik klopte zachtjes op de muur van mijn cel, daarna iets harder, maar natuurlijk hoorde ik niets.

Ze hadden haar al meegenomen. De bewaker kwam met mijn ontbijt, maar ik kon geen hap door mijn keel krijgen.

Ik zat op mijn brits, daarna op mijn kruk, liep daarna heen en weer door mijn cel, eerst langs de korte kant toen langs de lange. Nog voor twaalf uur 's middags hoorde ik een klop op mijn muur. Onmogelijk wist ik, maar ze was terug, levend, haar proces was om onverklaarbare redenen uitgesteld. 'Ik voel dat dit het werk van mijn vader is,' klopte ze. 'Ik voel in dit uitstel de last van mijn zogenaamde bevoorrechting.'

En het was juist door deze woorden dat er een enorme last van me afviel.

'Ik ben bang dat in naam van die bevoorrechting – een bevoorrechting die ik verafschuw, die ik verfoei, waarvan ik met iedere vezel van mijn wezen afstand doe – mij het enige voorrecht geweigerd wordt dat ik ooit verlangd heb: sterven voor de zaak.'

'Was je vader er ook?' vroeg ik.

'Natuurlijk.'

Ze hadden haar in voetboeien meegenomen door de donkere straten en naar een militair hoofdkwartier gebracht. Daar was ze naar een klein zijkamertje gebracht waar haar verteld werd dat ze moest wachten. Ze had daar uren zonder eten of drinken gewacht. 'Ik verwelkomde deze ontberingen,' zei ze tegen me. Toen was haar vader de kamer binnengekomen.

'Hij was in vol militair ornaat. Zijn verschijning deed pijn aan mijn ogen. Ik wendde me in uiterste weerzin van hem af, maar hij begreep het verkeerd. "Schaam je maar niet tegenover mij," zei hij tegen me, alsof ík me voor mijn leven moest schamen. Hij nam mijn gezicht in zijn handen, zodat ik gedwongen werd in de ogen te kijken van de man die me mijn fysieke leven gegeven heeft, maar die niet mijn vader is. "Wees maar dankbaar dat de wonden die je toegebracht hebt, niet dodelijk waren. Er is nog een kans dat je gratie krijgt," zei hij en diepe verachting welde in me op.

'Ik vertelde hem, natuurlijk, dat mijn haat jegens de autocratie zo groot was dat ik die gratie niet kon accepteren, en hij vertelde me dat Gratie eerst een bod deed en daarna pas om toestemming vroeg. Hij voelde zich gekwetst, dat kon ik zien – ik ken deze man per slot van rekening al vanaf mijn geboorte, en kon de wond zien die ik toebracht

– en ik voelde medelijden met hem ondanks – of dank zij – de verachtelijkheid van zijn bestaan. Hij draaide me daarna de rug toe en verliet de kamer, maar spoedig daarna kwam er een bewaker binnen om me te zeggen dat het proces uitgesteld was, en ik wist dat mijn vader zijn invloed gebruikt had.'

Ik was niet gewoon blij toen ik het nieuws van Larissa hoorde. Ik was euforisch, fantastisch uitgelaten dat ze terug in haar cel was en nog leefde. Ik huilde van opluchting, voor een keer gelukkig dat ze me niet kon zien als we met elkaar praatten. Ik kon niet net doen alsof ik haar teleurstelling dat haar leven verlengd werd, deelde, maar ik kon tegenover haar ook niet toegeven hoe vreselijk blij ik daarom was. 'Zo mooi als je dood zou zijn, zo veel beter is het dat je blijft leven om samen de overwinning te vieren die zeker komen zal,' was wat ik naar haar klopte.

Op een ochtend in juli werd er een lied aangeheven, hetzelfde lied dat ik op de eerste ochtend gehoord had, toen ik voor ondervraging door de gang meegevoerd werd. Ik herkende het nu als de Marseillaise en nam eerst aan dat er een nieuwe politieke gevangene verwelkomd werd. Maar het zingen was zo vol opwinding, zo vol bruisende spanning, zo feestelijk dat het alles overtrof wat ik tot nu toe gehoord had. Ik klom naar mijn raam en zag banieren van rood doek vanuit bijna ieder raam rond de binnenplaats hangen.

'Verheug je, zusje,' klopte Larissa op mijn muur. 'Plehve is eindelijk vermoord.'

Ik kende Plehve, had in ieder geval van hem gehoord. Als minister van Binnenlandse Zaken was hij in heel Rusland gehaat om de hardvochtigheid van zijn bevelen, zijn totale minachting voor menselijk leven. En joden koesterden een speciale wrok tegen hem, want er werd gezegd dat hij het geweest was die toestemming gegeven had voor de pogrom in Kisjinjov, dat hij het geweest was die verklaard had dat hij het christelijke deel van de bevolking steunde in zijn strijd tegen de vijand.

'Weg met de autocratie!' klonk een kreet vanaf de andere kant van de binnenplaats. 'Lang leve de revolutie!' antwoordde iemand van onze kant. 'Lang leve de Sociaal-Revolutionaire Partij!'

Ik wachtte tot de bewakers het rumoer zouden komen onderdrukken, iets wat zeker zou gebeuren, de zware voetstappen, de kreten, het metalen gekletter van deuren en sloten, maar er kwam geen reactie van de gevangenisautoriteiten – niet dat ik kon horen. Het zingen, het geschreeuw, ging ongehinderd tot laat op de ochtend door, waarna het geleidelijk aan afnam, om vervolgens helemaal weg te sterven. Toen de bewaker me voor het middageten mijn brood en soep bracht, was aan hem niet te zien dat er iets ongewoons gebeurd was die ochtend – en aan mij ook niet.

Die middag vroeg ik Larissa naar de banieren van rood doek die tijdens de feestelijke gebeurtenissen van die ochtend uit de ramen rond de binnenplaats gehangen hadden. Ik had ze al eerder gezien, maar nog nooit zo veel tegelijk. Ik werd dagelijks gelucht, en dan werden er vaak rode doeken ontrold uit verschillende ramen rond de binnenplaats, om daarna weer haastig naar binnen getrokken te worden.

'Ze zijn als een teken van solidariteit bedoelt,' legde Larissa uit. 'Een teken dat je binnen deze stenen muren niet alleen bent. We weten hoe eenzaam je je vaak voelt,' klopte ze. 'We kijken naar je vanuit ons raam, terwijl je op de binnenplaats loopt. We zien het verdriet in je gebogen schouders. Ik hoor het hier door de toppen van je vingers klinken in de berichten die je me stuurt. Maar je bent niet alleen. We willen je laten weten dat je niet alleen bent.'

Daarop voelde ik me helemaal warm worden vanbinnen, een gevoel dat veel leek op wat ik tijdens mijn eerste mars naar mijn ondervraging gevoeld had. Ik vroeg Larissa hoe je aan zo'n doek kon komen.

'Het kan gevaarlijk voor je zijn als ik je dat vertel,' klopte ze terug, maar toen ik de week daarop nieuwe lakens uitgereikt kreeg, was er een stuk rood katoen in gevouwen. Ook ik begon rood doek te ontrollen wanneer Larissa me erop attent maakte dat er een politieke gevangene op de binnenplaats gelucht werd, en hiermee voelde ik dat de stenen muren die me omsloten, langzaam begonnen te bezwijken. De zomer ging over in de herfst. Mijn zeventiende verjaardag kwam en ging voorbij. 'Ik word morgen berecht,' klopte Larissa op een middag, en zo'n grote angst welde in me op, dat ik niet kon antwoorden.

Het was een heldere avond, de eerste kilte van de herfst was voelbaar in de lucht. Rosj Hasjana was in aantocht en het begin van de Dagen van Eerbied. In ieder joods dorp en in iedere joodse stad zouden er spoedig joden naar de synagoge stromen. Langs iedere voorname boulevard en uit iedere steeg en laan: vrouwen in hun mooiste jurk, mannen in hun loshangende kaftan. 'Een goed *Jontev*' zo zouden ze elkaar begroeten. 'Moge het bezegeld worden dat je voor een goed jaar ingeschreven wordt.'

Toen ik op de avond voor Larissa's proces op mijn uitkijktoren stond en naar de hemel buiten mijn raam keek, stelde ik me Tsila en Arn Leib voor zoals ze op weg waren, de heuvel af en de stad in. Op de vooravond van Rosj Hasjana liepen ze altijd samen naar de synagoge. De jurk die Tsila droeg, zou streng zijn – zoals past bij de somberheid van de feestdag – maar mooi van lijn. Haar haar zou onder een grote hoed met een brede rand weggestopt zijn, haar hoofd zou nauwelijks naar links of rechts bewegen als ze haar buren teruggroette. Haar verblijf in die stad in het moeras liep bijna ten einde. Als alles volgens plan verlopen was, zouden ze onmiddellijk na *Sukkos* naar Argentinië vertrekken. Nog maar een paar weken en ze zouden Rusland voorgoed verlaten hebben. Zouden ze aan me denken als ze zich dit jaar op de dag van oordeel en herinnering tot de Koning der Koningen richtten? Zouden ze ook namens mij pleiten? Ik voelde me wanhopig eenzaam.

Net als op de morgen van Larissa's vorige, uitgestelde proces werd ik wakker voor het licht werd en net als toen kwam er geen antwoord op mijn geklop. Ik weigerde mijn ontbijt zoals ik eerder gedaan had, en de hele ochtend bleef ik in mijn cel heen en weer lopen en wachtte ik op het nieuws dat ze gratie gekregen had, dat ze, levend, naar Siberië getransporteerd zou worden.

De klop kwam laat in de middag. 'Verheug je voor mij, mijn zuster,' zei ze en mijn smart woog zo zwaar dat alle lucht uit mijn longen geperst werd.

De ophanging zou 's nachts plaatsvinden, vertelde Larissa me. 'Ze doen hun werk in het duister, maar zelfs dat wordt door onze hoop en idealen verlicht.' Het zou die nacht voor zonsopkomst gebeuren, op de binnenplaats precies voor mijn raam. Er zou gezongen worden, zei ze, er zouden binnen en buiten de gevangenis stemmen klinken. 'Jij zult ook zingen, mijn zusje. Het zal een mooie dood worden.'

Mooi was die niet, natuurlijk. Haar leven, dat was mooi geweest, de gedachten en dromen die ze me in die kostbare uren van onze vriendschap via klopsignalen verteld had, haar hoop op een betere wereld, haar grootmoedigheid. Haar dood, toen die kwam, was lelijk. Ik hoorde hem aankomen toen ik die nacht slapeloos op mijn bed lag. Ik hoorde het gehamer in het donker, toen het schavot gebouwd werd, daarna een jammerkreet, een vreselijke jammerkreet die door de gevangenis joeg als een wind die pijn en vernietiging brengt. Jammerde zij zo? Ik weet het niet. Ik had haar stem nooit gehoord, zodat ik die zou kunnen herkennen. Ze was van plan geweest een verklaring af te leggen. Dat had ze me verteld. Ze was van plan geweest om haar verachting uit te spreken over een regime dat zijn eigen kinderen vermoordde, maar dat hun zaak nooit het zwijgen zou kunnen opleggen. 'Neem mijn leven,' was ze van plan geweest te zeggen. 'Nooit zullen jullie de idealen die het van brandstof voorzagen, het zwijgen kunnen opleggen.' Echter terwijl de jammerkreet wegstierf, en ik op haar stem wachtte, restte er slechts stilte, een donkere, dodelijke stilte waarin ze spoedig viel.

Ik hoorde hoe ze stierf. Zelfs toen in de hele gevangenis een ritmisch geklap van handen en gestamp van voeten te horen was, luisterde ik of ik haar leven kon horen en hield het gezelschap tijdens zijn gevecht. Ik kon onmogelijk haar laatste ademtocht gehoord hebben. Dat weet ik. Het tumult in de gevangenis was tegen die tijd zo groot dat het zelfs het gekras van de kraaien dat altijd de dageraad aankondigde overstemde. Maar ik hoorde haar dood – een eenzame zucht – door het tumult heen. Ik voelde haar laatste ademtocht terwijl die naar boven reisde, een zachte bries tegen mijn huid, warm van alles wat ze geweest was, en daarna niets meer.

Er werd gezongen, zoals ze beloofd had. Bij het eerste licht van de dageraad klonk er binnen en buiten de gevangenis gezang. 'Vaarwel, mijn zuster,' zongen de stemmen. 'Eervol ben je heengegaan.' En er waren toespraken. Vanuit de gevangenisramen, vanaf de straat er-onder. Sommige waren dichtbij genoeg voor mij om te verstaan wat er gezegd werd, andere waren slechts een dreun van betekenisloze klanken. Ik zong niet mee of deed mijn best naar de toespraken te luisteren. Opgerold bleef ik op mijn brits liggen, om de koude, harde steen in mijn binnenste gerold.

Een week later, op een koele ochtend in de herfst tijdens de vijfde maand van mijn gevangenschap, kwamen na het ontbijt twee bewakers mijn cel binnen. Ik vroeg niet of ik eindelijk aangeklaagd zou worden. Dat kon me niet meer schelen.

'Pak je spullen bij elkaar,' zeiden ze tegen me.

Ik nam mijn pen en de vellen papier waarop ik, tot aan Larissa's dood, dagelijks de lichamelijke realiteit van mijn bestaan geschreven had. Ze brachten me over de binnenplaats naar de wachtkamer van de gevangenis waar ik, in ruil voor mijn gevangenisjurk van zeildoek, de bruine linnen jurk kreeg die Tsila voor me genaaid had en de laarzen die Arn Leib voor me gemaakt had voor mijn grote reis naar Kiev.

'Nou, ga nu maar,' zei de gevangenisdirecteur tegen me. 'Je bent vrij om te gaan.'

Zonder een woord te zeggen pakte ik mijn bezittingen, tekende het ontslagformulier waarop stond dat ik ze ontvangen had, en liep de gevangenis uit de straat op. En ik was weer een vrije onderdaan in het rijk van Zijne Keizerlijke Hoogheid, tsaar Nicolaas II.

Siberië, februari 1912

Tsila's brieven zijn vol licht. Ik maak ze open en de volheid van haar leven ontsnapt uit de envelop, en mijn grijze gedachten lopen vol met kleur.

'Het is zomer,' schrijft ze, juist als het ijs van onze winter zich verhardt en om ons heen zo dik wordt dat ik bang ben dat dit het jaar zal zijn dat we voorgoed van de rest van de wereld afgesloten zullen worden. 'Het is erg heet in deze stad, maar het is niet ondraaglijk heet. Terwijl ik aan mijn tafel zit en je deze brief schrijf, voel ik een lichte bries door het open raam naar binnen drijven.'

Hier hebben we ook een open raam. Het is er door de wind uit geblazen en ze hebben het nog niet vervangen. De kou giert rond het gat, maar bedaart als die eenmaal de weg naar binnen vindt. Het is geen levende kou die je nu eens hier, dan weer daar voelt, maar een bittere roerloosheid, een kou die blijft en die ons uur na uur, dag na dag, maand na maand in zijn ijzeren greep houdt. Die zich niet laat verdrijven, ondanks de pogingen van ons heldhaftige fornuis, de warmte van onze twaalf lichamen. Wij zijn niets vergeleken bij deze kou.

'En muziek. Die drijft ook mijn raam binnen.'

Er is altijd muziek in de stad waar ze nu wonen, muziek die, in het verlangen dat erin doorklinkt, niet veel verschilt van die van ons, zegt Tsila, maar die doortrokken is van een donker vuur. 'Als de zwoelste van alle zomernachten in het moeras,' schrijft ze.

Ik doe mijn ogen dicht om me die nachten weer voor de geest te halen, de lucht zo verzadigd dat die zijn eigen vochtigheid niet langer kon vasthouden, het kloppen van leven dat in die drukkende hitte hing. Ik hoor die klop, die hitte, zijn vasthoudendheid. Het drijft door het open raam van een warme woning.

'Je vader is nog niet thuis,' schrijft Tsila. Thuis is hun woning boven Tsila's kledingwinkel in Buenos Aires. Tsila had erop aangedrongen dat ze van de kolonie van de baron naar Buenos Aires zouden verhuizen, een stad waar de verfijndheid van Tsila's werk blijkbaar op z'n waarde geschat wordt. 'Hij blijft lang doorwerken op zomeravonden als deze, maar zonder de vermoeidheid waarvan ik lang dacht dat die hem vroegtijdig het graf in zou helpen.'

Arn Leib heeft daar op de markt een fruitkraam geopend. Hij brengt de dag door met het schikken en herschikken van piramiden van fruit. De abrikozen zijn bijzonder zoet dit jaar, zo meldt Tsila, maar de druiven zijn laat en hebben om een of andere reden een tekort aan suiker.

Ze vraagt niet hoe het met me gaat. Dat doet ze nooit. 'Ik ga ervan uit dat het goed met je gaat,' zegt ze. 'Het heeft je nooit aan kracht ontbroken.'

'Je vader en ik voelen ons nu ook sterk, en we worden sterker met iedere dag die voorbij gaat. Dat komt door het gevoel van vrijheid waarmee we iedere morgen wakker worden, door het zonlicht, de schoonheid van deze stad. Dat alles voedt ons en het kind dat, zo God het wil, voor Pesach geboren wordt.'

Dan word ik helemaal warm vanbinnen. Door en door. Ik voel de warmte in mijn pijnlijke, door hoest gefolterde borst ontvlammen, en daarna uitstralen over mijn verstijfde lichaam helemaal tot in de toppen van mijn vingers en de puntjes van mijn tenen. Ik koester me erin, zoals ik me eens in de vroege ochtenduren in het zonlicht gekoesterd heb dat als een poel op mijn helder gekleurde, gewatteerde deken dreef. En terwijl de warmte uit me wegebt, voel ik nog steeds het effect ervan in het ontspannen gevoel in mijn ledematen, aan de lichte tinteling in mijn schouders en borst.

'Ondertussen wachten we met groeiend ongeduld op je komst,' schrijft ze zoals ze in al haar brieven doet. Alsof ik hier uit koppigheid blijf, en louter luiheid me ervan weerhoudt te ontsnappen en op weg te gaan naar Argentinië. Dat ze van me verwacht dat ik ontsnap, is duidelijk. Dat is wel het minste wat ik kan doen, suggereert haar ongeduldigheid, gezien de moeite die ze genomen heeft me op te voeden. *Ik heb je niet grootgebracht om je leven op deze manier te verspillen,* hoor ik achter haar woorden. *Ik heb je niet grootgebracht om in Siberië weg te rotten.*

Dat ik tot levenslang veroordeeld ben, maakt geen indruk op Tsila. Op het moment dat we geboren worden, krijgen we allemaal levenslang, heeft ze me herhaaldelijk geschreven. Het is een zonde om onder het gewicht daarvan te bezwijken.

Zestien

1904

'Dus ze hebben je vrijgelaten,' zei mevrouw Plotkin, terwijl ze me door de kier van de deur opnam.

'Vanmorgen,' antwoordde ik. Ik had niet echt verwacht dat ze me binnen zou laten, had alleen gehoopt dat ze me mijn kleren en de koffer en de paar andere bezittingen die ik op het ogenblik van mijn arrestatie bezat, terug zou geven.

'Ik heb je bed al verhuurd,' deelde ze me mee.

'Ja, natuurlijk. Ik hoopte alleen...'

'Je hebt nogal wat bezoekers gehad,' zei ze en deed de deur een beetje verder open.

'Het spijt me,' mompelde ik. 'Ik wilde alleen maar...'

'Kom toch binnen, kom binnen, blijf daar niet staan, anders hebben alle buren straks wat om over te praten.'

Ik volgde haar naar de keuken waar ze een glas thee voor me inschonk. Ze brak een royaal stuk suiker af, en de helft hield ze zelf. Ze liet dat in haar tandeloze mond heen en weer gaan. Ik dronk de thee snel en luidruchtig, terwijl ik die door de suiker heen opzoog. Mevrouw Plotkin keek naar me terwijl ik dronk en toen ik het op had, schonk ze me nog een tweede glas in en gaf me nog een homp suiker die ik in de thee oploste tot het een zoete en kleverige siroop geworden was.

'Hebben ze je iets aangedaan?' vroeg ze. Ze hield haar blik strak op me gericht.

'Nee,' zei ik.

'De avond dat je verdween, kwamen ze hier. Daarom wist ik waar je was. Door de manier waarop ze de boel overhoop haalden, dacht ik dat je misschien een misdaad begaan had, maar toen herinnerde ik me hoe ze zijn. Het is al weer heel wat jaren geleden dat ze me een bezoek gebracht hebben, maar sommige dingen blijven je bij, nietwaar?'

'Het spijt me,' zei ik nog eens.

'Wat heb je gedaan?'

'Ik heb pamfletten uitgedeeld.'

'Wat voor pamfletten?'

'Over het water, er stond in dat burgers hun recht op schoon drinkwater moesten opeisen.'

Mevrouw Plotkin knikte, terwijl ze haar lippen over haar tandvlees bewoog.

'Het spijt me vreselijk dat ik u zo veel ellende veroorzaakt heb,' zei ik.

'De politie was niet meer ellende dan een meute honden die in mijn huis rondscheurden en overal maar scheten waar het ze uitkwam. Maar je moeders bezoek   dat deed me verdriet.'

'Mijn moeder?'

'Ze kwam je ophalen om mee naar huis te nemen, om te moeten ontdekken dat je gearresteerd was. Mooi hoor, dacht ik. Heel mooi om er op die manier achter te moeten komen dat dit het soort meisje is dat ik in huis genomen had. Een meisje dat van huis weggelopen was en tegen haar ouders loog.'

Ik voelde mijn gezicht rood worden.

'En om dan te bedenken dat ik tranen verspild heb, omdat ik het betreurde dat ik nooit een dochter gehad heb.'

'En wat heeft u haar verteld?'

'Wat kon ik haar vertellen? Dat haar dochter me had laten geloven dat ze geen ouders had die om haar gaven? Dat haar dochter liever bij vreemden woonde dan bij haar eigen vlees en bloed? Zie ik eruit als iemand die het leuk vindt wreed te zijn tegen anderen? Ik heb haar verteld dat je altijd beleefd was en netjes en dat je duidelijk goed opgevoed was, dat je op tijd de huur betaalde, en dat je prettig in de omgang was en dat je bezig was mijn jongens te leren lezen. Daarmee kon ik een glimlachje bij haar loskrijgen, een summier glimlachje maar, want het was duidelijk dat ze zich doodongerust over je maakte. Maar toch, de liefde van een moeder vergaat niet zomaar, alleen omdat ze op zo'n manier aan de kant gezet wordt, dus ging ze meteen naar de gevangenis, waar ze haar natuurlijk niets vertelden en haar weigerden jou te mogen ontmoeten. Ze heeft daar een paar dingen voor je achtergelaten. Een pen, papier, wat boeken, denk ik, eten.'

'Ik heb alleen de pen en het papier gekregen.'

'En daar mocht je dan blij om zijn. Ze heeft hier twee nachten geslapen, in jouw bed.' Mevrouw Plotkin leunde voorover om mijn gezicht te bestuderen. 'Je lijkt helemaal niet op haar.'

'Nee. Dat klopt.'

'Helemaal geen enkele gelijkenis.'

'Helemaal niet,' sprak ik instemmend.

'Niet in gelaatstrekken, en ook niet in kleur.'

'En ook niet in temperament,' antwoordde ik.

Mevrouw Plotkin zuchtte en stond op. Ze ging naar de alkoof waar ze altijd sliep en kwam met twee enveloppen terug. 'Ze heeft een brief voor je achtergelaten voor het geval je hier na je vrijlating zou komen opdagen. En een tweede brief is hier juist deze week, per post, aangekomen.'

Ik pakte beide brieven aan en bracht ze instinctief naar mijn gezicht, maar in hun geur was niets van Tsila te ontdekken. Beide brieven waren verzegeld. De eerste was door Tsila zelf afgeleverd, op de tweede zaten buitenlandse postzegels.

'Je hebt nu wel je kans gemist om naar Argentinië te gaan.'

'Is dat zo?'

'Het is te laat in het seizoen, zou ik denken. Je zult moeten wachten tot het lente is.'

Dat was niet eerder bij me opgekomen. Misschien zou dat wel het geval geweest zijn als ik tijd besteed had aan het bedenken van wat ik zou gaan doen als ik eenmaal uit de gevangenis vrijgelaten was, maar dat had ik niet gedaan. Sinds Larissa's dood had ik, dag na dag, op bed gelegen zonder gedachten die ik me herinneren kon, ik voelde me alleen maar koud, was me bewust van de grijze kilte van mijn cel die steeds dieper in me doordrong, die me in zijn macht kreeg, en me in steen veranderde, het steen dat me omringde.

'Misschien moet je je moeders brieven lezen,' suggereerde mevrouw Plotkin, maar dat kon ik op dat ogenblik niet. Toen ik besefte dat Tsila en Arn Leib al naar Argentinië vertrokken waren, werd ik plots overvallen door een vloed van emoties. Ik werd er ziek van na al die weken van stilte. Ik voelde me misselijk worden, tranen welden op in mijn ogen.

'Wat moet ik nu doen?' vroeg ik aan mevrouw Plotkin. Ik had geen papieren, geen geld, geen plek om te slapen. 'Ik heb niets. Niemand.'

Mevrouw Plotkin trok de kale richels boven haar ogen op waar haar wenkbrauwen hadden moeten zitten. 'Hoe zit het met je kameraden?' vroeg ze.

'Mijn kameraden? Waar heeft u het over? Ik ken geen kameraden. Ik ben alleen op de wereld.'

Mevrouw Plotkin's welwillendheid was verdwenen. 'Genoeg met dat melodramatische gedoe,' zei ze. 'Hoe zit het met die zogenaamde tante?'

'Mijn tante?'

'Zo stelde ze zich aan me voor.'

Was het mogelijk, vroeg ik me af. 'Bleek met lang rood haar?'

'Bleek, ja. Over haar haar kan ik je niets zeggen, aangezien ze dat als een nette huisvrouw bedekt had. Niet dat ze me met die aankleding wist te bedotten. Geen moment. Een paar weken geleden nog maar kwam ze langs en ze gaf me een adres dat ik aan je moest geven, hier in Kiev. Ik vroeg of ze hier net was komen wonen, en ze zei van niet, ze zei dat ze hier al een tijdje was. Alsof ik van gister ben. Denk jij dat ik van gister ben?' vroeg ze aan me. 'Denk je dat je aan een vreemde huur ging betalen, als je zo'n netjes getrouwde tante in Kiev had wonen?'

'Ik neem aan van niet,' zei ik.

'Je neemt aan van niet,' mopperde mevrouw Plotkin. 'Ze stond erop dat ik je haar adres zou geven als en wanneer je zou komen opdagen.' Mevrouw Plotkin overhandigde me een stukje papier waarop in Beile's handschrift een adres geschreven stond. 'Ze mag van geluk spreken dat ik ben wie ik ben, die tante van jou, maar als ze zo onvoorzichtig blijft, zal het geluk haar spoedig in de steek laten. Op zo'n manier haar adres aan vreemden geven. Met het werk dat ze doet.'

'Ze is apotheker,' zei ik.

'En ik ben tovenaar,' antwoordde mevrouw Plotkin. Ze vulde mijn glas nog een keer met thee en stak nog een stuk suiker in haar tandeloze mond. Ze keek hoe ik het stukje papier las dat Beile voor me achtergelaten had en toen ik daarmee klaar was, zei ze: 'Ik had haar kunnen aangeven.'

'Waarvoor?' vroeg ik.

'Beledig me nu niet,' zei ze. 'Denk je dat je slimmer bent dan ik? Denk je dat ik nog zou leven als ik niet zou weten wie er op mijn drempel stond?'

'Het spijt me,' zei ik.

'Genoeg met die verontschuldigingen. Mij hou je niet voor de gek. Niemand van jullie. Ga nu maar weg, voordat bekend wordt dat ik types zoals jij onderdak verleen.'

Mevrouw Plotkin bleef zitten terwijl ik opstond om te vertrekken.

'En het allerbeste met je,' zei ze voor de deur achter me dicht-sloeg.

Mevrouw Plotkin had het mis gehad wat Beile's onvoorzichtigheid betrof. Het adres dat ze voor me achtergelaten had, was niet van haarzelf, maar van een huisbaas die verschillende gebouwen in de wijk bezat. Hij vroeg me naar mijn papieren en ik, bang dat ik weer gearresteerd zou worden, verontschuldigde me snel dat ik hem gestoord had, en begon achteruit weg te lopen. 'Wacht,' zei hij. 'Misschien kan ik je helpen.' Ik was bang, maar herinnerde me dat het Beile was die me naar hem toegestuurd had, een adres dat in Beile's duidelijk herkenbare handschrift geschreven was. Hij vroeg hoe ik heette, en ik zei hem wie ik was, met een hart zwaar van angst. Hij zei dat hij me voor vier roebels een bed kon wijzen dat hij aan nieuwe migranten verhuurde die niet de vereiste papieren hadden. Ik herinnerde me de tien roebels die Tsila in de voering van mijn jas genaaid had, voordat ik van huis vertrokken was. 'Loop maar achterom,' instrueerde hij me, terwijl hij zijn hand om mijn geld sloot. 'Het is in de steeg de trap af.'

Ik vond het appartement – vier trappen die me naar beneden naar een lage deuropening voerden, ik klopte, en Beile deed open. 'Eindelijk,' zei ze en ze omarmde me. Ze voerde me mee naar binnen, en leidde me door een donkere ruimte die meer van een tunnel weg had dan van een vestibule. Het hele appartement leek meer een onderkomen voor dieren dan voor mensen, maar de keuken was warm verlicht, en voor de tweede keer die middag zat ik aan een verveloze, houten tafel met een dampend glas thee voor me. We dronken zonder iets te zeggen onze thee op, we keken elkaar vaak aan. Ze legde haar hand lichtjes boven op die van mij.

'Ik heb me zo'n zorgen gemaakt. Vanaf het ogenblik dat ik hoorde dat je in Kiev was. Ik weet niet wat Tsila bezielde om jou achter me aan te sturen.'

'Ze maakte zich zorgen,' zei ik.

Beile glimlachte en schudde haar hoofd. 'En om vervolgens te horen dat je gearresteerd was...' Ze kneep in mijn hand.

'Tsila en Arn Leib zijn al naar Argentinië vertrokken,' zei ik.

'Ja, dat weet ik. Ik had na je arrestatie contact met Tsila.'

Dus was het doel van mijn reis naar Kiev volbracht: Beile was ten slotte in contact gekomen met Tsila. En het enige dat ik had hoeven doen was mezelf te laten arresteren en me voor verschillende maanden op te laten sluiten.

'Ik ben zo trots op je,' zei Beile. 'Zo vreselijk trots. Om te horen over je openlijke verzet tijdens de ondervraging...' Ze streek over mijn wang.

'Hoe heb je dat gehoord?'

'Ze zijn net zo door ons geïnfiltreerd als wij door hen,' zei ze met een flauwe glimlach.

'En heb je iets over Tonja gehoord?'

'Alleen dat ze vrijgelaten is. En lang voordat ze jou vrijgelaten hebben.'

'Wist je dat ze me op de avond van onze arrestatie uitgenodigd had om samen met haar naar het theater te gaan, maar dat ze nooit iets over haar plannen voor ons deel van de uitvoering verteld heeft?'

Beile trok haar wenkbrauwen op. 'Dat wist ik niet.'

Ik wachtte op haar verontwaardiging over de roekeloosheid en het bedrog van Tonja.

'Nou, je hebt beslist een stoomcursus gehad wat betreft de onrechtvaardigheid van dit regime,' zei Beile. 'De willekeur van wat voor gerechtigheid doorgaat... en je eigen kracht,' ging Beile snel verder. 'Je eigen moed. Ik ben zo vreselijk trots op je.' Ze nam mijn kin in haar hand en kuste mijn voorhoofd. 'Maar genoeg gepraat. Je zult wel honger hebben.'

Ik had geen honger, hoewel ik die dag niets anders dan thee en suiker genuttigd had.

'Maar je moet toch eten,' zei ze, en toen ze opstond om wat te eten voor me te halen, herinnerde ik me de brieven.

'Tsila's brieven,' zei ik en stak mijn hand in de zak van mijn jas om ze eruit te halen. Nog nooit eerder had ik brieven gekregen en ik maakte ze met onhandige, trillende vingers open.

'Moet ik ze hardop voorlezen?'

'Alleen als je dat zelf wilt.'

'Mijn lieve Mirjem,' las ik hardop. 'Ik kwam om je mee naar huis te nemen, maar nu vertelt je hospita me dat je gearresteerd bent. Waarvoor, dat weet ik nog steeds niet, en ook kan niemand me vertellen hoelang je vastgehouden zal worden. Iedereen die ik spreek, denkt er anders over, heeft een andere ervaring te vertellen. Hoelang ze je zullen vasthouden, lijkt tot op zekere hoogte afhankelijk te zijn van de aanklacht, maar niet helemaal, en natuurlijk, aangezien ze je nergens voor aangeklaagd hebben – voor zover iemand weet – valt het niet te zeggen wanneer ze je zullen laten gaan. Je hospita zegt dat het beter is als er geen aanklacht is, aangezien haar man onmiddellijk aangeklaagd werd en vervolgens naar Siberië gestuurd werd waar hij is overleden. Een grote troost is ze – ik was de halve nacht op. En ondertussen hebben we voor het einde van de zomer een overtocht naar Argentinië geboekt, en kunnen we alleen maar bidden, je vader en ik, dat je tegen die tijd vrij zult zijn.'

'En dan te bedenken dat ze nog steeds bidt, als je rekening houdt met wat ze weet,' zei Beile, en ze zette een bord met brood en kaas voor me neer.

'Wees sterk,' gebood Tsila me aan het einde van de brief. De datum van de brief was 25 Iyyar 5664, vroeg in de zomer, slechts een paar weken na mijn arrestatie.

De datum van de tweede brief was 1 oktober 1904. 'Een nieuwe kalender voor een nieuw leven,' begon ze. 'We hebben onze overtocht één keer uitgesteld, daarna een tweede keer, maar we waren bang het nog langer uit te stellen, uit angst dat de winter zou invallen. Het zal natuurlijk geen troost voor je zijn dat we met een bezwaard hart het land achter ons lieten. Maar het diende geen enkel doel als we nog langer zouden wachten. Op deze manier zullen we tenminste een begin gemaakt hebben tegen de tijd dat je hier aankomt.

'De overtocht was niet plezierig, maar in geen geval ondraaglijk. Het weer was goed, op een stormachtige stuk na, daarin hadden we geluk – en toen we, onderweg, het eiland Cuba aandeden, werd onze boot van alle kanten omringd door massa's bootjes waarop kooplieden zaten die allerlei soorten fruit verkochten, zo zoet en sappig dat het wel een heel andere soort fruit leek dan wat onze Reizl ons al die jaren verkocht heeft. Hoewel ik wenste dat jij er was om samen met ons dat fruit te eten, nam ik op dat moment aan dat ons besluit juist geweest was. Ons hele leven hebben we geprobeerd waar mogelijk elk beetje zoetheid uit onze situatie te knijpen, maar er is geen zoetheid in Rusland, en als die er wel was, dan zou die nooit bij ons terechtkomen.'

'Wij zullen ervoor zorgen dat die bij ons terechtkomt,' zei Beile. 'Een zoetheid die haar stoutste dromen zal overtreffen.'

'Er valt niet veel over onze aankomst in Argentinië te vertellen – de overheidsdienaren hier lijken in niets op die in Rusland die ons zo veel leed berokkend hebben.'

'Nu nog wel,' zei Beile. 'Kapitalisme is nog nieuw daar, moet je niet vergeten.'

'Is iedereen daar kapitalist?'

'Het zijn zeker geen socialisten.'

'We hadden geen tijd om ons een indruk van Buenos Aires te vormen,' zo ging de brief verder, 'aangezien we snel afgevoerd werden naar de kolonie die ons thuis zal worden. De naam van de kolonie is Clara, vernoemd naar de barones zelf, en van de joodse kolonies in de provincie Entre Rios is het de grootste. In die kolonie liggen negentien dorpen. Die van ons heet Ida. Mijn eerste indruk was niet wat ik ervan verwacht had, ik zal niet net doen of dat wel zo is – een lege vlakte met hier en daar een dorp – maar we hebben een goed dak boven ons hoofd, en de grond onder onze voeten voelt stevig en vast aan, zo anders dan in het moeras, dat nooit het gewicht kon dragen van de levens die we erop probeerden te bouwen.'

'Ze had altijd al een speciale manier om de dingen te zeggen,' zei Beile, met een spoor van weemoed in haar stem.

'Het was lente en ze waren bezig allerlei gewassen te planten, toen we aankwamen. De seizoenen zijn hier andersom, moet je niet vergeten, en veel warmer. De opbrengst bestaat hier voornamelijk uit tarwe, maar daarnaast ook uit vlas, hooi, gerst en rogge. Arn Leib is natuurlijk gewend aan zwaar lichamelijk werk, maar veel van de andere mannen in de kolonie lijken hun rug nooit over iets anders gebogen te hebben dan over een verhandeling van de Talmoed. De opbrengsten, zo hebben we al gehoord, zijn niet wat ze zouden moeten zijn. Dat ligt aan het water, zeggen ze. Het gebrek eraan. We zijn hier net zo vervloekt door de schaarste aan water als we in het moeras waren door de overdaad eraan. Het zit zo diep in de grond verstopt dat we voor onze put tot op dertig meter diepte moesten graven, en sinds onze aankomst heeft het nog nauwelijks geregend. Een droogte – die heel ongewoon is voor hier, blijkbaar. Maar toch – hoe kan ik dit voor je verwoorden? – juist in die vloek ligt de schoonheid van deze plek. De kleuren zijn meer geconcentreerd in een lucht die niet verdund is door vochtigheid, het geeft het landschap een helderheid zoals ik nooit eerder gezien heb. Alsof de lucht in het moeras zo van water verzadigd was, dat die net zo vanzelfsprekend mijn blik vertroebelde als wanneer ik tranen in mijn ogen zou hebben, tranen die nooit opdroogden – hoewel ik dat natuurlijk nooit hardop zou zeggen, niet met alle zorgen over de droogte.'

'Ik mag hopen van niet,' mompelde Beile. 'Over decadent gesproken.'

'Er is niet veel wat ik hardop zeg,' zo ging de brief verder. 'Niet omdat onze medekolonisten slechter gezelschap zijn dan de buren die we in Rusland vaarwel gezegd hebben. Dat zijn ze niet. Maar ze zijn ook niet beter. De mannen zuchten veel, maar lijken over het algemeen een betere instelling ten opzichte van dit nieuwe leven te hebben dan de vrouwen, die iedere dag een groot deel ervan verspillen met huilen. Ze huilen om dat glorieuze bestaan dat we achter ons gelaten hebben. Het leven hier is moeilijk, dat zal ik niet ontkennen, maar ik voel dat dit nieuwe land iets voortreffelijks heeft, deze grond die niet met bloed doordrenkt is, de Argentijnen die zo gastvrij zijn en die – zelfs al zijn ze christenen – niet de haat voelen die ons in Rusland het leven zo zuur maakte.'

'Geef ze de tijd,' zei Beile, wat me verbaasde.

'Waarom zouden ze ons daar gaan haten?' vroeg ik.

'Kapitalisme schept haat. Dat komt door de aard ervan. Het verdeelt het volk door voorwaarden te scheppen waarbij de ene groep ten koste van de andere overleeft. Het neemt het menselijk hart – dat volkomen onschuldig is, ondanks wat de priesters en rabbi's ons misschien willen doen geloven – en corrumpeert het tot een instrument van haat.'

De brief ging verder met een korte beschrijving van het huis waarin Tsila en Arn Leib woonden – helemaal van baksteen gemaakt – de tuin die ze beplant had. 'Wees sterk,' zo eindigde ze. 'We zien je komst tegemoet.'

'En ga je?' vroeg Beile.

Hoe kan ik de angst beschrijven die me toen overrompelde, de vrees om me helemaal alleen in te schepen voor zo'n reis, als ik zo moe was, zo koud, en zo helemaal niet in staat was me voor te stellen wat me aan de andere kant te wachten stond.

'In de lente,' zei ik, onwillig om Beile van mijn plotselinge angst te vertellen, terwijl ze, nog maar net, zo trots op mijn moed geweest was.

'Weet je het zeker?' vroeg ze en ze keek me aandachtig aan.

'Natuurlijk weet ik het zeker. Waarom zou ik het niet zeker weten?' Ik was op dat moment zo moe dat ik alleen nog maar aan slapen kon denken.

'Ik ben opgelucht je dat te horen zeggen, moet ik je bekennen,' zei Beile. Haar gezicht zag rood, en ik voelde me geroerd en gerustgesteld dat het zo veel voor haar betekende dat ik besloten had om de winter te blijven.

'Tsila heeft het geld voor je overtocht bij mij achtergelaten…'

'Heeft Tsila geld voor me achtergelaten?' Ik voelde me vanbinnen licht en warm worden. Ze waren niet zo maar verdwenen, met achterlating van niets anders dan gedachten van spijt. Ze hadden geld voor me achtergelaten, zodat ik me bij hen kon voegen.

'Maar ik ben bang dat ik het uitgegeven heb.'

'Wat heb je gedaan?'

'Ik had niet verwacht dat ze je zo snel al zouden vrijlaten.'

'Je hebt het geld uitgegeven dat Tsila voor mijn overtocht achtergelaten heeft?'

'Lang voor het lente is zal ik zorgen dat je het weer terug hebt. Dat beloof ik. Dat beloof ik vast en zeker.'

'Je hebt het geld uitgegeven dat Tsila voor me achtergelaten heeft?' vroeg ik nog een keer ongelovig.

'Het spijt me,' zei Beile, zonder duidelijke spijt.

Ik heb me vaak afgevraagd of ik samen met hen vertrokken zou zijn. Als ik geweten had dat Tsila geld voor me achterlaten had – een belofte die inhield dat er iets aan de andere kant op me wachtte – zou ik dan plotseling minder bang geweest zijn voor de reis die me naar de andere kant van de oceaan zou brengen?

'Het spijt me oprecht,' zei Beile enige tijd later nog een keer. Ik had het eten dat ze voor me neergezet had, niet aangeraakt, en sinds haar bekentenis hadden we geen woord meer gewisseld.

'Ik ben moe,' zei ik.

'Zal ik je laten zien waar je bed is?'

Ik volgde Beile naar een brits in een klein kamertje naast de keuken en viel onmiddellijk in een lange, droomloze slaap.

Toen ik wakker werd, was het avond en de kamer was schemerig, op de verste hoek na waar een zwak licht brandde. Beile zat op het voeteneinde van mijn bed.

'Ik zou Kiev eigenlijk voor een paar maanden moeten verlaten,' zei ze toen ze zag dat ik mijn ogen open had. 'Maar dat doe ik nu niet.'

Ik was loom van de slaap en de kamer leek onder het flikkerende licht van de lamp te bewegen.

'Waar had je naar toe gemoeten?'

'Dat kan ik je niet vertellen.'

'Je kunt best gaan,' zei ik, meer kwaad dan uitgeput.

'Nee. Ik laat je hier niet alleen achter.'

'Ga,' zei ik. Ik voelde afschuw. Ze leek zelfs nauwelijks meer op Beile. Deze vrouw die ik eens zo goed gekend had, deed starre uitspraken over decadentie en het menselijk hart, maar het deed haar niets dat Tonja me misleid en in gevaar gebracht had. De nieuwe Beile zag er zelfs geen been in haar eigen nicht te beroven. Maar toch, zelfs nu ik zo kwaad was, kon ik niet ontkennen dat ik opgelucht was dat ze me daar niet voor de winter zou achterlaten. Ik begon te hoesten en ik ging rechtop zitten om mijn longen van slijm te bevrijden.

'Je hoestte in je slaap,' zei Beile.

'Ik heb het altijd koud.'

Ze boog voorover om mijn voorhoofd te voelen, eerst met haar hand, daarna met haar lippen. 'Ik denk niet dat je koorts hebt,' mompelde ze toen. 'Maar je kunt na vannacht hier niet blijven, ben ik bang...'

'Waarom niet?'

'...Maar ik weet wel een plek voor je. Het is niet veilig voor je om hier nu bij mij te blijven. Ik kan je niet vertellen waarom, dus vraag het me alsjeblieft niet.'

'Is het om Leib?'

'Leib? Wat heeft Leib hier nu mee te...'

'Heeft hij je hier laten zitten? Is dat het waarvoor je je schaamt, dat ik zie...?'

'Ik schaam me niet.'

'...dat je hier alleen woont, in de steek gelaten...'

'Mirjem, Mirjem,' zei ze zacht en ze schudde haar hoofd. 'Net nu ik denk dat je misschien volwassen bent, dat je misschien de onbeduidende, kleingeestige toestanden van de *shtetl* ontgroeid bent...'

'Wat dan?' vroeg ik.

Ze schudde nog steeds haar hoofd, maar ze glimlachte ook, een beetje verdrietig, een beetje teder. 'Ik ga je nu iets vertellen. Ik ga je iets vertellen, omdat ik je deze waarheid verschuldigd ben. Als je met mij blijft omgaan, wil ik dat je precies weet met wie je te maken hebt.'

Misschien dat ze dan toch twijfels had over Tonja's streek.

'Ik wil dat je weet dat ik me niet langer beperk tot het houden van toespraken. Ik geloof dat het kwaad dat we in Rusland bestrijden, wapens nodig heeft die machtiger zijn dan taal.'

'Zoals wat?' vroeg ik.

'Doe je nu maar niet naïever voor dan je in werkelijkheid bent. Het was geen gemakkelijke beslissing, geloof me, maar ze drijven de spot met vreedzame protesten, zoals ze op mensenmassa's in rijden, en iedereen in elkaar slaan en vertrappen die op hun pad komt. Ze gooien meisjes van zestien voor maanden in de gevangenis, en waarom? Omdat ze pamfletten durfden uit te delen. Ze vermoorden hun eigen kinderen, omdat ze die niet onder controle kunnen...'

Toen begon er iets aan me te knagen, er groeide een angst in mij die ik niet kon benoemen.

'Ik weet wat je denkt,' zei ze. 'Ik zie het aan je gezicht. Je denkt: *Wat kan er nu machtiger dan taal zijn*, nietwaar? *Wat kan er nu machtiger zijn dan woorden? Met de letters van het alfabet heeft de Almachtige ten slotte hemel en aarde geschapen.* Denk je dat ik niet weet wat Tsila je geleerd heeft? Denk je niet dat ook ik dezelfde dingen van mijn eigen moeder geleerd heb?'

Ik had niets van dat alles gedacht. Ik had alleen maar gepoogd te bedenken wat het was dat me met vrees vervulde.

'Maar de grote Almachtige is in geen velden of wegen te bespeuren,' ging Beile verder. 'En ondertussen, onder al die redevoeringen, worden er onschuldigen vermoord.'

Voor mijn geestesoog zag ik toen op een schavot een lichaam aan een galg hangen, het lichaam van een vrouw in een jurk van kobaltblauw brokaat.

'Het is niet dat ik niet langer in actie en opvoeding geloof. Dat zijn nog steeds de belangrijkste elementen van ons werk. Maar dat is niet genoeg, Mirjem, en dat zal het ook nooit worden.'

Ik kon het lichaam langzaam heen en weer zien zwaaien, alsof het door een zacht briesje heen en weer gewiegd werd.

'Ik had je niet vandaag al op deze manier willen laten schrikken, op de eerste dag dat je vrij bent.'

Om me te troosten legde Beile haar hand op de mijne, maar nu was het Beile die naïef was, dacht ik, om te denken dat ze me kon laten schrikken met haar toespelingen op geweld, na alles wat ik in de gevangenis meegemaakt had.

'Ik hoop dat je nu kunt begrijpen waarom ik vandaag misschien een beetje afstandelijk leek, waarom ik niet wil dat je het risico neemt bij mij te blijven, of zelfs maar dat je nauwe banden met me onderhoudt tot je de kans gehad hebt na te denken over wat ik je verteld heb en een doordachte beslissing kunt nemen. Je eigen beslissing.'

'Ik wil geen kritiek leveren op een kameraad,' voegde ze eraan toe. 'Maar wat Tonja gedaan heeft, was schandalig.'

Ik knikte, vermurwd door die erkenning. 'Waar is dat appartement waar je het over had?'

'Het is niet ver. Maar een paar straten hier vandaan.'

'En wie woont daar?'

'Drie meisjes niet veel ouder dan jij. Zelde is een *feldsher* die met hart en ziel zorgt voor de armste en de ziekste mensen in de stad. Ze was student in de medicijnen aan de universiteit van Kiev, maar is er vanwege haar idealen mee gestopt. Ze gaat iedere dag naar de armste buurten, wat een groot gevaar inhoudt voor haar eigen gezondheid en veiligheid. Ester en Nina werken alle twee in de textielindustrie en zijn actief in de beweging. Het zijn allemaal aardige meisjes. Je zult het daar goed hebben, dat beloof ik je.'

Ze leunde over me heen en opende een la van het bureau naast het bed.

'Hoe zit het met Leib?' vroeg ik.

'Wat is er met hem?'

De la zat vol paspoorten, tientallen blauwe binnenlandse paspoorten. Ze pakte er eentje uit.

'Woont hij hier met jou?'

'Inderdaad. Maar hij is al uit Kiev vertrokken.'

'En jij werd verondersteld je bij hem te voegen?'

'Inderdaad. Heb je een pen?'

Ik gaf haar de veer die Tsila me gebracht had toen ik in de gevangenis zat.

'Zal hij niet boos zijn?'

'Zo ligt dat niet tussen ons. Er doen zich soms complicaties voor. Dat hoort bij ons werk. Dat begrijpen we alle twee.'

'De eerste week dat ik hier was, ben ik hem tegen het lijf gelopen, wist je dat?'

'Dat heeft hij me verteld.' Ze doopte de pen in de inkt. 'Welke nieuwe naam wil je hebben?'

'Kun je zo maar een paspoort voor me maken?'

Ze glimlachte.

'Wat heeft Leib je over onze ontmoeting verteld?'

'Alleen maar dat hij je tegen het lijf gelopen was.'

'Is dat alles?' vroeg ik, teleurgesteld.

'Genoeg nu over Leib,' berispte ze me. 'Zeg me welke nieuwe naam je wilt.'

'Wat is er mis met mijn oude naam?'

'Mirjem is prima, maar je moet je achternaam veranderen. Het is voor je eigen veiligheid.'

Ik dacht een ogenblik na.

'En,' drong ze aan. 'Wat wordt het?'

'Entelman,' zei ik, en ze nam me aandachtig op. 'Nee,' zei ze. 'Ik denk dat dat geen goeie naam voor je is.'

'Waarom niet?' vroeg ik.

'Ik vind niet dat je die naam eer moet aandoen.'

'Als ik me bij de beweging aansluit, doe ik dat onder de naam Entelman.'

'*Bij de beweging aansluit*. Luister eens. Je weet niet wat je doet. Je bent net een paar uur uit de gevangenis en kunt nauwelijks je ogen openhouden.'

'Mirjem Entelman,' herhaalde ik, en hoewel Beile haar hoofd schudde, schreef ze het op zoals ik opgedragen had. Uit een andere la haalde ze een stempel die ze met een zwierig ambtenarengebaar hanteerde. 'Hier,' zei ze, terwijl ze me mijn paspoort overhandigde. 'Welkom in Kiev.'

Zeventien

De kou kwam vroeg dat jaar. In november vroor het al dat het kraakte. Het was bitter koud, als we 's morgens in het donker opstonden om het fornuis aan te steken.

Ons appartement lag in het souterrain van een huis en bestond slechts uit één kamer. Er stonden vier bedden in, een fornuis en een tafel waar we ons rond schaarden om te eten en te discussiëren. De kamer was krap, maar keurig – we maakten iedere morgen allemaal netjes ons eigen bed op, en veegden eromheen en eronder – en hoewel we onder de grond woonden, waren er twee hoge ramen op straatniveau waardoor daglicht naar binnen viel tijdens de eerste uren van de dag. We deelden één grote kleerkast voor onze kleren en bewaarden de rest van onze bezittingen in een koffer onder ons bed. Nina en Ester hadden ieder een lamp die voor wat licht zorgde in de kamer en Zelde had een lange plank vastgemaakt aan de muur tussen de twee ramen, en daarop stonden onze boeken en een foto van Zelde's overleden ouders.

We kookten samen en maakten samen schoon. Op deze manier hielden we onze uitgaven laag. Voor we naar ons werk gingen, deelden we 's morgens brood en thee, en 's avonds brood en soep en meer thee, nadat we thuisgekomen waren. Na het avondmaal kwamen we met andere jonge mensen, mannen zowel als vrouwen, bij elkaar om over de op handen zijnde revolutie te discussiëren.

Ik werkte die herfst in een lintenfabriek in de Podol – een atelier eigenlijk, dat in de achterkamer van het huis van de eigenaar gehuisvest was. Mijn huisgenoot Nina werkte daar ook en door haar had ik die baan gekregen. Het loon was lager dan dat ik met het inpakken van suiker verdiend had, en ik vond het werk een straf omdat ik de hele tijd stil moest zitten. Elf uur lang moest ik op een kruk zitten, en alleen de kleine spiertjes van mijn vingers en ogen mocht ik vrijelijk bewegen. In de middagpauze stampte ik met mijn voeten en sloeg mijn armen warm om op die manier de doorstroming van mijn bloed te bevorderen. De hele dag door verlangde ik ernaar dat mijn bloed naar mijn handen en voeten zou stromen om ze te verwarmen, maar dat gebeurde nooit totdat aan het einde van de werkdag Nina en ik ons arm in arm door de donkere, ijzige straten haastten.

Die eerste weken na mijn vrijlating uit de gevangenis probeerde ik mijn gedachten niet af te laten dwalen naar het verleden, maar de herinneringen kwamen als vanzelf bij me op: beelden van Tsila's handen, de gebogen schouders van Arn Leib, Sore's gezicht. Een kloppend geluid op het werk deed me altijd opschrikken, maakte dat ik me omdraaide om te zien waar het vandaan kwam: het was alleen maar een meisje aan de tafel achter me die de houten pen bijstelde waar omheen ze haar lint wikkelde. Er waren momenten van alleen maar pure angst of bittere droefheid, die als duistere schaduwen op mij neerstreken. Pas als Nina en ik ons na werktijd door de straten haastten, begon ik me wat opgewekter te voelen, een opluchting die aanhield zolang ik maar samen met anderen problemen en zaken bediscussieerde die niet uitsluitend mezelf betroffen.

Iedere avond kwamen we op een andere plek bij elkaar om te voorkomen dat de politie een inval zou doen. We kwamen alleen of getweeën, we zorgden voor een gespreide aankomst om geen ongewenste aandacht te trekken. De deur waar we op klopten, zag er nooit anders uit dan alle andere deuren waar we onderweg langsgekomen waren, en iedere avond bij het opengaan van de deur was ik altijd even bang dat ik de kolonel zou zien, de kolonel van de militaire politie die me in de gevangenis ondervraagd had, met achter hem niets anders dan een koude, lege kamer. Dat gebeurde natuurlijk nooit. De kamers waar ik iedere avond naar binnen stapte, waren warm door alle jonge mensen die daar bijeen waren, en vol rook en gelach, en woordenwisselingen en discussies met veel stemverheffing.

Er hing hoop in de lucht die herfst. Het antwoord van de mensen op de moord op Plehve had een zwak punt in de autocratie blootgelegd, en dat zagen niet alleen jongeren als wij. Het leek erop dat nergens in het rijk getreurd werd om het heengaan van Plehve. In plaats daarvan hadden de mensen dat openlijk gevierd, in sommige steden hadden ze hun vreugde op straat geuit en de Sociaal-Revolutionaire Partij geprezen, want hun strijdorganisatie was het geweest dat de moord gepleegd had. Men zei dat het geld dat nu bij de verschillende revolutionaire partijen de geldkist binnenstroomde, uit alle lagen van de maatschappij kwam en het was een wijdverbreid geloof dat hoe langer de tsaar zich tegen zinvolle hervormingen verzette, des te zwaarder de klap zou zijn die hem velde. Terwijl we elkaar iedere avond ontmoetten om te discussiëren over de relatieve waarde van stakingen en betogingen vergeleken met terroristische aanslagen, en van toenemende hervormingen vergeleken met revolutie, konden we ons niet voorstellen – niemand van ons – dat de tirannie veel langer kon voortduren. De druk die opgebouwd werd, leek onbeheersbaar.

De dam van de autocratie zal onder de kracht van een reinigende vloed afbrokkelen. Dat was een uitdrukking die we vaak gebruikten, een uitdrukking die me toen inspireerde, en als ik terugdenk, zie ik dat ik niet alleen mijn bijdrage leverde aan de vloed die dat jaar over Rusland spoelde, maar dat ik er ook door meegevoerd werd.

Beile bleef in Kiev, zoals ze beloofd had, maar moest naar een andere woning verhuizen.

'Dus was Leib tóch kwaad,' zei ik, waarop ze moest lachen en mijn haar in de war maakte.

'Je schijnt te denken dat Leib en ik gewoon zo'n burgerlijk stel zijn. Denk je dat ik hem kwaad gemaakt heb, en dat hij me nu terugstuurt naar mijn moeder?'

Niet naar haar moeder misschien, maar ze was beslist aan het pakken. Terwijl ik bij haar tafel zat, was ze bezig haar bezittingen in manden te pakken.

'Ik krijg mijn bevelen niet van Leib,' zei ze. 'We zijn kameraden. Gelijken. We zouden elkaar ontmoeten – ik kan je niet vertellen waar – om samen een operatie uit te voeren. Toen mijn plannen zich wijzigden, vond hij iemand anders om me te vervangen, die net zo bekwaam is. En Leib was niet kwáád, zoals je maar blijft denken. Hij is alleen maar in het resultaat van de operatie geïnteresseerd, niet in wie er aan deelneemt.'

'Waarom ga je dan verhuizen?'

'Voor mijn eigen werk,' zei ze.

'Dat kun je niet van hieruit doen?'

'Feitelijk niet, nee. Dat kan ik niet.'

Ik keek nog een paar minuten toe hoe ze aan het inpakken was. 'Zul je ooit nog eens eerlijk tegen me zijn,' vroeg ik haar.

Ze keek verbaasd op, werd toen een beetje rood. 'Ik bén eerlijk tegen je.'

'Niet waar. Je praat in geheimtaal over je uiteenlopende, naamloze operaties en je mysterieuze werk. Denk je dat ik een kind ben?' vroeg ik. 'Een dwaas?'

Ze keek me een paar minuten aan en kwam toen bij me aan tafel zitten.

'Wat wil je weten?'

'Wat je doet. En waarom.'

Ze knikte. 'Er is veel wat ik je niet vertellen kan, dat begrijp je.'

Ik wachtte.

'Ik begon met toespraken,' zei ze. 'Actie. Opvoeding. Ik was bij de Bund. Spoedig nadat ik met mijn baan in Mozyr begonnen was, sloot ik me bij hen aan. En het was niet om Leib dat ik bij de Bund ging, in tegenstelling tot wat iedereen denkt.'

'Dat denkt Tsila. En haar kan ik nauwelijks iedereen noemen.'

'Dat is waar,' gaf Beile toe. Ze glimlachte. 'In ieder geval, ik voelde me door mijn eigen geweten, mijn eigen waarden tot de Bund aangetrokken. Het was de Bund die de mensen hielp die op het werk uitgebuit werden, van wie loon achtergehouden werd, die zonder reden ontslagen werden. Ik heb zelf nooit met dergelijke problemen te maken gehad. Was dat wel het geval geweest, dan had ik voor mezelf kunnen opkomen. Ik heb onderwijs genoten en weet wat ik zelf waard ben. Mijn moeder heeft daarvoor gezorgd, ondanks het beroerde leven dat ze had.'

Rosa een beroerd leven? Daar had ik nog nooit van gehoord. Rosa met haar verlichte standpunten en die altijd wel een gelegenheid vond om die te uiten? Rosa met haar mooie porselein en zilver, dat ze uit Minsk meegenomen had?

'Ik vond dat ik iets te bieden had, een manier om nuttig te zijn, na een leven dat alleen maar omschreven kan worden als volkomen nutteloos. Als ik aan de tijd denk die ik verspild heb, dat ik zat te wachten tot ik zou trouwen, dat ik met roddelpraatjes naar Tsila rende...'

Een verlangen overviel me, terwijl ik me Beile en Tsila voorstelde, zoals ze gewoonlijk aan onze tafel zaten en lachten om Chippa's laatste huwelijkskandidaat, maar Beile schudde haar hoofd als om die herinneringen te verdrijven.

'Plotseling, na een leven van doelloosheid, had ik een doel. Ik kon Russisch lezen – de meeste arbeiders, als ze al kunnen lezen, lezen alleen Hebreeuws en Jiddisch. En daar komt nog bij, ik was er heilig van overtuigd dat er een ander leven mogelijk moest zijn. Een mooier leven. Dat weet ik ook van mijn moeder, hoewel ze hele andere ideeën dan ik heeft over wat mooi is.'

Ik herinnerde me hoe Tsila eens tegen me over verfijndheid gesproken had, de weemoed in haar stem, en mijn eigen verdriet, omdat ik wist dat wat het ook was waar ze naar verlangde, dat niet gevonden kon worden in het leven dat ik kende.

'Ik begon arbeiders te onderwijzen.'

'Leidde je een studiekring?'

'Eerst woonde ik er eentje bij, en daarna begon ik er zelf een. Ik gaf les in lezen, geschiedenis, economie. Ik leidde discussies over recht-vaardigheid, respect voor het hele mensdom... maar ik was rusteloos. Omdat het allemaal zo langzaam ging, de slakkengang waarmee de arbeiders leerden, terwijl onrechtvaardigheid ondertussen in volle galop voortsnelde. De leden van mijn studiekring begrepen met moeite het verschil tussen A en B, terwijl hun kinderen doodgingen aan ziektes die voorkomen hadden kunnen worden, en hun verwanten in Kisjinjov afgeslacht werden.

'Ik begon buiten mijn studiekring om actie te voeren, maar de rusteloosheid bleef. Ik voelde dat het niet doeltreffend was wat ik deed, voelde dat ik mijn kracht en vaardigheden niet optimaal gebruikte.' Ze zweeg even voor ze weer verder ging. 'Ik ben goed met mijn handen, weet je.'

'O ja?'

'Waarom ben je zo verbaasd? Zijn mijn vader en Tsila niet met hetzelfde talent begiftigd?'

'Je vader en Tsila, ja.'

'Maar het talent heeft me overgeslagen, ja? Dat is wat je denkt. Dat is wat iedereen altijd gedacht heeft. Aardige, simpele Beile...'

'Het leek altijd...'

'Het talent heeft me niet overgeslagen,' zei ze streng. 'Het lag in de omstandigheden van mijn leven begraven. Ja, begraven,' zei ze nog een keer, alsof ik haar tegengesproken had. 'Want mijn handen komen zeker niet met een naald tot leven. Of, dat weet God, in de keuken – wat ik kook, is nauwelijks eetbaar. Maar met chemicaliën. Ik heb iets met chemicaliën. Dat heb ik in de apotheek in Mozyr ontdekt.'

'Wat is dat dan?'

'Ze praten tegen me, ze fluisteren, vertrouwen me hun geheimen toe, en mijn handen kunnen hun gemurmel ontcijferen.'

'Je hoort chemicaliën tegen je fluisteren?'

Ze werd rood. 'Het is een ongewone gave, dat weet ik. En het had heel goed gekund dat die tijdens mijn leven nooit aan het licht gekomen was, en dan niets anders in me teweeggebracht zou hebben dan dat onverklaarbare gevoel van verspilling dat ik had tot ik naar Mozyr vertrok, dat vage gevoel van onbehagen dat verspilde gaven vaak veroorzaken. Maar het was mijn lot om in dit land geboren te worden, op dit tijdstip in de geschiedenis...'

Ik bleef haar aanstaren.

'Ik maak bommen,' zei ze tegen me. 'Van het zwaarst mogelijke kaliber.' Haar gezicht begon te glimmen van trots. 'Ik kan van de onzuiverste, Russische materialen bommen van Macedonische kwaliteit maken. En als je het niet erg vindt dat ik een beetje opschep, ik blijf ook onder de moeilijkste omstandigheden altijd kalm, ik laad en los explosieven alsof ik meel afweeg in een kom.' Ze glimlachte naar me.

Op dat ogenblik ging er een golf van opwinding door me heen, eenzelfde soort opwinding, met vrees vermengd, als toen ik het dynamiet van Wolf aangepakt had.

'Weet Tsila dit?' vroeg ik.

'Tsila? Ben je gek? Waarom in godsnaam...?' Beile keek me aandachtig aan. 'Ik had je dit niet moeten vertellen,' zei ze. 'Je gedraagt je soms zo volwassen dat ik makkelijk vergeet wat een kind je nog bent, je vraagt je altijd meteen af wat Tsila ervan zal denken.'

Ik had er natuurlijk spijt van dat ik die vraag gesteld had. Ik weet niet wat me bezield had om die vraag te stellen. De glimlach terwijl ze sprak, misschien, de trots op haar gezicht. Dat had me aan het gezicht van Tsila doen denken, wanneer ze een jurk aan het maken was en deze op een afstand bekeek om de schoonheid van haar werk te bewonderen. Behalve dan dat Beile iets heel anders creëerde... *Ik denk soms dat ik een lijkwade van dit brokaat moet naaien*, hoorde ik Tsila weer zeggen op die middag dat zij en Beile ruzie hadden, en de opwinding die een ogenblik daarvoor nog door me heen geschoten was, maakte plaats voor diepe angst.

'En wat als je gepakt wordt?' vroeg ik.

'Ik weet dat ik je dit niet had moeten vertellen.' Beile zweeg een paar minuten, ze had een afwezige blik op haar gezicht. Ik probeerde iets te bedenken om te zeggen, maar de angst die ik voelde, drukte zo zwaar op mijn borst dat ik wist dat die in mijn stem te horen zou zijn als ik sprak. We zaten daar enige tijd en zwegen, en daarna: 'Tsila weet het. Ik heb het haar verteld, toen ze in Kiev was.'

'Je hebt het haar verteld?'

'God weet dat ik dat niet had moeten doen, maar ze maakte me zo kwaad door me op te dragen na je vrijlating naar Argentinië te komen, door te vertellen dat ik daar een leven zou vinden. Een man, bedoelde ze. Alsof ik geen leven heb. Alsof ik geen eigen wil of idealen heb. Alsof ik niets heb, behalve dan mijn zogenaamde schaamte, omdat ik zogenaamd door Leib in de steek gelaten ben.

'Het was niet het moment waarop ik het meest trots ben,' meesmuilde ze. 'Als ik bedenk dat ik verraad gepleegd heb aan de gedragscode van mijn kameraden en aan mijn zelfdiscipline, alleen maar om Tsila te bewijzen dat er meer in me steekt dan ze dacht.' Beile haalde haar schouders op en schudde haar hoofd.

'Wat zei ze?' vroeg ik.

'Niets wat de moeite van het herhalen waard is, geloof me. Ze ziet alleen maar het gevaar van mijn werk, niet de mogelijkheden.'

Ik vertelde Beile hoe Tsila gereageerd had op het dynamiet dat ik mee naar huis gebracht had, haar overtuiging dat ons in Rusland alleen maar de dood te wachten stond.

'Ze noemde me een instrument van de dood,' zei Beile en bloosde diep. 'Ze kon zich er zelfs niet toe brengen zich het nieuwe leven voor te stellen dat ik probeer voort te brengen.'

***

Die november brak er tyfus in de stad uit. Zo leek dat te gaan in Kiev: cholera in de warmere maanden, tyfus in de koude. In de zomer was het water de oorzaak van ziekte; in de winter kwam het doordat men te dicht op elkaar woonde: te veel ongewassen lijven die in bedompte vertrekken luizen uitwisselden.

'Heb je het laatste nieuws al gehoord?' vroeg Nina op een van onze avondlijke bijeenkomsten. 'Raadsman Zalevski heeft besloten dat er buiten de stadsgrenzen een pestbarak voor de *wemeling van migrerend gepeupel* gevestigd moet worden. Ongelooflijk, hè? Zo zijn ze dus van plan het huizentekort en het uitbreken van ziekten aan te pakken. Een pestbarak!'

'Wat is dat, de *wemeling van migrerend gepeupel*?' vroeg Ester, wat iedereen aan het lachen maakte.

'Dat zijn wij, schat,' antwoordde iemand.

'Het grootste gedeelte van de werkende bevolking van Kiev.'

'Ze willen dat we overdag voor hen werken – hun kleren maken, hun suiker produceren, zorgen dat ze winst maken, hun voedsel opdienen – en dan 's nachts ophoepelen, de stad uit, zodat de burgers uit de zogenaamde betere klasse niet de lucht hoeven in te ademen die door onze aanwezigheid bezoedeld wordt,' zei Nina.

'Zo denken ze er nu over, maar straks bedenken ze weer wat anders, nietwaar?'

Iedereen stemde daarmee in, en er werden plannen gemaakt voor het drukken van pamfletten die bij iedereen op het werk verspreid zouden worden.

'Je hebt talent,' zei Ester die avond tegen me. Nina en Zelde sliepen al, en Ester en ik zaten aan de tafel bij het fornuis, Ester met een glas thee en ik met de pen die Tsila voor me meegebracht had naar de gevangenis, en een vel papier. Ik had die morgen op weg naar mijn werk in een etalage een jas gezien. De jas zag er warm uit, was mooi van snit, maar het was de kleur waardoor mijn oog erop gevallen was, een soort blauw dat helemaal niet op zijn plaats leek bij het grijs van die herfst, een helder blauw vol licht, net als het blauw van de gewatteerde deken waarmee Tsila me in haar huis verwelkomd had. Terwijl ik de jas met zwarte inkt tekende, keek Ester bewonderend toe.

'Wat voor kleur heeft hij?' vroeg ze.

'Blauw,' zei ik, hoewel dat op geen enkele manier beschreef wat ik voor mijn geestesoog zag fonkelen.

'Ik denk erover een jurk te laten maken,' vertrouwde Ester me toe. 'Mag ik je hem laten zien?'

Ze nam de pen van me over, en op een nieuw vel papier tekende ze een jurk die ze in een tijdschrift gezien had.

'En wat vind je ervan?' vroeg ze toen ze klaar was. 'Hij is ook blauw. Net als je jas.'

'Hij is erg mooi,' zei ik.

'De kraag is van kant. De manchetten ook.'

'En de jurk?'

'Kasjmier wol.'

Ik trok mijn wenkbrauwen op.

'Ik weet dat ik me dat niet kan veroorloven, maar ik kan het niet helpen, ik moet gewoon mijmeren over hoe enig het wel niet zou zijn. Blauw staat me goed – dat zei mijn moeder altijd tegen me. Vanwege mijn ogen.'

'Er is te veel rok,' zei ik, terwijl ik naar de tekening keek. Ester was een groot meisje, en ze liep de kans dat ze er in die jurk als een plas water uit zou zien als er niet iets was dat het immense blauwe oppervlak van de rok zou breken. Ik nam de pen terug en tekende er een garneersel van lint bij. Daarna verlaagde ik de taillelijn een beetje.

'Een lint van satijn als garnering,' zei ik. 'Ik heb er net van de week wat van geknipt.'

Ester pakte de tekening, bestudeerde die, en lachte vervolgens breeduit. 'Je hebt beslist talent.'

'Ik weet zo het een en ander van naaien,' gaf ik toe.

'Je vertelt hier niets over aan de anderen, hè?'

'Het is geen misdaad om een jurk te willen hebben.'

'Ze denken toch al dat ik oppervlakkig ben.'

'Dat denken ze niet,' verzekerde ik haar.

'Ik geneerde me bijna dood, toen ik vanavond die stomme vraag over de wemeling van migrerend gepeupel stelde.'

'Het is niet stom om vragen te stellen. En iedereen weet hoe betrokken je bent,' zei ik, waarop ze in tranen uitbarstte.

'Pamfletten interesseren me niet.'

'Dat hindert niet,' zei ik, maar ik begreep niet goed waarom een gebrek aan interesse in pamfletten haar aan het huilen zou maken.

'Wat heb je nu aan pamfletten? Van al die mensen voor wie ze bedoeld zijn, kunnen de meesten ze niet eens lezen.'

'Zij die ze kunnen lezen, leggen het uit aan degenen die dat niet kunnen.'

Ze bleef huilen, haar schouders schokten bij iedere snik.

'Ik heb me niet bij de beweging aangesloten om pamfletten uit te delen,' zei ze. 'Als ik dan toch gearresteerd moet worden en schande over mijn familie moet brengen, wil ik dat het voor iets waardevols is. Geen pamfletten, in godsnaam.'

'Het hindert echt niet, Ester,' zei ik. 'Niemand zal je het kwalijk nemen als je besluit geen pamfletten te verspreiden.'

Ze bleef snikken, en terwijl ik hulpeloos toekeek, vroeg ik me af of ze soms onevenwichtig was.

'Je hoeft echt niets met pamfletten van doen te hebben,' zei ik zo vriendelijk mogelijk.

'Ik kan ze zelfs niet eens lezen,' fluisterde ze.

'Echt niet?' fluisterde ik terug.

Zonder me aan te kijken schudde ze haar hoofd. En zo begonnen we, die avond, met de eerste letter van het Russische alfabet.

De volgende zondag gingen we naar het ravijn. Ester had op haar werk rondgevraagd of er een naaister was die, voor de prijs die ze zich kon veroorloven, de jurk kon maken die ze wilde hebben. Het was de stof natuurlijk, de banen blauwe kasjmier die het duurst zouden blijken te zijn, maar blijkbaar was er een vrouw, Magda genaamd, die in een van de ravijnen woonde en die elk materiaal in iedere kleur krijgen kon, en wel voor de helft van de prijs die men ergens anders betalen moest. Ester ging deze Magda zoeken en ze wilde dat ik met haar meeging.

'Doe niet zo raar,' zei ik tegen haar. 'Hoe denk je deze ene vrouw, Magda genaamd, te vinden tussen al die massa's mensen die in de ravijnen wonen?'

'Ik heb een routebeschrijving,' antwoordde Ester.

Het was roekeloos om je in het ravijn te wagen – en dan vooral op het hoogtepunt van een tyfusuitbraak – om een gerucht na te jagen over een vrouw die lappen stof zou verkopen. Lappen stof die duidelijk gestolen waren. Het was pure roekeloosheid, om maar te zwijgen over de verspilde tijd en energie die anders op een productieve manier besteed hadden kunnen worden. Maar toch... Nee, zei ik tegen mezelf. Het idee alleen al om een halve dag te besteden aan slechts één doel, namelijk om blauwe kasjmier voor een jurk te pakken zien te krijgen... Erger nog dan roekeloos, het was decadent. Maar hoe kon ik dan verklaren dat ik me tot het voorstel aangetrokken voelde, dat ik zo opgewekt was toen ik die zondagochtend wakker werd en me herinnerde dat dit de ochtend van ons onbezonnen uitstapje was, zo lichtzinnig als ik me voelde toen we hand in hand naar het ravijn liepen, met geen ander doel dan precies die kleur blauwe kasjmier te vinden die het best bij Ester's sprankelende ogen zou passen?

Het was een sombere ochtend. De lucht was loodgrijs, de bomen waren in ijs gehuld, de bovenste takken verdwenen in de mist. Toen we het ravijn naderden, begon ik me zenuwachtig te voelen. 'Je weet toch dat de ravijnen gevaarlijk zijn?' zei ik tegen Ester.

'Je meent het,' zei ze.

Onze huisgenoot Zelde ging nu al weken achtereen naar de ravijnen om de zieken en stervenden te verzorgen. Ik voelde me plotseling beschaamd dat ik Zelde nooit aangeboden had haar bij haar werk te helpen, terwijl een zoektocht naar blauw kasjmier voldoende was om me erheen te lokken. Ik zei dit tegen Ester en ze knikte. 'Ik schaam me dood als Zelde hier achterkomt, dat is zeker. Nina, dat maakt me niet zoveel uit. Maar Zelde... ze is zo serieus.'

'IJverig,' zei ik.

'Streng.'

'Volkomen toegewijd.'

'Saai,' verklaarde Ester, met een klein lachje.

'Vind je?'

'Ze lacht nooit.'

'Misschien ziet ze niets leuks in het lijden van mensen.'

'Denk je dat ze na de revolutie vaker zal lachen?'

'Dat is moeilijk te zeggen,' gaf ik toe.

De mist werd dikker, terwijl we in het ravijn afdaalden, en was nu scherp van rook. Hutten stonden als pakkisten samengedromd op de helling, kriskras door elkaar heen. Sommige waren van hout en oud metaal gemaakt, andere van strobalen en hadden een stuk jute als deur. Hun warmtebron lag buiten – plompe kleiovens, en de rook ervan kolkte uit gebroken pijpen, en vuren, kampvuren waar omheen mensen bij elkaar gekropen zaten om warm te blijven.

'Ik denk dat het nog een stukje verder is,' zei Ester en maakte een scherpe bocht tussen twee krotten door. Bij een vuur zag ik de orgeldraaier die de vorige lente *Het Bittere Afscheid* gespeeld had. Hij was een klein stukje vlees aan het roosteren, en hij had drie jongens bij zich. Zijn zonen misschien. Of niet – honger had hen getekend, zodat ze nu met hun doodshoofdachtige gezichten sterker op elkaar leken dan ooit door verwantschap mogelijk geweest zou zijn. Ze staarden naar het vuur, in beslag genomen door het vlees dat geroosterd werd. Een rivierrat, dacht ik, aan de vorm ervan te zien, hoewel het ook een eekhoorn had kunnen zijn.

'Denk je dat een papegaai hier 's winters kan overleven?' vroeg ik aan Ester.

'Een papegaai?' Ze liet even een hoge, heldere lach horen en gaf me een speelse por. 'Sinds wanneer bekommer jij je om papegaaien?'

Ik vertelde haar toen over de voorspelling die de papegaai nauwelijks een paar weken voor mijn arrestatie uitgekozen had. Het was een prachtige papegaai, zei ik tegen haar. Rood en groen, met blauwe strepen op zijn vleugels. *Donkere ogen brengen je geluk*, had hij beloofd, wat me met hoop over mijn toekomst vervuld had.

'Ik had dezelfde voorspelling,' zei Ester tegen me en kneep in mijn hand. 'Maar van een andere papegaai.'

De woning waar we stopten, was beter dan de meeste andere, met muren van planken gemaakt en een tinnen dak, maar voor de deuropening hing slechts jute. 'Hallo,' riep Ester, maar er kwam geen antwoord. 'Hallo,' riep ze nog een keer. 'Ik zoek Magda.'

Een oude vrouw trok het jute opzij. 'Bent u Magda?' vroeg Ester. De vrouw gaf geen antwoord, maar staarde naar Ester met ogen zo troebel dat ik me afvroeg of ze blind was.

'We zijn op zoek naar een bepaalde stof,' zei Ester.

'Wat voor stof?'

'Blauwe kasjmier.'

De vrouw ging zonder een woord te zeggen weer naar binnen, maar ze hing de jute niet terug. Ik kon bij de ingang een jong kind op de aarden vloer zien zitten. Hij had een pot tussen zijn benen en naast hem lag een hoopje stenen die hij methodisch in de pot stapelde. Het achterste gedeelte van de woning was bedekt met iets wat vodden leken, lagen vodden, met daarop een gedaante die ik in de duisternis niet goed kon onderscheiden. Uit het gekreun wist ik dat het een vrouw was. Het gekreun nam toe, terwijl de andere vrouw tussen de vodden wroette, totdat ze er eindelijk iets tussenuit trok en weer naar ons toekwam.

'Dit,' zei ze, en liet Ester een vierkant stuk kasjmier in een diepe kleur blauw zien.

Het was een prachtige stof en de prijs die ze noemde, was zo laag dat het me verbaasde dat Ester begon te marchanderen. Er ging wat van de prijs af, maar niet veel. 'Hoeveel heb je nodig?' vroeg ze. Ester vertelde het haar en de vrouw kneep haar ogen een beetje dicht, beklopte Ester overal, en deed er vervolgens nog een el bij. 'Ik heb het volgende week voor je,' beloofde ze. 'En jij?' vroeg ze, terwijl ze zich naar mij toekeerde.

'Vertel haar over het blauw van je jas,' spoorde Ester me aan. Dat deed ik, en de vrouw verdween nog een keer in haar woning. Maar toen ze terugkwam, had ze niet wat ik zocht.

'Het is lichter,' zei ik tegen haar, terwijl ik naar het stukje stof keek dat ze meegenomen had. 'Donkerder,' zei ik, terwijl ze een andere lap er tussenuit trok. 'Helderder,' zei ik en schudde mijn hoofd voor de derde keer. 'Dieper van kleur.'

'Wat je zoekt, bestaat niet,' zei ze eindelijk tegen me. 'Jawel, hoor,' hield ik vol.

'Ja, hier misschien,' zei ze en wees naar mijn hoofd. 'Maar niet op deze wereld.'

Ik beschreef haar de locatie van de winkel waar ik het gezien had.

'Als er zo'n kleur bestond, dacht je dan dat ik die niet zou hebben?'

'Daar is het,' hield ik vol, en ze beloofde dat als het echt in de etalage lag, zoals ik beweerde, zij de stof voor me zou bemachtigen, en voor een prijs waarvan ik niet zou geloven dat die mogelijk was.

'Kom volgende week terug,' zei ze tegen me, zoals ze ook tegen Ester gezegd had.

De volgende zondag was Ester ziek. Zelde verzekerde haar dat de koorts en hoofdpijn die ze had, niet ernstig waren, maar ze was niet in staat uit bed komen.

'Ga alsjeblieft mijn lap stof halen,' smeekte ze me, en ze stopte haar roebels in mijn hand.

'We gaan volgende week samen,' beloofde ik haar. Er zou die dag een bijeenkomst in ons appartement gehouden worden en daar wilde ik bij zijn. Het plan van raadslid Zalevski voor een pestbarak had in de hele stad zo veel woede opgewekt dat er voor de eerstvolgende week een betoging gepland stond. De opkomst zou enorm zijn, zei Nina, fel. 'Zoals we nog nooit eerder gezien hebben,' beloofde ze, en haar ogen glommen als ze eraan dacht. En ik wilde bij de organisatie ervan helpen.

'Ik kan niet tot volgende week wachten,' zei Ester en haar ogen vulden zich met tranen. 'Volgende week, wie weet? Ik kan dan wel dood zijn.'

'Moge God dat verhoeden,' zei ik snel. 'Maar waarom zou je zoiets zeggen? Zelde heeft je al gezegd dat het niets ernstigs is.'

'Wat weet Zelde daar nu van? Is ze in mijn hoofd geweest om te zien wat daar zo bonst?'

'Ik wil hier voor de bijeenkomst zijn.'

'Je kunt de bijeenkomst nog best halen. Hoelang doe je erover om naar het ravijn te gaan? Een uur. Twee uur. Je gaat er heen, koopt de stof, en komt weer terug. De bijeenkomst begint pas om twaalf uur.'

'Ik weet zelfs niet zeker of ik me wel kan herinneren waar het precies is.'

'Alsjeblieft,' zei Ester. 'Ik wil maar één ding in mijn leven. Als ik doodga, laat me dan tenminste dat ene ding bemachtigd hebben. Alleen maar één ding. Dat is toch niet teveel gevraagd? Eén ding, in mijn hele leven. Een paar banen blauwe kasjmier. Ik smeek het je.'

Ze keek me vervolgens aan, en in haar blauwe ogen glinsterden tranen.

Ik kwam bij Magda's woning aan, maar er kwam geen antwoord toen ik riep. Ook kwam er geen rook uit haar oven. Ik riep nog een keer, zonder dat ik antwoord verwachtte, maar deze keer riep een stem terug: 'Ga weg.'

Ik zei wie ik was en weer kwam er geen antwoord. Ik herinnerde haar eraan dat ze me gezegd had dat ik vandaag moest terugkomen, maar nog steeds weigerde ze te antwoorden. Daarom draaide ik me om om weg te gaan, en op dat moment zag ik Wolf. Hij zat voor een houten hut bij een vuur, niet meer dan twintig passen van mij vandaan. Had hij daar de vorige week ook al gezeten? Ik had er geen idee van, maar terwijl ik op hem toe liep, was zijn gezicht zo sereen dat ik het gevoel had dat hij al enige tijd op me had zitten wachten.

'Hallo,' zei ik.

'Hallo.'

'Wat doe jij hier?' vroeg ik hem.

'Ik eet mijn ontbijt. Wil je ook wat?'

Hij had een samowar en het water erin kookte, een dofzilveren samowar, ik had nog nooit zo'n elegante gezien. Hij schonk een glas thee voor me in en gaf me een stuk brood.

'Waar heb je die samowar vandaan?' vroeg ik.

'Van mijn moeder, moge ze rusten in vrede.'

'Je zou hem hier niet zo moeten laten staan.'

'Waarom niet?'

'Dat is gevaarlijk,' zei ik, terwijl ik met een gebaar van mijn hand de wirwar van krotten om ons heen aanduidde. 'Iedereen kan hem zien.'

'En waarom zouden ze hem niet mogen zien? Hij is prachtig, nietwaar?'

'Er zijn mensen om wel minder vermoord.'

'Terwijl we praten, worden er mensen vermoord. Ondertussen wordt je thee koud. Waarom drink je die niet op?'

Ik dronk de thee op, zoals hij voorgesteld had. Die was sterk en verwarmde me.

'Wat doe jij hier?' vroeg ik hem nog een keer.

'Datzelfde kan ik ook aan jou vragen. Een vrouw lastig vallen, terwijl haar dochter deze week gestorven is.'

'Is Magda's dochter gestorven?'

'In het kraambed. De baby lag verkeerd.'

'De arme vrouw,' zei ik en herinnerde me het gekreun dat ik van bovenaf Magda's stapel vodden gehoord had.

We zaten daar een paar ogenblikken zonder iets te zeggen.

'Ze heeft vreselijk geleden,' zei Wolf ten slotte. 'Ze heeft twee dagen lang geschreeuwd, met niemand anders dan haar moeder om voor haar te zorgen. Niet dat iemand had kunnen helpen. De baby zat lelijk vast, die kon met geen mogelijkheid uitgedreven worden.'

'Bood niemand aan om te helpen?'

'Ze zijn niet erg populair. Magda is een dief en beperkt zich niet tot de eigendommen van vreemden.'

'Maar toch…'

Wolf haalde zijn schouders op. 'Ik heb de jongen al die tijd hier gehad. Maar het zou beter geweest zijn als hij ergens anders geweest was, waar hij haar geschreeuw niet had kunnen horen.'

Ik bekeek Wolf eens goed, terwijl we tegenover elkaar zaten en thee dronken. Hij was vreselijk mager – zijn gezicht bestond meer uit holtes dan uit vlees – en zijn huid had de kleur van bot. Zijn tanden echter werden alsmaar zwarter in zijn mond – een teken van leven, had Tsila mee eens verteld, want alleen de tanden van de doden zijn altijd sterk. En zijn donkere ogen lichtten helder op in zijn gezicht.

'Waarom ben je hier?' vroeg ik nog een keer. 'Ik dacht dat je Rusland verlaten had.' Want was hij niet op weg naar de grens geweest, onder dreiging van een arrestatie, die avond dat ik hem in het bos ontmoet had en zijn dynamiet aangepakt had?

'Ik ben vertrokken. En daarna weer teruggekomen.'

'Maar waarom?'

'Dat is een lang verhaal,' zei hij. 'En niet eentje dat ik nu graag wil vertellen.'

We dronken onze thee in stilte op. Ik dacht dat ik misschien beter weg kon gaan; hij had duidelijk geen zin om te praten. Maar hij leek zich niet aan mijn aanwezigheid te storen. En ik voelde me vreemd op mijn gemak, terwijl ik daar zo bij hem zat. Ik herinnerde me onze eerste ontmoeting in het moeras, toen ik me op dezelfde wijze getroost voelde als nu.

'Kom je uit Mozyr?' vroeg ik hem.

'Kalinkovitsj.'

'En wonen je ouders daar nog?'

'Mijn moeder is dood. En ik heb nooit een vader gehad.'

'Dat spijt me,' zei ik.

'Bij lange na niet zoveel als de tante die me moest opvoeden,' lachte hij. 'Ik moet het haar niet kwalijk nemen, neem ik aan – ze nam me tenslotte in huis – maar ze had een pesthekel aan me.'

'Hoe dat zo?' vroeg ik.

'Als ze naar me keek, zag ze slechts haar eigen schande, de schande die haar zuster door me te dragen over de familie gebracht had. Ze verachtte me, en haar kinderen ook. Er was niemand in dat huis die naar me keek en iets anders zag dan zijn eigen schande en haat. Je kunt misschien wel begrijpen waarom ik veel tijd alleen in het moeras doorbracht.' Hij keek me aan. 'Het was de enige plaats waar ik me thuis voelde.'

'Ik voelde me daar ook thuis,' zei ik tegen hem.

'Die eerste keer dat we elkaar ontmoetten, was je riet aan het plukken. Ik verraste je, liet je schrikken – dat kon ik aan je gezicht zien. Maar je keek niet de andere kant op.'

Ik herinnerde me dat hij een rietstengel van me gepakt had en die ene noot erop gespeeld had, dat geluid van puur verdriet.

Hij schonk nog een keer thee in en weer zaten we daar zwijgend. Het was een gemakkelijke stilte; die had iets ruims, en na een poosje kreeg ik het gevoel dat ik in die ruimte begon uit te dijen. Het was een lichamelijk gevoel, mijn spieren ontspanden zich, de spanning verdween. En terwijl we daar zo bleven zitten, voelde ik dat ook mijn geest uitdijde, zich opende voor beelden en kleuren die ik al maandenlang niet gezien had: groene weilanden in de vroege lente die naar een blauwe horizon glooiden, flitsen van oranje vissen in de rivier, het honingkleurige haar van Tsila als ze het 's avonds losmaakte en over haar rug liet vallen. Ik deed mijn ogen dicht, op mijn gemak ondanks de ellende om ons heen, en ik voelde mezelf op de kleuren drijven die de een na de ander in mijn hoofd opkwamen. Toen ik mijn ogen weer opendeed, werd ik overweldigd door het grijs van het ravijn. Wolf zat naar me te kijken en ik voelde me in verlegenheid gebracht, omdat ik daar gezeten had zoals ik gedaan had, met gesloten ogen, en me voorstelde dat ik dreef, uitdijde... 'Het spijt me,' zei ik.

'Waarvoor?' vroeg hij. 'Je bent moe.'

'Dat klopt,' sprak ik instemmend. 'Vanaf de tijd dat ik in de gevangenis zat.'

'Heb je in de gevangenis gezeten? Wat is er gebeurd? Toch niet het dynamiet...'

'Nee, nee,' zei ik.

'Als ik je kon vertellen hoezeer het me speet...'

'Het kwam niet door het dynamiet,' zei ik nog een keer. Maar had ik niet het dynamiet aangepakt, en was dat niet de eerste stap geweest die mij van Tsila en Arn Leib verwijderd had, mijn eerste stap op het pad dat me uiteindelijk in de gevangenis had doen belanden? Ik herinnerde me het gewicht ervan in mijn armen, het leven, waarvan ik dacht, dat misschien in het onontplofte poeder zou kunnen zitten. 'Dat is een lang verhaal, en niet eentje dat ik nu graag wil vertellen.'

Hij glimlachte.

Ik was al langer gebleven dan ik verwacht had, en de bijeenkomst in ons appartement zou spoedig beginnen.

'Ik moet nu gaan,' zei ik tegen hem.

'Tot ziens dan maar,' zei hij en hij bleef me aankijken, terwijl ik opstond om te vertrekken.

De klokken van de Sint-Andreaskerk luidden, terwijl ik de Andrejev-helling afliep en me naar de Podol haastte. Het was later dan ik gedacht had. Twee uur bijna. Was het mogelijk dat ik zolang bij Wolf gezeten had?

Tegen de tijd dat ik de Alexanderstraat bereikte, rende ik. Ik sloeg een steeg in, wat een kortere weg was naar onze straat, en daar versperde een man me de weg.

'Ga niet naar huis,' zei hij op een zachte, dringende fluistertoon tegen me. Ik herkende hem. Hij woonde in een van onze aangrenzende appartementen. 'Er is een inval geweest,' zei hij.

Ik wilde hem niet geloven, maar toch, toen ik hem passeerde, voelde ik hoe de angst in mijn borst begon te groeien. Ik ging langzamer lopen, en mijn benen begonnen steeds zwaarder te voelen. Ik sloeg de straat in waar ik woonde en liep in de richting van mijn huis. Er was geen politie in de straat, en de ingang naar ons appartement zag er net zo uit als anders, de deur was dicht, zodat niet te zien was wat er binnen aan de hand was. Ik daalde de trap naar onze deur af. Ik probeerde de deur, maar hij was niet op slot. Ik deed hem open en begreep waarom mevrouw Plotkin de politie die bij haar geweest was, een meute honden genoemd had. De tafel en vier bedden lagen op hun kop, de inhoud van de klerenkast lag over de vloer verspreid. Onze boeken lagen ook op de vloer, sommige ervan waren uit hun band gescheurd. Het lijstje waarin de foto van Zelde's ouders gezeten had, lag in stukken, de foto zelf was stukgescheurd. Onze koffers waren opengemaakt en leeggehaald, de inhoud lag op een hoop op de grond. Ons aardewerk was aan diggelen geslagen, net als al het glaswerk in het huis. Ik zag de pen die Tsila voor me achtergelaten had toen ik in de gevangenis zat. Die lag tussen scherven gebroken glas. Ik pakte hem op en liet hem in de zak van mijn jas glijden, waarna ik het appartement verliet, en de deur achter me dichtdeed.

Ik ging rechtstreeks naar het nieuwe appartement van Beile, maar ze was niet thuis, en plotseling werd ik bang dat ook zij meegenomen was, en dat de Ochrana er nog was, achter de deur, en wachtte, alleen maar wachtte, omdat ze wisten dat ik zou komen opdagen. Het was paniek, niets anders, maar die gedachte maakte me zo bang, dat ik de straat op rende en bleef rennen. Ik was me ervan bewust dat ik de aandacht trok, maar kon niet stoppen. Ik sloeg een zijstraat in, het soort steeg waarvan iedere vrouwelijke bewoner van de stad wist dat ze die moest vermijden, en dwong mezelf te stoppen met rennen, hoewel het volkomen tegen mijn instinct in ging. Vervolgens wist ik helemaal niet meer waar ik naartoe liep, was me er slechts van bewust dat het daglicht aan het afnemen was. Pas toen ik Wolf zag, die in verwarring naar me opkeek, toen pas besefte ik waar ik naar toe gegaan was, werd ik me bewust van mezelf, het trillen van mijn lichaam.

'Er is een inval geweest,' slaagde ik erin hem te vertellen.

'Je blijft hier bij mij,' zei hij onmiddellijk en nam me mee zijn woning binnen. Ik stond in de deuropening, totdat hij een lamp aangestoken had. Hij had zich een thuis gemaakt van die hut in het ravijn. Er lag een rood met zwart tapijt op de aarden vloer. In een hoek had hij een stoel gezet, een krat daarnaast zat vol boeken. Naast de stoel stond een brits, en daar bracht hij me naar toe. Hij trok de dekens weg en zei tegen me dat ik moest gaan liggen. Daarna dekte hij me toe. Hij trok de stoel dichter bij het bed en ging naast me zitten.

'Ze zullen niet lang vastgehouden worden,' zei hij tegen me. De nieuwe minister van Binnenlandse Zaken had sinds de moord op Plehve een serie hervormingen ingevoerd, de beperkingen op de vrijheid van meningsuiting en vergadering waren versoepeld, de regels van de wet waren strikter geworden. 'Ze zullen binnen een paar weken vrijgelaten worden. Een maand hoogstens.'

'Kun je me dat beloven?'

'Nee, dat kan ik niet,' gaf hij toe.

'En als ze vrijgelaten worden, wat dan?'

'Daar kan ik ook geen antwoord op geven,' zei hij.

Er lag iets van razernij in mijn beven, in het geklapper van mijn tanden. 'Ik heb het koud,' zei ik tegen hem. 'Altijd koud.'

'Dat is angst,' zei hij.

'Dat is de dood,' zei ik tegen hem.

Hij stopte de dekens dichter om me heen.

'Ik heb een harde, koude steen binnen in me. Al vanaf dat ik in de gevangenis zat.'

Hij legde zijn platte hand midden op mijn borst.

'Hier?' vroeg hij.

'Dieper,' zei ik. Ik voelde de stevige druk van zijn hand door de laag dekens heen.

'Altijd al was hij bij mij in de buurt, maar tot op dit moment, buiten mij. In de ogenblikken dat ik zwak ben, probeert hij me altijd te omhelzen.'

'Ssst,' zei Wolf en duwde harder.

'Hij laat me nooit met rust,' zei ik. 'Ik voelde dat hij me aanraakte toen ik in een druk koffiehuis koffie zat te drinken, toen ik op een warme zomeravond in mijn eentje een wandeling maakte. Mijn hele leven lang al heeft hij mij beslopen, was altijd in de buurt, en wachtte zijn kans af. En nu zit hij binnenin me.'

'Dat is verdriet,' zei hij tegen me.

'Ik deelde mijn moeders schoot met hem.'

'Met verdriet?'

'Met de dood.'

Hij maakte de dekens los en gleed naast me.

'Hij lokte mijn moeder mee, maar dat was niet genoeg. Niets is ooit genoeg voor hem. Hij raakt nooit verzadigd.'

'Ssst,' zei Wolf nog een keer.

'Ik dacht de eerste keer dat ik je zag, dat jij hem was,' fluisterde ik.

'De dood?' vroeg hij, met een lichte trilling in zijn stem.

'Mijn dode broer die me kwam halen.'

En misschien was hij dat ook, dacht ik. Was hij het niet die me die avond in het bos het dynamiet gegeven had? Een werktuig van de dood waarvan hij had beloofd dat het tot iets goeds zou leiden.

Hij maakte mijn haar los door de speld eruit te trekken, toen hield hij mijn hoofd tegen zijn rustig en gestaag kloppende hart. Ik voelde zijn lippen op mijn voorhoofd rusten, de eerste tranen gleden over mijn wangen.

Ik weet niet hoelang hij me zo vasthield, of hoelang ik huilde. Ik voelde dat zijn hemd nat was van mijn tranen, proefde het zout in mijn mond, merkte dat mijn lichaam uitgeput was van het huilen, en nog steeds hield hij me vast. Een uur, de halve nacht, ik weet het niet – ik huilde, tot ik er geen kracht meer voor had, en toen ik eindelijk stil was, gleed Wolf onder de dekens vandaan om een doek nat te maken voor mijn gezicht. Hij waste mijn gezicht, legde de doek toen op mijn ogen. Ik voelde de zwaarte van mijn uitputting, maar gaf me niet eerder aan de slaap over tot ik de hele lengte van zijn lichaam warm tegen het mijne voelde, de gladde huid van zijn hals tegen mijn wang en het ritme van zijn hart, kloppend onder mijn lippen.

Siberië, maart 1912

Vandaag werd er een vogel onze cel in geblazen. Een eigenaardige gebeurtenis. Het is hier winter; het waait hard en de aarde ligt onder de sneeuw verborgen. De vogel was een kraai, duidelijk verdwaald, en zo goed als dood. Hij werd door ons open raam naar binnen geblazen en landde – verbluft, maar hij verblufte ook ons – precies midden op onze tafel. Een droom, zou ik gedacht kunnen hebben, ware het niet dat mijn celgenoten hetzelfde droombeeld hadden. Hij lag bewegingsloos, en we keken zwijgend toe, niemand durfde te zeggen wat ze dacht.

Ik had je graag verteld dat de vogel bleef leven, dat we zijn bevroren lichaam verwarmden, zijn uitgehongerde bek vulden, en dat we hem in de open lucht vrijlieten, maar dat was niet zo. Hij stierf daar op onze tafel, voor twaalf paar geschokte ogen.

Was dit dan een voorteken? Misschien, maar vandaag zag ik het als een kraai – betreurenswaardig, ja, en dood, maar niets anders. Maar toch dacht ik daardoor weer – misschien vanwege de manier waarop hij uit de hemel was komen vallen – aan iets wat Tsila me eens verteld had, een legende dat, toen de tempel vernietigd werd, de letters van de Heilige Rollen de lucht in vlogen. Tsila vertelde me niet wat de letters daarboven deden, of dat ze vleugels kregen, maar ik beeldde me in dat ze inderdaad vleugels kregen en vervolgens in vogels veranderden. Ik keek altijd naar de vogels die rondcirkelden en die het moeras en de velden om me heen indoken, en ik weet dat het de verstrooide letters van de Heilige Rollen waren, het geheim van de schepping, die zich in de lucht groepeerden en hergroepeerden, en dat we alleen maar omhoog hoefden te kijken om dat te zien.

Achttien

In het begin waagde ik me nauwelijks uit de buurt van Wolf's bed. Ik sliep bijna de hele dag, terwijl hij buiten zat in de kou van die vroege winter en me thee schonk uit de samowar die eens van zijn moeder geweest was. Hij was niet vaak alleen. Ik hoorde hem gewoonlijk bij het vuur praten, de lage tonen van zijn stem susten me weer in slaap, een slaap waaruit ik niet echt ontwaken kon. Hij kreeg allerhande gasten – ik kon de barse stemmen van mannen horen, het gelach van vrouwen, het levendige gekwebbel van kinderen die niet lang genoeg zouden leven om de volgende winter te halen. Vanuit de nevel van de slaap hoorde ik zijn gesprekken met de waterdragers, zijn raad aan de zieken, zijn suggesties aan de groep die opgericht was als verdediging tegen de criminelen die 's nachts het ravijn onveilig maakten. Op een dag hoorde ik onmiskenbaar de stem van de orgeldraaier. Ik wilde hem vragen een lied voor me te zingen, maar ik kon me niet uit de verdoving van mijn slaap rukken.

Op sommige dagen probeerde Wolf me zover te krijgen dat ik met hem bij het vuur ging zitten, maar ik was te moe, te bang voor wat er gebeuren zou als ik mijn gezicht buiten zou laten zien. Ik kan niet zeggen waar ik nu precies bang voor was, maar het gewicht ervan voelde als een zware steen in mijn borst. Het was angst, niet de dood, zei ik tegen mezelf, hoewel mijn gehoest me soms te denken gaf. Op andere dagen ging Wolf weg om in de stad voedsel en andere voorraden te halen. Hij haalde ook medicijnen voor sommige andere ravijnbewoners. Ik bleef in zijn bed en wachtte tot hij weer terug was.

'Er was een plek in het moeras waar ik altijd eten vond,' zei Wolf op een dag tegen me. Het was een koude ochtend, en erg vochtig. Het was een van de eerste keren dat ik weer buiten was – het moet december geweest zijn, of misschien eind november – en hoewel ik dicht bij het vuur zat, kon ik me niet zo verwarmen dat de stijfheid uit mijn gewrichten of de pijn uit mijn spieren verdween. 'Broden, manden met eieren, fruit van het seizoen – ik nam aan dat het boerenvrouwen waren die hun voedsel achterlieten om redenen die niemand zich meer kon herinneren. Maar toen, op Pesach, zag ik dat er matse lag.' Hij gaf me een glas hete thee.

'Ik ken die plek,' zei ik. 'Een ingestorte, oude hut bij een kanaal dat in de lente zo ondiep is dat het water tot halverwege de dijen van een vrouw komt.'

Hij glimlachte. 'Dus je weet waar die plek is.'

'Ik ben daar een keer met Tsila geweest. Dat was lang geleden, al snel nadat ik bij haar en mijn vader was komen wonen. We lieten brood achter, wat fruit.'

'Voor wie? Zei ze dat?'

' *"Je weet maar nooit wie er honger heeft,"* zei ze alleen maar tegen me. Ik wist niet dat ook anderen daar eten achterlieten.'

'Ik deed mijn best om dat wat ik vond, niet op te eten, maar ik had vaak zo'n honger.'

'Waarom deed je je best om het niet op te eten?'

'Ik wist dat het voor iemand anders bestemd was.'

'Voor iedereen die honger had, vast. Het was per slot van rekening *tzedakah.*'

'Het was voor een jongen die eens in jullie stad woonde.'

'Een jongen?'

'Hij kon niet praten. Hij kon geen geluid uitbrengen. Een idioot, dachten de mensen. Erger nog dan een dwaas, want welke dwaas kan niet een paar geluiden voortbrengen? Zijn familie schaamde zich voor hem. De mensen in de stad negeerden hem. De kinderen in de stad pestten hem genadeloos… En toen op een nacht was er brand. En terwijl alle anderen die in het huis woonden, erin slaagden te ontsnappen – alle andere kinderen van alle andere gezinnen – lukte het de jongen niet. Hij lag niet in zijn bed toen zijn vader hem kwam wekken, maar hij was ook niet buiten bij de andere kinderen. En op dat punt was het te laat om voor hem nog terug te gaan, het huis in – hoewel sommige vaders dat gedaan zouden hebben. Er vielen binnen al brandende balken naar beneden. De jongen was weg, achtergelaten om in het vuur te verbranden.'

Ik had al eerder een soortgelijk verhaal gehoord, maar in een ander dorp, niet het onze. Een jongen die niet kon praten. Erger nog dan een dwaas, zoals Wolf gezegd had, maar hij kon met de vogels communiceren. Hij kon geen woord uit de Tora opzeggen, maar ganzen liepen altijd in een rij achter hem aan, en doortrekkende vogels stopten altijd om op zijn schouders uit te rusten. Hij werd door de anderen in het dorp gepest en van zijn eigen ouders werd gezegd dat ze zich voor hem schaamden. En toen op een dag was er een overstroming, en hoewel iedereen later beweerde dat ze geprobeerd hadden hem te redden, was hij in feite de enige die verdronk. Het was een drama, een verschrikkelijke schande voor dat dorp, dat daarna voor altijd door allerlei plagen gekweld werd. Ik vertelde dit aan Wolf, en hij glimlachte. 'Ik weet zeker dat de variaties eindeloos zijn.'

'Dus geen ervan is waar.'

'Integendeel,' zei Wolf. 'De ziel van de jongen vermengde zich met de rook van het vuur dat hem opgeëist had. En die hing boven de stad en het naburige moeras, en vervloekte diegenen die hem, toen hij nog leefde, gekweld hadden, en veroorzaakte problemen van onvrucht-baarheid tot een slecht humeur…'

'Er was zeker geen gebrek aan slecht humeur in onze stad.'

'…van huwelijkse twisten tot aambeien.'

'Aambeien? Dat denk ik niet.' Hoewel ik me kon herinneren dat de oude Rachmi'el Schneider een keer, zichtbaar ongemakkelijk, met een mand eieren en brood langs ons huis in de richting van het moeras hobbelde. 'Waar heb je zo'n dergelijk verhaal gehoord?'

'Ik deed mijn best het voedsel niet op te eten, zoals ik je verteld heb, maar ik was steeds minder welkom in mijn tante's huis, en ik had honger, altijd honger. Toen ik daar op een dag aankwam, vond ik appels, Antonov appels, die ik het allerlekkerst vind. Ik wachtte heel lang, probeerde ze te weerstaan, maar na een tijdje lukte me dat niet meer. Ik kwam uit de schaduw te voorschijn en op dat ogenblik gilde er iemand. Het was een meisje, een paar jaar ouder dan ik.

' "Wees maar niet bang," zei ik tegen haar. "Ik ben alleen."

' "En blijkbaar heb je honger," antwoordde ze, terwijl ze net deed of ze kalm was, wat duidelijk niet zo was. Ik kon zien dat ze beefde, toen ze me het brood gaf dat ze meegenomen had.

' "Eet dit," zei ze tegen me, en ze probeerde me aan te kijken, maar dat lukte haar niet. Toen fluisterde ze zo zacht dat ik er niet zeker van was of ik het wel goed hoorde: "Het spijt ons zo erg dat we je zo behandeld hebben."

'Ik nam het brood aan, maar vond dat het zuur smaakte. Tenslotte was ik net zo eenzaam als ik honger had. Eenzamer zelfs. Ik smachtte meer naar menselijke warmte dan naar brood, en om te zien hoe bang dat meisje in mijn aanwezigheid was... Ik weet dat ik geen schoonheid ben om te zien, maar toch... Ik voelde me weerzinwekkend, minder dan menselijk.' Hij pauzeerde. 'Zo anders dan bij mijn eerste ontmoeting met jou.'

Ik herinnerde me de schok die ook ik gevoeld had toen ik hem voor de eerste keer zag, hoe die schok geweken was voor troost, toen ik mezelf dwong hem aan te kijken en het leven onder zijn geteisterde trekken herkende.

'Maar vervolgens,' zo ging hij verder, 'een paar maanden daarna slechts, kwam ik hetzelfde meisje weer tegen. Deze keer was het op een van de vergaderingen van de Bundisten die gewoonlijk op iedere sjabbesmiddag in het bos aan de andere kant van jullie stad gehouden werden.'

'Die worden nog steeds gehouden, voor zover ik weet,' zei ik tegen hem.

'Ze was daar ook, en leek niet meer op het bevende geval dat ik in het moeras gezien had. Ze herkende me meteen en kwam naar me toe, vol verontschuldigingen voor haar gedrag die dag. Haar fantasie was op hol geslagen, legde ze uit, vergiftigd door het bijgeloof dat haar in die tijd verstrikt hield, maar dat ze nu had laten varen, verzekerde ze me. "Te denken dat ik meende dat het voldoende was om wat restjes *tzedakah* achter te laten. Dat dat op de een of andere manier de omstandigheden zou goedmaken die zijn dood veroorzaakt hadden. En dan te bedenken dat ik, door dit te doen, jou uiteindelijk net zo behandelde als wij hem eens behandeld hadden. Als een verschoppeling, als iemand om bang voor te zijn."

'En ze ging maar door en door, totdat ik haar eindelijk vroeg waar ze het over had. Toen vertelde ze me het verhaal van de jongen. *Vermoord door de gevoelloosheid van een systeem dat aan sommige levens minder waarde hecht dan aan andere,* zei mijn nieuwe kameraad, die toen vervolgens plechtig beloofde dat we de structuren zouden vernietigen die tot zo'n devaluatie van het menselijk leven leidden.'

Wolf was even stil. 'Troostende woorden toen, aangezien ik mijn hele leven al het slachtoffer van zulke gevoelloosheid geweest was.' Hij glimlachte. 'Ik sloot me spoedig daarna bij de Bund aan, hoewel ik denk dat ik zelfs toen al wist welke structuur ik persoonlijk het meest verantwoordelijk achtte voor de devaluatie van het menselijke leven.'

'En welke structuur is dat?' vroeg ik, terwijl ik al wist dat hij niet het kapitalisme zou zeggen, of zelfs de autocratie.

'Juist die structuur die, als die een bepaalde kant op gericht wordt, het leven in al zijn vormen het meest waardeert. Het menselijk hart,' zei hij. 'En waar blijven we als we dat zouden vernietigen?'

Overdag had ik het altijd koud, maar 's nachts niet. We lagen altijd in de warmte van zijn bed tegen elkaar aan, flarden gesprek maakten zich van ons los en dreven als droomfragmenten naar boven, zoals de kleuren die zich in de stilte van onze eerste ontmoeting in het ravijn in mijn gedachten ontrold hadden. Maar meestal zeiden we niets. Zijn gestage hartslag tegen de mijne suste me gewoonlijk in slaap en stelde me gerust als ik wakker werd. Na verloop van tijd voelde ik dat er in mijn borst iets begon te roeren, iets waakzaams overdag, een rusteloosheid. Het was de beweging van mijn leven die ik weer in mijn aderen voelde.

Op een ochtend terwijl ik met Wolf bij het vuur zat, kwamen er drie mannen langs om te praten over een gerucht dat ze gehoord hadden. Er leken plannen in de maak voor een razzia in het ravijn, een schoonmaakactie om de stad van zijn criminele elementen te zuiveren. Schuilplaatsen zouden met de grond gelijk gemaakt worden, de mensen verdreven. Terwijl de mannen mogelijke tegenacties bespraken, zag ik Magda haar hut uit komen en zich over haar fornuis buigen.

Sinds ik in het ravijn was komen wonen, had ik Magda vaak gezien – haar hut lag slechts op een paar stappen afstand – maar we hadden elkaar nog nooit begroet. Ik dacht dat ze niet meer wist wie ik was. We hadden elkaar tenslotte maar één keer ontmoet en misschien had haar verdriet haar geheugen vertroebeld en kon ze zich niets meer herinneren van de dagen die aan de dood van haar dochter voorafgegaan waren. Op deze speciale ochtend nu, hoewel ze dichtbij stond, was ik me maar half bewust van haar aanwezigheid. Ik luisterde naar het gesprek rond ons vuur, en vroeg me af wat ik zou doen als ik het geluid van paardenhoeven het ravijn in zou horen komen denderen. Ik richtte pas mijn volle aandacht op haar, toen ze met grote passen naar ons vuur kwam lopen, terwijl ze met de houten lepel in haar hand zwaaide.

'Is er iets aan me te zien?' wilde ze van me weten.

'Nee, niets,' zei ik.

'Ben ik niets dan?' schreeuwde ze. 'Ben ik niets volgens jou?'

Een paar van de mannen begonnen te lachen en maakte opmerkingen van obscene aard.

'Kijk naar jezelf,' waarschuwde Magda me, en zwaaide met haar lepel vlak voor mijn gezicht.

Ik verontschuldigde me, want ze maakte me een beetje bang; de blik in haar ogen – dat was haat – en de zwaaiende lepel, op dat moment meer een wapen dan een gebruiksvoorwerp.

'En ik krijg nog geld van je vriendin,' zei ze. 'Denkt ze soms dat ze me op pad kan sturen om lappen stof voor haar op te scharrelen en dat ze me vervolgens dan niet hoeft te betalen?'

'Mijn vriendin is gearresteerd.'

'Dat is niet mijn probleem.'

'Ga je geld dan halen,' beet ik haar toe. 'Ik weet zeker dat je weet waar de gevangenis is.'

Ik had spijt van die opmerking en het gelach van de mannen waarmee die vergezeld ging, niet uit sympathie voor Magda's breekbare gevoelens, maar uit het oogpunt van voorzichtigheid. Want ik was me ervan bewust dat het onverstandig was om mijn buurvrouw als vijand te hebben. Magda keek me dreigend aan en liep met grote stappen naar haar hut terug, en een paar ogenblikken later volgde ik haar.

Ze stond boekweitgort voor haar kleinzoon te roeren, en de geur ervan deed me watertanden. Ze keek niet op van haar werk. Ik had nog steeds het geld dat Ester me gegeven had, hoewel ik er tot op dat moment niet meer aan gedacht had. Ik stak mijn hand in mijn jaszak, pakte de zilveren munten eruit en bood ze Magda aan. Nu keek ze op.

'Roer dit,' zei ze tegen me. 'En zorg ervoor dat je over de bodem blijft schrapen.'

Ze ging haar hut in en kwam een ogenblik later terug met het kasjmier dat Ester besteld had. Toen ik het zag, stokte mijn adem: het hemelsblauw van een zomerdag, hier voor me, in Magda's gezwollen handen.

Ik deed mijn handschoen uit om er voorzichtig met een vinger overheen te strijken, half bang dat het zou oplossen, dat het slechts mijn eigen verlangen was dat ik zag.

'Het bijt niet,' zei Magda. 'Neem het nu maar. Je laat mijn gruwel aanbranden.'

Ik nam het van haar aan en hield het voorzichtig tegen mijn wang – die te koud was om te voelen hoe zacht het was – vervolgens tegen mijn lippen.

'Ik kan alles voor je krijgen,' zei ze. 'Zelfs het materiaal voor die jas die je wilde.'

'Heb je het gezien?' vroeg ik, en herinnerde me de jas, de belofte van dat levendige blauw.

Magda knikte. 'Maar het kost wel wat.'

Toen ik terug naar mijn eigen vuur ging, waren de andere mannen verdwenen.

'Wat is dat?' vroeg Wolf me.

'Kasjmier,' zei ik tegen hem.

'Dat zie ik, maar hoe kom je eraan?'

'Ik heb het gekocht. Het is van Ester,' legde ik uit.

'Heb je kasjmier gekocht? Waarmee?'

'Met geld. Wat dacht je dan?'

'Heb je dan geld?'

'Van Ester,' zei ik. 'En een paar roebels die nog over zijn van Tsila.'

Hij knikte en zei verder niets meer, en een paar minuten later verliet hij het ravijn om boodschappen te gaan doen.

Ik bracht die dag door zoals ik alle andere dagen doorgebracht had: ik ruimde onze hut op, waarna ik ging liggen, in dekens gewikkeld, en wachtte op de terugkeer van Wolf, maar ik voelde me ongemakkelijk. Het kwam niet alleen door de duisternis in zijn hut. Aanvankelijk was die zo troostrijk geweest, maar tegen die tijd begon ik die als drukkend te ervaren. Het was iets anders dan mijn eigen groeiende rusteloosheid. Het was iets in de blik van Wolf geweest toen ik hem over het geld vertelde, er was een uitdrukking op zijn gezicht geweest die ik niet eerder gezien had. Pijn, dacht ik, maar dat niet alleen. Woede.

Ik kwam van onder de dekens vandaan en ging de hut uit. Het was een stralende dag geweest en de laatste stralen van de middagzon draalden nog hoog op de helling. Het grootste deel van het ravijn was echter al in schaduw gehuld. Terwijl ik naar de wirwar van krotten keek, de brandende vuren, de rusteloze, voortdurende bedrijvigheid, zag ik Wolf in de verte. Ik herkende zijn manier van lopen, een snelle, schichtige gang. Hij bewoog als een schaduw. Ik keek hoe hij naderbij kwam.

Hij ging naast me zitten, zodat we samen over de rokerige lengte van het ravijn uitkeken.

'Wat heb je in de stad gedaan?' vroeg ik hem.

'Wat ik altijd doe. Ik heb wat eten voor ons gehaald, kerosine, zalf voor dat meisje dat een scheur in haar knie heeft.'

'En waarmee heb je dat betaald?' vroeg ik hem.

'Sinds wanneer kan dat je iets schelen?'

Het was pas op dat ogenblik dat ik me schaamde, pas toen besefte ik dat de lichamelijke behoeften van het leven niet opgehouden waren te bestaan alleen maar omdat ik niet langer aan die behoeften kon voldoen. Niet alleen had ik er helemaal geen aandacht aan besteed, maar ik was bovendien een luxe artikel als de lap stof gaan kopen met geld waarvan Wolf niet eens geweten had dat ik het had, geld dat voor onze overleving gebruikt had kunnen worden.

'Het spijt me,' zei ik en voelde in de voering van mijn jas, waar nog steeds de laatste roebels zaten die Tsila erin verstopt had. Ik haalde ze eruit, en hij weigerde ze niet.

Tegen die tijd was het donker. We gingen naar binnen. Wolf stak de lamp aan. 'Heb je honger?' vroeg hij.

'Een beetje.' Ik rammelde, want ik had sinds de ochtend alleen maar brood gegeten.

'Ik heb een verrassing voor je,' zei hij met een lach die hem er jongensachtig uit deed zien. Hij stak zijn hand in zijn zak. 'Doe je ogen dicht.'

Dat deed ik, en toen ik ze weer opendeed, hield hij zijn hand naar me uitgestoken. In zijn open palm lagen twee eieren.

'Ze zijn prachtig,' zei ik en streek voorzichtig met mijn vinger over de perfecte schaal.

'Het zijn eendeneieren.'

'Dat weet ik.'

'Zal ik ze bakken?'

Ik knikte. Maar de eieren smaakten me niet erg, ondanks het feit dat ik daarvoor zo'n honger gehad had.

'Heb je alles gestolen waarmee je terugkwam?' fluisterde ik later, terwijl we samen tegen elkaar aan in bed lagen.

'Wat denk je?' antwoordde hij, en ik voelde een nieuwe golf van schaamte door me heen stromen, omdat hij iedere dag het gevaar gelopen had gearresteerd te worden, terwijl ik in dekens gewikkeld in zijn bed lag, en omdat ik tot op dat ogenblik niet gezien had hoe hij ons in leven had gehouden. Voor het licht werd, was ik op en aangekleed, klaar om me bij de stroom bewoners te voegen die iedere dag het ravijn verlieten om te gaan werken, of om naar werk te gaan zoeken.

Zo moeilijk als de omstandigheden er waren, ik vond het erger het ravijn te verlaten. Dezelfde straten die me nauwelijks een half jaar geleden zo in verrukking gebracht hadden, leken nu koud en doortrokken van een dodelijke onverschilligheid. Op geen enkel gezicht was ook maar een spoortje van herkenning te zien. Blikken die ik ontmoette, keken weg. Waar ik eens een gevoel van bevrijding gekend had, juist omdat niemand me kende, een gevoel dat er van alles mogelijk was, daar voelde ik nu slechts gevaar. Als ik bij wijze van groet glimlachte, werd die glimlach niet beantwoord. Ik begon me af te vragen hoe ik eruit zag, hoe ik rook. Ik versnelde mijn pas als reactie op de groeiende angst in mij, en in plaats dat ik naar de lintenfabriek ging om te vragen of er werk was, sloeg ik de straat in waar Beile woonde.

'O mijn God,' zei ze toen ze me zag. Ze voerde me een stel kamers binnen die net zo donker en benauwd waren als die waarin ze daarvoor gewoond had. 'Ik werd gek van ongerustheid. Niemand wist waar je was. Je huisgenoten en een stel anderen zijn al vrijgelaten, en nog steeds geen woord van jou. Ik was bang... waar heb je gezeten?' vroeg ze.

'In een ravijn.'

'Een ravijn? Meen je dat?'

Ik vertelde haar dat ik naar het ravijn was gegaan om Ester's lap stof te halen, dat ik daar toen een vriend zag, en dat ik na de inval naar hem teruggegaan was.

'Een vriend? Wat voor vriend?'

'Hij heet Wolf.'

'Wolf? Je woont in een ravijn met een man die Wolf heet? Ben je gek geworden?'

'Ik ken hem nog van thuis,' zei ik en Beile's frons werd nog dieper. 'Het is niet wat je denkt.'

Beile nam me nu aandachtig op. 'Wat ik denk, daar hebben we het zo nog wel over. Ondertussen heb je een bad nodig.'

'Is dat zo?'

Ze knikte, en ik voelde me gekwetst. Ik had me heel nauwgezet gewassen die morgen, ondanks het feit dat het moeilijk was om aan water te komen en dat in onze hut op te warmen.

'Hé,' zei ze, vermurwd door de uitdrukking die op mijn gezicht verscheen. 'Het is alleen maar vuil.' Ik knikte, en keek naar de grond, ik voelde me ellendig. Beile trok zachtjes aan mijn vlecht. 'Kom nu maar,' zei ze.

Ik kan je niet beschrijven hoe heerlijk het was om in het bad te stappen dat Beile voor me klaargemaakt had in het midden van die piepkleine keuken, de warmte waarin ik langzaam ondergedompeld werd. Ik kon me niet herinneren dat ik me ooit zo warm gevoeld had, zo aangenaam doezelig. Ik bleef er heel lang in zitten, met mijn ogen dicht, terwijl Beile naast me zat.

'Wolf had gelijk,' prevelde ik op een gegeven moment slaperig.

'Hè?' reageerde Beile, terwijl ze een grote kruik warm water over mijn schouders en nek uitgoot.

'Hij zei dat iedereen vrijgelaten zou worden.'

'En wie is die Wolf eigenlijk?' vroeg Beile. 'Zijn achternaam is niet toevallig Slatkin, hè?'

'Zonnenberg,' zei ik. 'Wie is Wolf Slatkin?'

'O, alleen maar een pechvogel met wie ik kort gewerkt heb. Wolf was eigenlijk zijn codenaam. Slatkin ook, veronderstel ik, nu ik er over nadenk.' Ze doopte de kruik nog een keer in het bad en goot meer water over me heen. 'Je moet je haar wassen, het ruikt naar rook. Dan zal ik je op luis moeten controleren, ben ik bang.'

'Heb je ooit een verhaal gehoord over een jongen uit ons dorp die nodeloos bij een brand stierf?' vroeg ik haar.

'Wat bedoel je met nodeloos?'

'Niemand gaf genoeg om zijn leven om dat te willen redden. Omdat hij niet goed bij zijn hoofd was.'

'Ik ken honderden van zulke verhalen. Wel duizend. Waarom denk je dat ik me bij de beweging aangesloten heb? Doe nu je hoofd onder water.'

'Maar wist je dat er een plek in het moeras was waar mensen offers voor hem achterlieten?'

'Ik denk dat ik me zo'n *bubbe meise* wel herinner. Maar zo veel *bubbe meises* zagen het licht dat het moeilijk is ze allemaal uit elkaar te houden.' Ze begon mijn haar in te zepen. 'Is dat een van de dingen die Lipsa je verteld heeft, toen je klein was? Nee, wacht, laat me raden.

Ze heeft je daar een keer mee naar toe genomen en een offer achtergelaten, zodat je fortuin zich ten goede zou keren.'

'Tsila was het die me meenam.'

'Wat?'

Ik deed mijn hoofd onder water en spoelde het zeep uit mijn haar.

'Dat geloof ik niet,' zei Beile toen ik weer boven water kwam.

'Ze wilde een baby.'

'Dat weet ik, maar…' Ze stond op om nog een ketel warm water van het fornuis te pakken. 'Ik neem aan dat het niet dwazer is dan de verzoeken die ze altijd tot God richtte.'

'Bidden, bedoel je?'

'Mmm,' zei Beile. Ze goot warm water over mijn schouders en ik deed mijn ogen weer dicht.

'Bij mijn weten is er twee straten verderop nog iets vrij,' zei Beile, terwijl ik mezelf aan het afdrogen was.

'Ik zit goed waar ik nu ben,' zei ik en Beile sperde haar ogen wijd open. 'Ik heb geld nodig, niet een plek om te wonen. Ik kwam je vertellen dat alles goed met me is en om een baan te zoeken.'

'Heb je er enig idee van hoe gevaarlijk de ravijnen zijn?'

'Ik voel me daar veiliger,' zei ik.

'Veiliger??' herhaalde ze, maar hoe kon ik uitleggen dat ik me bij Wolf op mijn gemak voelde, dat de koude steen in mijn borst verdwenen was door de warmte van zijn hand, toen hij zijn handpalm er tegenaan duwde? 'Het wordt je dood nog,' zei ze.

'Moge God dat verhoeden. Het heeft me daarentegen geluk gebracht. Als ik daar de dag van de inval niet geweest was…' begon ik, maar toen herinnerde ik me wat Beile eerder over mijn huisgenoten gezegd had, over hun vrijlating. 'Is iedereen nu vrij?' vroeg ik. 'Zelde, Ester, Nina?'

Beile knikte. 'Binnen enkele weken na hun arrestatie. Dat komt door de hervormingen.'

Dat is wat Wolf gezegd had op de avond van de inval. De hervormingen die ingesteld waren na de moord op Plehve, de versoepeling van de beperkingen betreffende de vrijheid van vergadering en meningsuiting, het strikter toepassen, in sommige gevallen, van de regels van de wet.

'Dat laat zien dat terreuracties effectief zijn,' zei Beile, toen we weer bij tafel gingen zitten.

'Hoezo?'

'Bedenk dat zelf maar.'

Ik bedacht toen hoe een enkele moordaanslag in één klap tot stand gebracht had wat ontelbare stakingen en betogingen niet hadden kunnen bewerkstelligen. Ik zei dit tegen Beile.

'Precies,' antwoordde ze, maar ze was met haar gedachten al ergens anders. 'Ik maak me zorgen over je.'

'Dat is niet nodig.'

'Wie is die Wolf eigenlijk?'

'Dat heb ik je al gezegd. Een jongen die ik nog van thuis ken.'

'Wat voor jongen van thuis? Er waren geen Zonnenbergen.'

'Ik heb hem in het moeras ontmoet.'

'In het moeras?'

'Ja, dat klopt.'

'En daarna weer in het ravijn?' Ik knikte. En daarvoor in het bos, 's avonds, dacht ik. Beile keek me nu aandachtig aan. 'Wat doet hij eigenlijk in het ravijn?'

'Wonen,' zei ik.

'En waarvan precies? Wat doet hij voor de kost?'

'Hij steelt.'

'Ik snap het.' Ze knikte. 'En jij? Steel jij ook?' vroeg ze, en ze werd vuurrood, toen ze zich herinnerde, misschien, dat ze ook gestolen had, van mij, haar eigen nicht nog wel. Ze keek me nog een ogenblik langer aan, en pakte vervolgens haar portemonnee. 'Ik heb wat geld dat ik je kan geven, om je vooruit te helpen tot je een baan vindt.' Ze reikte over de tafel, pakte mijn hand en stopte hem vol zilveren roebels. 'Die ben ik je nog verschuldigd,' zei ze.

Siberië, mei 1912

Vandaag ging ik naar buiten en liep de binnenplaats op. Ik bleef staan op de plek waar onze tuin zal komen deze zomer. Het is vroeg in het voorjaar en we hebben drie dagen zon gehad. Onze tuin ligt in een hoek van de binnenplaats die tegen de ergste wind beschermd wordt door twee van de muren die ons omsluiten. De muren weerkaatsen de warmte van de zon naar binnen, waardoor het effect van een broeikas ontstaat. Ik stond stil en voelde, voor de eerste keer in maanden, de warmte van de zon op mijn rug. Gedurende een enkel ogenblik was ik niets dan warmte. Ik had geen gedachten, geen hoop, geen herinneringen – er was alleen een vliedend gevoel van warmte. Dat was geluk.

Toen kwam Natasja naar buiten met de zak aardappelen die we de hele winter bewaard hadden om te planten. Eens was ze een prachtige vrouw, en zelfs nu staan haar ogen helder en blauw in een gezicht dat teer is als porselein. Ze stak haar hand in de zak en haar geest viel in gruzelementen. Ik zag het gebeuren. Uit de uitdrukking op haar gezicht was niets op te maken, maar diep in haar ogen was plotseling een schaduw te zien, een donkere hoop materie: de hoop puin die een ogenblik daarvoor nog haar geest geweest was.

Ze haalde een aardappel uit de zak en gaf die aan mij. Ik nam hem van haar aan en door de lichte druk van mijn vingers verpulverde de aardappel tot moes. Ze haalde er nog een uit die net zo verrot was als de eerste.

'Het maakt niet uit,' zei ik tegen haar. 'We maken er wel compost van. Masja heeft ergens nog een zak. Daar ben ik bijna zeker van.'

Ze haalde er een derde aardappel uit en kneep hem fijn in haar hand. Slijm sijpelde tussen haar vingers door en toch bleef ze steeds maar meer rotte aardappelen uit de zak halen waarin de kiem voor de volgende oogst had moeten zitten.

Ze pakte een van mijn handen en legde die tegen de zijkant van haar hoofd. Ze legde mijn andere hand tegen de andere kant van haar hoofd. 'Duw,' zei ze. Mijn handen dropen van het slijm.

'Stop daarmee,' zei ik en ik liet mijn handen vallen.

'Duw,' zei ze weer, en legde mijn handen weer tegen beide zijden van haar hoofd.

Ik duwde voorzichtig; haar schedel leek wel zacht.

'Mijn hoofd zit vol maden,' zei ze tegen me. 'Terwijl de rest van jullie over het leven droomt, over ontsnappen – wie weet waar nog meer over – kruipen zij door mijn hersenen, verslinden die. Als je harder duwt, stromen ze mijn ogen en neusgaten uit.'

Ik liet mijn handen vallen, wist niet wat ik moest zeggen, hoe ik haar moest troosten. Ik kon het gevoel niet van me afschudden dat haar schedel onder de druk van mijn aanraking bezig was te bezwijken.

'Spoedig zal er niets dan ziedende maden van me over zijn,' zei ze. 'Compost. En waarvoor?'

'Hiervoor,' zei ik. Ik schepte een handvol warme lentegrond uit de tuin en duwde die in haar hand.

Negentien

1905

Het was op een koude avond in begin januari dat ik weer bij Beile's appartement aankwam. Ze omarmde me toen ze de deur opendeed. 'Je hebt het dus gehoord,' zei ze.

  'Wat heb ik gehoord?'

  'Over het bloedbad.'

  'Welk bloedbad?'

  '"Welk bloedbad?" Waar heb je gezeten?'

  'In het ravijn.'

  'Ja, natuurlijk.' Maar ze was niet met haar gedachten bij mij of mijn verblijfplaats. 'Er was een bloedbad gister,' zei ze tegen mij. 'In Sint-Petersburg. Duizenden vreedzame demonstranten die naar de tsaar gekomen waren om hem iets af te smeken. Ik kan niet geloven dat je het niet gehoord hebt.'

  'Kom, vertel,' zei ik.

  'Ik zal je de petitie voorlezen die ze voor hem, hun geliefde tsaar, meegenomen hadden.' Ze verdween in een achterkamer en kwam een ogenblik later met een stuk papier terug en ze las:

Sire

Wij, de arbeiders en inwoners van Sint-Petersburg,
van verschillende rangen en standen, onze vrouwen,
onze kinderen, en onze bejaarde, hulpeloze ouders,
komen naar U, O Sire, voor gerechtigheid en
bescherming. We zijn verarmd; we worden
onderdrukt, door buitensporig gezwoeg overbelast,
minachtend behandeld... We worden door
despotisme en wetteloosheid verstikt. O Sire, we
hebben geen kracht meer, en ook geen
uithoudingsvermogen. We hebben dat vreselijke
ogenblik bereikt dat de dood beter is dan de
verlenging van ondraaglijk lijden...

Beile keek van haar papier op. Ze was uitgeput, haar ogen rood
omrand, maar haar gezicht, hoewel afgetobd, bloosde van emotie.

'Ze kwamen uit de hele stad, hun bedoelingen waren vreedzaam,
vrouwen en kinderen voorop, in hun zondagse kleren, terwijl ze het
teken van het kruis gaven aan de soldaten die ze passeerden. Rode
vlaggen waren niet toegestaan om geen gewelddadige reacties uit te
lokken. Ze droegen alleen een portret van de tsaar met een grote
witte banier waarop stond: *Soldaten schieten niet op mensen.*

'Langs de route stonden massa's soldaten, die de weg naar het
Winterpaleis afsloten. De betogers trokken vreedzaam verder. Ze
bewogen als één man, voorwaarts, in de richting van de muur van
infanteristen die hun de weg blokkeerde, maar toen ze de Narva-
poorten naderden, viel het eerste eskadron van de cavalerie aan.
Sommige van de betogers vluchtten, maar de meesten gingen verder.
Toen, de eerste schoten. Eerst waren het waarschuwingsschoten – er
werden twee salvo's waarschuwingsschoten in de lucht afgevuurd,
maar toen...' Beile bracht haar handen naar haar gezicht en boog
haar hoofd.

'Schoten ze op de menigte?'

'Van dichtbij,' zei ze. 'En ze bleven maar schieten, zelfs toen de
mensen in paniek wegvluchtten. Ze werden door geweervuur neer-

gemaaid, vertrapt door achtervolgende paarden. Kozakken stootten vanaf hun paard toe, hakten er met hun sabels op los, sneden mensen open, lieten zich ondertussen met bloedstollende kreten van vreugde gaan.

'Maar nog steeds gaven de mensen het niet op. Als ze de ene weg geblokkeerd vonden, namen ze een ander, de Nevski Prospekt op, drongen op naar het Paleisplein. Tienduizenden betogers. Ze kwamen bij het paleis aan, en velen dachten dat ze daar opgewacht zouden worden met hapjes en drankjes om te vieren dat ze zo vreedzaam hun rechtvaardige en eerzame zaak kwamen voorleggen – het zijn net kinderen; het spijt me dat ik dat moet zeggen – om daar niets anders aan te treffen dan kanonnen en de cavalerie. De menigte drong op, maar de mensen jouwden nu. De soldaten gebruikten eerst hun zweep om de betogers af te weren, toen stelden ze zich op om te vuren. De betogers lieten zich op hun knieën vallen. Mannen, vrouwen en kinderen. De mannen namen hun pet af. Ze sloegen een kruis, op hun knieën gelegen. Toen klonk er een bugel en de soldaten vuurden. Op de menigte die geknield voor hen lag. De eerste rijen vielen, daarna de mensen daarachter. Jonge kinderen, die uit veiligheid of om alles beter te kunnen zien in bomen geklommen waren, vielen van hun tak als vogels geschoten bij de jacht.'

'Gister?' vroeg ik. 'Is dat gisteren gebeurd?'

Het was een prachtige dag geweest, zonnig en helder. Ik had buiten onze hut gezeten, met de winterzon op mijn gezicht.

'Na het bloedbad waren er de hele nacht door rellen, ramen werden ingesmeten, politiemannen in elkaar geslagen, soldaten door woedende menigten ingesloten, in de arbeiderswijken werden barricaden opgeworpen... een spontane uitbarsting van revolutionair geweld zoals we tot nu toe nog niet gezien hebben.'

Toen ik er net was, waren Beile en ik alleen geweest in het appartement, maar spoedig daarna arriveerde Leib, zijn pet en jas met sneeuw bestoven, zijn gezicht rood van kou en opwinding. 'Wat is hier aan de hand?' vroeg hij, toen hij me bij de tafel zag zitten.

'Ik geloof dat jullie elkaar al ontmoet hebben,' zei Beile.

'Vorige lente. Op de Kresttsjatik,' zei ik tegen hem.

'Ja, ik herinner het me.' Hij liep naar de tafel, pakte mijn hand en bracht die naar zijn lippen. Zijn snor was door de kou buiten berijpt, maar zijn lippen waren warm toen hij ze tegen mijn huid drukte. Daarna nam hij Beile's hand en deed hetzelfde. Ten slotte trok hij een stoel bij en ging bij ons zitten.

'Is er nog nieuws, Leib?' vroeg Beile. Ze sprak Russisch tegen hem.

'De revolutie is begonnen,' kondigde Leib aan, ook in het Russisch. 'Het geweld verspreidt zich als een lopend vuur in het spoor van het nieuws van het bloedbad. Rellen, plunderingen, afstraffingen...' Leib zette zijn natte pet af en legde die op tafel. *Wat een boer*, schoot er door mijn hoofd toen hij dat deed, ondanks het belang van het nieuws dat hij bracht. Hij keek Beile lang en recht aan. Zijn ogen ware donker en ernstig, zijn oogharen waren lang als van een meisje. 'De bom is eindelijk gebarsten, en dat kan niet meer ongedaan gemaakt worden.'

'Wordt het geweld... georganiseerd?' vroeg Beile.

'Nog niet. De mensen zijn te kwaad, het verraad is te rauw. Maar het zal georganiseerd worden. Spoedig. Zeer spoedig.'

Beile knikte.

'We gaan door met ons werk, zoals we steeds gedaan hebben. We kunnen het ons niet veroorloven ons door onze opwinding af te laten leiden. Onze klappen moeten meedogenloos zijn, we moeten hun van alle kanten schade toebrengen, vanuit iedere hoek.'

'Ga je terug naar Moskou dan?'

Hij wierp haar een blik toe die ik niet kon duiden, toen keek hij naar mij. 'Hoe wist ze dat we hier woonden?' vroeg hij aan Beile.

'Hou daar mee op, Leib. Ze is meer te vertrouwen dan de helft van onze zogenaamde kameraden, en dat weet jij ook.'

'Waarom ben je hier?' vroeg hij aan mij, hij sprak nu weer Jiddisch.

'Ik had gehoopt dat ik de nacht bij Beile kon doorbrengen.'

Ik had de hele dag in de stad doorgebracht, terwijl ik vruchteloos naar werk zocht. Tegen de tijd dat de laatste deur in mijn gezicht dichtgeslagen werd, was het te laat om alleen terug naar het ravijn te lopen.

'Je kunt hier niet blijven,' zei hij tegen me.

'Ik kan nergens anders naartoe.'

'Waarom kun je niet naar huis?'

'Het is te laat op de avond. Ik woon in een ravijn.'

'In een ravijn? Dat is ongewoon.' Hij was nieuwsgierig nu, en ik genoot van zijn stijgende aandacht. 'En wat bracht je naar de beruchte ravijnen van Kiev?'

'Een lap blauwe stof,' zei ik.

Hij keek me aandachtig aan, en er verscheen langzaam een glimlach op zijn gezicht. Hij leunde achterover in zijn stoel, die plotseling te klein voor hem leek. Toen hij zijn lange benen naar voren stak, gleed er smeltende sneeuw van zijn laarzen, en er begon zich een klein plasje water op de vloer te vormen.

'En heb je je lap blauwe stof gevonden?'

'Niet de stof die ik zocht.'

'En wat heb je dan wel gevonden?'

Ik liet hem het blauwe kasjmier zien, dat ik die dag meegenomen had. Ik had gehoopt dat Beile Ester's verblijfplaats zou kennen, zodat ik het aan haar kon geven.

Leib leunde naar voren om de stof te bekijken. Toen streek hij net zo voorzichtig met zijn vinger over de stof als ik gedaan had, toen ik die voor het eerst zag. 'Prachtig,' zei hij. 'Op de een of andere manier doet dit me denken aan *De Blauwe Vogel*. Heb je dat gezien?'

'Ze woont in een ravijn, Leib,' zei Beile. Haar stem klonk gespannen.

'Natuurlijk. Het spijt me.' Hij schudde zijn hoofd. 'Het is een toneelstuk. Ik had de gelegenheid het in Moskou te zien. Het gaat over... nou ja, een blauwe vogel, natuurlijk.' Hij glimlachte weer. 'En dat is een fantastisch, mythisch schepsel en iedereen wil hem heel graag hebben. Hij wordt in een kooi gehouden, zogenaamd voor zijn eigen veiligheid. Maar in werkelijkheid is dat vanwege de hebzucht van mensen die alleen maar van zijn schoonheid kunnen genieten als ze hem exclusief in hun bezit hebben en de baas over hem zijn. Aan het einde van het stuk echter ontsnapt hij en vliegt weg.'

Het plot klonk net zo saai als *Madame Sans-Gêne*.

'Het zit hem allemaal in de opvoering, natuurlijk,' zei hij, alsof hij mijn gedachten kon lezen. 'En het is symbolisch, de vogel stelt de menselijke geest voor, die gevangen gehouden wordt... Maar dat hoef ik je niet uit te leggen. Je bent duidelijk een intelligent meisje.

Maar zeg eens,' zei hij, hij keek me nu aandachtig aan. 'Wat vind je van de omstandigheden in het ravijn?'

'Koud,' zei ik.

Hij knikte. 'Toen ik voor het eerst een ravijn binnenging en zag hoe het er was, besefte ik wat een onontgonnen aders aan menselijk potentieel de ravijnen zijn. Ellendig nu, ja, maar rijker aan mogelijkheden dan welke laag erts ook die een mijnwerker voor winst zou kunnen afgraven.'

Ik dacht aan de helling tegenover onze hut. Er woonden zo veel mensen op dat het leek of die op en neer ging, zoals een karkas vol leven is van de maden die aan het oppervlak ervan zieden. Ik zei dit tegen Leib en weer knikte hij, terwijl hij me nog steeds aankeek en over zijn snor streek.

'Kun je je de kracht van de ontploffing voorstellen als dat eindelijk ontbrandt?' vroeg hij aan me.

'Laat haar nu maar, Leib,' zei Beile. 'Kun je niet zien dat ze uitgeput is?'

'Het kan geen kwaad als je de nacht hier doorbrengt,' zei ze tegen me. 'Ik wil niet dat je vanavond alleen buiten loopt.'

***

De volgende middag was het al laat voor ik in het ravijn terugkeerde. Ik had nog een dag tevergeefs naar werk gezocht, en terwijl ik in de rook en het roet van het ravijn afdaalde, bekroop mij een gevoel van verslagenheid en toenemende angst.

Wolf zat op een krat buiten onze hut. Hij glimlachte toen hij mij zag aankomen.

'Ik was bij Beile,' zei ik.

'Dat hoopte ik al.'

'Heb je gehoord wat er allemaal gebeurt?' vroeg ik hem. Het bloedbad in Sint-Petersburg, bedoelde ik. Het zich uitbreidende geweld.

Hij knikte.

'Ik kon onderweg op mijn wandeling hier naar toe een paar straten verderop een betoging horen,' zei ik tegen hem.

'Een betoging of een relletje?' vroeg hij.

'Dat weet ik niet.' Ik had geschreeuw gehoord, brekend glas, en zenuwachtig was ik snel doorgelopen.

Wolf trok voor mij nog een krat bij om op te zitten en begon een sinaasappel te pellen.

'Een sinaasappel!' zei ik. 'Ter ere waarvan?'

'Ik heb de samowar verkocht.'

Ik keek hem aan.

'We weten niet wat ons te wachten staat,' zei hij.

Hij gaf me een partje sinaasappel en het spatte in mijn mond uiteen, ik had nog nooit zoiets zoets geproefd. Hij gaf me er nog een en ik at het langzaam op, in een poging er zo lang mogelijk van te genieten, ik haalde het velletje eraf voor ik het vruchtvlees opat.

'De revolutie is begonnen,' zei ik tegen hem.

'Dat zeggen ze,' antwoordde hij, en ik voelde een vlaag van ongeduld.

We gingen die avond vroeg naar bed, maar ik kon niet slapen. Ik voelde me gespannen, op mijn hoede voor ieder geluid buiten onze hut, ongemakkelijk door de smalheid van ons bed, rusteloos. Er gingen uren voorbij, zo leek het. Wolf lag zo stil naast me dat ik dacht dat hij sliep, maar toen was daar zijn stem: 'Ik voelde me ziek, terwijl ik wachtte tot Plehve eraan zou komen,' zei hij.

Ik wachtte tot hij door zou gaan, maar dat gebeurde niet. Er klonk geschreeuw in de verte. Mannenstemmen, luid en boos. Het geluid klonk niet anders dan ik al die tijd al gehoord had, sinds ik twee maanden daarvoor in het ravijn aangekomen was. Maar iedere schreeuw klonk als een bedreiging, nu ik van het bloedbad wist, en het escalerende geweld. Mijn lichaam verstijfde toen ik voetstappen hoorde naderen, en hoewel ze onze hut voorbij renden zonder vaart te minderen, bleef ik gespannen.

Het duurde lang voor Wolf weer sprak, zo lang dat ik dacht dat ik uiteindelijk misschien toch even in slaap gevallen was en zijn woorden gedroomd had, maar toen ging hij verder.

Het was aan het einde van de vorige winter, vertelde hij me, dat een klein groepje van de terroristische tak van de Sociaal-Revolutionaire Partij in Sint-Petersburg bijeen gekomen waren om de eerste aanslag op Plehve te beramen. Daar was hij direct vanuit Genève heen gegaan, krap een maand nadat hij me het dynamiet gegeven had, de ruim drie kilo dynamiet die voor de voornaamste bom bij die operatie gebruikt zou worden. Ze waren in februari in de hoofdstad aangekomen, en hadden, vermomd als venters en koetsiers van huurkoetsjes, hun positie op straat rond de Fontanka ingenomen, om het komen en gaan van hun doel te observeren.

'Zo bereidden we ons voor op een moordaanslag,' zei hij. 'We vermomden ons als verkopers en dergelijke, en observeerden ons doel net zolang als nodig was om zijn gewoontes en routines te leren kennen.'

Ik herinnerde me dat ik afgelopen april Leib vermomd als sigarettenverkoper op de Kresttsjatik tegen het lijf gelopen was, en ik vroeg me nu af wat voor complot ik misschien onopzettelijk verstoord had.

'Ongeveer halverwege maart wisten we met absolute zekerheid op welke dag Plehve welke route zou nemen, en waar we konden toeslaan om het gevaar voor anderen zo klein mogelijk te houden. Op achttien maart hadden we onze posities ingenomen. Onze belangrijkste man stond vermomd als koetsier in de rij huurkoetsjes op de Fontanka. Ik was op de brug boven de Fontanka gestationeerd. Het was mijn taak onze voornaamste man te waarschuwen, met een gebaar van mijn pet, bij het eerste teken dat Plehve eraan kwam.'

'Was je bang?' vroeg ik.

'Ja,' zei hij. 'Bang, maar ook nog wat anders. Plehve was een moordenaar, dat wist ik, verantwoordelijk voor de dood van talloze onschuldige mensen, maar toen ik daar zo stond, en wachtte tot hij eraan kwam, was ik niet overtuigd van de gerechtigheid die spoedig de onze zou zijn. Om mezelf te dwingen de taak uit te voeren die voor me lag, stelde ik me de rij lichamen na het bloedbad in Kisjinjov voor, ieder levenloos lichaam was een moeder of een vader, een dochter of een zoon. Ik stelde me de lichamen voor, en de levens die door al die executies verwoest waren. Gal kwam in mijn keel omhoog, maar ik voelde me niet gesterkt door de kracht van de daad die ik op het punt stond uit te voeren. Ik probeerde het, maar ik kon het gewoonweg niet.'

'Er gingen minuten voorbij en iedere minuut bracht ons dichter bij

358

de aanslag. Mijn hart bonsde sneller en zwaarder in mijn borst, iedere slag klonk onheilspellend. Ik stelde me de tientallen politieagenten voor, die van alle kanten op ons afkwamen, iedere slag van mijn hart de zware dreun van een laars. Ik stelde me voor wat het effect van de bom op levend vlees zou zijn, de plof van imploderend bot en spieren. Ik kon me niet langer op mijn taak concentreren, het kloppen van mijn hart leidde me af, het bestookte mijn hoofd met afschuwelijke beelden.

'Ik rende,' zei hij. 'Ik liet mijn kameraden in de steek. Ik liet mijn taak voor wat die was, terwijl ik wist dat daardoor de operatie gedoemd was te mislukken. Ik verliet snel de Fontanka en pakte de tram naar de buitenwijken van de stad, naar een voorstad waar arbeiders woonden, waar ik wist dat ik een aantal uren kon doorbrengen zonder de aandacht te trekken. Ik verkeerde in een opgewonden toestand, zoals je je kunt voorstellen, ik zweette hevig, ondanks de kou van die dag, was buiten adem en voelde me zwak.

'Ik dwaalde door de smalle straten en stegen in de wijk, was me nauwelijks van mijn omgeving bewust. Ik merkte opeens dat ik me in een propvolle winkel bevond waar ze huishoudelijke artikelen verkochten. Ik weet niet waarom ik daar naar binnengegaan was. De rust, misschien – het lawaai van de straat was onverdraaglijk in mijn staat van opwinding. Ik stond een paar ogenblikken in de stille schemering van de winkel om kalm te worden en mijn ademhaling weer tot rust te laten komen. Ik keek omhoog naar een plank die propvol aardewerk en potten stond. Het was het soort aardewerk dat mijn moeder elke dag gebruikte.

'Ik voelde me tot op dat moment vreselijk opgewonden. Opwinding en paniek voelde ik, maar ook schaamte, diepe schaamte over mijn lafheid. Maar in de schemering van die winkel, omgeven door de huishoudelijke spullen uit mijn jeugd, voelde ik me opgelucht, zo opgelucht dat ik bijna niet beschrijven kan hoe blij ik was. Ik leefde nog. Zo simpel lag het. Ik kon voelen dat mijn leven onaangenaam was – de schaamte en de paniek van dat moment – maar ook dat het plezierig was, zo blij als ik was over de opluchting die ik voelde. De opluchting dat ik geen leven genomen had waar ik niet over kon beschikken.'

Hij pauzeerde weer, en ik wachtte tot hij door zou gaan.

'Die avond verliet ik Sint-Petersburg. Alleen, natuurlijk. Mijn kameraden zouden me het ogenblik van lafheid vergeven hebben – we waren allemaal onervaren – maar mijn verraad zat dieper dan lafheid. Ik had in Sint-Petersburg beseft dat ik meer van het leven dan van gerechtigheid houd.'

We lagen lange tijd zwijgend tegen elkaar aan, nadat hij uitgesproken was.

'Ik denk dat er plaatsen zijn waar zulke keuzes niet gemaakt hoeven te worden,' zei ik ten slotte. 'Tussen leven en gerechtigheid. Plaatsen waar die twee naast elkaar bestaan. Misschien zal dit land er een van zijn na de revolutie.'

'Utopia,' zei hij. 'Dat bestaat niet.'

'Amerika,' zei ik. 'Argentinië.' Alleen al het uitspreken van die woorden smaakte op de een of andere manier zoet die nacht.

'Om in leven te blijven moet men onrechtvaardigheid accepteren. Dat is een feit dat niet veranderd kan worden.'

'Er is hier geen leven voor ons,' zei ik ten slotte tegen Wolf. Hoopte ik dat hij vervolgens zijn ogen zou sluiten en van abrikozen zou dromen zoals Arn Leib dat gedaan had, toen Tsila hetzelfde tegen hem gezegd had?

'Dit is mijn leven,' antwoordde hij. 'Er is geen ander.'

***

In die week die volgde op Bloedige Zondag – zoals het bloedbad in Sint-Petersburg nu genoemd werd – nam het aantal protesten en het revolutionair geweld gestadig toe. In steden in het hele tsarenrijk werden doorlopend grote demonstraties gehouden, steeds meer studenten aan universiteiten gingen in staking, en er werd gezegd dat de onrust zich nu ook naar het platteland uitbreidde. Ik bleef naar werk zoeken, zonder resultaat, en kwam op een middag bij het huis van Beile. Ik voelde me moedeloos, en verlangde naar hete thee en gezelschap. Leib deed open.

'Jij weer,' zei hij, niet onvriendelijk.

'Het spijt me dat ik je stoor. Ik weet dat ik eigenlijk niet zo maar langs moet komen...'

'Ik vind het niet erg dat je me stoort,' zei hij, met een begin van een glimlach. 'Beile is er niet, maar doe of je thuis bent.'

Toen ik naar de keuken ging om thee voor mezelf te zetten, verdween hij in de slaapkamer. Hij kwam even later weer te voorschijn met zijn handen achter zijn rug.

'Ik heb iets voor je,' zei hij, waarop hij zijn hand uitstak. Daarin had hij een klein uit hout gesneden blauw vogeltje.

'Ik zag het op de markt en ik moest aan jou denken.'

'Je hebt dit voor mij gekocht?'

Ik hield het in de palm van mijn hand. Het paste precies. En het was zo fijn uitgesneden – iedere veer, iedere welving van elk spiertje afzonderlijk. De piepkleine klauwtjes waren onafgewerkt en voelden scherp aan tegen de binnenkant van mijn vingers.

'Vind je het mooi?' vroeg hij.

'Heel erg mooi,' zei ik, en toen kuste hij me.

Was de kus hard of onbehouwen geweest, dan was ik misschien teruggedeinsd, of had ik hem weggeduwd, maar de kus was teder, zijn snor was als de streling van een veer over mijn lippen, mijn gezicht, mijn hals.

'Wees maar niet bang,' fluisterde hij. Hij bleef doorgaan, bleef me maar licht beroeren met zijn mond, terwijl zijn handen bezig waren me uit te kleden.

Daarna ging alles heel snel, maar ik kan niet net doen alsof ik er geen genoegen aan beleefde. Hij bleef maar tegen me fluisteren, een stroom sussende liefkozingen net zo kalmerend als het geluid van snelstromend water. En er lag hitte in zijn handen. Terwijl ze over mijn hele lichaam bewogen, begon mijn bloed onder die handen te bruisen en rees omhoog naar de oppervlakte van mijn huid om hen te ontmoeten. Hij zou niet bij me naar binnengegaan zijn, als ik hem weggeduwd had. Dat geloof ik tot op de dag van vandaag. Maar ik duwde hem niet weg, en de schok van pijn die ik eerst voelde, had iets heftigs dat niet geheel onplezierig was.

Toen het voorbij was, was hij net zo teder als hij in het begin geweest was. Voorzichtig ging hij met zijn vingers over mijn gezicht, over de lange brug van mijn neus, de zachte huid van mijn oogleden, de bovenrand van mijn lippen, de brede welving van mijn wang, alsof hij mijn gezicht in het geheugen van zijn handen vastlegde, zijn aanraking in het geheugen van mijn huid. En ik keek vol verwondering toe hoe hij ons beider vocht dat zich met elkaar vermengd had, van mijn dijen waste. Het bloed van mijn lichaam, het witte vocht van het zijne, rood en wit, zoals Tsila eens uitgelegd had. Jouw leven, hoewel ik je toen nog niet herkende.

***

'Je moet niet boos zijn over Dora,' zei Leib die avond onder het eten tegen Beile, terwijl ze soep in zijn kom schepte.

'Nog wat brood?' vroeg Beile, ze wendde zich tot mij. Er waren rode vlekken op haar wangen verschenen. Alleen daardoor kon je zien dat ze Leib's woorden gehoord had.

Ik schudde van nee. Ik kon geen hap door mijn keel krijgen.

'Voel je je wel goed?' vroeg ze aan mij, en ze legde haar hand op mijn voorhoofd om te zien of ik koortsig was. 'Je voelt een beetje warm,' zei ze. 'En je ziet rood.'

'Ik voel me prima,' zei ik en dwong mezelf een lepel soep door te slikken.

Leib had zijn soep al op en hield zijn kom nog een keer bij.

Wat hebben we gedaan? had ik hem gevraagd toen we weer aangekleed waren en de thee dronken die ik bij mijn komst gezet had. 'We hebben gevreeën,' zei hij tegen mij, en vervolgens, toen hij de uitdrukking op mijn gezicht zag: 'Dat is niets om je voor te schamen. Er bestaat geen daad op deze wereld die zuiverder is.'

Maar hoe zit het dan met Beile, had ik gedacht, vervolgens hardop gevraagd. Wat moeten we haar vertellen? Leib glimlachte, en volgde daarop zachtjes met zijn vinger de omtrek van mijn mond. Dat was precies wat Tsila gedaan had jaren daarvoor, toen ik na mijn ziekte voor het eerst weer gesproken had. *Je hebt een prachtige mond*, had ze gezegd, het was haar gebed, dat de woorden uit mijn mond altijd het geschenk van de spraak eer zouden aandoen. 'Wij beiden hebben ieder onze eigen relatie met Beile,' zei Leib tegen me. 'En wij vertellen haar ieder voor zich wat ons eigen geweten ons voorschrijft.'

'Het was niet mijn beslissing dat ze met me mee zou doen,' legde Leib op dat moment aan Beile uit, terwijl hij nog wat brood pakte.

Dora, dacht ik in mijn schaamte en verwarring. Ze spraken nog steeds over Dora. Ik dwong mezelf naar het gesprek te luisteren.

'Wiens beslissing was het dan wel?' vroeg Beile.

'Van de Fransman zelf. En dan alleen omdat jij besloten had je terug te trekken.'

'Waarom volg je nog steeds bevelen op die uit Genève komen?' vroeg ze.

'Hoe bedoel je, ík? We doen het allemaal. Jij ook, als ik je daaraan mag herinneren.'

'Waarom zouden we leiders volgen die tot op heden niet naar Rusland teruggekeerd zijn, ondanks alles wat er hier gebeurt?'

'Ze vinden dat de tijd nog niet rijp is. Ordeloosheid is geen revolutie. Dat weet jij net zo goed. De mensen moeten nog op een gewapend conflict voorbereid worden voor de revolutie wellicht kan aanslaan.'

Ik kon eerst niet geloven dat Leib zo'n gesprek kon voeren na wat er uren eerder tussen ons gebeurd was. Maar toch merkte ik dat ik bij dit onderwerp betrokken raakte, dankbaar voor de afleiding die het bood. Ik nam een hapje brood.

'Dus ensceneren ze de voorbereidingen, terwijl ze in Genève zitten?' vroeg Beile.

'Zet je nu vraagtekens bij het gezag van de partij?'

Beile begon aan haar soep, na drie happen echter legde ze haar lepel weer neer.

'Maar waarom Dora?' vroeg ze.

Leib keek Beile aan alsof hij oprecht verbaasd was over die vraag. 'Waarom in vredesnaam niet?'

Beile keek Leib uitdrukkingsloos aan.

'Je kunt toch niet serieus denken dat ik er ook maar iets mee te maken gehad heb.'

Beile zei niets, maar bleef Leib aanstaren.

'Er zit niets persoonlijks bij.'

'Dat zeg je vanavond, ja.'

'Beile, Beile,' berispte Leib haar. Hij ging nu over op Jiddisch, hoewel ze tot op dat moment Russisch gesproken hadden. 'Voor Dora bestaat er niet zoiets als persoonlijk. Dat weet je net zo goed als ik.'

'Het zijn niet Dora's motieven waar ik mijn twijfels bij heb.'

Leib keek Beile aan, er was geen woede of genegenheid in zijn blik. 'Kleingeestige jaloezie verdeelt ons alleen maar,' zei hij rustig.

'Dora?' vroeg ik aan Beile, terwijl we de afwas deden. Ik had gedacht dat ik haar nooit meer onder ogen zou durven komen, maar wat er die middag tussen mij en Leib gebeurd was, leek zo onwezenlijk, zo onmogelijk dat het in de stroom van vertrouwelijkheid tussen mij en Beile wel een luchtbel leek – iets wat op zichzelf stond en omsloten was.

'Het maakt niet uit,' zei Beile, nog steeds vlamden de rode vlekken op haar wangen.

'Maar Dora?' vroeg ik weer. 'De Dora die ik vorige winter ontmoet heb?'

Beile gaf geen antwoord. Ze stopte haar handen in het schuimende water in de gootsteen en haalde er een schaal uit om af te spoelen.

'Ze is niet eens knap.'

'Oppervlakkigheid past niet bij je,' zei Beile.

'Heb je mijn pet gezien?' riep Leib van uit de andere kamer. Hij was aan het inpakken voor zijn vertrek naar Moskou.

'Die ligt hier,' riep Beile.

Leib kwam de keuken binnen en pakte zijn pet van de stoel.

'En vergeet je met bont gevoerde handschoenen niet.' Ze gaf me een bord om af te drogen.

'Waar zijn ze?'

'Op de werktafel in de slaapkamer. Waar je ze gelaten hebt.'

Hij liep naar Beile toe en sloeg zijn armen van achteren om haar heen. Ze hield zich eerst stijf, nam zelfs niet de moeite haar handen uit het afwaswater te halen, alsof zijn omhelzing een kortstondige ergernis was die haar alleen maar van de taak afhield waar ze mee bezig was, maar toen hij haar hals kuste, ontspande ze een beetje en boog haar hoofd wat naar achter, naar zijn hoofd toe. Hij fluisterde iets in haar oor en ze lachten alle twee, toen kuste hij haar een keer boven op haar hoofd, voor hij haar weer losliet en weer verder ging met pakken.

'Hij houdt niet van me, weet je,' zei ze, zodra hij de kamer uit was.

'Natuurlijk wel,' antwoordde ik snel, maar zijn gedrag bracht me van mijn stuk. Ik twijfelde niet aan de oprechtheid van wat er die middag tussen ons gebeurd was, maar twijfelde ook niet aan wat ik net gezien had.

'Alleen maar als je je gehechtheid aan een paar oude schoenen ook liefde wilt noemen,' zei Beile.

'Zo zag het er volgens mij niet uit,' zei ik, ik wist niet goed wat ik moest denken van het vertoon van huwelijkse genegenheid dat ik net gezien had.

'Volgens jou? Wat weet jij nu van zulke dingen? Je bent nog maar een meisje.'

'Nee, dat ben ik niet,' zei ik met enige felheid, maar Beile merkte het niet. In gedachten was ze nog steeds bij Leib.

'Er is altijd iemand anders geweest. Wist je dat?' vroeg ze.

Ze wist het, dacht ik op dat moment. Ze moest het geweten hebben. Maar dan, dacht ik, hoe kon dat mogelijk zijn?

'Vanaf het allereerste begin,' ging Beile verder. 'Maar toen wist ik het niet. Ik schijn me er niets van aan te moeten trekken,' zei ze en pas toen keek ze me recht aan.

'Het is mijn eigen gebrek aan zuiverheid waar ik me zorgen over maak.'

'Gebrek aan zuiverheid?' Ik kon nauwelijks spreken.

'O ja,' zei ze. 'Zuivere liefde is niet bezitterig van aard. Wist je dat niet? Het feit alleen al dat ik me bezitterig voel, laat zien dat mijn liefde voor Leib onzuiver is, ongemerkt wordt liefde met privé-bezit verward.'

'Is dat zo?'

'Hmmm,' zei ze. Ze spoelde de laatste schaal af en gaf die aan me om af te drogen.

'Ik begrijp er niets van,' zei ik.

'Natuurlijk niet. Mijn zuster heeft je niet opgevoed om onzin te begrijpen.'

Siberië, juni 1912

Een maand lang ben ik niet in staat geweest een woord toe te voegen aan deze bladzijden. Niet omdat ik ziek was, maar wanhopig. Ik had gehoopt, toen ik hiermee begon, om iets voor je te scheppen wat mijn eigen moeder me ontzegd heeft. Begrip van wie ik was, hoe ik leefde, hoe je ontstaan bent. Een stem uit de stilte van de dood. Maar terwijl ik mijn pen op het papier zet, dag na dag, week na week, zie ik slechts de leemtes in wat ik opgeschreven heb, de verdraaiingen, de leugenachtigheid van de poging om een leven slechts één versie van de waarheid op te leggen.

Hier, bijvoorbeeld, zijn verschillende versies van één moment, en elk is net zo waar of onwaar als de volgende: je vader was ontrouw, maar ik vond hem korte tijd beslist aardig. Ik hield niet van je vader, maar ik beleefde plezier aan zijn aanraking. Ik was een meisje en je vader schond mijn onschuld. Ik was er trots op dat ik Beile je vader ontfutseld had.

Te lang voelde ik dat mijn taak gedoemd was te mislukken, dat het mysterie van een enkel menselijk hart niet onthuld kan worden. Maar vandaag werd ik wakker met een gevoel van opwinding. Ik wist eindelijk hoe ik je moest bereiken. Maar toen ik de eerste paar bladzijden aan het vuur toevertrouwde, kwam Lydia van de andere kant van de kamer aangerend om me tegen te houden. 'Je leven staat in die bladzijden,' zei ze. 'Ik kan niet toestaan dat je dat vernietigt. Dat laat ik niet toe.'

Ik was het niet aan het vernietigen, natuurlijk, maar gaf het de vrijheid. En meteen al, bij de eerste letters die de lucht invlogen, voelde ik een zelfde verlichting van mijn eigen geest.

Maar Lydia smeekte me, en ik gaf toe, nadat ik haar plechtig had laten zweren dat ze op het moment van mijn dood iedere bladzijde verbranden zou. En dan zullen eindelijk de letters die ik opgeschreven heb, loskomen van de statische volgorde die ik ze opgedrongen heb, vrij om zich te groeperen en te hergroeperen tot alle waarheden over wie ik was, wie ik ben. En dan zul je het begrijpen. Als je er alleen maar aan denkt om omhoog te kijken.

Twintig

De razzia in het ravijn vond plaats in de derde week van januari. Laat op een middag kwam ik terug uit de stad en er was alleen nog maar puin. De onderkomens die de mensen voor zichzelf gebouwd hadden, waren met de grond gelijk gemaakt, maar de onderdelen – het hout en stro dat de muren gevormd hadden, de restjes tin voor het dak – werden al weggedragen om ergens anders weer voor nieuwe onderkomens gebruikt te worden. Het leken net mieren, al die rijen mensen die het ravijn verlieten met balen stro en metalen platen op hun rug. Wolf was in geen velden of wegen te zien.

Twee mannen zochten zorgvuldig tussen het hout dat eens de muren van onze schuilplaats gevormd had. Er was geen spoor van Wolf's eigendommen te bekennen – er was geen boek of deken of stuk keukengereedschap te zien – maar toen zag ik de veer die Tsila voor me meegenomen had toen ik in de gevangenis zat. Hij lag in de modder, misschien wel ten onrechte aangezien voor de waardeloze veer van een kraai. Ik liet hem in de zak van mijn jas glijden en verliet het ravijn.

Leib was tegen die tijd al naar Moskou vertrokken. Ik zou hem niet meer zien. Ik bleef na de razzia bij Beile, en in de laatste week van januari ontruimden we haar appartement voor een ander.

'Ons nieuwe onderkomen zal een beetje voornamer zijn dan wat je gewend bent,' had Beile me met een lachje gewaarschuwd. We liepen door een barokke poort in Lypki, het 'Paleisdistrict' van Kiev, en gingen de door bomen omzoomde laan op naar wat een echt paleis bleek te zijn, en ik dacht dat er een vreselijke fout begaan was. Het moest de een of andere communicatiestoornis zijn, een val die – het zou nog maar een kwestie van seconden zijn, daar was ik zeker van – tot onze arrestatie zou leiden. Wat zouden Beile en ik anders mogelijkerwijs in een herenhuis als dit te zoeken hebben?

Maar het was geen fout. We werden door een bediende begroet die ons zwijgend het huis binnenleidde. We volgden hem door een lang, gewelfd portaal naar een zitkamer. De bleke, koele schoonheid ervan maakte dat de muziekkamer van de familie Entelman in vergelijking daarmee een kakelbonte kraam op een bazaar leek. Hier waren de muren bedekt met lichtgrijze zijde, en het plafond was van het luchtigste blauw. Over het plafond zweefden twee grote vogels, maar ook zij waren getemperd van kleur, alsof de schilder eerst het scharlakenrood van hun verenkleed geschilderd had, waarna hij er een laag poeder op aangebracht had om de zintuigen van eenieder die toevallig omhoog keek en ze daar zag vliegen, niet te veel te prikkelen. De kamer was leeg op een donkerharige vrouw na. Ze was van Beile's leeftijd en zat achter een bureau toen we binnenkwamen.

'Daar zijn jullie,' zei ze en ze stond op om ons te begroeten. Haar jurk was van grijze zijde, maar donkerder dan de muren, en die ritselde een beetje, terwijl ze op ons toe liep. Haar ogen – ook grijs – stonden helder en kalm toen ze me opnam. Ze kuste Beile een keer op beide wangen, stak daarna haar hand naar me uit. 'Ik ben Nastja,' zei ze.

'Ik ben Mirjem,' antwoordde ik, en terwijl ik haar een hand gaf, voelde ik de energie die in haar opgeslagen lag. Ze was Nastasia Alexandrovna Borisov, dochter van brigadegeneraal Alexander Borisov, die er die winter niet was, in functie in het Verre Oosten, waar de rampzalige oorlog tegen Japan nog steeds woedde. Nastja's moeder was overleden en in de afwezigheid van haar vader had Nastja van zijn huis een onderduikadres voor de Sociaal-Revolutionaire Partij gemaakt, een plaats waar pamfletten konden worden opgeslagen, bijeenkomsten gehouden, berichten uitgewisseld. In die winter van de mislukte revolutie was men het huis van de generaal ook gaan gebruiken als transferpunt voor wapens die Rusland binnengesmokkeld werden, en met Beile's komst werd er een laboratorium opgezet waar bommen gemaakt konden worden.

Dat was riskant natuurlijk, om een laboratorium op te zetten in een huis waar zo veel mensen in- en uitliepen, maar Nastja was volkomen overtuigd van de veiligheid van de onderneming. 'Dit huis heeft altijd al onderdak verleend aan clandestiene activiteiten,' zei ze. 'Maar hiervoor waren die altijd van decadente aard.' Ze trok schalks een wenkbrauw op en ik voelde mijn wangen warm worden. 'Ik denk niet dat je je helemaal kunt voorstellen hoe groot dit huis is,' ging Nastja verder. 'De privacy die het biedt. Als jullie het juiste moment kiezen om te komen en te gaan, en alleen de deur gebruiken die ik jullie laat zien, zal niemand zelfs ook maar weten dat jullie hier zijn komen wonen.'

'Maar hoe zit het met de bedienden?' vroeg Beile.

'Die zullen ook niets in de gaten hebben,' beloofde Nastja.

Haar jurk was prachtig in zijn eenvoud van snit en ik was verbaasd over mijn eigen oppervlakkigheid, dat ik op een ogenblik als dit zulke details bewonderde.

'Op de tweede verdieping staat een heel appartement leeg,' zei Nastja. 'We gebruikten dat altijd voor gasten, familieleden die hier de winter kwamen doorbrengen, maar nu…'

Wie kon weten wat ze voelde in die kortstondige onderbreking, terwijl ze dacht aan de verandering in haar gezinssituatie? Dacht ze aan de dood van haar moeder? De afwezigheid van haar vader? Haar eigen verraad aan hen dat even kort te zien was in die vage frons op haar voorhoofd, het bijna onmerkbare samenknijpen van haar lippen?

'Er hangen nu draperieën voor de ramen, de meubels zijn afgedekt. Er komen daar nooit bedienden binnen. Het is volmaakt,' verzekerde ze ons. 'Er is in feite waarschijnlijk geen betere plek mogelijk. Wie zou ooit vermoeden dat het belangrijkste explosievenlaboratorium van Zuid-Rusland in de boezem van het huishouden van een brigadegeneraal zou liggen?'

Er lag toen iets ondeugends in Nastja's glimlach, een vrolijkheid die zo aanstekelijk was dat, terwijl ze ons via de trap naar boven leidde en verder door de donkere, spelonkachtige zalen naar ons verblijf, ik niet zozeer de sfeer proefde van revolutionaire verwachting, maar eerder de opwinding van een nieuw avontuur.

'Ze gedijt op gevaar,' zei Beile zodra we alleen waren. 'Voor het geval je dat nog niet opgevallen was. Ze is buitengewoon dapper natuurlijk, maar ze geniet te veel van haar eigen angst. Niet dat ze zich niet inzet voor de zaak. Dat doet ze wel. Met heel haar hart. Maar dat ze zich zo aangetrokken voelt tot gevaar, en het genoegen dat ze schept in de ironie dat ze dit alles in dit huis opzet… Dat zou op een gegeven moment gevaarlijk voor ons kunnen worden.'

Ik was van plan te gaan werken, toen ik bij Beile introk – ik had eindelijk een baan gevonden, als vouwer bij een drukker – maar ze verzekerde me dat dat niet nodig was. 'Je bent ziek,' zei ze, en dat was waar. Mijn gehoest was weer erger geworden, en 's avonds was ik vaak koortsig.

Ik hing de vogel die Leib me gegeven had, bij het raam naast mijn bed. Dat was het eerste wat ik 's morgens zag, 's avonds het laatste. 'Wat mooi,' zei Beile toen ze de vogel voor het eerst zag. 'Hij lijkt op de vogel waar Leib ons van vertelde.'

Míj van vertelde, dacht ik, *niet óns*. Toen stroomde er een golf van schaamte door me heen die zo sterk was dat ik dacht dat ik erin verdrinken zou. Beile had me bijna al het geld voor mijn overtocht al terugbetaald, en had me een plek gegeven om te wonen. Maar mijn zonde tegen haar bleef onuitgesproken en onopgebiecht, en kon nooit vergoed worden. Tenminste dat dacht ik in die tijd.

Beile stond iedere morgen vroeg op, verliet onze slaapkamer en ging naar haar lab. Tot laat op de avond keerde ze niet terug op onze kamer. Ze droeg me op te rusten, maar ik vond de dagen te lang. Ik voelde me rusteloos, ongemakkelijk, werd geplaagd door angsten en twijfels die niet langer onder de oppervlakte gehouden konden worden. De revolutie was begonnen; dat is wat ik maar bleef horen. In het hele rijk staakten al honderdduizenden arbeiders. Maar in onze rustige kamer in dat appartement op de tweede verdieping heerste een rust die alleen maar door het gepieker en getob in mijn hoofd verstoord werd.

Op een ochtend verliet ik onze kamer en ging naar beneden naar Nastja's verblijf. Ik zei tegen haar dat ik wilde helpen en het maakte niet uit waarmee. Ze glimlachte en zei dat ze iemand voor haar boodschappen nodig had.

'Je boodschappen?' vroeg ik, verbaasd en beledigd dat ze me als haar dienstbode wilde behandelen. De boodschappenmand die Nastja me gaf, was van een gewoon formaat, en ze liet me toen zien hoe er pamfletten verborgen konden worden onder een laag groenten, eieren en vlees. En eerst waren het alleen pamfletten. Maar er werden die winter in groten getale wapens Rusland binnengesmokkeld, en spoedig gebeurde het dat ik zo nu en dan ook wapens, dynamiet en andere munitie ophaalde en afleverde. Nastja was het die aan het begin van iedere dag mijn 'boodschappenlijstje' maakte en controleerde, en Nastja was het die mijn leveringen coördineerde. En Nastja was het ook die me leerde met een van de automatische pistolen te schieten die ik nog maar net vanuit een ander onderduikadres overgebracht had.

Het was natuurlijk gevaarlijk werk en er waren ogenblikken dat ik het gevaar duidelijk voelde – een samengebalde kramp in mijn buik als ik politiemannen mijn kant op zag kuieren, een diepe angst als ik, na geklopt te hebben, wachtte om te zien wie de deur zou opendoen. Maar naarmate de dagen en weken zonder incident voorbijgingen, begon ik me vooral uitgeput te voelen, wat zich als een dikke grijze laag op mij afzette en ieder sprankje kleur of licht doofde. Na nachten van droomloze slaap werd ik vermoeid wakker, en terwijl ik vroeg in de morgen mijn weg door de donkere straten van de stad zocht, was de vermoeidheid soms zo groot dat ik dacht dat ik het einde van de dag niet zou halen.

In februari hoorden we dat de operatie van Leib en Dora succesvol verlopen was. Groothertog Sergei Alexandrovitsj, Gouverneur-Generaal van Moskou en zwager van de tsaar, was dood, vermoord door een bom die naar zijn rijtuig geworpen was. Zo zwaar was de explosie geweest dat zijn hoofd afgerukt en uiteengespat was, zijn lichaam verminkt. Alleen één hand was intact gebleven, zodat hij geïdentificeerd kon worden.

'Haar bommen zijn altijd effectief,' zei Nastja. Ze zinspeelde op het handwerk van Dora. 'Zij is de enige die jou in die vaardigheid evenaart.'

Beile knikte, maar zei niets.

'Het was een verachtelijk man, ongevoelig voor het leed dat hij veroorzaakte. Luister,' zei Nastja. We luisterden, zoals ze ons opgedragen had, en hoorden eerst alleen het knapperen van het vuur in de kachel, het tikken van de klok, onze eigen lichte ademtocht, maar toen hoorde ik buiten een zacht ritselen van takken, een lichte bries die langs het huis streek.

'De aarde zelf slaakt een zucht van verlichting dat ze bevrijd is van de last hem te moeten dragen.'

'Alsjeblieft, Nastja,' zuchtte Beile. 'Je klinkt net als de oude *bubbies* in mijn dorp.'

'Ik voel me vereerd dat ik met het zout der aarde vergeleken word.'

'Je zou je minder vereerd voelen als je ze kende,' zei Beile, en ze glimlachte even.

'Zo, je bent nog níet vergeten hoe je moet glimlachen,' was Nastja's commentaar, en Beile wendde haar blik af.

'Het is verschrikkelijk van de koetsier,' zei Beile. De koetsier van de groothertog, Andrej Roedinkin, was ernstig, mogelijk dodelijk gewond geraakt bij de explosie. Dat gold ook voor de eerste aanvaller, Kaljakev, die ter plekke gearresteerd was.

'Verschrikkelijk ja,' antwoordde Nastja. 'Maar onvermijdelijk. "Alleen bloed kan de kleur van de geschiedenis veranderen."'

Dat waren Gorki's woorden, en Beile knikte instemmend, maar haar eigen gezicht zag er op dat ogenblik bloedeloos uit.

De vermoeidheid die ik 's morgens voelde, hield aan. Er waren nu dagen dat ik zo moe was dat het net voelde alsof ik onder water probeerde te lopen, als ik mijn boodschappen deed.

'Je bent ziek,' zei Beile toen ik haar dat vertelde. 'Je zou moeten ophouden met wat je nu doet. Ik heb er al met Nastja over gesproken.'

'Is dat zo?' vroeg ik. Het ergerde me dat ik als een kind behandeld werd.

Ik ging door met mijn bezigheden, maar naarmate de weken voorbijgingen en mijn vermoeidheid nu ook vergezeld begon te gaan van misselijkheid, besefte ik dat ik niet ziek was. Er lag een kracht in die misselijkheid, een vasthoudendheid die ik onmiddellijk herkende. De kracht van een nieuw leven dat aan het mijne trok.

'Ik moet Wolf vinden,' kondigde ik op een avond aan, terwijl Beile en ik ons klaarmaakten om naar bed te gaan. Want dat was wat ik besloten had. Naar hem zou ik toe gaan als Beile me eruit gooide. Tegen die tijd begonnen er geleidelijk aan mensen terug te keren naar het ravijn. Hij zou me niet wegsturen. Ik kon tot de lente in de warmte van zijn bed slapen.

Beile keek me doordringend aan, ging toen op mijn bed zitten en wachtte tot ik verder zou gaan.

'Ik hoor hier niet langer te zijn...' Mijn stem stierf weg.

Beile zei enige tijd niets. Toen pakte ze mijn hand. 'Ik heb dat gevoel ook,' zei ze. 'Ik was niet van plan het tegen je te zeggen. Ik dacht dat het ongeluk zou brengen als ik het hardop zei. Ik dacht dat het mijn eigen angst was, bijgeloof...'

Ik keek haar niet begrijpend aan.

'Dagenlang al heb ik een akelig voorgevoel, alsof er iets achter in mijn nek kruipt.'

Toen ze dat zei, begon de huid in mijn eigen nek te prikken.

'Het is tijd om te gaan,' zei ze. 'Het is niet langer veilig hier. Ik weet een ander huis...'

Ik kon geen woord uitbrengen. Ik knikte alleen maar.

'Geen woord hierover, tegen niemand,' zei ze, haar vinger tegen haar lippen. 'Ik weet niet wie wel en wie niet te vertrouwen is. We vertrekken meteen morgenochtend.'

Ze stond van mijn bed op en ging naar de lamp om hem uit te doen.

'Ik ben zwanger,' zei ik tegen haar.

Ze bleef staan, draaide zich toen naar me om. Nog nooit had ik haar gezicht zo rood gezien, maar haar stem klonk kalm toen ze me vroeg hoe ik dat wist.

'Ik weet het gewoon,' zei ik, en vertelde haar over de misselijkheid.

'Misschien ben je wel ziek.'

'Ik ben al twee keer niet ongesteld geweest.'

'Veel van ons slaan wel eens over. Dat komt door de angst die het werk met zich meebrengt. Ook misselijkheid. Denk je soms dat ik me ook niet vaak misselijk voel?'

'En mijn uitputting,' herinnerde ik haar.

'Dat is angst,' zei ze. 'Daar hebben we allemaal last van.'

Ze zweeg een paar minuten en vroeg toen: 'Ben je... intiem met Wolf geweest?'

'Met Leib,' zei ik. Het leek of ze me een eeuwigheid aanstaarde voor ze me in mijn gezicht sloeg.

Het was uit jaloezie dat ze me sloeg. Dat vertelde ze me later, in een brief. En vanwege haar eigen teleurstelling. Het was op dat ogenblik, zo vertelde ze me, dat ze beseft had hoe groot de leugen was die ze geleefd had, de verwoesting die daardoor was aangericht, hoe verreikend die was. Op dat ogenblik wist ze wat ze eigenlijk wilde, maar waarvan ze zich afgekeerd had. Een man die van haar hield. Een kind. Schepping, geen vernietiging.

'En daarom sloeg ik je,' schreef ze. 'Vergeef me alsjeblieft.'

Maar die nacht klonken er alleen beschuldigingen, boze woorden, verbolgenheid.

Als ik die nacht geweten had waar Wolf was, zou ik misschien weggegaan zijn. Maar ik wist het niet. Ik kon nergens heen, het was winter, en mijn overlevingsdrang was sterker dan mijn schaamte. Ik keerde Beile's woede de rug toe en wachtte tot het ochtend werd. Beile stond als eerste op. Het was net vijf uur geweest toen ze diep zuchtte, en vervolgens opstond. Ik hoorde haar, want ik sliep niet. Ze stak de lamp aan en het fornuis, en zette water op. Ik stond ook op. Geen van beiden zei 'goedemorgen', maar we waren overdreven beleefd, terwijl we elkaar kopjes, gebruiksvoorwerpen, thee aanreikten.

'Neem nog wat suiker. Je hebt het nodig,' zei Beile. Ze had bijna geen stem meer na het onmatige gebruik van de avond daarvoor.

'Dank je,' zei ik en schepte nog wat suiker in mijn glas, hoewel ik al braakneigingen kreeg als ik er naar keek.

'Ik kon niet geloven wat je me gisteravond vertelde. En dan te denken dat ik me zorgen maakte om de mannen die je in dat ravijn zou kunnen ontmoeten, terwijl het mijn eigen man was, in mijn eigen huis...' Ze keek me aan. 'Je gaat met me mee naar dat andere veilige adres.'

Ik schudde mijn hoofd. 'Ik red het wel in het ravijn.'

'Je weet zelfs niet zeker of Wolf daar wel is.'

'Hij is er,' zei ik.

'Ik heb een akelig voorgevoel.'

'Nu klink je net als Tsila.'

Ze haalde haar schouders op. 'Laat ik je tenminste vertellen waar ik naar toe ga, hoe je me kunt vinden als dat nodig is.'

Dat deed ze. En daarna ging ze weg.

Ik hoorde de consternatie nog voor ze bij me waren – de zware voetstappen op de trap, Nastja's kreten van verontwaardiging. Het klonk alsof er een heel eskader door het huis rende, en hoewel ik me niet herinner dat ik de revolver pakte, lag die in mijn hand toen ze door de deur kwamen binnenstormen.

Het was het lawaai dat ze maakten, dacht ik later, het geweldige lawaai dat ik het zwijgen wilde opleggen. Het was mijn eigen angst die als gal naar boven kwam, die ik tot bedaren wilde brengen. Mijn eigen dood was het die ik wilde neermaaien, terwijl die door de deur naar binnen kwam stormen om me op te eisen. Het was het ogenblik zelf dat ik wilde uitwissen. Ik kan niet zeggen wat het was. Ik tilde de revolver op die ik in mijn hand hield en haalde de trekker over zoals Nastja me geleerd had. Een knal als van brekend glas. Een van de mannen van de militaire politie bracht zijn hand naar zijn borst en op zijn gezicht was bezorgdheid te zien. Ontsteltenis. Dat was alles. Er was geen bloed, geen groter wordende vlek. Ik weet zelfs niet of ik al besefte wat ik gedaan had terwijl ik toekeek hoe hij viel, en ik voelde dat ikzelf viel, dat ik geveld werd. Ik voelde geen pijn, toen ik met mijn hoofd tegen de vloer sloeg.

Siberië, juni 1912

Dat je het overleefd hebt, was een wonder. Ik was bang dat ik je verloren had. Dat was het enige waar ik bang voor was, toen ik weer bij bewustzijn kwam, toen ik opdook in de pijn die mijn bewustzijn was. Ik was aan mijn haar door het huis gesleept, vertelde Nastja me. 'Hij wikkelde je vlecht om zijn hand,' fluisterde ze, terwijl ze mijn hoofd in haar schoot hield. 'Hij rukte je met zo'n kracht omhoog dat je lichaam van de grond kwam.'

'Wie,' wilde ik vragen, maar dat kon ik niet. Mijn mond was te droog, mijn lippen zaten vol korsten bloed.

'Een van de officieren,' zei Nastja, alsof ze mijn gedachten had gelezen en zo mijn verwarring gehoord had. 'Hij trok je op die manier het hele huis door, en alle trappen af naar beneden.'

Dat had me gered. En dat had jou ook gered. Had hij me aan mijn voeten voortgetrokken, terwijl ik met mijn hoofd tegen de marmeren treden van de grote trap van de generaal sloeg, zouden we dood geweest zijn nog voor we de onderste tree geraakt hadden.

Nastja hield mijn hoofd vast, maar streelde het niet. Het gebons was zo pijnlijk dat ik haar streling niet had kunnen verdragen. Ik voelde met mijn hand tussen mijn benen.

'Ze hebben je niet geschonden,' fluisterde ze. 'Ik ben de hele tijd bij je geweest.'

377

Maar het was niet de schending van mezelf waar ik me bezorgd om maakte. Het was om jouw leven. Ik voelde tussen mijn benen en er was geen vochtigheid. Ik wist dat je het overleefd had.

Ik heb nooit spijt gehad van het leven dat ik nam. Niet toen ik besefte wat ik gedaan had, niet toen ze me voor de rechter brachten, niet in de lange maanden en jaren die volgden. Ik heb het geprobeerd, keer op keer, maar ik kan het niet. Er is ergens een plek binnen in mij die verdoofd is, een leegte. Het formaat en de vorm ervan komen overeen met het hart van de man die ik gedood heb. Dat is een woestenij, een leegte, een volslagen ontbreken van medeleven.

Ik heb ook geen spijt van het moment met je vader, de hitte van zijn aanraking, de smaak van zijn mond, het wonder dat ik ervaren heb toen ik je droeg. Ik zal de pijn die ik Beile aangedaan heb niet ontkennen, het verraad dat ze voelde, maar wat ik haar uiteindelijk gaf, was veel kostbaarder dan alles wat ik ooit genomen heb.

Hoewel ik me niet schaam over de revolutionaire activiteiten waaraan ik meegedaan heb, ben ik er ook niet trots op. De gebeurtenissen van 1905 zijn algemeen bekend: het opkomende tij van de revolutie, de glorieuze overwinning van het Manifest van de Vrijheid en de beloften die het inhield, het verraad dat volgde, de pogroms, de vergeldingsmaatregelen. *Terwijl jullie je vrijheid krijgen, zal ik jullie allemaal afmaken als honden,* zei een politiefunctionaris in Zjitomir tegen de burgers van die stad. En in dat geval deed hij wat hij beloofd had. *Val de joden aan,* spoorde functionaris Pirozjkov in Kiev zijn medestadgenoten aan, en dat deden ze ook. Dagenlang.

Er was bloed, overal bloed. Het land dreef in het bloed. En toen het voorbij was, was er niets veranderd.

Beile werd gearresteerd op de door bomen omzoomde laan die naar de ingang van het herenhuis van de familie Borisov leidde. Ze was teruggekomen om me te halen, slechts enkele uren nadat ze weggegaan was. Ik heb haar nooit in de gevangenis gezien – ze werd in een andere cel vastgehouden – en ze werd tijdens de amnestie van oktober 1905 vrijgelaten, net zoals de andere leden van de strijdorganisatie die tijdens het verraad in maart van dat jaar gearresteerd waren en die geen halsmisdaad begaan hadden. De verrader, zo bleek later, was de Fransman zelf. De commandant van de strijdorganisatie van de Sociaal-Revolutionaire Partij en het brein achter alle meest succesvolle operaties, waaronder en dan in het bijzonder de moord op Plehve, de grootste overwinning van het bataljon. Hij verraadde ze allemaal. Zijn hele bataljon. Waarom? Dat weten we niet. Wie is in staat het menselijk hart te doorgronden?

Tijdens mijn proces heb ik Beile niet verraden, en alleen hierop ben ik een beetje trots. Ze zou geen gratie gekregen hebben als de ware aard van haar rol – haar grote vaardigheid – bekend geworden was. Ze dachten dat ik het was, en wat maakte het voor mij nog uit? Op mijn vergrijp stond toch al de doodstraf.

Spoedig na haar vrijlating vertrok Beile naar Montreal, voor het leven dat ze, zoals ze besefte, werkelijk wilde toen ik haar vertelde dat ik zwanger was van jou. Maar niet voordat ze jou gered had. Niet voordat ze de nodige inlichtingen ingewonnen had en de nodige stappen had genomen – zeer riskant voor haarzelf – om je van een wisse dood te redden. Zij is je moeder nu.

Sjeindl en Jehoede waren het die het geld voor je overtocht stuurden, Sjeindl en Jehoede ook die Beile een baan aanboden. Als compensatie misschien voor het rampzalige huwelijk met zijn neef Leib dat ooit met behulp van Jehoede geregeld was. En waarom Montreal in plaats van Argentinië? Waarom deed ze een beroep op Sjeindl en niet op haar eigen zuster? Dat heeft Beile me nooit verteld. Trots, vermoed ik, ze wilde niet geconfronteerd worden met de voldoening van Tsila, dat ze gelijk gekregen had. Hoewel ze je misschien wel wat anders zal vertellen.

Nastja ontsnapte. Dora werd binnen een paar maanden na haar arrestatie gek en stierf niet lang daarna in een gekkenhuis. Je vader wist aan alles te ontkomen. Hij vertrok naar Genève waar hij zich aansloot, naar ik gehoord heb, bij de Mensjewieken. En Wolf? Dat weet ik niet, maar ik droom soms van hem, terwijl hij zich als een schaduw door de puinhopen beweegt.

Het was vroeg in de zomer dat ik je voor het eerst voelde bewegen. Het platteland stond in lichterlaaie, herenhuizen brandden tot de grond toe af, aangestoken door dezelfde handen die ze altijd onderhouden hadden. Rook dreef door ons open raam; de hemel was 's nachts verlicht. Je draaide je in mij om, en meteen voelde ik me blij maar ook bang. Tegen die tijd was ik veroordeeld en dacht ik dat ik opgehangen zou worden bij je geboorte.

Ik was nog steeds bij Nastja en de andere vrouwen die naarmate de revolutie vorderde, onze overvolle cel kwamen binnenstromen. De gevangenissen waren zo overvol dat jaar, dat er zelfs in de strafcellen niet minder dan twee of drie gevangenen tegelijkertijd zaten. 'Ze zal je leven redden,' zei Nastja, terwijl ze je onder haar hand voelde bewegen. 'Ze hangen geen zwangere vrouw op, en de nieuwe orde zal het licht aanschouwen nog voordat je kind geboren wordt. Je leven zal gespaard worden.' En zo gebeurde het, tijdens de amnestie van oktober van dat jaar.

Maar er was geen nieuwe orde, slechts de kortst mogelijke onderbreking in de oude. Je werd in de week van de pogroms geboren; het geschreeuw van de doden drong tot onze dromen door. Je vloog als een vogel uit me vandaan. Ik noemde je Chajje.

Ik heb een droom en de eerste keer dat ik die droomde, was toen ze je uit mijn armen wegnamen. Ik loop in de straten van Kiev, het is winter, de dag loopt ten einde, en ik ben op weg naar huis. Maar ik ben niet moe in mijn droom, en ook heb ik het niet koud. Ik wandel door besneeuwde straten naar huis, het licht neemt af. Het is schemerig. Ik zie de gekleurde lichtjes van een ijsbaan voor me, en hoor de geluiden van een fanfarecorps dat speelt. Ze spelen *Het Bittere Afscheid*, en ik stop bij de ijsbaan om te luisteren. De muziek is aangrijpend, maar maakt me niet bedroefd.

De ijsbaan is vol schaatsers, mannen en vrouwen, jongens en meisjes. De jongemannen schaatsen alleen, sommigen schaatsen achteruit, ze nemen niet de moeite om over hun schouder te kijken terwijl ze de baan rondrijden. Anderen schaatsen in de pistoolhouding, met een been gebogen en het andere recht vooruit. De meisjes schaatsen in groepjes. Ze kletsen en giechelen terwijl ze hun rondjes draaien. Ze hebben allemaal lange jassen aan, hun handen in een mof gestoken. Ze roepen naar een vriendin. 'Kom, kom,' roepen ze, maar ze roepen haar nooit bij haar naam.

Ik kijk naast me en daar, in het groeiende duister, staat een jong meisje. Ze draagt de blauwe jas die ik in de etalage in Kiev gezien heb. Het blauw is mooier dan ik ooit gezien heb. Ze draagt een zwarte bontmuts en heeft een zwarte mof van bont, en de vlecht die op haar rug hangt, is net zo donker als de mijne. Ze loopt bij me weg, stapt het ijs op om zich bij haar vriendinnen te voegen. Ben jij het, vraag ik me af, of ben ik het? Jij, denk ik, of misschien zijn we het allebei wel.

De nacht valt, maar het blauw van haar jas is zo vol licht dat het fonkelt, terwijl ze de ijsbaan rond schaatst. Het is het enige wat ik zie, omdat al het andere in de droom in de duisternis vervaagt: een baan blauw licht die ronddraait in mijn hoofd. Ik word wakker met een gevoel van vrede dat een ogenblik draalt voor het oplost.

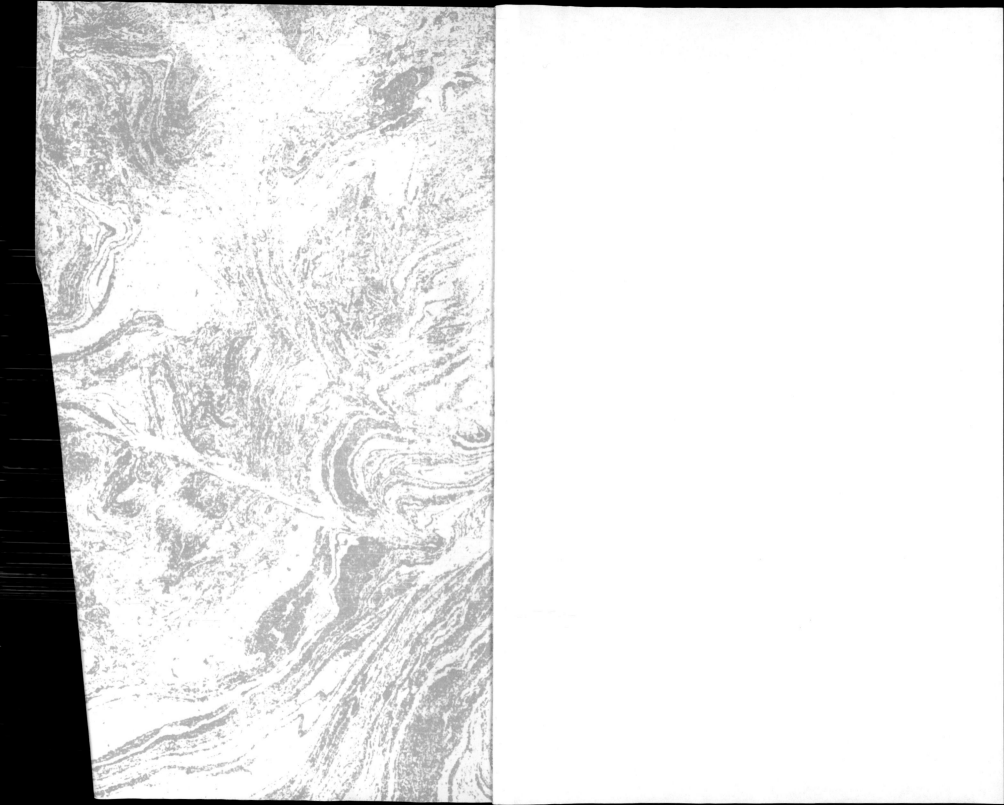

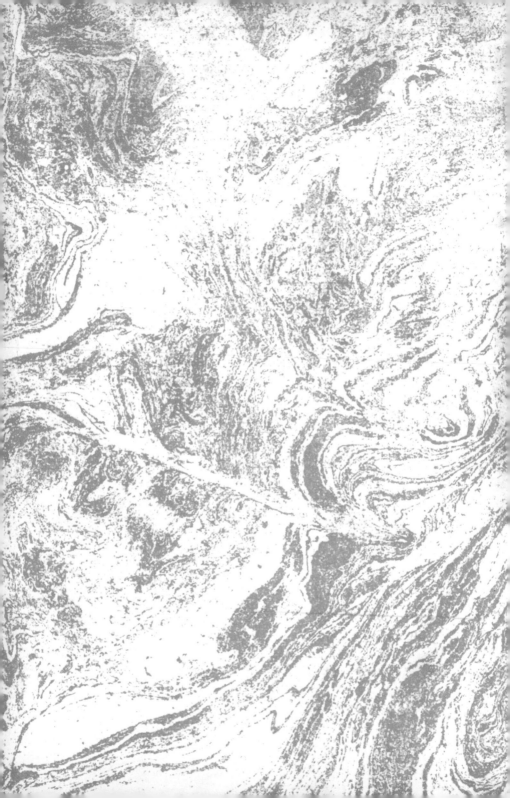